Me llaman
Artemio Furia

Florencia Bonelli

Me llaman
Artemio Furia

SUMA

© Florencia Bonelli, 2009

© De esta edición: Aguilar, Altea, Taurus, Alfaguara S.A. de Ediciones, 2009

Leandro N. Alem 720 (1001), Ciudad Autónoma de Buenos Aires

www.sumadeletras.com.ar

ISBN: 978-987-04-1249-6

Diseño de tapa: Eduardo Ruiz

Imagen de tapa: Ilustración digital
sobre fotos de Eduardo Amorim

Hecho el depósito que indica la ley 11.723

Impreso en Uruguay. *Printed in Uruguay*

Primera edición: mayo de 2009

Primera reimpresión: mayo de 2009

Bonelli, Florencia
   Me llaman Artemio Furia - 1a ed., 1a - Buenos Aires : Aguilar, Altea, Taurus,
Alfaguara, 2009.
   520 p. ; 24x15 cm.

   ISBN 978-987-04-1249-6

   1. Narrativa Argentina. 2. Novela.
   CDD 863

Este libro se terminó de imprimir en el mes de mayo de 2009 en
Zonalibro Industria Gráfica, San Martín 2437, Montevideo.
República Oriental del Uruguay

Dep. Legal No 346.962/09

Edición amparada en el decreto 218/996 (Comisión del Papel)

✦

A mis Cuatro Fantásticos: la Virgen María, Santa Teresita de Lisieux, San Judas Tadeo y San Expedito. Gracias por estar, siempre.

A la memoria de Sebastián Eder, en cuyo honor nombré al protagonista de esta historia. Sebastián, me dicen que pasaste por este mundo dejando una estela de luz en tu camino. Aquí nadie te ha olvidado, por el contrario, no pasa un día en que tus padres y tus hermanos no te recuerden. Doy fe de eso.

A mi dulce Tomás, por supuesto.

Cuando vuelva a pasar a tu lado,
querré que sea tan cerca
que casi te roce,
que sea tan cerca
que sienta el perfume de tu piel dorada,
no el de fragancias enfrascadas,
el perfume de tu piel,
el que quedara impregnado
si yo jugara en tu espalda
a los cien besos del amor.
Cuando vuelva a pasar a tu lado,
querré que ese instante
se detenga en el tiempo,
que ese instante
perdure en mi ser,
saberme cubierto de glorias eternas:
del susurro de tu voz, del roce de tus manos,
de tus besos empapados de brisas matutinas,
de tu ardiente sexo candoroso entre mis labios,
¡ah…, si yo pudiera eternizar el momento!,
lo haría con un encanto suave…
como los pétalos frágiles del jazmín,
como el vuelo rasante de la gaviota sobre el mar,
como la suavidad de tu piel, deslizándose en mis manos…

MARCELO DI MASI

A diecisiete leguas al sureste de la ciudad de Córdoba, en las cercanías del río Ctalamochita, 6 de junio de 1790.

El padre Ciriaco Aparicio se acuclilló junto a los tres cuerpos. Un hombre, una mujer y un niño. Los tres muertos a juzgar por los semblantes de labios azulados y la expresión inerte de sus facciones. Giró apenas la cabeza hacia la propiedad en ruinas, cuyas paredes despedían humo. Calculó que los cuerpos se hallaban a unas diez varas, y se preguntó cómo habrían terminado allí.

De nuevo centró la mirada en los cadáveres. No eran nativos; lo dedujo por el color de sus cabellos, de un rojo muy peculiar el de la mujer y de un rubio casi blanquecino el del hombre y el del niño. "De seguro", caviló, "son sajones".

Superada la primera impresión, notó que, en realidad, al niño casi no le veía el rostro dada su posición, abrazado al pecho del hombre, la cabeza calzada bajo su mentón y las piernas recogidas. Lo movió con delicadeza. Tenía la mejilla izquierda manchada con sangre seca, y le bastaron pocos segundos para descubrir que la sangre no pertenecía a la criatura sino que provenía del cuello del hombre, de un corte profundo en la garganta.

—Lo degollaron —murmuró, todavía incrédulo.

El niño no presentaba heridas visibles. La mujer, sí. La habían acuchillado en el vientre. "Debió de ser una hermosa mujer", pensó, y estiró la mano para acariciar la exuberancia de su cabello, de una tonalidad que él nunca había visto, cobriza con destellos de oro.

—Fueron los indios —decidió, y agitó la cabeza en señal de desaliento.

Él los conocía bien, sabía de sus tropelías y malones. De tanto en tanto, robaban el ganado e incendiaban las estancias. Aunque un pensamiento lo llevó a dudar: jamás habrían asesinado a una mujer tan hermosa; se la habrían llevado para amancebarla. Los pampas, los ranculches en particular, enloquecían a la vista de la carne blanca de las *huincas*, como llamaban a las cristianas. Esa mujer habría despertado la concupiscencia del cacique al mando del ataque.

Sumergido en dudas y en pesar, el padre Ciriaco se incorporó con las piernas doloridas y volvió a estudiar el paraje, de árboles bajos y pastos resecos debido a la estación del año. A cincuenta o sesenta yardas de la casa en ruinas, en dirección al río, había un potrero de palo a pique vacío, con la tranquera abierta. Se habían robado los animales; vacas, quizás, o caballos; mulas, tal vez; esa región de la intendencia de Córdoba del Tucumán, cuyas adyacencias al río ofrecían pasturas ideales para la invernada de estos animales, proveía a las minas de oro y plata del Perú y del Potosí de su principal bestia de carga. Una mula mansa costaba más que un caballo.

El sacerdote se dijo: "Debo dar cristiana sepultura a estos desdichados", y, mientras analizaba cómo cavar tres fosas cuando no contaba siquiera con una laya, tuvo la impresión de escuchar un gemido. Se volvió de modo brusco, convencido de que el viento, que se le enredaba en las orejas, lo había engañado. El niño se movía sobre el pecho del hombre y emitía cortos quejidos, casi sin aliento.

—¡Criatura del cielo! —Se arrojó junto a él para tomarlo entre sus brazos, perturbado ante la idea de que lo habría enterrado vivo—. ¡Despierta, criatura! ¡Despierta! ¡Abre los ojos!

Se quitó el poncho de lana y lo envolvió; estaba helado. Lo mantuvo apretado para transmitirle calor y lo sacudió con movimientos bruscos, como si acunara a un bebé con impaciencia. El niño no había vuelto a quejarse ni a moverse. Ciriaco aguardaba con ansiedad una reacción. Corrió hasta donde pacía su burro y, a manotazos, sacó la bota de cuero con vino mistela. Quitó el tapón con los dientes y vertió unas gotas entre los labios del niño, que se agitó apenas y abrió los ojos.

—¡Bendito sea el Señor! —y, a pesar de lo trágico de la circunstancia, no pudo evitar admirar el celeste de esos ojos. "No, celestes no", pensó. "Son como el cerúleo, como el cielo azul celeste de Buenos Aires."

Ciriaco le dio más sorbos de mistela, que el pequeño aceptó por su sabor dulce. Necesitaba entrar en calor. Había comenzado a castañetear los dientes, y el cuerpo se le convulsionaba.

—Sulpicio, ¡échate! —le ordenó al burro—. Vamos, que te eches te digo.

Sulpicio se echó, y, al dar contra el suelo, las alforjas emitieron un sonido a utensilios de lata que entrechocan. Acomodó al niño cerca del vientre lanudo del burro y volvió a cubrirlo con el poncho.

—Regresaré en un momento. No te muevas de aquí.

Decidió hacer una fogata, seguro de que si el pequeño no se acercaba a una fuente de calor moriría de frío. Al regresar, soltó la leña y un improperio: el niño no se hallaba junto al burro. Miró en dirección a los cadáveres y allí lo vio; se había arrastrado, abandonando el poncho a mitad camino sobre la grama.

—*Màthair! Athair!* —lo escuchó sollozar, y se le anudó la garganta al percibir la amargura de esa voz dulce.

No comprendía en qué lengua se expresaba. Balbuceaba en su debilidad, y Ciriaco apenas distinguía los *Màthair* y *Athair* en los que el pequeño insistía con particular aflicción. Se arrodilló junto a él, con lágrimas en los ojos, y lo apartó de los cadáveres.

—Ya, pequeño, ya —intentó calmarlo con voz quebrada, mientras le sujetaba la cabeza y lo escuchaba llorar. "Éstos deben de haber sido sus padres", dedujo—. Ya, pequeño, no llores. Tus padres se han ido, pero ahora me tienes a mí. Yo te cuidaré.

Horas más tarde, Ciriaco se enjugaba el sudor y contemplaba los montículos que formaban las dos tumbas. Había susurrado un corto responso y cubierto los cuerpos con apuro, antes de que el niño despertara. No había resultado fácil cavar con una azada de mango prácticamente consumido por el fuego; no obstante, agradecía al cielo el hallazgo entre las ruinas de la casa. Debió de haberse tratado de una gran propiedad, inusual en esos parajes dejados de la mano de Dios. En ese momento, en el que sus paredes comenzaban a enfriarse, presentaba un espectáculo sórdido, que ahondaba la soledad del entorno.

El niño seguía dormido en la misma posición, al socaire del viento, protegido por el calor de Sulpicio y del fuego. Tomó el jarro y bebió un sorbo de yerbeado sin apartar la mirada de la criatura.

—¿Cómo te llamas? —susurró.

No había conseguido arrancarle una palabra. Después de calmarlo, trató de sonsacarle los detalles de la tragedia hasta caer en la cuenta de que apenas entendía el castellano. Se preguntó qué edad tendría, si contaría con familiares, si habría presenciado la masacre. Este pensamiento lo inquietaba. Él conocía a una niña que, después de ver morir a su padre a manos de unos maleantes, no recuperó el habla ni la sonrisa. "¿Qué debo hacer? Señor, ilumíname con tu Espíritu", suplicó, apretando la cruz del rosario. Debía dar parte a las autoridades. Como el fuerte más cercano se encontraba a varios días de viaje y en una dirección distinta de la que él seguía, denunciaría el crimen en su camino de regreso a Buenos Aires, una vez que hubiese visitado las tolderías del cacique ranquel Calelián, donde se dedicaría a averiguar si los indios tenían que ver con el asalto.

Levantó la mirada. El niño lo observaba desde su improvisado lecho junto a Sulpicio. Le sonrió, sin arrancar ninguna emoción a ese rostro de lineamientos angelicales. Lo contemplaba con recelo, como si estuviera aquilatándolo.

—Yo me llamo Ciriaco. Y tú, ¿no me dirás tu nombre? —Ante el silencio, repitió la pregunta, silabeando. El mutismo continuó—. Ven —dijo—, quiero mostrarte algo. ¿Tienes fuerza para caminar? ¿Sí? Bien.

Caminaron las varas que los separaban de los montículos.

—Aquí yacen tus padres.

—*Màthair. Athair* —lo escuchó susurrar.

—Quiero que te despidas de ellos ya que al alba dejaremos este lugar. Debes desearles que estén en la gloria del Señor, rezarás por ello, y les prometerás que serás muy buen cristiano. ¿Quieres que te deje a solas?

Como respuesta, el niño le apretó la mano. Se empecinaba en mantener la vista en el suelo. Su cuerpo, rígido, se estremecía al intentar sofocar el llanto; las lágrimas caían y regaban la tumba de sus padres.

—*Pater Noster, qui es in caelis* —empezó a rezar Ciriaco—, *sanctificétur nomen Tuum. Adveniat Regnum Tuum...*

—*Fiat volúntas tua* —se le unió el niño—, *sicut in caelo et in terra...*

Lo dejó acabar el padrenuestro en latín, admirado de su pronunciación y de la seguridad con que lo recitaba. Así que había recibido educación y era cristiano, pensó. ¿Se trataría de un hereje, como la mayoría de los sajones, o de un católico? Rezó el avemaría, y el niño lo siguió; lo mismo ocurrió con el Gloria. Terminadas las oraciones, permanecieron callados, conmovidos y tristes. Lo golpeó la intensidad de la pena de esa criatura; resultaba tan evidente y tangible que lo alcanzaba, lo envolvía y lo sumía en una profunda depresión. "No es justo que padezca horror semejante", se quejó, abrumado por otros pensamientos en los cuales Dios y su misericordia sonaban a conceptos vacíos.

Ciriaco se acuclilló frente al pequeño y lo tomó por los hombros para obligarlo a girarse y enfrentarlo. Se contemplaron, mientras las lágrimas les bañaban las mejillas, las tersas y rosadas del niño, las curtidas y barbudas del sacerdote. Ciriaco lo abrazó, aplastándolo contra su pecho, sintiendo cómo ese cuerpito se sacudía a causa del llanto. Lo separó de pronto y se arrancó el fular para secarle los ojos y sonarle la nariz.

—Toma —le dijo, mientras hurgaba en el bolsillo de la sotana.

Abrió el puño y le entregó las pertenencias de sus padres, dos anillos y un reloj de leontina.

—Mira, he puesto los anillos en un tiento para que puedas llevarlos al cuello, así no los pierdes. —Le pasó el cordón por la cabeza—. En cuanto al reloj, ¿quieres llevarlo contigo o prefieres que yo te lo guarde?

El niño estudió por un buen rato el reloj que le ocupaba la palma de la mano; no necesitaba levantar la tapa de oro para recordar la frase en su interior. *To my beloved son Horatio.* Lo aferró por la cadena y se lo devolvió al sacerdote. Regresaron donde Sulpicio, y, en tanto Ciriaco alimentaba el fuego, inquirió como al pasar:

—¿Tú arrastraste a tus padres fuera de la casa?

Con un ceño, le dio a entender que no comprendía. Reiteró la pregunta, usando otras palabras, silabeándolas.

—Sí —respondió el niño.

A pesar de la sorpresa —se trataba de la primera palabra en castellano que pronunciaba—, Ciriaco continuó con naturalidad:

—Eres muy fuerte. —El pequeño no mostró interés en la lisonja o no la comprendió—. ¿Cuál es tu lengua? ¿En qué idioma hablas?

—En el de *Màthair*.

—¿*Màthair*, tu madre? —El niño asintió—. ¿Y con tu padre? ¿Con él hablabas en el idioma de *Màthair*? —Negó con la cabeza—. Con él hablabas en castellano —dedujo, y obtuvo una nueva negativa.

—*Athair* enseña a mí español. Con *Athair* hablo como *Athair*.

Ciriaco improvisó una comida que sabía muy bien. El niño, sin embargo, apenas la probó.

—Mira lo que tengo —dijo el sacerdote, y le pasó un cuadrado de torta hecha con harina de patay—. Es para un amigo, pero de seguro a él no le molestará si te convido un poco. Vamos, dale un bocado. Es dulce como la miel.

Le gustó y, poco a poco, con mordidas pequeñas, fue comiendo la masa.

—¿Quiénes quemaron tu casa? ¿Lo sabes?

El gesto que transformó las delicadas facciones sirvió para que Ciriaco se convenciera de que había atestiguado lo ocurrido. "¿Qué horrores tendrás impresos en tu mente y en tu corazón?" No insistiría.

—Te improvisaré un lecho y dormirás junto a Sulpicio.

El niño no deseaba dormir porque sabía que, si bajaba los párpados, las escenas aparecerían.

Al favor de la luz ámbar que despedía el fuego, el pequeño estudiaba el anillo que había pertenecido a su madre. El señor bueno —así lo llamaba porque no se acordaba de su nombre— descansaba cerca de él. Roncaba. "Como *Athair*." Una sonrisa despuntó en sus comisuras al recordar cuánto se quejaba *Màthair*. *Athair* no volvería a roncar. El anillo que jugueteaba entre sus dedos se desdibujó hasta que las lágrimas se le escurrieron por las sienes.

—*Màthair, ¿quién te dio ese anillo?*

—*Tu abuelo, hace muchos años. Le regaló uno a cada uno de sus hijos. Uno a tu tío Fidelis, otro a tu tío Jimmy y otro a mí. Sólo el mío era de oro; los de tus tíos eran de plata.*

—*Es extraño.*

—*Es el anillo de Claddagh, famoso en la Irlanda, el país donde nacimos tu Athair, tu hermana Edwina y yo. Son dos manos sosteniendo un corazón con corona. ¿Ves?* —*El niño asintió*—. *Es un anillo que se entrega en señal de amor y amistad. Yo lo uso de este modo, en la mano derecha y con el corazón hacia adentro porque mi corazón ya no me pertenece.*

—*¿No te pertenece, Màthair?*

—*No. Le pertenece a Athair. Mira, querido, fíjate aquí dentro. ¿Puedes ver lo que está grabado en la cara interna del anillo? Tu abuelo hizo grabar mi nombre ahí, lo mismo con los nombres de tus tíos.*

El niño leyó pausadamente:

—*E-me-rald.*

—*Sí, Emerald.*

—*Está en el idioma de Athair* —se extrañó el niño.

—*Es verdad. Estaba prohibido el gaélico cuando yo nací, todavía lo está. De lo contrario, me habrían llamado* Smarag, *que es esmeralda en gaélico.*

—*¿Por qué estaba prohibido, Màthair?* —*Emerald sacudió los hombros en un gesto de desconocimiento*—. *Pero tú hablas en eso, en gaélico, Màthair.*

—*Mis padres nos hablaban en gaélico, a tus tíos y a mí, para que nuestra lengua no muriera. Era muy arriesgado, debes saberlo. Los ingleses podrían habernos colgado por ello.* —*Rió, con complicidad*—. *A veces lo riesgoso resulta divertido.*

El *claddagh* se deslizó por el tiento y chocó con el anillo de su padre. Jugueteó un rato, tensando el cordón y haciendo girar ambas piezas, hasta que tomó el sello de su padre y, pese a conocerlo de memoria, analizó el diseño.

—*En heráldica, el color rojo se conoce como gules. ¿Ves, hijo? El gules y el oro son los colores del escudo de armas de mi familia.*

—¿Qué es esto, Athair? —preguntó, señalando la silueta que dominaba el anillo.

—Un dragón. ¿Lo notas? Está lanzando una llamarada por la boca.

—Sí, lo noto. ¿Y qué sujeta con sus garras?

—El dragón es el confaloniero que lleva el pendón con el que se distingue al ejército de mi familia, el que formó parte de las huestes de Guillermo, el Conquistador, que invadió la Inglaterra en el año 1066. Guillermo venía de la Normandía, una región de la Francia. Por eso, nuestro apellido es francés. Aquí no podrás distinguirlo, está muy pequeño, pero en el pendón está escrito el moto de nuestra familia.

—¿Qué dice, Athair?

—Quis tu ipse sis memento.

El niño lo contempló con seriedad, la mirada fija en la del hombre.

—Recuerda quién eres —tradujo al inglés segundos más tarde.

—¡Bravo! Eres muy hábil para aprender otras lenguas.

Todavía sonriendo, orgulloso del cumplido de su padre, quiso saber:

—¿Para qué sirve el moto, Athair? ¿Por qué debo recordar quién soy?

—El moto, como lo indica su nombre, es lo que nos mantiene en movimiento, lo que nos señala hacia dónde vamos, lo que nos guía por el camino de la vida. Nuestro moto te enseña que debes recordar que eres un ser único y extraordinario, por cuyas venas corre una sangre milenaria. A lo largo de tu vida, Sebastian, deberás recordar quién eres para nunca sentir temor. Tú, hijo mío, por ser quien eres, realizarás cosas muy grandes y nobles.

En contra de su deseo, el niño se quedó dormido.

Lo despertaron unos gritos. Se incorporó en la cama y permaneció quieto; todavía reinaba la noche. Contuvo el resuello para distinguir de qué se trataba. No estaba acostumbrado a los gritos. Marchó descalzo y, a medida que abandonaba el sector de las habitaciones y se aproximaba a la sala principal, las voces altas y el llanto de su hermana Edwina cobraban nitidez. Escuchaba con precisión la voz de su padre, la de su madre y la de otras personas. Se asomó sin darse a conocer y quedó perplejo ante la escena. Su hermana luchaba por zafarse de las manos de un hombre alto, con uniforme militar, al que su padre, en ocasiones anteriores, había llamado don Martín; éste la mantenía sujeta por la cintura y pegada a su cuerpo. Otro hombre, más pequeño y delgado, con atuendo de citadino, se ocupaba de someter a su madre. Por último, Antenor Ávila, el mayordomo del campo, a cargo del cuidado de las mulas, apuntaba a su padre en la sien, que no parecía atemorizado, por el contrario, vociferaba y agitaba los brazos para remarcar su arenga en una actitud desmadrada que desconcertó al niño. La mueca distorsionada y fea de su rostro, él nunca la había visto.

El pánico como el frío, que ascendía por sus pies desnudos y le alcanzaba el estómago, lo mantenían petrificado tras la puerta. Se esforzó por entender de qué hablaban, sin éxito, por culpa de su pobre castellano. Cuando Antenor le hablaba despacio, él comprendía; en ese momento, todos lo hacían al unísono, a los gritos y aprisa.

Reconocía a esos señores, a don Martín y al otro; los había visto en dos ocasiones en que visitaron a su padre con mucha papeleta que desplegaban en la mesa de la sala. Después de esas reuniones, Màthair y Athair terminaban con mala cara, cara de preocupación. En cuanto al joven Antenor, se había vuelto malo; seguía apuntándole a su padre y le lanzaba vistazos con odio.

Se preguntó qué debía hacer. Quería ayudar y no sabía cómo. Se limitaba a observar la escena, sintiéndose tonto y cobarde, cuando, en realidad, deseaba ser el héroe. La desesperación le pareció peor que el miedo. Se tapó la boca para sofocar un alarido cuando su padre le propinó un codazo en el estómago a Antenor y saltó sobre don Martín para arrebatarle a Edwina. Comenzaron a luchar de un modo feroz, a todo o nada, valía cualquier ardid, un puntapié, un mordisco, un arañazo, un tirón de pelo; se aborrecían y habían decidido destruirse, uno moriría; incluso el niño, que contemplaba casi con fascinación, tenía conciencia de lo definitivo de esa contienda.

Edwina se arrojó sobre la espalda de don Martín y le clavó las uñas en la cara. El hombre aulló y se arqueó para quitársela de encima. La muchacha cayó, y se escuchó un sonido seco y letal cuando su cabeza batió contra los ladrillos del piso. La madre vociferó en gaélico: "¡Está muerta! ¡Está muerta!", imposibilitada de socorrerla dado que el hombre delgado aún la sujetaba. El padre se lanzó sobre la joven, gritando su nombre, llorando. Don Martín insultaba al tiempo que se pasaba un pañuelo por las heridas del rostro.

—Athair! —lo alertó el niño, demasiado tarde, pues no pudo detener el golpe que le propinó Antenor en la nuca y que lo tiró boca abajo.

—¡Lo finiquitaré yo a este inglés de mierda! —advirtió don Martín, y se posicionó de pie sobre el hombre, con las piernas separadas. Le levantó la cabeza por los cabellos de la coronilla, arqueándole la nuca hasta que sus ojos oscuros dieron con unos de intenso azul. El militar sonreía, aunque más que una sonrisa aquello parecía un mostrar de dientes. El niño advirtió que no había miedo en la mirada de su padre, sólo odio y orgullo. Don Martín desenvainó su cuchillo y le habló al oído.

—Tu hija, tus tierras, tus animales, ¡todo me pertenecerá! —Pasó el filo del arma por el cuello de su víctima, abriéndole una sajadura de oreja a oreja.

A partir del chisguete de sangre que saltó del cuello de su padre, el niño no vio ni escuchó nada, y quedó sumido en un espacio oscuro y denso, con sonidos amortiguados, como los que se producen bajo el agua. Separó las rodillas y contempló por varios segundos la orina que se encharcaba entre sus pies y los calzones que se le pegaban a las piernas. "Me hice encima", pensó, y se echó a llorar. "Tengo casi diez años y me hice encima."

Poco a poco, cobró conciencia de que su madre lanzaba alaridos y se sacudía entre los brazos de su captor. Se quedó mirándola, sorprendido ante la metamorfosis que había convertido a esa mujer dulce, de tono mesurado, en un ser desconocido y aberrante. Deseó que callara, que permaneciera quieta. Don Martín parecía desear lo mismo, ya que lo vio dirigirse hacia su madre para propinarle un cachetazo de revés y tomarla por el cuello. La soltó cuando un puntapié de la mujer lo alcanzó entre las piernas. Aulló e insultó, doblado sobre su vientre. Se incorporó al cabo, lentamente, con las mejillas encarnadas y la frente cubierta de sudor.

—Maldito hijo de perra —dijo su madre en gaélico, y la voz que empleó provocó un temblor al niño.

Don Martín se detuvo como hechizado ante el fuego de esa mirada. Esa lengua ignota debía de parecerle dura, primitiva, la de una bruja. Aun al niño atemorizó la imagen de esa mujer magnífica, con la cabellera rojiza, los brazos extendidos sobre la cabeza, mientras echaba una maldición al militar que lo conduciría a un final siniestro.

—Maldito seas —continuó la mujer, siempre en gaélico— y maldita sea tu descendencia, y la descendencia de tu descendencia, por los siglos...

Su madre no pudo concluir. Don Martín le hundió el cuchillo en el vientre hasta que su mano quedó perdida en los pliegues de su ropa, blancos un segundo atrás, que se cubrían velozmente de una tonalidad similar a la del vino. El niño observó cómo su madre se desmadejaba en los brazos del otro hombre y el rubor de sus pómulos se esfumaba para tornarse del color de la leche. Había muerto, lo supo con la contundencia de un golpe. Se quedó pensativo, abrumado por la idea del futuro, tan ensimismado que le tomó varios segundos darse cuenta de que lo fastidiaba un sonido persistente y agudo, unos gritos desgarradores, comprendió por fin. Captó un movimiento veloz por el rabillo del ojo y vio a su hermana

Edwina ponerse de pie con la agilidad de un felino y echarse sobre las espaldas de don Martín, gritando de un modo antinatural, como si nunca pausara para tomar el aliento, tanto que por momentos perdía la voz.

—¡Edwina! —exclamó el niño varias veces, movido por la esperanza al ver a su hermana con vida. Esa esperanza, sin embargo, le provocó pánico; en la nueva apuesta, podía perder lo único que le quedaba, y, como él se juzgaba débil y poca cosa para arrostrar tanta fatalidad, comenzó a darse por vencido.

Don Martín, mientras forcejeaba para controlar a la muchacha, vociferó:

—¡Traigan a ese niño! ¡Que no se os escape! Él sabe quiénes somos y podría conducirnos a la horca.

Los vio voltear en su dirección, a Antenor y al otro hombre.

—¡Corre, Sebastian! ¡Corre por tu vida! —le ordenó Edwina en inglés.

Dio unos pasos hacia atrás, indeciso, sus ojos clavados en los de su hermana, contrario a abandonarla, agobiado por el terror y los malos presentimientos, hasta que una nueva orden de Edwina lo impulsó a correr. Sus perseguidores lo imitaron. Antenor pisó el charco de orina y terminó en el suelo. El otro se internó en la casa.

Sebastian la conocía de memoria y habría podido recorrerla con una venda en los ojos. Lo alcanzaban los lamentos del otro hombre cada vez que se golpeaba con un mueble o una pared. Reconoció el chasquido del eslabón contra el pedernal, y distinguió a poca distancia la silueta de su perseguidor al resplandor del fuego del yesquero. "Debo esconderme", decidió, y le vino a la mente la historia del tero que Antenor le había contado. "El tero es un ave muy lista. Pone el huevo en un sitio y pega el grito en otro, bien alejado, pa' despistar a sus enemigos, que quieren arrebatárselo."

Entró en la habitación de sus padres, se encaminó hacia la contraventana y la abrió. Regresó en puntas de pie hacia la puerta junto a la cual se hallaba un pequeño baúl de cuero donde le gustaba esconderse; sabía cómo colocar las piernas y el torso para caber. Levantó la tapa y se cobijó dentro.

—¡Niño Sebastián! —Al llamado de Antenor, apretó los ojos y los puños, juntó el pecho y las rodillas, y contuvo el aliento—. ¡Niño Sebastián! —El capataz pronunciaba su nombre a la usanza de estas tierras; no lo había convencido de hacerlo como debía, acentuando la segunda sílaba y no la última. Sebástian.

—¡Por aquí! —exclamó Antenor, ya dentro del dormitorio—. Miren, la contraventana está abierta. Ha huido al campo.

—Es imperioso encontrarlo —declaró don Martín—. Antenor, ve tú detrás de ese malhadado niño y tráelo.

—No podemos dejarlo suelto —se escuchó la voz del otro, del citadino—. Te conoce, conoce tu nombre y ha visto todo.

"No debo llorar", se instó Sebastian, medio ahogado por el esfuerzo de controlar la respiración de modo que no saliera como un ronquido lloroso. A través de un orificio en el cuero, Sebastian observaba a los hombres, de quienes sólo podía ver parte del torso y de las piernas, dado que se hallaban a escasa distancia. Discutían, y el motivo del altercado era Edwina. El más delgado y bajo, de una contextura que no competía con la de don Martín, demostraba valor al enfrentarlo con aquel gesto de enojo. Se aproximó al baúl, tanto que Sebastian vio los detalles del sello que le ocupaba una falange en el índice de la mano derecha. Sobre una base negra, se destacaban dos letras en oro, una P y una R, yuxtapuestas. No le pareció un diseño agradable, las letras resultaban demasiado simples, como trazadas con regla, y no poseían la gracia de un sello con firuletes y ringorrangos. Entonces, notó que le faltaba el pulgar, y la impresión casi lo delata. Una exclamación de don Martín, que puso fin al altercado, amortiguó su gemido.

—¡Basta! Volvamos a la sala. He decidido prender fuego a la propiedad. Se dirá que fueron los indios, y eso me proveerá de la excusa para caer sobre algunas tolderías.

—Si ese niño no aparece, estaremos en problemas.

—Aparecerá —vaticinó don Martín, y Sebastian se mordió la mano para evitar el castañeteo de sus dientes—. El pequeño Sebastián de Lacy aparecerá.

Permaneció en aquella posición, las piernas al pecho y los ojos apretados, oyendo las voces lejanas en la sala, los gritos e insultos de Edwina, la risotada de don Martín, las quejas del otro, hasta que un silencio ominoso lo alentó a saltar del baúl para inspirar aire fresco con la avidez de quien ha permanecido demasiado tiempo bajo el agua. Corrió hacia el exterior, ajeno al rocío helado o al viento gélido, y se detuvo al distinguir la figura de Antenor, oscura y conocida en el resplandor de la luna llena; se movía dentro del corral y, montado en su picazo, arreaba las mulas, las que su padre planeaba vender en el mercado de Sumalao el año próximo.

Don Martín vociferaba órdenes desde su montura, exigía a Antenor que se diera prisa, en tanto luchaba por sojuzgar los intentos de Edwina por arrojarse. El otro, también sobre un caballo, acercaba una tea al saledizo de paja y juncos de la galería que circundaba la casa. Sebastian contemplaba la escena con desapego y percibía los sonidos y los movimientos con aquella extraña calidad con la cual había contemplado y escuchado todo esa noche, con pesadez en las extremidades, con niebla en los ojos, con cansancio y desesperanza.

El tañido del cencerro de la mula madrina, que por fin cruzó la tranquera con la tropilla por detrás, se desvaneció en el rugido de la estampida. Sebastian se sobresaltó, los músculos le temblaron, la piel de las piernas se le erizó, de pronto se dio cuenta de que tenía frío, de que se robaban a su hermana y a las mulas y de que gruesas llamas lamían el techo de su casa. Las lágrimas le borroneaban la visión de los tres jinetes, y se quedó mirando hasta que la negrura del horizonte devoró el último vestigio del camisón blanco de Edwina.

Corrió hacia la casa y entró por la contraventana de la habitación de sus padres. El humo invadía las estancias, le quitaba el aliento, le lastimaba los ojos y la garganta, y, sin embargo, una fuerza desconocida lo impulsaba a salvar a sus padres del fuego. El ingenio le dictó que actuara como los bueyes, que creara un arnés, lo atara a los cuerpos y los arrastrara, uno a uno, fuera de la casa. Ubicó sobre su torso la cuerda con que se recogían las cortinas cada mañana y la pasó bajo las axilas de su madre primero, de su padre después, y los sacó hacia la galería. Repitió la operación para alejarlos de la propiedad en llamas. Al terminar, agobiado, mareado, descompuesto, se desmayó sobre los cadáveres. El tiempo que le tomó recobrar la conciencia bastó para que su casa se convirtiera en una hoguera gigante. El bramido de las llamas y el crujido de las paredes y del techo al desmoronarse lo asustaban, y se le ocurrió que del fuego nacería un monstruo que caminaría hasta él para destrozarlo. Se acomodó sobre su padre, cerrándose sobre sí mismo, apretando los ojos y cubriéndose las orejas.

—¡Athair! ¡Athair! —gemía en un susurro apenas audible.

—¡Athair! ¡Athair!

—¡Despierta! ¡Despierta!

El niño levantó los párpados súbitamente, y Ciriaco distinguió el iris inyectado y el matiz vidrioso de las pupilas. Le puso la mano sobre la frente y se dio cuenta de que ardía.

—Soñabas con lo ocurrido a tus padres, ¿verdad? —Esperó una respuesta en vano, y no supo si callaba debido a su estado de delirio o porque se empecinaba en no hablar. "Tiene miedo", pensó, mientras lo incorporaba para ayudarlo a beber agua.

Amanecía, de modo que Ciriaco se levantó para aprestar la marcha hacia el sur, hacia las tolderías del cacique Calelián. Durante el viaje, creyó que el niño seguiría la suerte de sus padres. La fiebre, que se había apoderado de su mente y de su cuerpo, lo estragaba y consumía. Pasaba la mayor parte de la jornada inconsciente sobre el lomo de Sulpicio; generalmente por la tarde, a la caída del sol, lo acometían accesos de furia en los que se sacudía y gritaba en otros idiomas. El sacerdote contaba con escasos conocimientos y recursos para bajar la temperatura y rezaba a San Rafael Arcángel, protector de los enfermos, para que lo ayudara a alcanzar las tolderías y poner al niño en manos de la joven *machi* Anuillán.

Llegados a los aduares del cacique Calelián, no resultó fácil que admitieran al pequeño de cabellos como barbas de choclo y ojos del color del cielo, que se enfurecía en su delirio y maldecía en lenguas extrañas. Enseguida se convocó a un parlamento donde el cacique, junto con sus capitanejos y lanceros, aguardaron el veredicto de las *pucalcúes* o brujas. Ciriaco experimentó un gran alivio la mañana del cuarto día cuando Calelián le comunicó el oráculo. Las pitonisas aseguraban que *Pichín-Antü*, o Pequeño-Sol —así lo llamaban dado el color de sus cabellos—, se convertiría en un *anay* (amigo) de los ranqueles y que llegaría el tiempo en que lo llamarían *peñi* (hermano). Ciriaco se encaminó hacia el toldo de Anuillán para darle la buena noticia; la *machi* arriesgaba su pellejo al cuidar al niño sin conocer el veredicto de las *pucalcúes*.

La encontró en el primer compartimiento, asistida por sus dos hijas. Lavaba el cuerpo del enfermo y le cantaba en voz baja; el pequeño la seguía con ojos mansos y respiración estable. El hijo menor de Anuillán, Calvú Manque (Cóndor Azul), le preguntó en ranquel a su madre, cuando ésta terminó de cantar:

—Madrecita, ¿vivirá Pichín-Antü o se irá al *Mapú-Cahuelo*? —Hablaba del País de los Caballos, el paraíso de los ranqueles.

—Vivirá, Calvú. Te aseguro que vivirá.

—¿Permites que sea mi *peñi*?

—Si él lo desea, así será.

La sonrisa de Calvú Manque iluminó su rostro cuando unos dientes blancos y desparejos contrastaron con la piel oscura. Ciriaco también sonrió y agitó la cabeza.

—*Mari-mari* —saludó en voz baja.

—Pase, padre Ciriaco —lo invitó Anuillán.

—Gracias, hija. Sólo quiero que sepas que las *pucalcúes* han dicho que el niño puede quedarse.

Aunque la mujer apenas asintió, como restando importancia al anuncio, Ciriaco percibió su alivio. Dirigió su atención al enfermo. Como cada día, se hincó de rodillas junto al catre y le sonrió en tanto buscaba signos de mejoría en su semblante.

—¿Cómo te llamas? —le preguntó por enésima vez, y, de acuerdo con lo que esperaba, no obtuvo respuesta; hacía días que sospechaba que el niño ocultaba su identidad a propósito, por miedo—. Pues bien, yo te pondré un nombre. —Aunque lo había decidido esa mañana, se rascó el mentón y elevó el rostro, fingiendo meditar—. Ya lo sé. Te llamaré Artemio.

Entrevió el primer signo de interés cuando las cejas rubias del niño se alzaron.

—¿Y sabes por qué te llamaré Artemio? —El niño sacudió apenas la cabeza—. Porque el día en que te hallé era 6 de junio, día de San Artemio mártir. Y como Artemio significa íntegro, intacto, me parece muy a propósito puesto que yo te hallé a ti íntegro e intacto. —Se inclinó y lo besó en la frente, embargado por una ternura y una emoción que nunca había experimentado por nadie.

Medio turbado, se despidió de Anuillán y dejó caer el cuero de la entrada. Caminó hacia el único rancho de la toldería. Vio de lejos a su ocupante, un hombre que no llegaba a los treinta años, de cabellos oscuros y abundantes, y cuyos rasgos, aunque endurecidos por el sol y la aspereza del desierto, asemejaban a los del sacerdote. Días atrás, apenas llegado a las tolderías y luego de poner en manos de la curandera a Artemio, había ido al encuentro de ese hombre, su adorado hermano, Belisario Aparicio.

—Ave María purísima —había dicho, a la usanza de los habitantes de esas regiones.

—Sin pecado concebida. —El hombre arrojó el cigarrito a medio acabar, soltó lo que ocupaba sus manos y se puso de pie. Se abrazaron y se palmearon la espalda.

Iniciaron una conversación tranquila, con silencios que Ciriaco aprovechaba para admirar la destreza de su hermano en el tallado del hueso. A veces lo teñía con *aqua regis*, lo que le confería un color púrpura muy atractivo.

—Me dijeron que llegaste con un niño.

—Lo encontré encima de los cadáveres de sus padres. Los habían asesinado e incendiado su propiedad.

Belisario detuvo el movimiento del raspador sobre el hueso y lo reinició al cabo.

—Aquí te traje tu única debilidad. —Ciriaco sonrió y le extendió el paquete que contenía la torta de patay.

—Se agradece. Ponla ahí. —Le indicó con la cabeza un tocón que servía de mesa.

Diez días más tarde, Artemio salió por primera vez del toldo de Anuillán. Calvú Manque lo llevaba del brazo para evitar que cayera a causa del mareo. Alcanzaron el rancho de Belisario a pasos cortos.

—¡*Mari-mari*, don Beli!

Belisario inclinó la cabeza en señal de saludo y, cuando la giró en dirección al niño de Ciriaco —así lo llamaba en sus pensamientos—, el gesto se le congeló, y él, que mayormente no reparaba en nada ni en nadie, quedó subyugado por la inusual y fiera hermosura de ese hombrecito, en especial, por la determinación con que lo estudiaban sus ojos turquesa.

—¿Cuál es tu nombre? —le preguntó, en modo pausado, para que lo entendiera.

—Me llaman Artemio.

Esa noche, mientras la familia de Anuillán dormía, Artemio permanecía despierto en su catre. Le gustaba su nombre nuevo, sobre todo le gustaba el significado y que se lo hubiese dado el señor bueno, al que Calvú Manque llamaba padre Ciriaco o padrecito. "Artemio", repitió en su mente hasta que una frase en latín lo interrumpió. *Quis tu ipse sis memento*. Y a continuación evocó las palabras de su padre: *Nuestro moto te enseña que debes recordar que eres un ser único y extraordinario, por cuyas venas corre una sangre milenaria. A lo largo de tu vida, Sebastian, deberás recordar quién eres para nunca sentir temor.*

—Yo sé quién soy, *Athair* —susurró, para no despertar a su amigo Calvú Manque—. Nunca lo he de olvidar. Ahora debo llamarme Artemio.

❧

PRIMERA PARTE: EL PRESENTE

Cerca de la ciudad de Trim, en el condado de Meath, Irlanda,
en el valle del Boyne. Enero de 1820.

CAPÍTULO I

Carta de Sudamérica

*S*ilencio, pronunciado por el rasgueo de una pluma. *¿Qué bien hay en vivir sin ti?*, escribió la mano grande y tosca, con cicatrices blanquecinas, aunque de uñas bien cuidadas.

Un leño se desmoronó en la estufa. El hombre levantó el rostro y observó el chisporroteo hasta que la mirada de su único ojo se tornó ausente, sin pestañeo, inmóvil en el fuego. Leyó lo escrito. *¿Qué bien hay en vivir sin ti?* Esa mañana se había despertado al alba, como acostumbraba, y quizá por el estado desapacible del clima, su animó decayó con el pasar de las horas y lo condujo por un sendero de memorias de las que se empeñaba en huir y que siempre lo acechaban, golpeándolo cuando su vida empezaba a lucir encaminada.

Calvú Manque abrió la puerta del despacho sin anunciarse.

—Artemio, aquí estás.

Resultaba infructuoso pedirle a un hombre criado en tolderías y ranchos, donde el límite entre el interior y el exterior lo fijaba un cuero o un pedazo de estameña, que llamara antes de irrumpir en las habitaciones. También resultaba infructuoso pedirle que usara su nombre, Sebastian, y no Artemio, como lo había hecho por treinta años. Un gesto comunicó la pregunta: "¿Qué quieres?".

—Elisabetta y yo iremos al lago. Dugan —se refería al jefe de jardineros— dis que se ha congelao. ¿Nos acompañas?

—Vayan ustedes. Tengo algunas diligencias que atender.

—Esas dos cartas que has recibío mientras desayunábamos te han mantenío aquí tuita la mañana —comentó Calvú Manque, con la insolencia que nadie habría empleado para dirigirse al nieto del conde de Grossvenor.

—¿Por qué no preguntas lo que deseas saber y me dejas en paz, Calvú?

—'Ta bien, te preguntaré. ¿Quiénes te han escrito?

—El conde de Stoneville y don Juan Martín.

Calvú Manque arqueó las cejas ante la novedad.

—¿Don Juan Martín de Pueyrredón? —Artemio asintió—. ¿Qué dice?

—Me asegura que no logrará mantenerse por mucho tiempo como director supremo de las Provincias Unidas del Río de la Plata. En su opinión, el empuje de los caudillos provinciales terminará con su gestión. Me pide que viaje a Buenos Aires.

Calvú Manque lo miró con fijeza, conociendo el impacto de un pedido de esa índole. Meditó antes de expresar:

—De siguro anda queriendo que le organices la campaña en Buenos Aires, pa'que no caiga en manos enemigas.

—Ha pasado demasiado tiempo, Calvú. Ya no cuento con ese poder.

—Entuavía cuentas con él, Artemio —objetó el indio—. Pero —admitió—, no sería güeno que vayas al Río de la Plata. Podrían meterte en la chirona.

—Don Juan Martín asegura que ya se ha encargado de eso. Mi causa está cerrada.

—¡Ah, qué güena noticia!

—Dice que las declaraciones del padre Ciriaco y de Cristiana Romano resultaron concluyentes. Todo ha terminado.

—¿Y el conde de Stoneville? —se interesó Manque—. ¿Qué hay con él?

—Me informa que ha contratado la tripulación para mi barco. Todo está pronto en Liverpool para la botadura.

—¿Has decidío qué gracia le vas a poner a tu barco?

—*Smarag* —dijo, y le explicó que significaba Esmeralda en gaélico, y Calvú Manque no precisó que le aclarase que Esmeralda había sido el nombre de su madre.

—Elisabetta se pondrá triste. Creo que pensaba que mentarías a tu barco por su gracia —le explicó, sin mirarlo, con la vista en el animal que dormitaba junto al fuego, sobre una alfombra de *Aubusson*—. ¡Quinto! —lo llamó.

El felino se despertó y, sin levantar la cabeza, miró con lánguido desinterés.

—Vamos, Quinto, ven conmigo. Iremos al lago. Te gustará. —El animal cerró los ojos y ronroneó—. ¡Te has convertío en un puma huraño y antipático! ¡Como tu dueño! —se quejó Calvú Manque antes de desaparecer tras la puerta.

La sala se sumió de nuevo en el mutismo, apenas alterado por el crepitar de los leños, que pronunciaba el carácter letárgico del ambiente.

Artemio se acuclilló junto al animal y le masajeó el cuello con ambas manos. Su adorado Quinto, su entrañable y viejo amigo. No le gustaba pensar que había vivido suficientemente y que, en términos de un puma, era anciano. Sin detener las caricias, rememoró la mañana de principios de 1806, cuando lo encontró a orillas del río Quinto, en las pampas, junto al cuerpo destrozado de su madre, probablemente víctima de un jaguar. Al igual que él, Quinto había sobrevivido a sus padres y salvado el pellejo de milagro. "No lograrás domesticarlo", le advirtió Calvú Manque en aquella ocasión. "No es mi intención", aseguró Artemio. Lo protegería hasta que el animal se valiera por sí solo, como el padre Ciriaco había hecho con él.

Alcanzada la juventud, Quinto aparecía y desaparecía a su antojo, y en ocasiones llegaba con una oreja colgando o el lomo en jirones. Artemio lo curaba con las artes que empleaba para atender las heridas del ganado, mientras ironizaba: "¿Has estao peliando por una hembra? ¡A fe que no valen la pena, amigo!".

Las manos de Artemio se detuvieron de modo súbito, y Quinto levantó la cabeza. Gruñó hasta que su amo le prestó atención. Se miraron con fijeza, y Artemio advirtió que los ojos oscuros y somnolientos del felino mutaban hasta adoptar un brillo amarillento y vivaz, y le dio por pensar que el animal sabía en quién pensaba, quizás hasta compartiese el recuerdo de la misma escena, la que había tenido lugar en un rancho de *La Larga*, tanto tiempo atrás. Se puso de pie y sacudió la cabeza. No recordaría, cerraría la mente al pasado, él contaba con la templanza para lograrlo.

¿Qué bien hay en vivir sin ti? La frase lo atravesó como un rayo. Cruzó la estancia y se detuvo frente al enorme ventanal que dominaba el parque de *Grossvenor Manor*. Elisabetta, del brazo de Calvú Manque, se dirigía al lago. Miró el cielo, de un gris plomizo, y ratificó que el día estaba afectándole el humor. Y también la carta de don Juan Martín. "Volver al Río de la Plata." Analizó su propia imagen reflejada en el cristal de la ventana, y se dijo que estaba viejo, en septiembre cumpliría los cuarenta. Pasó los dedos por el parche negro que le ocultaba la cuenca vacía del ojo izquierdo y acarició la pequeña cicatriz en la sien que marcaba la salida de la bala que lo había dejado tuerto. Tenía canas, aunque se disimulaban entre sus cabellos rubios. Ligeras arrugas le circundaban los ojos, y su párpado derecho, aún más pesado, le celaba la mirada. Descubrió que se habían acentuado las líneas que nacían junto a la nariz y morían en las comisuras. *Me gustan sus comisuras, señor Furia. Son marcadas, muy varoniles. Me gusta besarlas justo en el pliegue.*

Apretó el puño contra los labios y contuvo el respiro, esperando a que esa voz se desvaneciera, como quien espera a que un dolor disminuya. En lo profundo de su garganta, comenzaba a percibir el perfume de un cuello, de una oreja, ese aroma a rosas, naranjas y bergamotas, sutil, femenino, que le acicateaba las fosas nasales para diluirse un segundo después. "El aroma de una persona está ligado a su ausencia", había expresado Elisabetta en una ocasión.

Acabaría con esa tortura, sabía adónde conducía, a la desesperanza, a la desazón, a la locura. Volteó con un giro brusco, y su mirada se congeló en el cuadro que había mandado colgar a un costado del ingreso con el fin de contemplarlo desde su escritorio, y por el cual había desembolsado una fortuna —más de treinta mil libras— cuatro años atrás cuando se lo disputó al duque de Buckingham y Normandía en el salón de *Sotheby's*, en Londres, causando estupor a la sociedad inglesa. *Bathsheba in her bath* (*Betsabé en su baño*), así se titulaba, una obra del manierista holandés Cornelisz van Haarlem, que lo cautivó apenas posó sus ojos en él. Como se conjeturó que Sebastian de Lacy, ese personaje excéntrico, cubierto de misterio, que el viejo Horatio de Lacy, décimo conde de Grossvenor, insistía en presentar como su nieto, era experto en arte, muchos se habrían desilusionado al saber que, en realidad, lo había comprado por impulso y que no tenía idea de quién era el tal van Haarlem.

Se detuvo a un paso de la pintura. Su ojo derecho se movía de un extremo al otro, mientras estudiaba por enésima vez los detalles y recreaba en su mente la escena que había motivado la compra. *"Créola, pásame la piedra pómez." "Niña, ¿quiere que le jabone la espalda?" "Sí, por favor. Utiliza el jabón de benjuí que preparamos ayer. Huele tan bien. ¡Qué bueno es estar aquí, Créola! Nademos hasta la mitad de la laguna. Nadar siempre te ha gustado." "Luce muy contenta hoy, mi niña." "Lo estoy, Créola." "¿Furia tiene algo que ver con esta dicha?"* Desnudas, ambas muchachas, la blanca y la negra, se pusieron de pie y caminaron, la larga cabellera de la blanca cubriéndole las espaldas, hasta que el agua ocultó sus siluetas.

En el exterior, la voz de Winthorp, el mayordomo, que se dirigía a la señora Bayle, el ama de llaves, lo sacudió de su abstracción. Acababa de soñar despierto y, sin caer en la cuenta, había terminado por posar la punta de los dedos sobre el lienzo, sobre Betsabé; ahora percibía la rugosidad que formaban las pinceladas de óleo. "Haré quitar este cuadro", decidió.

Alcanzó el escritorio a paso precipitado y ocupó la butaca dispuesto a contestar las cartas. Un frío, que nacía en su interior, en el centro de su cuerpo, y que se expandía por sus extremidades, superó la calidez de la habitación. Sufrió un estremecimiento. Su mano tembló y soltó la pluma con impaciencia, esparciendo gotas de tinta sobre el papel. Apoyó los codos sobre el escritorio y se tomó la cabeza.

—Dios —susurró, más colérico que triste.

Su mente y su corazón se hallaban en un solitario confinamiento que lo amparaba de los interrogantes —de otros y de él—, que lo protegía de la sinceridad, que lo salvaguardaba de admitir que había muerto nueve años atrás en el Río de la Plata, porque si bien departía con amigos y familiares, atendía sus negocios, comía y bebía, tenía sexo, aun reía, todo lo desempeñaba con un alma muerta, fría e inerte. Esa capacidad, la de vivir sin vida, la había desarrollado desde pequeño para consolidarla en su época de gaucho errante. Ella se presentó un día y desbarató la fortaleza con la que él contaba, la de vivir sin sentir. Incluso barrió con sus odios y rencores, o lo que es lo mismo, lo despojó de la energía y de la furia que habitaban en él. Ella había sido su sol, su faro, su vida, y le quitó todo para esfumarse de la manera súbita en que había aparecido frente a él. Su espíritu buscaba liberación, su corazón buscaba saciar el hambre. Anhelaba romper la fría coraza y vencer el confinamiento. Quería vivir, pese a todo, quería vivir, como ella le había enseñado, aunque para eso debía deshacerse de ella. De ella. Hacía años que no pronunciaba su nombre, ni siquiera con el pensamiento. No podía.

¿Qué bien hay en vivir sin ti?, volvió a leer, y se preguntó por qué lo habría escrito. Produjo un ruido raro con la garganta, de disgusto, de condena por ese signo de debilidad que su naturaleza no admitía. Se puso de pie, y el asiento cayó detrás de él. Quinto levantó la cabeza de orejas puntiagudas y lo siguió con la mirada en tanto Artemio hacía un bollo con el papel y lo arrojaba al cesto. Levantó la butaca y se acomodó en ella. Mojó la péñola en el tintero y encabezó la misiva. *Grossvenor Manor, Irlanda. 5 de enero de 1820. Estimado don Juan Martín*, escribió.

Calvú Manque estudió de soslayo a su compañera. "Simplemente perfecta", concluyó, mientras apreciaba la piel de sus mejillas, que brillaban con el destello suave y untuoso de una perla, lo que destacaba el color de sus labios delgados. Pocas veces había apreciado facciones tan delicadas y regulares, y una figura tan esbelta. La pequeña mano enguantada, que descansaba sobre su antebrazo, le transmitía calidez, mientras la otra cargaba a la pequeña Berna, la perrita sin raza que había encontrado de cachorra en esa ciudad suiza. Caminaba a corta distancia la nodriza de Elisabetta, Mina, quien, en su rol de *chaperon*, se ocupaba de protegerla de la maledicencia de la gente, en especial desde el anuncio de su matrimonio con el señor Sebastian.

Calvú Manque asentía a los comentarios de su compañera, que le hablaba en un inglés fluido y bien pronunciado, y hasta el tono de su voz lo subyugaba, medio grave, suave, casi un susurro. "Aristocrático", resolvió, de acuerdo con lo que Artemio le había informado acerca de Elisabetta Maria d'Adda, nieta de Amadeo di Savoia, duque d'Aosta, y de regia prosapia. De unos treinta años, Elisabetta desplegaba una frescura en su trato, desprovisto de las poses y los artificios de las de su clase, que le había granjeado el cariño de la familia de Lacy, aun de los sirvientes, a quienes se dirigía con consideración, llamándolos por su nombre y utilizando muy seguido la alocución *per piacere* ("por favor", en su lengua madre) y *grazie*, a lo que los sirvientes habían aprendido a responder *prego*.

Casada a temprana edad con Andrew de Lacy, sobrino dilecto de Horatio de Lacy, actual conde de Grossvenor y abuelo de Artemio, había enviudado diez años atrás cuando Andrew cayó muerto en el coto de caza de *Saint Ailish*, la propiedad de los de Lacy en el valle de Glendalough, golpeado en la cabeza por una bala perdida. El comisario del condado de Wicklow, dada la importancia de la familia involucrada, inició investigaciones que desembocaron en el arresto de dos campesinos de la aldea de Laragh, a quienes se culpó de cazadores furtivos y se ajustició en la localidad de Wicklow. Hubo descontento entre los aldeanos, que hablaban de "chivos expiatorios" e "imperdonable injusticia", y, si bien se produjeron manifestaciones frente al Ayuntamiento, la policía montada las dispersó a bastonazos.

A pesar de que la unión con Andrew de Lacy no dio frutos, Elisabetta se mantuvo apegada a la familia de su esposo y pasaba largas temporadas en *Grossvenor Manor* o en *Saint Ailish*, que alternaba con visitas al palacio de su abuelo, el duque d'Aosta, en Turín, o a su ciudad natal, Milán. Últimamente, desde que ella y Artemio habían manifestado el deseo de contraer nupcias, Elisabetta no se separaba de él y sólo visitaba a su familia en Italia si Artemio, o Sebastiano, como ella lo llamaba, consentía en acompañarla.

—Señor Manque —dijo Elisabetta—, ¿hace cuánto que llegó a la Irlanda?

—Mañana se cumplirá un mes, señora —contestó en un inglés de pésima pronunciación.

—¡Parece que usted y yo nos conociéramos de toda la vida! ¿No lo cree así?

—Es cierto. Su amistad me honra.

—Ya es tiempo de que me llame Elisabetta. Y yo podría llamarlo Calvú, como lo hace Sebastiano. —Calvú Manque asintió, con una corta sonrisa—. ¿Prefiere que me dirija a usted en castellano?

—No, se lo agradezco. Hábleme en inglés. Me obliga a practicarlo.

—De acuerdo. ¿Le gusta la Irlanda?

—Mucho, Elisabetta. Por eso vuelvo cada vez que los asuntos en Buenos Aires me lo permiten.

—Siempre olvido que ha visitado la Irlanda varias veces, como usted y yo nunca hemos coincidido... Espero que no haya pensado en regresar demasiado pronto a aquellas tierras lejanas del sur.

—Eso depende de Artemio.

—Artemio —repitió Elisabetta—. Es un hermoso nombre, y creo que le sienta mejor que Sebastian. —Calvú Manque guardó un silencio deliberado—. Él nunca habla de su pasado. Poco sé de su vida en las pampas. Me pregunto si existe algo que se empeña en olvidar o si, simplemente, no es afecto a hablar.

—Más lo segundo —expresó Calvú Manque.

Se detuvieron frente al lago congelado. Sin quitar la mirada del paisaje, Elisabetta preguntó:

—Vosotros habéis sido amigos desde hace largo tiempo, ¿verdad?

—Alrededor de treinta años. Éramos dos pequeñuelos cuando nos conocimos.

La italiana fijó la vista en la del indio, y sus ojos celestes reflejaron un brillo de codicia que, en cierta forma, lo llenó de compasión. Desde su llegada a *Grossvenor Manor* treinta días atrás, Elisabetta había buscado su compañía para averiguar acerca del hombre al que esa noche, en una cena íntima, prometería unirse para siempre.

—Calvú Manque. Es su nombre en su lengua madre, ¿verdad? Esa que, de tanto en tanto, lo escucho hablar con Sebastiano, ¿no es así?

—Significa cóndor azul.

—¿Cóndor?

—Un ave de mi tierra, enorme. Con sus alas extendidas, puede alcanzar una longitud de treinta y dos pies.

—¡Oh! ¡Qué magnífica debe de ser! —Calvú Manque asintió—. Cuando pienso en esa tierra tan lejana donde Sebastiano se crió, la imagino como una especie de Paraíso. Aunque él nunca se refiera a su vida en aquel sitio, yo intuyo que lo echa de menos, que fue feliz allá. ¿Sabe, Calvú? Lo envidio —admitió, con esa sinceridad que la caracterizaba—. Envidio cuánto conoce a Sebastiano. Nadie lo conoce como usted.

—Es verdad, lo conozco bien, aunque debo admitir que aun yo me encuentro ajeno a las profundidades de su alma. Artemio es un hombre que prefiere lamerse las heridas en soledad, y es parte de su índole erigir una pared entre él y la gente, por mucho que ésta desee ayudarlo. Su orgullo le impide demostrar debilidad.

—Debió de existir alguien a quien él le entregase su corazón, le confiara sus pensamientos más arcanos, sus dudas y desvelos. —Lo dijo levantando la voz, comunicando cierta exasperación—. Ese sacerdote, por ejemplo, del que nos ha hablado tío Horatio.

—¿Ciriaco Aparicio? —Elisabetta asintió—. Es como un padre para Artemio, y a nadie respeta tanto como a él. Sin embargo, el padre Ciriaco siempre se ha quejado de lo mismo que usted.

—Insisto en que debió de existir alguien en quien Sebastiano confiara.

"Existió", pensó Calvú Manque.

Berna se movió en el brazo de su dueña y comenzó a gañir y a ladrar. Enseguida se oyeron ruido de cascos y la orden de un jinete que incitaba a su caballo.

—¡Sebastiano! —lo saludó Elisabetta, al tiempo que agitaba el brazo, pero Artemio no la oyó y continuó con su carrera hacia los confines de la propiedad.

Calvú Manque observó el perfil de Elisabetta, que seguía con muda reverencia la cabalgata de su prometido. Aunque había sospechado que esa mujer amaba a Artemio, en ese instante supo que su amor era infinito, su devoción, eterna, y se conmovió. Amar a Artemio Furia no causaba más que penas.

Elisabetta, entretenida en pensamientos más gratos, admiraba la maestría de Artemio al montar, a la estradiota, como había señalado en una oportunidad su cuñado William al advertir el poco arraigo a la silla y ese estribar imperceptible, apenas con la punta de la bota, las riendas sueltas, como si no supiera qué hacer con ellas. Así lo había visto por primera vez años atrás, cuando descollaba entre los demás jinetes, soberbio en su montura, con el parche negro sobre el ojo izquierdo, el cabello rubio y largo que le barría los hombros, y la chaqueta que, por irle chica, le marcaba los fuertes hombros y la cintura delgada. Ahora que lo rememoraba, volvía a experimentar el turbador impacto que le causó su presencia, y la voz ronca, de dura pronunciación, con que la saludó y le cortó el aliento. No se olvidaba de la poca atención que Sebastiano le había dispensado al desensillar, limitándose a un saludo formal e impaciente, para montar de nuevo y seguir su camino, e incluso en ese acto, en el de montar, la había cautivado, por el modo empleado, novedoso tanto para ella como para los demás, que lo contemplaron con muecas de asombro al verlo sujetar un mechón de la crin del caballo y, sin apoyar el pie en el estribo, sin asistencia, sin subir al poyo de montar, en un solo movimiento, en un salto sin envión, como si se deslizara hacia arriba, terminar firme en la silla. Desde aquel día, lo había visto hacerlo cientos de veces, y todavía esperaba la ocasión para solazarse cuando él saltaba sobre el caballo.

Ya casi no lo distinguía en el paisaje, se había convertido en un punto en el horizonte. Intentó recordar qué traje de montar llevaba. El verde de casimir, con solapas y puños en piel de ante que a ella le gustaba acariciar, y botones de oro con el escudo impreso de los de Lacy, de corte impecable, hecho a medida en una casa de renombre de Savile Row, en Londres. Le gustaba de Sebastiano que hubiese aceptado con llaneza y algo de ironía las imposiciones de su abuelo, por ejemplo, la membresía en el White's Club, las fiestas en el palacio de St. James, las veladas en el Covent Garden y en Drury Lane, las carreras de caballos de Epsom Derby y de Ascot, siempre que, al regresar a la Irlanda, él administrara las propiedades de Meath y de Glendalough a su antojo. Nada del oropel en el que se desenvolvía el conde de Grossvenor lo inmutaba, y prevalecía en él un aire de autosuficiencia y soberbia natural que, a la larga, la sociedad inglesa había terminado por respetar.

—¿No le avisó usted, Calvú, que caminaríamos hasta el lago? —preguntó Elisabetta por fin.

—Sí —admitió el indio.

—Ah —se decepcionó la italiana—. Sebastiano no habrá encontrado placentera la idea de este paseo. Como siempre, ha preferido montar a Diomed. ¡Berna, quédate quieta! —se enojó de pronto—. Si olfatea a Sebastiano —le explicó a Calvú Manque, algo consternada por su exabrupto—, hasta que no termina en sus brazos no se queda tranquila. ¡Mina, *per carità*, hazte cargo de Berna!

La mujer se aproximó con diligencia y se ocupó de la perrita.

—Me ha sorprendido la amistad entre Berna y Quinto.

—Oh, sí —sonrió Elisabetta—, son grandes amigos, aunque no siempre fue así. En un principio, Berna le temía. La indiferencia de Quinto ayudó a que tomara confianza. En eso se parece a su amo, en su marcada indiferencia por los demás. Ahora, el viejo Quinto —añadió deprisa, avergonzada por la acidez de su comentario— la tolera como un abuelo lo haría con un molesto nieto. Puesto que Quinto es muy anciano, ¿verdad?

—Sí. Calculamos que tiene entre catorce y quince años, bastante para un puma.

—¿Es un animal doméstico en aquellas tierras?

—No —admitió Calvú Manque, y la tomó por el codo para sugerirle—: ¿Caminamos hacia la otra orilla? —Elisabetta asintió—. No es doméstico en absoluto, pero Artemio lo cobijó bajo su ala cuando cachorro y lo convirtió en un gato gigante y bonachón.

Elisabetta rió, y acotó que, más allá del buen talante de Quinto, en un principio había causado escenas de pánico entre la servidumbre y los invitados del tío Horatio. Mina había amenazado con abandonar *Grossvenor Manor*.

—¿Cómo fue que Sebastiano cobijó bajo su ala a un animal salvaje? —se interesó.

A Calvú Manque lo incomodó que se valiera de cualquier tema para mendigarle información, y volvió a compadecerse de ella cuando, en realidad, pensó, Elisabetta d'Adda no era mujer para ser compadecida sino venerada.

Después del almuerzo, Elisabetta entró en el escritorio del tío Horatio, que desde hacía algunos años se había convertido en el refugio y lugar de trabajo de Artemio. La estancia, de dimensiones similares a las del salón de baile, albergaba una biblioteca que ocupaba tres de las cuatro paredes; incluso el entrepiso, al que se accedía por una escalera de caracol, tenía anaqueles con libros del suelo al techo. Hacia allí se dirigió Elisabetta en busca de una novela para matar el tedio; la pequeña Berna prefirió tenderse junto a Quinto, que dormía cerca del fuego.

En tanto acariciaba con el dedo los lomos de los libros, Elisabetta repasaba los detalles de la cena de esa noche, "nuestra cena de compromiso", se dijo, con una sonrisa que enseguida se desvaneció pues, si bien la señora Bayle le había asegurado que todo se encontraba listo, ella tenía un peso en el alma, una sensación premonitoria que no le permitía gozar, tal vez porque le resultaba mentira que, por fin, ella y Sebastiano confesaran su amor al mundo.

Se debatía entre una novela de Samuel Richardson, *Pamela*, o una de las obras teatrales de Molière, cuando reconoció el sonido pesado de las *hessianas* de Artemio sobre el parquet, que se perdieron a causa de los ladridos de Berna. Se asomó al balcón que daba a la sala y se apoyó en el pretil de madera y, aunque en un primer momento iba a delatar su presencia, eligió callar para observarlo jugar con la perrita. Verlo pasearse desnudo por la habitación después de que hacían el amor le resultaba tan placentero como contemplarlo jugar con los animales y los niños, pues en su compañía, Artemio bajaba la guardia. Mina le había dicho una vez:

"Nadie mejor que los niños y los animales para presentir si el cariño es sincero", y debía de ser cierto ya que parecían intuir la sinceridad con que él se brindaba, y buscaban su amistad. Pensó en los hijos de su cuñada Prudence —Stephen, Albert y la pequeña Sophia—, que dormían en la recámara de Artemio cuando visitaban *Grossvenor Manor*, todos sobre colchones en el suelo, aun el propio Artemio, que, al fuego del hogar, les contaba historias de las pampas, mientras se empachaban de dulces y malvaviscos. Los niños de los arrendatarios le profesaban igual devoción, y a ella le gustaba acompañarlo en su recorrida semanal, a pesar de que la contrariaban los olores punzantes de sus cabañas —a hulla y a grasa de pella— y los modos obsecuentes de los campesinos, con tal de verlo sonreír cuando los pequeños corrían a su encuentro con una confianza que pocos habrían empleado con el nieto del conde de Grossvenor.

La sonrisa de Sebastiano, retaceada, escasa, fugaz, hermosa, como la que le dirigía a Berna en ese instante, le robó el aliento, y experimentó celos de la perrita, celos de las caricias que le prodigaba, de las palabras que pronunciaba con ternura, pese a su voz rasposa y grave a un punto rudo y poco pulido.

Quinto abandonó su sitio junto al fuego y caminó con paso indolente. Se detuvo a espaldas de Artemio, que seguía acuclillado jugando con Berna, y, en un envión pesado, apoyó las patas delanteras sobre los hombros de su amo para mordisquearle la nuca y la oreja. Elisabetta quedó blanda de emoción cuando Artemio prorrumpió en una carcajada. "¡Oh, Dios mío, nunca me lo quites!", se desesperó, y enseguida sonrió y se limpió las lágrimas y se cubrió la boca para sofrenar la risa que le provocaba el cuadro de Artemio en el suelo, con Quinto y Berna sobre él, haciéndole cosquillas.

—Me pregunto si Quinto y Berna dejarán algo para mí —expresó.

Artemio abrió grande el ojo derecho al descubrirla en el entrepiso.

—¿Quieres unirte al grupo? —la invitó.

—Encantada.

Al llegar a la planta baja, Artemio ya se ponía de pie y se acomodaba el pelo y la chaqueta de casimir verde. Berna saltaba y ladraba en torno, mientras Quinto frotaba la cabeza en la rodilla de su dueño. Elisabetta extendió las manos y Artemio se las tomó.

—¿Qué te ocurre? —se preocupó—. ¿Cuál es el motivo de estas lágrimas?

—Al verte jugar con ellos, me dio por pensar en que quizás anheles tener hijos.

Artemio cuadró los hombros, y Elisabetta notó que se tensaba. No la miró cuando habló.

—¿Niños? Sí, ¿por qué no? Si llegan, serán bienvenidos.

Como todo lo relacionado con Artemio, meditó Elisabetta, el tema de los hijos encerraba un misterio. No estaba segura de proseguir, temía quebrar la magia de ese momento al preguntarle por qué nunca acababa dentro de ella. Suponía que se relacionaba con un escrúpulo por preservar su honor; llegar embarazada al altar habría desatado un escándalo mayúsculo, y al duque d'Aosta le habría dado un síncope.

—No sé si podré dártelos —admitió.

—Ven. Sentémonos junto al fuego. —La tomó por los hombros y la condujo al sofá—. ¿Por qué piensas que no podrás dármelos?

—Estuve casada tres años con Andrew y nunca engendré.

Artemio bajó las comisuras de los labios en un gesto de indiferencia.

—Elisabetta, no me caso contigo por los hijos. No importa si no me los das.

—Tu abuelo quiere que de esta unión surja el duodécimo conde de Grossvenor.

—Sabes que el título de mi familia significa nada para mí. Por otra parte, si tú no concibieras, el título pasaría a Stephen, y eso me agradaría.

—Eso no agradaría a tío Horatio.

—No se lo menciones a mi abuelo —le susurró cerca del oído—, pero dudo de que él esté aquí cuando Stephen se haga con el título.

Elisabetta sonrió, y Artemio la rodeó con un brazo y la acercó a su pecho.

—Te esperábamos a la hora del almuerzo —le reprochó ella.

—Ciertos asuntos con los arrendatarios del norte tomaron más tiempo del usual.

—Te vimos con Calvú desde el lago. Te llamé, pero no me oíste.

—Mañana caminaremos hasta el lago, si lo deseas. Podrán acompañarnos los niños. Les encantará patinar, aunque no sé si el hielo estará grueso para soportar el peso.

—El viejo Dugan sabrá decirnos.

—¿Has dispuesto las recámaras para nuestros invitados? —se interesó Artemio—. No olvides que los niños *vivaquearán* en la mía.

Elisabetta le acarició la mejilla antes de besarle el filo de la mandíbula.

—Lo sé y, mientras tú y tus soldados *vivaquean*, no podré visitarte por las noches.

—No podrás, es cierto. Seré yo quien vaya a verte.

—Sí, hazlo, por favor.

Elisabetta dejó caer los párpados y acercó los labios a los de Artemio, que los contempló antes de acariciarlos con los suyos. Sabían a menta, y esa peculiaridad lo afectó. Inspiró de modo profundo y áspero antes de que se desatara en él una pasión que lo transportó en el tiempo y en el espacio, y pensó en otros labios, más carnosos y gruesos, y se imaginó besándolos, devorándolos, y hundió su lengua para degustar el interior de la mujer que permanecía atrapada en su mente.

—Sebastiano —gimoteó Elisabetta—, hazme el amor. ¡Por favor, aquí, ahora!

Su nombre en italiano lo devolvió al escritorio de *Grossvenor Manor*, y precisó de unos segundos para recuperar el control. Mantuvieron las frentes apoyadas sobre la del otro, golpeándose las mejillas con sus respiraciones desacompasadas.

—Tu boca sabe a menta —articuló al fin—. ¿Por qué?

—Tomé un té de menta hace un momento. Por favor —suplicó ella de nuevo—, ardo de deseo por ti.

—No, no. Esta noche. Ahora no. Alguien podría entrar.

—Está bien.

Elisabetta jamás se contrariaba ni discutía sus decisiones; sonreía y asentía, en absoluta sumisión, sin echar mano de golpes bajos ni utilizar esas concesiones para sacar provecho. Su belleza apacible y delicada reflejaba el temperamento por el que se la conocía, esa dulzura y buena disposición que habían terminado por seducirlo. "La mujer perfecta", se dijo, con amargo matiz, tan distinta de la que lo atormentaba en sus recuerdos.

—Sebastiano, la felicidad para mí es saber que compartiré el resto de mi vida con el ser que amo. ¿Estás de acuerdo con este concepto?

—Sí.

—¿Eres feliz, entonces?

Para Artemio, la pregunta sonó a súplica. Asintió, sonriendo, y depositó un beso en la sien de Elisabetta.

—¿Le pediste a la señora Bayle que acondicionara el dormitorio para Tessie? Llegará en breve.

—Sí. —Elisabetta comenzaba a aprender que a su prometido lo irritaba la falta de organización, no soportaba las situaciones improvisadas y hacía un culto de la planificación; lo había visto enfurecerse cuando sus disposiciones se alteraban—. Todo está pronto para esta noche. Me alegro de que Tessie haya aceptado nuestra invitación.

—No fue fácil convencerla. Mi abuelo le inspira pánico.

De acuerdo con su costumbre, Calvú Manque entró sin llamar. Elisabetta dio un respingo y Artemio le quitó el brazo de los hombros.

—Disculpen —farfulló el indio, a punto de retirarse.

—¡Pase, Calvú! Adelante.

Calvú Manque se ubicó en un sillón, e iniciaron una conversación sin trascendencia hasta que Winthorp, el mayordomo, requirió la presencia de Elisabetta en la cocina. Cerca de la puerta, la mujer notó la ausencia del óleo de van Haarlem.

—¿Y el cuadro de *Betsabé en su baño*?

—Lo mandé quitar esta mañana —comunicó Artemio.

Elisabetta se debatía entre preguntar o sofocar su curiosidad; había aprendido también que a Sebastiano lo fastidiaban los interrogatorios y la gente entrometida; celaba su intimidad como un león malhumorado y, al igual que los animales, demarcaba un territorio al cual nadie accedía. No obstante, su curiosidad la impulsó a arriesgar la pregunta:

—¿Por qué?

—Lo haré rematar en *Christie's* —hablaba de una de las casas de arte más tradicionales de Londres.

Habría vuelto a preguntar y eligió callar, no tanto para salvarse del enojo de Artemio sino porque no quería conocer el origen de esa determinación. Sabía que el cuadro del pintor holandés lo afectaba de una manera especial; en varias ocasiones lo había pillado observándolo con una intensidad que, en su opinión, iba más allá de la simple apreciación de una buena obra de arte. La perturbaba que hubiese decidido deshacerse de él. "Otro misterio", se dijo, y cerró la puerta del despacho.

Pocos conocían a Artemio Furia como Calvú Manque. El indio tenía la exacta percepción de su índole, y, en cada gesto, movimiento o palabra de su amigo, sabía leer entre líneas y apreciar lo que escondían.

—¿Por qué se sorprendió tu mujer con lo del cuadro?

Artemio abandonó su sitio en el sofá y se dirigió al hogar; tomó el atizador y acomodó los leños.

—No lo sé. Quizá porque le agrada mucho van Haarlem.

—'Tonce, regálaselo.

—No.

—¿Por qué?

Artemio partió en dos un tronco y provocó una lluvia de chispas que murieron en el chispero de bronce.

—Porque hoy decidí que no me agrada. La semana entrante —habló sin pausar, y se dio vuelta, con el atizador en la mano—, cuando lleve a Tessie de regreso a su casa, quiero que me acompañes a *Saint Ailish*.

—Tu propiedá en Glendalough —comentó Manque— é uno de los lugares má bonitos que conozco.

—Mi madre nació en ese condado —apuntó Furia.

—¿Nos acompañará tu mujer?

"L'único ojo de Artemio Juria basta pa'meter miedo", reflexionó el indio. A él, sin embargo, no lo intimidaba ese vistazo malintencionado, y lo contempló con la pasividad propia de su raza.

—Te muestras muy interesado en *mi* prometida...

—Me haré el zonzo. Pa'mí, recién no has dicho náa —aseguró, sin alterar su comportamiento tranquilo—. Dende que he llegao a esta casa, tu mujer ha buscao mi amistad pa'saber de ti. Me anda pareciendo que ni siquiera le has contao dónde naciste, menos aún de Ra...

—¡Cállate! —rugió Artemio, y Calvú Manque se retrajo en el sillón, sorprendido por la salida de tono de Furia—. No te atrevas a pronunciar su nombre —lo amenazó en un susurro.

—¿Por qué? Puedo mentarla, ella también fue mi amiga, sabes cuánto la quise.

—Cierra la boca, Calvú.

—Aura mi acuerdo de por qué mi gente te llamaba Juria. —Notó que Artemio apretaba el puño en torno al mango del atizador y que sus nudillos se ponían blancos—. Tienes que hablar de ella —se arriesgó a insistir—. Sabes lo que dis mi *ñuqué*, que al dolor hay que sacarlo juera pa'que no se pudra dentro y nos aquerese el alma. Artemio, háblame de...

—¡No! —Caminó hasta él completamente desmadrado—. ¡Cállate! ¡No digas su nombre! No lo soporto, no soporto escucharlo. Tú no entiendes nada. —Se echó en el sofá, con la cabeza abatida entre los brazos—. Quiero arrancarla de mis pensamientos. Quiero que su nombre no se repita en mi mente. Quiero que desaparezca. Quiero olvidarla. Está volviéndome loco. —Su voz ronca perdió firmeza—. Despúes de tantos años, todavía me vuelve loco.

La confesión tomó desprevenido a Calvú Manque, jamás pensó que Artemio le revelaría su lado más flaco. Pasado un momento, se puso de pie frente a su amigo.

—'Tá mal, *peñi*. É imposible. Ella jue tuito pa'ti. É de necio que trates de olvidarla pué no somos patrones de nuestras memorias. La ricordarás sempre. Resígnate a vivir con su gracia en tu cabeza.

—Sabes que me he resignado a cosas muy duras, Calvú. Sabes que lo he logrado. Sin embargo, con ella... Con ella no puedo.

—Tu voluntá é de acero. Bien lo sé yo. Podrías vivir en paz con su ricuerdo. Sucede que no quieres. Tormentosa jue tu vida con ella, tormentosa lo ha de ser también con su ricuerdo.

Calvú Manque decidió abandonar la estancia al advertir que los hombros de Artemio Furia se sacudían en un llanto que intentaba dominar.

CAPÍTULO II
La cena de compromiso

*W*inthorp y dos sirvientas se ocupaban de cerrar las cortinas de los ventanales del escritorio, otra alimentaba el fuego en el hogar, y lo hacían en silencio para no disturbar al señor Sebastian, empeñado en terminar la carta que, al día siguiente, despacharía al Río de la Plata.

Artemio levantó la vista y alcanzó a ver, antes de que Cindy corriera el último paño de terciopelo, que los vestigios de color habían desaparecido del cielo y que la oscuridad se cernía sobre su propiedad. Los llamarían a cenar en breve, y allí, en presencia de amigos y familiares, su abuelo anunciaría el compromiso.

Después del altercado con Calvú Manque esa tarde, estaba más tranquilo. Se había inmerso en una tina de agua caliente para combatir el frío que se apoderaba de sus manos, de sus pies y de sus miembros cada vez que pensaba en ella y la imaginaba. Firmó la carta con brío, como si con ese gesto renovado le imprimiera vigor a la decisión que acababa de comunicar por escrito y se quitara de encima la melancolía que lo había deprimido el día entero. Roció arenilla con la salvadera sobre la hoja de Manila para secar la tinta, la dobló y la cerró. Estampó su sello en lacre.

Se puso de pie, atrayendo la atención de los sirvientes, pese a que estaban habituados a sus modos bruscos. Con la cabeza baja y las manos tomadas a la espalda, caminó por la sala, esforzándose por ocupar su mente con escenas gratas, como la vivida horas atrás, cuando la familia de su prima Prudence Wallington llegó a *Grossvenor Manor*. "Tu voluntá é de acero." Las palabras de Calvú Manque le infundieron confianza.

Tomó la copa con jerez que Winthorp le alcanzó y bebió un corto sorbo. Jugueteó con la bebida en su boca mientras se dirigía hacia el sofá de cuero Chippendale, donde tomó asiento, con las piernas cruzadas. Fijó su único ojo en las llamas y siguió bebiendo a ritmo lento. Winthorp se acercó por la izquierda.

—¿Desea algo más, milord?

—¿Han dado de comer a Quinto?

—Están haciéndolo en este momento, milord.

—Tráelo apenas termine. Winthorp, toma la carta que dejé sobre mi escritorio y despáchala mañana por la mañana. Puedes retirarte. Gracias.

El mayordomo y las sirvientas se hicieron a un lado, con una inclinación, para permitir el paso a Elisabetta, antes de abandonar el escritorio y cerrar la puerta.

—Sebastiano, *caro* —lo llamó.

Artemio se puso de pie y se quedó mirándola, permitiendo que la belleza y la delicadeza que emanaban de su prometida lo gratificaran después de una jornada tormentosa. Su sonrisa lo conmovió. Le sentaba esa tonalidad azul cobalto del organdí, iba de acuerdo con su cabello rubio y sus ojos celestes. Vestía a la nueva moda, que comenzaba a alejarse del estilo Regencia, bajando la cintura, encorsetándola, subiendo el escote y ampliando las faldas.

—*Sei molto bella* —expresó en su incipiente italiano.

Elisabetta rió y se acercó para que Artemio la abrazara.

—*Grazie, caro. Anche tu sei bello.*

—¿Y Tessie?

—Enseguida bajará. Mi doncella está terminando de peinarla. Mina la acompañará hasta aquí. Sigue muy nerviosa. Dice que no podrá comer esta noche. Me ha pedido que le enseñe cómo usar los cubiertos y las copas.

Llamaron a la puerta. Elisabetta se apresuró a abrir. Eran Tessie y Mina.

—*Caro* Sebastiano, observa qué hermosa está nuestra querida Tessie.

A Artemio lo complacía que, a pesar del origen humilde de la mujer, Elisabetta la respetara como si fuese una duquesa. De las personas que había llegado a querer en su nueva patria, Tessie contaba entre las primeras, no sólo por haber sido la mejor amiga de su madre sino por haberle devuelto en parte su historia al relatarle la de sus padres. Todavía recordaba el primer encuentro: él cabalgaba por *Saint Ailish*, y una mujer menuda, de cabellera entrecana y pobremente vestida, le salió al paso.

—Disculpe, milord —habló, sin mirarlo, con pesado acento que evidenciaba su costumbre de usar el gaélico—. No me juzgue impertinente si le hago una pregunta.

Empezaba a conocer la sumisión y reverencia de los campesinos irlandeses, por lo que dedujo que debía de resultarle difícil a esa mujer enfrentarlo y formularle una pregunta. De inmediato, admiró su valor.

—Adelante. Puede hacerla.

—¿Es cierto que su excelencia es el hijo de Emerald Maguire?

—Lo soy.

—Su madre y yo éramos como hermanas —aseguró.

Artemio se apeó deprisa y le estrechó la mano. Así había comenzado su amistad. Por Tessie supo que sus padres se habían conocido en 1773, durante las festividades del 1° de mayo, cuando los señores de Glendalough bajaban a la aldea y consentían en mezclarse con los plebeyos en danzas y juegos. "Fue amor a primera vista. Nunca he visto amor más grande que el de tus padres." Le contó también que a Emerald se la consideraba la beldad del condado de Wicklow, y que sus hermanos, Fidelis y Jimmy, la celaban al punto de vivir de gresca en gresca. "Tu padre era el hombre más apuesto que yo haya visto, refinado y culto, y al mismo tiempo amable." Vivía mayormente entre Londres y Oxford, donde cursaba sus estudios, y regresaba en ciertas épocas del año a la Irlanda porque amaba su país.

Sin el apoyo de las familias, Horatio y Emerald huyeron para casarse. Los Maguire detestaban a los de Lacy debido a que, en 1649, Oliver Cromwell les había confiscado sus tierras para entregárselas a esos ingleses con apellido normando. Por su parte, los de Lacy, que consideraban a los Maguire sucios, analfabetos y supersticiosos papistas, jamás habrían admitido que su sangre se mezclara con la de semejante ralea.

"Decían", le confesó Tessie, "que el conde estaba dispuesto a perdonar a tus padres y a recibirlos en *Grossvenor Manor*. Nunca supimos si era verdad puesto que alguien intentó matar a tu madre, que se encontraba en estado, y todos apuntaron a él, a tu abuelo. Afortunadamente, la bala que la hirió en el brazo sanó sin problemas".

Artemio se hallaba al tanto de la convicción de su abuelo acerca de ese tema. El viejo conde sostenía que, en realidad, el atentado había estaba dirigido a su hijo y no a Emerald. Ellos se encontraban juntos en el momento del ataque, y, por error, Emerald había recibido la bala. Nunca lo sabrían con certeza. Sin embargo, Artemio desconocía la sospecha del conde, que involucraba a los Maguire. Éstos formaban parte de una cofradía que se proponía acabar con la ocupación inglesa en la Irlanda, y bien podrían haber planeado asesinar al futuro conde de Grossvenor que, por otra parte, se había robado a su preciada hermana. ¿O no contaba acaso que ese joven y alocado Fidelis Maguire, hermano mayor de Emerald, hubiera intentado asesinarlo tiempo más tarde, irrumpiendo en su carruaje en el que, se suponía, viajaba a Dublín para asistir a una velada lírica? Por fortuna, un espía los había alertado.

"A causa del ataque", le contó Tessie, "tus padres decidieron huir con la pequeña Edwina. Como tu abuela era española, tu padre acudió a su tío en Madrid que le entregó una carta de recomendación y una gran suma de dinero para que probara suerte en las colonias del otro lado del mar. Así partieron. La última carta que recibí de tu madre... En realidad, escribía tu padre, ya que tu madre no sabía hacerlo, y yo se la daba a leer al padre Ronny, porque no sé leer. Pues bien, la última carta que recibí de tu madre, me contaba que se hallaban en Cádiz a punto de zarpar. Nunca más volví a saber de ellos".

"¡Qué distinta luce Tessie desde aquella primera vez en que la vi, en el camino de Glendalough!", se dijo Artemio. Había ganado en peso, su piel lucía saludable y el cabello le brillaba. A pesar de su sonrisa desportillada —la falta de dientes se debía al escorbuto—, resultaba encantadora. Salió a recibirla. La notó cohibida y nerviosa, mientras la conducía cerca del hogar.

Entraron los niños, Stephen, Albert y Sophia, seguidos de la institutriz, de la prima Prudence y de su esposo, Stephen Wallington, con quien Artemio había estrechado una gran amistad. Al rato, se les unió Calvú, y casi a continuación se presentó William de Lacy, hermano de Prudence y cuñado de Elisabetta, recién llegado de Londres —todavía con el redingote y la galera en la mano—, que comunicó, en un estilo histriónico y jovial, su determinación de pasar una larga temporada en *Grossvenor Manor*, a lo que Artemio respondió con una mirada cómplice y un leve movimiento en la comisura izquierda a manera de sonrisa irónica. "¿A cuánto ascenderán tus deudas de juego que vienes a esconderte en este paraje que detestas?" Él se haría cargo, como siempre, ya que profesaba un gran afecto por el primo hermano de su padre y no deseaba que terminara confinado en *Newgate* por deudas. Su abuelo, por el contrario, expresaba a viva voz que una temporada en prisión curaría a su sobrino del vicio del juego, a lo que éste respondía con risotadas y una conducta despreocupada, más propia de un adolescente que de un hombre que rondaba los cincuenta. Esos modos de William, en realidad, ocultaban el sufrimiento que le provocaba la falta de aprobación de su tío Horatio, anhelada aún más que la de su padre. Dado el tormentoso matrimonio de Andrew de Lacy y Margaret Cavendon, desde pequeños, Andrew, William y Prudence habían estrechado el vínculo con su tío, quien encarnaba la seguridad y el sentido común de los que carecían sus progenitores.

Andrew y William añoraban las largas temporadas en *Grossvenor Manor* y en *Saint Ailish*, donde nadie gritaba ni se lanzaban cosas, las personas no caminaban dando tumbos ni amanecían cerca del mediodía, aunque a Andrew —William era demasiado pequeño y no lo recordaba— le tocó vivir los días en que el tío Horatio y su único hijo se miraban con dureza, no compartían las comidas y se encerraban a discutir en el despacho. Lo desconcertó que el primo Horatio —varios años mayor que él— le informara una noche que se marchaba para casarse con una muchacha "de otra condición". "Tú nos contaste", le recordó Andrew, al borde del llanto, "que tío Horatio casó en contra de la voluntad del abuelo, porque tu madre era española, y que, con el tiempo, él lo perdonó y aceptó su matrimonio". "Es cierto", admitió Horatio, "pero mi madre poseía algo que Emerald, no: provenía de una de las familias más antiguas de España, los Alba de Tormes. Emerald, en cambio, es una campesina".

La huida del primo Horatio tiñó de gris a *Grossvenor Manor*. El conde se recluía en el despacho y pasaba las noches en casa de su amante. Al saberse la noticia de que Horatio había partido hacia la España para poner a resguardo a su esposa encinta, ya que sospechaba que su padre había mandado asesinarla, el conde sufrió un acceso de ira y tachó del libro familiar el nombre de su único hijo. Llamó a su sobrino Andrew, de apenas siete años, y le informó que, a su muerte, se convertiría en el undécimo conde de Grossvenor.

Se dijo que sobre la familia de Lacy pendía una maldición el día en que Andrew de Lacy falleció a causa de una bala perdida en el coto de caza de *Saint Ailish*. Se especuló acerca de quién se haría con el título. Se pensó en William, aunque pronto quedó fuera de juego; su tío lo consideraba un bueno para nada. "William, no tienes oficio ni beneficio", rezongaba el viejo conde, a lo que su sobrino respondía con chanzas y carcajadas.

Descartado William de Lacy, las miradas se dirigieron hacia el ilegítimo de Horatio de Lacy, John Joe Fitzgerald, que había recibido la educación de un aristócrata. Las hablillas acabaron cuando se supo que el conde había decidido buscar a su hijo Horatio para restablecerlo en el sitio de heredero, para lo cual se tragó el orgullo y pidió ayuda a su cuñado en Madrid, al cual siempre había detestado. El duque de Alba y Tormes le informó lo que sabía: Horatio y su familia habían partido del puerto de Cádiz en 1775 con destino a Buenos Aires, una ciudad en la Sudamérica. "No he vuelto a saber de ellos", expresó. "Las comunicaciones entre la España y sus colonias han sido difíciles en los últimos tiempos. Quizá me escribió y la correspondencia se extravió." La excusa sonó pobre a los oídos del conde de Grossvenor, que temió lo peor. Regresó a Londres muy abatido, y los sirvientes se preocuparon pues casi no probaba bocado y se lo pasaba en su dormitorio. Hasta un día, a mediados de febrero de 1811, en que recibió la visita de Roger Blackraven, hijo de un viejo amigo, que renovó las esperanzas. Mandó por comida y, mientras saciaba el hambre de días, lanzaba órdenes a su secretario —que reservara pasajes en el próximo buque con destino a la Sudamérica— y a su asistente de cámara —que preparara las maletas para un largo viaje—.

Ese rincón en el enorme vestíbulo de *Grossvenor Manor* lo había complacido desde niño, desde que comenzó a visitar la casa del conde y se ocultaba para observar. Lo recibían en carácter de protegido de Horatio de Lacy, a cargo de su alimentación y vestimenta y del costoso colegio en Dublín. En la actualidad lo hacía como amigo, aunque todos sabían que John Joe Fitzgerald era su hijo ilegítimo. Su bastardo. Odiaba el sonido de esa palabra y todavía se acordaba del día en que la escuchó por primera vez. "Ahí va el bastardo del conde", gritó un aldeano, a lo que siguió una lluvia de guijarros. Apretó el vaso de coñac y se acomodó en el canapé, enfurecido por el efecto de ese recuerdo, aborrecía el sentimiento que le inspiraba, no por malo sino porque le restaba concentración y fuerza. A veces, las memorias inundaban su visión y lo ahogaban, como la del conde apeándose del caballo y entrando en la cabaña que ocupaban en las afueras de la ciudad de Trim, y la de él abandonando la cabaña, por mandato de Devona, su madre, y aguardando en el granero donde se dedicaba a odiar a ese hombre y a Devona por permitirle que lo humillase. Pronto le revelaron un gran secreto: ese hombre era su padre; les había comprado la cabaña, les daba dinero y lo enviaría a estudiar al *Trinity College* en Dublín. Poco valoraba las limosnas del conde, él quería ser como su medio hermano Horatio, al que los aldeanos y campesinos saludaban con una sonrisa cuando, después de pasar el invierno en el internado de Eton, regresaba a *Grossvenor Manor* y paseaba a caballo por la calle principal de Trim. "Él perdió a su madre cuando apenas tenía días de nacido", trataba de convencerlo Devona. "Tú nos tienes a los dos, a tu padre y a mí. Eres mucho más afortunado que Horatio." El argumento no sólo le resultaba fatuo sino que lo ponía de malas. Él no tenía a su padre, ni siquiera lo llamaba de ese modo sino "milord", y ser su ilegítimo le servía bien poco. Los aldeanos los marginaban; a su madre la llamaban "ramera" y a él, "bastardo". Aprendió a entretenerse solo y a soportar las pullas con una idea fija: "Algún día me vengaré", y, como no aceptaba el dinero que le entregaba su madre puesto que salía de la bolsa de de Lacy, también aprendió a arreglárselas solo desde muy joven. No necesitó demasiado tiempo para entender que le convenía una alianza con las autoridades inglesas. Todavía recordaba la satisfacción que experimentó el día en que embolsó sus primeras libras por informar sobre movimientos extraños entre los aldeanos, los mismos que tantas veces lo habían despreciado por su origen, y tampoco olvidaría las cincuenta libras —una pequeña fortuna— que ganó al ayudar a desbaratar el plan que se proponía asesinar a su padre y por el cual cayeron tres jóvenes cofrades, entre ellos, Fidelis Maguire, cuñado de Horatio.

Con los años, cuando llegó la sabiduría, la que le enseñó que el orgullo era un lujo demasiado costoso, aceptó el ofrecimiento de de Lacy e ingresó en el *Trinity College*, donde recibió una esmerada educación y obtuvo su título de abogado. Gracias a las conexiones de su padre, trabajó en un bufete de Dublín y adquirió renombre entre los latifundistas debido a que jamás perdía un juicio contra los arrendatarios ni los campesinos. Ya nadie mencionaba su condición de hijo natural, ni lo miraba con desprecio, ni le arrojaba guijarros e insultos. El golpe de suerte llegó cuando su padre le ofreció el escaño en el Parlamento irlandés por el distrito de Trim, en manos de los condes de Grossvenor desde la época de las confiscaciones cromwellianas. A Trim se lo definía como un "distrito podrido", es decir, un distrito que aún contaba a los fines electorales a pesar de que, por haber decrecido el número de sus pobladores, debería haber sido absorbido por uno mayor. En 1800, cuando se sancionó el Acta de Unión, John Joe recibió un soborno suculento y un título nobiliario por votar la unificación de los parlamentos de la Irlanda y de la Gran Bretaña. Como su padre se mostraba orgulloso y satisfecho con sus logros, John Joe fantaseó con que terminaría por heredarle el título de conde de Grossvenor. Hasta ese día de enero de 1820, el ofrecimiento no había llegado.

Se abrió la puerta del despacho y salió un grupo nutrido encabezado por Sebastian de Lacy, hijo de su medio hermano, que marchaba con Sophia de la mano y con ese gato gigante pegado a la rodilla. Lo estudió desde su rincón. *Sauvage de l'Amerique* (salvaje de la América) lo había apodado la esposa del cónsul francés en Londres, al distinguirlo en una fiesta, impactada por la extraña combinación de su porte sajón, el parche negro en el ojo izquierdo, varias argollas de plata en la oreja derecha y la actitud distante, como de cansado desinterés, con que observaba y se dirigía, sin caer en un comportamiento altanero, más bien la natural disposición de quien conoce su propia valía y se siente seguro. Esa reserva y frialdad le habían granjeado la fama de orgulloso y desagradable; sin embargo, cuando se tenía la oportunidad de verlo sonreír —no la mueca sardónica que empleaba en eventos sociales sino el gesto que le suavizaba las facciones y le iluminaba el ojo derecho—, se decía que conquistaba cualquier corazón, como el de la esposa del cónsul francés, que había sido su amante hasta que el diplomático solicitó el traslado, temeroso de verse obligado a enfrentar en un duelo al *sauvage de l'Amerique*.

John Joe cambió de posición en el canapé para mejorar el ángulo de visión. Su sobrino, de cuclillas al pie de la escalera, despedía a los hijos de Prudence, que se marchaban a dormir. Sophia se colgó de su cuello y le pidió que le contase un cuento. Verlo sonreír y besar la cabeza de la criatura le provocó a John Joe la misma incomodidad y curiosidad de quien espía a alguien desnudo. Le miró fijamente el perfil y concluyó que era como estar viendo a su tío, Fidelis Maguire, con excepción del cabello rubio, herencia de los de Lacy.

Se escucharon unos bastonazos sobre el parquet, y todos giraron para encontrarse con la figura, todavía altiva pese a sus casi ochenta y seis años, del décimo conde de Grossvenor.

—La señorita Powell —dijo el anciano, y miró a la institutriz— te contará un cuento, Sophia. Tu tío Sebastian está ocupado esta noche. Ah, William, veo que has llegado.

—También es un gusto verte, querido tío Horatio.

—Ve a cambiarte —le ordenó—. Vamos —apremió al resto—. Mis invitados llegarán de un momento a otro.

Artemio le ofreció el brazo a Tessie, y John Joe notó por primera vez que la campesina formaba parte del grupo. Se sorprendió, aunque sin motivo; bien conocía las extravagancias del hijo de su medio hermano. Sí lo sorprendió que su padre admitiera que una mujer de condición tan baja empañara el boato de la cena. "Entonces", meditó, "resultan ciertas las hablillas que sostienen que el viejo baila al son de su nieto". Se preguntó si lo habría enfadado la novedad de que Sebastian hubiera mandado editar antiguos poemas de los bardos en gaélico y organizado tertulias con los campesinos de Trim y Navan donde se los recitaba en abundancia de comida y bebida, y todo a costa del dinero de los de Lacy, dinero que le pertenecía por derecho de nacimiento y que el hijo de su medio hermano malgastaba en sandeces, como la de comprar toneladas de naranjas en Sicilia y repartirlas entre sus cientos de arrendatarios, los de *Grossvenor Manor* y los de *Saint Ailish*, para prevenir el escorbuto. Había generado malestar entre las autoridades y los políticos de Dublín la noticia de que el nieto del conde de Grossvenor estaba completando un plan por el cual se reemplazaban las cabañas de barro y techos de bálago de los arrendatarios por casas de ladrillos y argamasa, cada una con su chimenea para evitar las fogatas en el interior que inundaban de humo los ambientes y provocaban oftalmia e incluso ceguera entre los campesinos, quienes en un principio objetaron la opulencia de contar con chimenea, dado el impuesto de dos chelines —casi una semana de trabajo— que pesaba sobre cada una de ellas, cuestión que Artemio zanjó al hacerse cargo de él. Tanto la noticia de la construcción de las casas como la del pago del impuesto a las chimeneas por parte de de Lacy comenzaban a propagarse por el país y a generar efervescencia entre los habitantes de otros condados, que pretendían obtener los mismos beneficios.

John Joe había escuchado que así como los campesinos veneraban a Sebastian de Lacy por su munificencia, también le temían. Era famosa su severidad con el orden y la pulcritud, casi rayaba en la obsesión, la cual, entre otras medidas, lo había llevado a prohibir que se acumularan montañas de estiércol y hulla, utilizados para alimentar el fuego, en las puertas de las cabañas, donde gateaban los bebés y jugaban los niños. También prohibió que se bebiera alcohol, con excepción de los domingos. No perdonaba la desidia ni la vagancia, la chabacanería lo ponía de pésimo humor, lo mismo que no se cumplieran sus órdenes y planes.

Al obtener del actual conde de Grossvenor el control absoluto sobre las propiedades, su primera medida consistió en deshacerse de Jacob Burke, el administrador, un hombre cuya familia había servido a los de Lacy desde tiempos inmemoriales. "¿Por qué me despide?", le había preguntado Burke. "Porque usted le roba a mis arrendatarios y a mí. Ahora salga de mi tierra y no vuelva a pisarla o le abriré la garganta de lado a lado." No se trataba de un chisme; él lo sabía del propio Burke, que se apresuró a abandonar *Saint Ailish*, dando crédito a lo que se decía: que cada aro de plata que pendía de la oreja derecha de Sebastian de Lacy representaba a un cristiano despachado al otro mundo por sus propias manos en aquella región del sur donde se había criado como un salvaje. ¿Se avendría su padre a heredarle el título de undécimo conde de Grossvenor y erigirlo en dueño y señor de sus propiedades, incluidas las de la Inglaterra, con esos antecedentes?

La acusación a Burke no era infundada, la mayoría de los administradores cobraba un extra a los campesinos que no contabilizaba. Los señores ingleses con tierras en la Irlanda hacían la vista gorda si los salvaba de ocuparse de sus propiedades en ese país de supersticiosos y mugrientos papistas en el cual no se hallaban a gusto ni seguros. Artemio, en cambio, había emprendido la administración de sus tierras con el mismo celo empleado en los negocios y asuntos en el Río de la Plata, abrazando la causa del pueblo irlandés como propia.

John Joe debía admitir que, si bien su sobrino destinaba fortunas en mejorar las condiciones de vida de los arrendatarios, realizaba donaciones a la Iglesia Católica —conducta que le granjeaba poderosos enemigos— y fundaba hospicios y orfanatos, las ganancias de *Grossvenor Manor* y de *Saint Ailish* habían aumentado sensiblemente gracias a su administración. Algunos susurraban que era brillante para los negocios, otros hablaban de que tenía suerte. Por ejemplo, cuando la mayoría de los propietarios echó a sus arrendatarios de modo tal de lograr más espacio para criar ganado dado el incremento de la demanda de carne por parte de los ingleses, Sebastian no sólo que no despidió a ninguno sino que absorbió los de sus vecinos. Con modernas técnicas, intensificó el cultivo de maíz, trigo y cebada. "El negocio en este momento son las vacas", intentó aconsejarlo un amigo de su abuelo. "Vacas son lo que me sobra", había sido la enigmática respuesta de Sebastian. Ese año, la cosecha resultó abundante y, como el precio se hallaba en alza debido a una peste que diezmó los cultivos en la Francia, Sebastian y sus arrendatarios nadaban en dinero. Podía vérselos en las calles de Trim y de Navan, con sus sonrisas satisfechas y sus trajes y sombreros nuevos.

—Winthorp —escuchó llamar a su padre—, ¿no ha llegado el barón de Kildare?

"Ése soy yo", pensó John Joe. Apoyó la copa sobre la mesa de arrime y se puso de pie.

—Aquí estoy, Horatio —dijo, y su figura se evidenció en las sombras—. Componíais un cuadro tan ameno —explicó a los presentes, que lo contemplaban entre atónitos y molestos— que me permití quedarme en silencio para solazarme.

William de Lacy subió a la planta alta y entró en su dormitorio, el mismo que ocupaba desde niño. Hacía meses que no visitaba *Grossvenor Manor*, y lo asaltó la emoción del regreso, del encuentro con el sitio que amaba desde que tenía uso de razón; se puso contento, más allá del recibimiento del tío Horatio y del evento que lo convocaba. No habría acudido a la invitación de su sobrino Sebastian de no hallarse en graves aprietos financieros, y se habría ahorrado la pena de verlo anunciar su compromiso con Elisabetta d'Adda. Sus acreedores, que lo perseguían como lebreles, lo habían orillado a abandonar Londres y recalar en la Irlanda; también su amante, que le exigía la mensualidad para pagar, entre otros lujos, las habitaciones que alquilaba en el barrio de Belgravia; a su regreso, la encontraría furiosa y con nuevo protector. La verdad era que le importaba un ardite; esa mujer contaba para él tanto como las otras. La única por la cual habría cambiado su vida de calavera y bueno para nada se desposaría con el hijo de su primo.

William asestó un golpe sobre la mesa de noche y pateó una bota, que dio contra el chispero de la estufa. Se llevó las manos a la cabeza y lanzó un corto grito. Esa mujer le pertenecía, siempre le había pertenecido. Decidido a huir del matrimonio, incapaz de someterse al calvario de sus padres, cambió de parecer el día en que la conoció en el palacio de su amigo, Girolamo Sforza, en Milán. Los presentaron, conversaron y hasta rieron sin prestar atención a las reglas que señalaban lo inconveniente de la risa franca y abierta en acontecimientos sociales. Convenció a Girolamo, primo y tutor de Elisabetta junto con su abuelo, el duque d'Aosta, de que la escoltara a *Grossvenor Manor*, donde pensaba pedirle que lo desposara. Por primera vez, William abandonaba el cinismo y la ironía con los que había encarado la vida, para aferrarse al sentido que Elisabetta le otorgaba; no pensaba en la relación de sus padres ni en la aversión que experimentaba ante el fracaso, la infidelidad y el desamor. Se daba cuenta de que, al hablar con tanto desprecio del matrimonio, la ignorancia y el miedo habían desempeñado un papel fundamental. Elisabetta se había adueñado de su mente y sanado su corazón.

El desengaño que sufrió la mañana en que encontró a su hermano Andrew besando a su amada en las caballerizas lo condujo al borde del suicidio. Su valet lo encontró con una pistola en la boca y llegó a tiempo para arrebatársela. Sólo el conde de Grossvenor se enteró del incidente y, al conocer el motivo, endilgó una filípica a su sobrino William y lo envió lejos para que no interfiriese con lo que él juzgaba un golpe de suerte, ya que, por primera vez, Andrew, heredero del título y con casi cuarenta años, mostraba serio interés por una mujer. La joven, aunque italiana, podía jactarse de un rancio abolengo, y su juventud —apenas llegaba a los diecisiete años— aseguraba un vientre fértil. Se casaron pocos meses más tarde, en la capilla de *Grossvenor Manor*, por el rito de la Iglesia Anglicana. William estuvo ausente en la ceremonia y en la fiesta y no supieron de él hasta el día del entierro de Andrew, tres años más tarde.

En aquella oportunidad, mientras observaba llorar a través del velo de encaje negro a su cuñada Elisabetta, se prometía: "Esta vez no se me escapará. Esta vez será mía". A pesar del rencor y del tiempo transcurrido, seguía amándola; aún reaccionaba a su cercanía, el corazón le palpitaba, desenfrenado, y se le ponía densa la boca. Respetaría el período de luto para confesarle sus sentimientos. Le concedería tiempo para olvidar su pérdida. Le dolía el desconsuelo de Elisabetta porque significaba que había amado a Andrew. Todos habían amado a Andrew. Le temía a la comparación y al rechazo.

La milagrosa aparición del hijo de su primo Horatio en 1811, a quien el conde de Grossvenor había rescatado de las entrañas de una región bárbara del sur del mundo, se convirtió en la cura de Elisabetta, que ni siquiera simulaba su devoción por Sebastian de Lacy, el cual la trataba con una actitud indolente que casi rayaba en la descortesía. Ella, sin embargo, no claudicaba y desplegaba sus artes de seducción con un desparpajo que sólo el destinatario no advertía, o quizá sí. Para Elisabetta no contaba siquiera que su primo Girolamo Sforza condenase al *indiano biondo dell'America* (indio rubio de la América) y que desaprobase su intención de desposarlo. "Un hombre que anda con un parche negro y tantas argollas en la oreja", había intentado razonar con su prima, "más tiene de pirata que de noble irlandés", a lo que Elisabetta respondió con una carcajada. "Me gusta más por su parche negro", le aseguró, "por sus argollas de plata y por el pañuelo que se ata en la cabeza cuando sale a cabalgar. Deberías verlo, querido primo; en esas ocasiones, con el torso desnudo, ¡sí que tiene traza de filibustero!".

Aprovechando que Sebastian no correspondía a Elisabetta, William decidió declararle su amor. La muchacha lo contempló con ojos amables y le acarició la mejilla. Lo humilló que no se mostrara conmovida ni turbada, como si siempre lo hubiese sospechado, y que le dijera que lo quería como a un hermano.

William huyó a Londres. Pero incluso allí lo alcanzaban los cuentos acerca de la adoración que Elisabetta demostraba por Sebastian, a quien secundaba en cuanta locura se embarcaba, como la de repartir naranjas u organizar una escuela dentro de la propiedad de *Saint Ailish* para los hijos de los arrendatarios. Ella enseñaría italiano y francés, como si esas gentes hubiesen necesitado aprender otras lenguas.

Llamaron a la puerta. "¡Ya era hora!", exclamó para sí, creyendo que se trataba de su valet. Abrió, y Girolamo Sforza lo miró, ceñudo, bajo el umbral.

—¡Girolamo! ¡Qué sorpresa!

—Ni tanta, William. —Lo saludó a la usanza inglesa, apretando la mano derecha de su amigo—. He aceptado la invitación de Sebastian en un último intento por desbaratar su compromiso con mi prima Elisabetta. Sé que todavía no te aprestas y que la cena comienza en unos minutos. Yo mismo acabo de llegar y debo cambiarme. Pero necesitaba hablar contigo y le pedí a un sirviente que me indicara dónde te encontrabas.

—Por supuesto. Pasa, pasa. ¿Aceptas una copa de brandy?

—No, gracias.

—Dime, ¿de qué necesitabas hablar conmigo?

—¿Es Sebastian de Lacy el verdadero nieto de tu tío Horatio o un impostor? —Ante el desconcierto de William, Girolamo aclaró—: Se dice en Londres y en Dublín, donde he pasado mis últimas semanas, que no. El viejo Horatio quería hallar a su nieto perdido y cualquiera le vino bien.

—No lo creo —admitió William, en un rapto de sinceridad que lamentó—. Aunque ahora que lo mencionas... No sé qué pruebas obtuvo mi tío para admitir que ese sayón es el hijo de mi primo Horatio. Se lo pregunté en una oportunidad y no se avino a darme explicaciones. Resulta sospechoso, ¿no lo crees?

—No se parece en absoluto a los de Lacy.

—No, aunque he escuchado que es el fiel reflejo de un hermano de su madre.

—¿Quién era su madre?

—Una campesina del condado de Wicklow.

—¡Una campesina! —Girolamo Sforza se llevó la mano a la frente—. Es un impostor —dijo—, lo sé, lo presiento. ¿Qué sabemos de él? ¿Dónde nació? ¿Cómo fue educado? Me pregunto si no será bígamo. Podría haber dejado una esposa en aquel país de las Indias Occidentales. Hasta hijos.

—¿Qué piensas hacer para evitar la boda?

—Amenazaré a Elisabetta con desheredarla. El duque d'Aosta me ha concedido la venia para tomar esta medida drástica.

—No conseguirás nada —afirmó William—. Sebastian será un hombre muy rico a la muerte de mi tío Horatio, y no necesitará de la fortuna de Elisabetta para vivir con los lujos que se le antojen. Por otra parte, es un hombre extraño. No le importa el dinero. De veras —agregó, ante la expresión de cejas elevadas de Sforza—, no le importa. En cuanto a tu prima, está tan enamorada —admitió, con un esfuerzo que su amigo no alcanzó a vislumbrar— que desechará tu amenaza.

—Elisabetta no tomará a la ligera el repudio de familia —lo contradijo Sforza, y William sacudió los hombros y ensayó un gesto que llamaba al desafío.

—Yo creo que sí —aseguró—, desechará tu amenaza.

—¡No puedo permitir que una d'Adda, nieta del duque d'Aosta, se una en matrimonio al hijo de una campesina irlandesa con aspecto de pirata! Se duda de su origen, es un hombre rudo, carente de educación y buenos modos, corto de genio, ¿qué ha visto mi prima en él?

William, que se había formulado la misma pregunta varias veces, calló.

—Mi sobrino Sebastian —dijo, al cabo de un silencio— tiene muchos enemigos en Dublín y en Londres.

Sforza lo contempló con fijeza en tanto las palabras calaban en su mente. Se puso de pie.

—Continuaremos esta conversación cuando la cena haya terminado. Ahora tú debes cambiarte, igualmente yo. Te veo en el comedor —dijo, y se marchó.

Al cabo de media hora, William y Girolamo se unían al grupo de comensales que ingresaba en el comedor de *Grossvenor Manor*, profusamente iluminado, donde los colores de los de Lacy, el rojo, o gules, y el dorado, se destacaban en las libreas de la docena de sirvientes, en el decorado de las paredes y en el inmenso escudo que entronizaba el salón, detrás de la cabecera de la mesa, donde se ubicó el conde de Grossvenor, con la asistencia de un lacayo. Su nieto lo hizo en el extremo opuesto. *Quis tu ipse sis memento*, leyó Artemio en la parte baja del escudo de su familia. "Recuerda quién eres", tradujo para sí, y estudió los rostros de los invitados hasta encontrar el de Elisabetta, a quien una sonrisa le cruzó la mirada. Él le contestó contemplándola con una fijeza y una seriedad que sólo ella sabía interpretar como la promesa de una noche de pasión. La italiana simuló acomodarse la servilleta en la falda para ocultar las mejillas coloradas, actitud que no pasó inadvertida para William de Lacy.

Avanzada la cena, Arthur Ewell, lord canciller de la Irlanda y gran amigo del conde de Grossvenor, se dirigió a Artemio para preguntarle:

—¿Es cierto lo que se cuenta, Sebastian, que prácticamente has reemplazado todas las cabañas de tus arrendatarios por casas de argamasa y tejas?

—Ya casi hemos terminado, señor.

—Muy interesante, muy interesante —repitió el anciano—. Supe también que les has disminuido la renta casi a una tercera parte y que, en cambio, participas en las ganancias de sus cosechas.

—Así es más justo —intervino Elisabetta, provocando el disgusto de los hombres.

—Querida —dijo la esposa del lord canciller—, nosotras no entendemos nada de estas cuestiones.

—Elisabetta entiende mejor que muchos hombres de estas cuestiones —la contradijo Artemio.

—Las mujeres son blandas —dictaminó William— y si de ellas dependiera la administración de nuestros bienes, terminaríamos en bancarrota. A ellas sólo las mueven argumentos de tipo sentimental.

—¿Son tus motivaciones, Sebastian —quiso saber sir Arthur—, de tipo sentimental?

—La verdad es que mis motivaciones carecen de importancia, señor, sean éstas de origen sentimental o racional. —Pocos adivinaron la ironía con que se expresaba—. Lo que sí puedo afirmar es que son nacidas del sentido común. ¿De qué me vale tener campesinos a los cuales se les caen las herramientas de las manos por encontrarse mal alimentados? ¿De qué me sirven campesinos ciegos debido a la mala condición de sus casas, llenas de humo por no contar con una chimenea? ¿Para qué quiero hombres y mujeres enfermos y resentidos? No es inteligente rodearse de personas con sed de venganza que superan ampliamente en número a mis hombres. Podrían rebanarnos las gargantas en nuestras propias camas mientras dormimos.

La rudeza del comentario provocó un murmullo por lo bajo e intercambios de miradas. Asombraba a William la indiferencia con que su tío Horatio escuchaba a Sebastian y seguía comiendo.

—Tus acciones, Sebastian —habló el lord canciller, con voz endurecida—, generan malestar en el país.

—¿Por qué? —se interesó, fingiendo ignorancia.

—Porque los campesinos de otros condados se enteran de los beneficios que sus compatriotas obtienen en *Grossvenor Manor* y en *Saint Ailish* y exigen a sus patrones igualdad de condiciones.

—Sería interesante que las igualaran —comentó Stephen Wallington—. Estas gentes han sufrido demasiado a lo largo de los siglos. Cada vez que recuerdo las Leyes Penales que los sometieron por tanto tiempo me avergüenzo de ser inglés.

Artemio estudió con reserva al esposo de su prima Prudence. A él le dejaría la administración de las propiedades en cuanto se ausentara.

—Stephen —dijo el lord canciller—, el problema de igualar esas condiciones radicaría en que las propiedades se tornarían poco rentables o, peor aún, arrojarían pérdidas.

—Eso se debe —habló Artemio— a que están mal administradas. Los señores ingleses se desentienden de sus tierras y las entregan a inescrupulosos administradores que les roban a ellos y a sus trabajadores.

—¿No insinuarás —se escandalizó Girolamo Sforza— que los señores deben trabajar y ocuparse de los asuntos de sus haciendas, verdad?

—A eso me refiero. Sería un buen cambio. Dejarían de beber como cosacos en Londres y de perder hasta los calcetines en las mesas de juego para hacer algo útil. —El conde de Grossvenor sonrió ante la mueca de su sobrino William—. El ser humano —prosiguió Artemio— es el único animal que comete dos veces la misma torpeza. ¿Acaso no hemos aprendido de la Revolución en la Francia que no es de sabios someter al pueblo hasta hacerlo estallar? Una vez que el pueblo se rebela, sólo se aplacará con ríos de sangre.

—Estoy pensando —dijo Girolamo— que quizá tus motivaciones no sean racionales en absoluto sino sentimentales, querido Sebastian. Quizá te has propuesto redimir a los campesinos ya que tu madre fue una de ellos.

El conde de Grossvenor levantó la vista con rapidez y fulminó al primo de Elisabetta con un vistazo que lo obligó a mirar hacia otro lado. Elisabetta lucía avergonzada, y un color rojizo le ascendía por el cuello y le ganaba los pómulos, mientras su pecho se agitaba bajo el escote. En la tensión, todos apreciaron la sonrisa de desprecio que afloró a los labios de Artemio y se asombraron de su parsimonia. "¿Habrá algo que lo perturbe o lo provoque?", se preguntó William.

—Quizá —concedió Artemio, y se llevó un trozo de faisán a la boca. No recogería la ofensa. Su madre había sido campesina; ofenderse con alguien que expresaba la verdad equivaldría a admitir que a él le pesaba su origen cuando, en realidad, lo enorgullecía. Apoyó los cubiertos en el plato y tomó la mano de Tessie, que casi no había probado la comida.

—Tessie —la instó Artemio—, come. ¿No está bueno el faisán?

Prudence inició una charla con su cuñada Elisabetta; Stephen le preguntó a Calvú Manque acerca del ganado de las pampas; el conde de Grossvenor comentó al lord canciller acerca de un amigo en común; y así se superó el mal rato. Elisabetta, aún conmocionada, respondía a Prudence con monosílabos, en tanto lanzaba miradas de súplica a su prometido.

Al final de la cena, el conde de Grossvenor solicitó la atención de los comensales y se puso de pie con la asistencia del lacayo, lo que todos imitaron. El anciano elevó su copa de vino y manifestó:

—Mi nieto Sebastian, único hijo varón de mi adorado Horatio, me ha concedido el honor de anunciar esta noche una feliz noticia: su próxima boda con la querida Elisabetta Maria.

La sonrisa de la italiana, el rubor de sus mejillas y el modo en que detenía los ojos en Artemio resultaron elocuentes. Su dicha era inefable.

—Los invito a brindar por la felicidad de Elisabetta Maria y por la de mi nieto, Sebastian de Lacy, futuro conde de Grossvenor.

El anuncio por fin se realizaba. Lo que había mantenido en vilo a la aristocracia inglesa y a los políticos irlandeses se desveló frente a un pequeño y selecto grupo que esparciría la novedad antes de que pasara un día. El décimo conde de Grossvenor había elegido a su sucesor. William se dijo que no debería experimentar esa decepción dado que esperaba la noticia; no obstante, lo ahogaba un rencor negro. John Joe, que había guardado silencio a lo largo de la cena, congeló la sonrisa y apretó la copa hasta obligarse a disminuir la presión para evitar quebrarla. Sólo Devona, su madre, habría advertido su furia reprimida. El lord canciller también sonreía, al tiempo que barajaba las consecuencias. Los de Lacy eran hombres de inmenso poder económico y político, controlaban varios distritos electorales, la mayoría "podridos", que los proveía de una influencia envidiable en el Parlamento. No caería bien el anuncio. El nombre de Sebastian de Lacy se repetía con poca simpatía en los círculos de Dublín dada la fama de su comportamiento extravagante que rompía con los códigos que por siglos habían mantenido domeñada a la Irlanda. El último cotilleo que lo tenía por amigo del joven abogado Daniel O'Connell, conocido agitador y rebelde, se juzgaba peligroso a un punto intolerable.

Consciente de lo que el anuncio acababa de provocar, Artemio levantó la copa hacia su prometida y le sonrió. *"No me olvide, señor Furia. Por favor, no me olvide."* La voz se filtró en sus pensamientos, y casi dejó caer la copa. Apoyó el cuerpo contra el borde de la mesa, inclinó la cabeza y se apretó la sien izquierda. Elisabetta estuvo a su lado en un instante.

—¿Qué ocurre, Sebastiano? ¿Otra vez esa puntada? Winthorp, el tónico del señor.

—Ya está —susurró Artemio, agitado—. Ya pasó. Ya pasó.

La frase, sin embargo, se repetía con la insistencia del tañido de una campana. *"No me olvide, señor Furia." "No me olvide, señor Furia."*

—Desde que perdió el ojo izquierdo —explicó el conde a la esposa del lord canciller— sufre esas horribles puntadas en la sien. Enseguida estará mejor.

Tomaron asiento de nuevo. La emoción del anuncio se había disipado. Winthorp se presentó con el tónico y vertió una medida en una copa limpia. Prudence intervino para desviar la atención.

—Dinos, Elisabetta, ¿cuándo será la boda?

—Todavía no hemos fijado la fecha.

—Lo más pronto posible —indicó el conde, con una sonrisa que no terminaba de ocultar la preocupación por el estado de su nieto—. ¿Verdad, Sebastian? No tiene sentido esperar.

—Será dentro de unos meses —contestó Artemio—, después de mi viaje.

—¿Qué viaje? —preguntaron al unísono Elisabetta, Prudence y el conde.

—El que emprenderé dentro de poco al Río de la Plata.

—¡Al Río de la Plata! —se espantó su abuelo.

Se inició una polémica en la que Artemio no participó. Calvú Manque le echó un vistazo que expresaba su sorpresa y curiosidad, al que Artemio contestó con otro que decía: "Más tarde te explico".

—¡Cásate primero y luego viaja al Río de la Plata! —sugirió el conde.

—No —se limitó a contestar, habituado a no dar explicaciones.

—Entonces, iré contigo —resolvió Elisabetta.

—De ninguna manera —se escandalizó Girolamo Sforza.

—Mina me acompañará —adujo la italiana.

Al final se decidió que, además de Mina, Girolamo y William acompañarían a Artemio y a Elisabetta para guardar las apariencias.

—Si deseas, Sebastian —intervino el lord canciller—, puedo averiguar con el lord del Almirantazgo cuál es la próxima nave que zarpa para las Indias Occidentales.

—Le agradezco, sir Arthur, pero no será necesario que se moleste. Viajaré en mi propio barco.

—¿Ya está listo? —se sorprendió el conde.

—Hoy recibí carta de Roger Blackraven. —No necesitó explicar de quién hablaba; todos lo conocían—. Me asegura que el *Smarag* está pronto para zarpar.

—¿*Smarag*? —dijo William.

—Significa esmeralda en gaélico. Esmeralda —explicó— era el nombre de mi madre, la campesina.

pocas millas de *Grossvenor Manor*, en una taberna del pueblo de Trim, Jacob Burke, antiguo administrador de las propiedades de los de Lacy, aguardaba a su nuevo patrón en una habitación de la planta alta. La reunión habría podido llevarse a cabo en Dublín, pero, como mantenían en secreto que se conocían, evitaban el riesgo de exponerse en la ciudad. Consultó la hora: dos y cuarto de la mañana. Se preguntó cuánto tiempo esperaría antes de que el sueño lo venciera. Se había tratado de una jornada ajetreada comenzada muy temprano, en la cual se dedicó a averiguar, a partir de un dato que recibió, acerca de la relación entre Sebastian de Lacy y el abogado Daniel O'Connell, que desde hacía algunos años se ganaba la atención de los nobles y de los miembros del Parlamento dada su costumbre de ganar pleitos a favor de los arrendatarios. El último, muy resonado, tuvo como testigo clave al propio Sebastian, quien declaró que el acusado, hijo de uno de sus campesinos, había conducido su carruaje hasta *Saint Ailish* la noche en que se suponía que había ingresado en las tierras del *earl* de Ormond para cazar furtivamente. Se sospechaba que el nieto del conde de Grossvenor había cometido perjurio para salvar al muchacho de la prisión, si bien nadie se animaba a mencionarlo por temor a despertar la ira del mismo Sebastian de Lacy, de quien se referían anécdotas que lindaban con lo inverosímil. Se decía que era vengativo y manejaba extraños códigos aprendidos en la tierra salvaje donde había nacido.

Escuchó el sonido de cascos de caballo frente a la taberna. Lo alcanzó la voz dormida de la dueña en la planta baja. Siguieron unos pasos en la escalera y el llamado a la puerta de la habitación. Se trataba de su nuevo patrón, John Joe Fitzgerald, que lo había contratado pocos días después de que de Lacy lo despidió. "Necesito un hombre de confianza que me preste servicios que requerirán de absoluta discreción", le había manifestado en aquella entrevista. "Sus actividades serán variadas y, en general, tendrán que ver con la búsqueda de información. Mi posición en el

Parlamento me exige saber todo cuanto acontece en la Irlanda." El último encargo, además de investigar la amistad entre Sebastian de Lacy y O'Connell, se refería a las actividades delictivas de un grupo cuyos blancos eran las propiedades de los nobles ingleses.

—Le agradezco que haya esperado hasta esta hora, Burke —dijo John Joe, con acento duro, mientras se quitaba el abrigo y los guantes y se servía una medida de cerveza, que bebió de un trago; aún no conseguía desembarazarse del mal humor causado por la noticia de su padre—. ¿Qué información me tiene?

Burke sacó la libreta y un lápiz de carbonilla y repasó las anotaciones. En los barrios bajos de Dublín y de Drogheda se los conocía como los *Dark Boys* (Muchachos Oscuros), debido a que saqueaban las propiedades de sus víctimas vestidos de negro y con capuchas de ese mismo color. Actuaban con rapidez, se movían con eficacia, sin dejar rastro, como si lo hubiesen ensayado.

—Cuentan con muy buena montura —agregó Burke, y John Joe lo miró por primera vez—, lo que indica que alguien los financia. Es más, por el modo en que operan, me atrevería a decir, señor, que no sólo los financian sino que los entrenan. —Sacó de un zurrón un elemento que le pasó a John Joe.

—¿Qué diantre es esto?

—No fue fácil conseguirlo, señor. Tuve que sobornar al comisario de Lucan para que me lo entregase. Fue hallado en la propiedad de sir Bemley, después del ataque que sufrió a manos de los *Dark Boys*. Le robaron veinte purasangres.

John Joe estudiaba lo que tenía aspecto de arma primitiva, conformada por dos bolas pesadas, forradas en cuero, unidas a las extremidades de un tiento.

—¿Qué es? ¿Cómo se usa?

—De acuerdo con el relato del jefe de la guardia de sir Bemley, lo arrojaron a las ancas de un caballo para derribar a uno de sus hombres, con éxito, señor. —Burke dudó durante una corta pausa; luego, dijo—: Hay un dato que no me atrevo a confirmar, aunque me gustaría mencionársElo. Alguien en Drogheda asoció el nombre de Daniel O'Connell al de los *Dark Boys*.

John Joe dio la espalda a Burke y caminó hacia la ventana para esconder una sonrisa satisfecha. No resultaba descabellado conjeturar que si O'Connell estaba involucrado con los vándalos, su sobrino Sebastian también; sabía de la amistad que habían estrechado en el último tiempo esos dos. Una acusación de traición por financiar actividades para desestabilizar la paz del reino lo llevaría a la horca, y, en ese caso, su abolengo no lo salvaría, más bien, le pesaría como un yunque.

—Como sabemos —habló Burke—, O'Connell es amigo de Sebastian de Lacy.

John Joe giró para mirarlo, y el destello en sus ojos invitó a Burke a proseguir.

—Hoy estuve averiguando acerca de O'Connell y de la relación con de Lacy. Si considera que no debo seguir indagando, aquí me detengo.

—Cuénteme qué averiguó.

Lo que Burke le refirió acerca del juicio donde Sebastian había actuado como testigo clave, John Joe ya lo sabía. Con todo, a la luz de la nueva pieza de información —la que relacionaba a O'Connell con los *Dark Boys*—, la amistad entre su sobrino y el joven abogado tomaba otro cariz. "Traición", repetía John Joe, y la esperanza que había muerto esa noche en la mesa de su padre cobró vida de nuevo.

—Resulta imperioso infiltrar a alguien en los *Dark Boys*. —La mueca de Burke le comunicó el miedo que le provocaba la orden—. ¿Qué sucede?

—Señor, ha sido muy difícil dar con la poca información que he conseguido. La gente protege a los *Dark Boys*, los consideran héroes. Además, no cuento con medios ni conexiones para infiltrar a un espía entre los vándalos.

—Entiendo. —De sus días de informante de los ingleses, John Joe conservaba amistades que servirían para deslizarse por un resquicio que los acercaría al corazón del grupo delictivo—. Yo me ocuparé de eso. De usted, Burke, precisaré otro servicio. —El hombre inclinó la cabeza en señal de asentimiento—. Viajará al puerto de Liverpool y se ocupará de averiguar cuándo zarpará y con qué destinos el buque de propiedad de Sebastian de Lacy. Entiendo que lo ha construido el astillero del conde de Stoneville, Roger Blackraven. Deberá partir mañana mismo. Ahora me despido. Cuando regrese de Liverpool, contácteme como de costumbre. Y cuídese bien las espaldas. No quiero que su nombre y el mío se asocien.

Más tarde, ya solo y rodeado de oscuridad, John Joe meditaba acerca de su sobrino. "Sebastian está metido en intrigas hasta el cuello." Esa noche, durante la cena en *Grossvenor Manor*, lo había percibido mientras Arthur Ewell lo interrogaba acerca de sus actividades con los campesinos. Aprovecharía la mala fama de su sobrino en beneficio propio.

Aunque, se desalentó, probar que Sebastian conspiraba contra el Reino de la Gran Bretaña no resultaría fácil ni se lograría en el corto plazo. Y él no contaba con tiempo. Su padre no duraría para siempre. Esa noche lo había notado avejentado, con poca energía. Pensó en William de Lacy, en la conversación que habían sostenido al finalizar la cena, por la cual había llegado tarde a su encuentro con Jacob Burke.

Pasado de copas, William había expresado:

—Al igual que a mí, a usted, señor Fitzgerald, debió de caerle muy mal la novedad de que Sebastian será el nuevo conde de Grossvenor. —Ante el desconcierto de John Joe, William sonrió con burla—. Vamos, dejémonos de hipocresías. Es un secreto a voces que usted es el ilegítimo de mi tío. A usted corresponde el título, no a Sebastian.

—En realidad —admitió John Joe—, si es cierto que Sebastian es hijo de Horatio de Lacy, pues le corresponde heredar el título y los bienes de Horatio.

—¿Qué ocurriría si Sebastian muriese?

John Joe levantó las cejas y dejó escapar un soplido.

—¡Dios no lo permita!

—¡Dios lo permita! —rebatió William, y sorbió más whisky.

John Joe lo tomó por el brazo para conducirlo hacia un sector vacío del salón y lo ayudó a acomodarse en un canapé. Buscó la garrafa de cristal y escanció con generosidad en el vaso de William.

—¿Por qué desea la muerte del nieto de su tío?

—Porque me ha robado todo lo que me pertenece: el cariño de mi tío Horatio y el de la mujer que amo.

John Joe movió el rostro para ocultar su desagrado. No toleraba las muestras de sentimentalismo; en un hombre, no las admitía.

—William de Lacy —murmuró en la oscuridad.

Recostada sobre el vientre y, mientras se sostenía el mentón con las manos, Elisabetta contemplaba dormir a Artemio. Afuera helaba; en la habitación, el ambiente era cálido, húmedo y alcanforado. Sonrió, dichosa, y se instó a que nada empañase el recuerdo de esa noche, ni siquiera la discusión que había mantenido con su primo Girolamo Sforza pocas horas atrás, apenas terminada la cena y en tanto Mina la asistía para ir a dormir.

—Necesito hablar contigo.

—Pasa —le dijo, sin girarse en el taburete de su tocador; cuando Girolamo se detuvo tras ella, se puso de pie bruscamente y lo asustó—. Habría querido hacerte tragar tus palabras cuando atacaste de ese modo tan infame a *mi* prometido. ¿Qué buscabas sacando a relucir que su madre era una campesina? Te has comportado con grosería.

—¿Preguntas qué buscaba? Pues buscaba quitarte la venda que te impide ver que te unirás a un hombre del peor jaez, del que no podemos decir con certeza que sea el hijo de Horatio de Lacy.

—Escúchame bien, Girolamo. —Lo afligió que lo llamara por su nombre; siempre le decía *caro cugino* (querido primo)—. Así descubriese mañana que Sebastiano no es un de Lacy, igualmente lo desposaría. Así descubriera que es el hijo bastardo de una ramera, igualmente me convertiría en su esposa. —Sforza se sorprendió ante la belicosidad de su prima—. La nobleza de Sebastiano es muy superior a la nuestra, y no tiene que ver con su linaje sino con su espíritu. Estoy refiriéndome a la verdadera nobleza, la que cuenta para mí, la que enaltece a una persona.

—Cuento con la autorización de nuestro abuelo para desheredarte en caso de que lo desposes.

—¡Desherédame! —le soltó, rabiosa, enfurecida—. Quédate con mis bienes, con mis rentas, pero déjame en paz. Y quítate de la cabeza la idea de que viajarás con nosotros al Río de la Plata.

—¡Oh, sí que viajaré! No admitiré que tu nombre quede enlodado por viajar con ese filibustero al otro lado del mundo sin estar desposada.

—No te necesito. Mina es mi *chaperon*.

—¡Mina un cuerno!

—Sucede que quieres venir —especuló Elisabetta—. Siempre te ha gustado viajar. Ahora lo harás sin desembolsar un céntimo, a costa de quien llamas impostor y pirata. ¿O se trata de que necesitas alejarte de Milán hasta que tu esposa te perdone el asuntillo con la cantante de ópera? —En el semblante de su primo despuntó una sonrisa taimada—. ¡Y tienes el descaro de hablarme de nobleza! ¡Largo de aquí!

—Aún no eres su esposa —señaló Girolamo antes de abandonar el dormitorio, y a Elisabetta le sonó a presagio.

Quería borrar esa memoria. Apartó un poco la colcha para contemplar el torso de Artemio. A pesar de conocerlo de memoria, la hermosura de su cuerpo desnudo siempre la afectaba, y, mientras lo estudiaba —la fortaleza de los músculos, los marcados tendones, las pequeñas y grandes cicatrices—, sus labios iban separándose. Bastaba contemplarlo para excitarse. Le gustaba enredar los dedos en el vello de sus pectorales, muy tupido y de una tonalidad entre rubia y rojiza. Al compararlo con Andrew, Elisabetta comprendía que Artemio era excesivamente velludo, y eso la atraía como cada aspecto que revelaba la parte indomable y primitiva que su prometido mantenía a raya en los salones para desplegarla en la cama, donde el tamaño de su miembro, que la había asustado la primera vez, marcaba la gran diferencia con Andrew.

Elevó la mirada hasta detenerla en su rostro. Ni siquiera en reposo perdía ese matiz de peligrosidad subyacente. Se demoró en el parche negro. Artemio jamás se lo quitaba, y ella trataba de imaginar cómo lo haría en la intimidad de su dormitorio; quería saber cuáles eran los movimientos de sus manos, cuál la reacción ante la cavidad vacía; a estas alturas, ¿le provocaría indiferencia o congoja? Se preguntó si la llenaría con un ojo de vidrio. Meses atrás, después de hacer el amor por primera vez, ella le pidió que se quitara el parche, a lo que él se negó. Noches más tarde, mientras Artemio dormía, Elisabetta intentó levantárselo. No alcanzó a hacerlo. Artemio la aferró por la muñeca cuando apenas lo rozó. La ferocidad con que la miró con su ojo sano, nunca la olvidaría; le cortó el aliento.

—Respira —le ordenó Artemio, y ella soltó el aire junto con un sollozo de vergüenza—. Nunca vuelvas a traicionar mi confianza.

El recuerdo de esa escena la sobrecogía, la abochornaba. Se distrajo al ver que el ojo derecho de Artemio se movía bajo el párpado cerrado. "Está soñando." Lo notó inquieto, con la respiración acelerada. Aunque lo amaba, sabía que era un hombre extraño. Todavía la inquietaba el anuncio del viaje en medio de la cena de compromiso. Le dolió que no aceptara casarse con ella antes de partir, y la explicación que no concedió durante la cena y que le ofreció a ella al presentarse en su habitación después, era una excusa: la organización de la boda llevaría meses y él debía partir cuanto antes; asuntos urgentes lo reclamaban. Elisabetta propuso organizar una ceremonia sencilla, sin vestido especial ni gran festejo, a lo que Artemio se negó. "Mereces la boda que tanto has soñado", le dijo, y otra vez sonó a excusa.

—¿Qué ocurre, Sebastiano, *amore mio*? —susurró, y se acordó de que había quitado el cuadro de *Bathsheba in her bath*, y también de la descompostura durante el brindis, y recordó el instante previo, cuando percibió la contracción de sus facciones y la transformación de su mirada, que la llevó a pensar en la de un niño aterrado; no podía olvidarla pues por primera vez su único ojo había reflejado una vulnerabilidad que ella creía inexistente.

Lo vio entreabrir los labios, y se inclinó para oírlo. Farfullaba palabras ininteligibles con el entrecejo arrugado y movía la cabeza sobre la almohada, también los brazos hasta apartar la colcha. De pronto, sus frases se volvieron precisas, aunque carentes de sentido. Elisabetta notó un cambio y, del aspecto alterado, lo vio pasar a uno sereno, con una ligera sonrisa. Entonces, lo escuchó pronunciar un nombre con claridad: Rafaela. Artemio lo repitió varias veces; primero lo susurró, después lo articuló con voz ronca, cargada de anhelo, hasta que Elisabetta lo despertó con una sacudida. A él le tomó varios segundos entender dónde se hallaba. Lucía muy perturbado, y movía el ojo sano de un lado a otro.

—Es hora de que vuelvas a tu recámara —le ordenó Elisabetta, y le entregó la bata.

Después del desayuno, en tanto Artemio, Tessie y los hijos de Prudence se alistaban para patinar en el lago, Elisabetta tomó del brazo a Calvú Manque y le dijo:

—Acompáñeme, Calvú. Quiero llevarlo a un sitio desde donde se aprecia una vista inmejorable de la propiedad.

El indio asintió, y partieron con Mina y Berna por detrás. En tanto alcanzaban el mirador, mencionaron la cena de la noche anterior, el viaje al Río de la Plata y el barco de Artemio.

—Lo ha hecho construir —explicó Calvú Manque— de tal modo que su bodega pueda albergar gran cantidad de ganado en pie.

—¿Piensa llevar vacas al Río de la Plata?

—Sí. Él insiste en que hay que mejorar la raza de nuestra hacienda. Verá, Elisabetta, los animales de las pampas, aunque numerosos, son más bien flacos, de largas patas, enorme cornamenta y carne fibrosa, ariscos, casi salvajes, muy distintos de los que Artemio posee en estas tierras.

Al llegar al altozano, contemplaron el paisaje en silencio. Calvú Manque percibió la ansiedad de Elisabetta y vio por el rabillo del ojo que se mordía el labio inferior. Al cabo, la oyó preguntar:

—Calvú, ¿quién es Rafaela?

El indio mantuvo la vista al frente, y de su semblante no habría podido adivinarse el aturdimiento que le causó la curiosidad de la italiana.

—¿Por qué lo pregunta? —atinó a decir.

—Sebastiano la mencionó anoche en sueños.

Calvú Manque asintió, aún con la vista al frente, sin decidirse a encontrar los ojos de Elisabetta, tratando de ganar unos segundos para acomodar sus ideas.

—¿Quién es, Calvú? Dígamelo. Tengo derecho a saber.

—Era la mujer de Artemio.

Sintió que el puño de Elisabetta se cerraba en torno a su brazo; la sintió temblar.

—¿La amaba mucho?

—Sí, mucho.

—¿Es su esposa?

Calvú Manque se limitó a negar con la cabeza.

—Su mujer —insistió.

—¿Ella vive en Buenos Aires?

—No. Rafaela murió hace ya varios años.

—¡Oh!

Calvú Manque giró la cabeza y la enfrentó con semblante lúgubre.

—Llevaba en su vientre al hijo de Artemio el día en que murió.

SEGUNDA PARTE: EL PASADO

Ciudad de la Santísima Trinidad y Puerto de Santa María del Buen Ayre, Virreinato del Río de la Plata. Enero de 1810.

CAPÍTULO IV
Rafaela de las flores

Rafaela Palafox y Binda sacó la nota de su escarcela y la leyó de nuevo. *Niña Rafaela, véngase para La Larga. Está en un estado lamentable y mi salud no es buena. Don Íñigo.* Se preguntó quién la habría escrito, ya que el capataz era analfabeto; tal vez, el pulpero de San Fernando de la Buena Vista, el poblado más cercano a *Laguna Larga,* la estancia que había formado parte de la dote de su madre, Rosalba Barquín. La devolvió a su bolsa, de donde extrajo una botellita de gres; la descorchó, se mojó la punta del índice con su contenido y lo pasó por el pulso de la muñeca y detrás de los lóbulos. De inmediato, un aroma floral, con una nota punzante, como si de un cítrico se tratase, inundó el interior del cabriolé. Se sintió mejor, aunque no podía ahuyentar la frase "estado lamentable" de su mente.

Ese lunes 1° de enero, hacía calor a pesar de la hora temprana. Se abanicó con energía mientras contemplaba el exterior. Babila, el viejo cochero de los Palafox, también parte de la dote de Rosalba, conducía las mulas que tiraban el coche por la calle de San Martín, a pocos metros de la Plaza Mayor. En el año ocho, después de la expulsión de los ingleses, le habían cambiado el nombre por "de la Victoria", pero Rafaela no se acostumbraba y seguía llamándola Mayor. "¡Qué tranquila luce esta mañana!", pensó al compararla con la del 1° de enero del año anterior, cuando la asonada del partido españolista, con el vasco Martín de Álzaga a la cabeza, intentó derrocar al virrey francés, Santiago de Liniers, y formar Junta como en las ciudades de la España. La intentona quedó en la nada debido a la falta de apoyo del militar más poderoso del virreinato, el coronel Cornelio Saavedra. Rómulo Palafox, su padre y síndico procurador del Cabildo, cómplice de Álzaga, terminó exiliado en Patagones, lo que trastornó la vida familiar por completo. La noticia del apresamiento de su padre la había alcanzado la tarde de aquel 1° de enero, tomándola por sorpresa. Desconocía los planes del partido españolista.

—¿Qué dices, Babila?

—Que el coronel de los Patricios —Rafaela sabía que le hablaba de don Cornelio Saavedra— ha prestado su apoyo al virrey y que todo ha acabado, mi niña. No habrá Junta ni se irá Liniers del Fuerte.

—¿Qué sabes de mi padre?

—A él, a don Martín y a los demás los han encarcelado, mi niña.

Rafaela inspiró con ruido y se sujetó a la pared. "Los ahorcarán", vaticinó. Por fortuna, su presagio no se cumplió, y los sarracenos (así los habían apodado) viajaron por mar a las tierras ignotas del sur del virreinato. De eso hacía casi un año, que a Rafaela le parecían veinte. Casi no había vuelto a sonreír desde que la suerte los abandonó, porque no contaba solamente que a su padre lo hubiesen exiliado sino que, días más tarde, un grupo de militares allanó la casa de la calle Larga y les incautó cuarenta y cinco mil pesos de moneda fuerte, de cuño español, y ciento veinte onzas de oro, todo lo que poseían. Pasaban necesidades. Sólo habían tenido un momento de felicidad cuando regresó su primo Aarón, hijo mayor de Clotilde, que faltaba del hogar desde hacía más de un año. Si la timidez no la hubiese cohibido, Rafaela se habría echado a sus brazos y llorado las lágrimas que contenía desde el 1° de enero. "Ya lloran tu tía Clotilde y tu prima Cristiana", la había sermoneado Ñuque. "Es necesario que tú mantengas la calma por el bien de esta familia." Así lo había hecho, algo asombrada de su propia fortaleza si se consideraba que ella era conocida por ser miedosa.

"Un año", volvió a suspirar Rafaela, y contempló la plaza vacía. Pensó en su padre, refugiado político de de Elío en Montevideo, que vivía de la caridad de sus amigos y de lo que ella, a duras penas, juntaba y le enviaba sorteando varios escollos (sabía que les abrían la correspondencia y que los mantenían vigilados). La atormentaba preguntarse cómo habría transcurrido las semanas en Patagones, aquel sitio inhóspito, infestado de indios, del cual los había rescatado de Elío, el gobernador de la Banda Oriental. La angustiaba también cavilar cómo serían sus días en Montevideo, lejos de la familia, sin dinero, agobiado por los problemas.

La esperanza que significó para Rafaela la llegada del nuevo virrey, Baltasar Cisneros, se desvaneció cuando Corina, su amiga íntima, que por trabajar en la Imprenta de los Niños Expósitos se encontraba bien informada, le explicó: "El Sordo —llamaba al virrey por su mote— no moverá un dedo para ayudar a tu padre. Lo haría, pues es tan español como él, pero sabe que su situación es precaria y que depende de los militares para sustentar el poder. Desde que se disolvieron los cuerpos de Catalanes, Vizcaínos y Andaluces, los regimientos están formados por criollos, en especial el de Patricios, el más influyente, a cargo de Cornelio Saavedra. No alientes esperanzas, Rafi. El Sordo no hará nada que disguste a don Cornelio. Y ayudar a los conjurados del 1° de enero lo disgustaría". La aseveración de Corina se sostuvo hasta el 22 de septiembre de 1809, cuando su primo Aarón entró en la casa, llamándola a gritos, para leerle la proclama que Cisneros acababa de publicar donde indultaba a los sarracenos. De igual modo, Rómulo Palafox no podía volver, otras causas abiertas por cuestiones que ocultaban venganzas políticas y que lo conducirían a prisión si ponía pie en el puerto de Buenos Aires se lo impedían. "No te aflijas", la había consolado Aarón. "Contrataré un abogado y acabaremos con todos los peligros que acechan a mi tío Rómulo", y, aunque Rafaela sonrió, le habría preguntado con qué dinero. Calló para evitarle la pena a su primo, que, a pesar de afanarse en encontrar trabajo, no lo hallaba; ser sobrino de su tío le pesaba como antecedente.

Habían subsistido rematando la mayoría de los esclavos, las pocas joyas de Rafaela y de su tía Justa —Clotilde y Cristiana se habían negado a desprenderse de las suyas si Rafaela no se deshacía de sus alambiques, redomas, matraces, morteros, retortas y demás cachivaches—, con los trabajos de costura de Ñuque y con la venta de los perfumes, afeites y jabones que preparaba Rafaela con la ayuda de sus esclavas, Créola y Peregrina, aunque sobre ese ingreso —varios pesos al mes— sólo sabían Justa y Ñuque, ya que si se enteraban Aarón y su tía Clotilde, se lo habrían prohibido; se juzgaba indecente que una hija de familia trabajase.

Rafaela descubrió un mundo que la fascinaría el día de su duodécimo natalicio, cuando Pola, la hermana menor de su madre, le regaló el libro *Manual de mugeres en el qual se contienen muchas y diversas recetas muy buenas*, de autor anónimo. De allí, extraería los secretos para crear desde perfumes y ungüentos hasta polvos para los dientes y el neguijón y pelador para el vello. Esas recetas, llenas de nombres extraños, abrirían las puertas de otro universo, el de las flores y las plantas, al que Rafaela terminó por aficionarse hasta convertirse en experta sin saberlo. Era capaz de identificar a la mayoría, conocía sus nombres en latín y en lengua vernácula, sus propiedades y peligros. Adonde fuera la acompañaba su libreta, un pequeño cuadernillo más largo que ancho, donde las dibujaba y realizaba anotaciones. Sostenía largas conversaciones con el mejor boticario de la ciudad, Demetrio Solá, el cual se asombraba de los conocimientos de una muchacha tan joven.

—Su educación es extremadamente esmerada —le dijo en una oportunidad.

—Se la debo a mi tía Pola —admitió Rafaela—. Ella fue para mí como Beatriz Galindo para Isabel la Católica. Además, el cuñado de mi prima Federica, fray Cayetano Rodríguez, me permite consultar su biblioteca con una generosidad sin límite.

A diferencia de la mayoría de sus congéneres, Rafaela había aprendido a leer y a escribir de la mano de Pola, una de las mujeres más cultas de Buenos Aires, que vivió en la casa de la calle Larga para colaborar en la crianza de su sobrina, hasta el día en que huyó con Leónidas, un indio imaginero de los padres franciscanos. Después de cuatro años desde la fuga, Rafaela no se habituaba a la falta de su tía. La condena que pesaba sobre ella, por la cual Rómulo prohibía mencionarla, tornaba más gravosa la separación. En el año ocho, Rafaela recibió a escondidas una carta de su tía donde le informaba que vivía con Leónidas en Córdoba y que era feliz.

Clotilde achacaba a la influencia de Pola la inclinación desnaturalizada de Rafaela por hacer migas con las clases bajas. En una ocasión, le comentó a una señorona con aires de emperatriz: "Mi sobrina Rafaela comete la torpeza de evitar la compañía de los de nuestra clase. Es repugnante admitir que se siente cómoda moviéndose en círculos inferiores. No comprendo cómo soporta la vulgaridad". La declaración, escuchada por casualidad, le había dolido, y sabía que Clotilde aludía a Corina Bonmer, su única y verdadera amiga, que incurría en el pecado de trabajar en la Imprenta de los Niños Expósitos para subsistir. "¿Por qué me siento a gusto entre personas de clase baja? ¿Tendré alma de descastada, como tía Pola?" Ese pensamiento la angustiaba.

Aunque sabía de memoria las recetas del *Manual de mugeres*, cada tanto lo hojeaba y acariciaba las tapas forradas en cuero como si lo hiciera con las mejillas de su tía.

—Tía Pola —sollozó, abrumada por el miedo de enfrentar sola la ruina de *Laguna Larga*.

La esclava Peregrina, a su lado, la miró de reojo y se mordió el labio. La niña de unos tres años que estaba en brazos de Créola pasó a las piernas de Rafaela.

—¿Qué ocurre, Mimita? —preguntó a la niña—. Dilo con palabras, no con señas. —Mimita, obstinada en su mutismo, le limpió una lágrima con el dedo y se lo mostró—. Estoy llorando —admitió, sin ánimos de obligarla a hablar—. Extraño mucho a mi tía Pola.

—Todo habría sido más fácil si la señorita Pola hubiese estado en la casa cuando apresaron al amo Rómulo —opinó Créola, de mal humor.

El cabriolé, uno de los pocos lujos que conservaban, se detuvo. Babila abrió la portezuela, desplegó la gradilla y la ayudó a bajar. Rafaela había decidido visitar el hospicio *Martín de Porres* antes de seguir hacia la estancia. El edificio lucía bien cuidado y pulcro. Años atrás, fray Cayetano le mencionó ese sitio, una casa que recogía a esclavos viejos y abandonados. Rafaela no conocía a su fundadora, la condesa de Stoneville, porque formaba parte de un círculo al que ella no accedía, pero, como ansiaba su amistad —la atraían los comentarios acerca de su vida y su comportamiento—, se presentó en el hospicio con la excusa de una donación. La recibió Pilar Montes, otra gran dama porteña, y le explicó que Melody —así llamó a la condesa de Stoneville— vivía en la Inglaterra con su esposo, Roger Blackraven, y su pequeño hijo. Apareció Guadalupe Moreno, la otra fundadora, y la saludó cordialmente. En aquella oportunidad, Rafaela entregó una rica donación —géneros para sábanas y pastillas de jabón de sosa que ella fabricaba— y prometió regresar. Lo hizo, pues si bien no había logrado su objetivo —obtener la atención de la famosa "condesa buena"—, la comodidad que había experimentado con Pilar y Lupe la sorprendió pues, siendo dos damas de buen tono, ella las había juzgado como desdeñosas en el pasado. Formar juicios apresurados formaba parte de su larga lista de defectos.

Avanzaron por el camino de piedra hasta el portal del hospicio, donde Peregrina agitó la aldaba. Les abrió una mulata de avanzada edad, las saludó con familiaridad y las invitó a pasar. Rafaela, muy atenta a los olores, enseguida percibió que el lugar, como de costumbre, se encontraba limpio y ventilado.

Guadalupe Moreno la vio avanzar y recordó a aquella muchacha alta, de aromas cautivantes, que las había visitado por primera vez tres años atrás. Ahora caminaba con una niña de la mano; le bastó un vistazo para advertir que no era normal; lo demostraban su cara, afilada y diminuta, y también su cuerpo, de brazos largos y piernas cortas y estevadas. Se movía con dificultad, y Guadalupe se preguntó qué sucedería si Rafaela la soltaba.

Las sospechas acerca de la maternidad de la niña habían ocupado los cotilleos de los salones por meses. Algunos sostenían la versión oficial: era hija de una pobre mujer de San Fernando de la Buena Vista, que la había entregado a los Palafox para su crianza; otros insinuaban que era fruto del amorío de Clotilde, viuda, aunque todavía joven, con León Pruna, un usurero que la visitaba a menudo; pocos apostaban a que el desliz lo hubiese cometido Cristiana con alguno de sus varios festejantes; y la mayoría apuntaba a Rafaela Palafox y Binda, la esquiva Rafaela, la que se recluía en la quinta de Barracas, entre sus árboles, plantas y flores, la que, se murmuraba, era medio bruja y practicaba la alquimia, y que prefería departir con Corina Bonmer, la de mala reputación, hija de un conspirador francés, muerto en prisión en el 95. "¿Cómo saber cuál de las tres es la madre de esa desdichada criatura?", se preguntó Lupe, si en el año siete las tres mujeres habían desaparecido entre gallos y medianoche para pasar una temporada en la estancia *Laguna Larga*. La abnegación con que Rafaela cuidaba a la niña la acusaba.

Lupe miró de soslayo a Pilar Montes y entrevió que se debatía con el mismo pensamiento.

—¡Por fin conoceremos a tu protegida! —exclamó Pilar, con esa soltura llena de distinción que Lupe le admiraba.

—Buenas tardes —saludó Rafaela—. Ella es Milagros. La llamamos Mimita.

Compartieron un momento agradable. Sirvieron hordiate, té de menta a Rafaela, porque le conocían el gusto, y comieron figuritas de mazapán. Desde la caída en desgracia de los Palafox, las donaciones de Rafaela se limitaban a jabones de su fabricación, lejía de barrilla, algún ungüento para quemaduras y solimán para desinfectar las habitaciones de los enfermos; ya no había dinero ni géneros ni conservas. Peregrina entregó el modesto paquete, y se pusieron de pie para despedirse. Les aguardaba un largo viaje por el camino de las Chacras, que bordeaba el río.

Créola trepó al coche con un bufido y se acomodó en un extremo, lejos de Rafaela, que ocultó una sonrisa ante el mal humor de la mulata. "Mi dulce Créola", pensó. Le pertenecía desde hacía doce años, cuando la recibió como presente en su quinto natalicio. Ella había pedido una muñeca; Rómulo, en cambio, le compró una esclava tan sólo un año mayor. "Somos hermanas del corazón", solían bromear. Las facciones de la negra llamaban la atención por su trazo, delicado, proporcionado, regular, femenino. Tan alta como Rafaela, poseía la estampa de una dignataria y caminaba con un aire que su ama imitaba cuadrando los hombros e irguiendo la cabeza. Rafaela le admiraba también el arrojo. A nada le temía, ni a los perros, ni a los caballos, ni a los desconocidos, mientras que, en la vida de Rafaela, el miedo se había erigido como el amo; la ataba y la abrumaba; odiaba su índole susceptible.

—¿Sigues de mal humor, Créola? —la acicateó—. Pues más vale que se te pase.

—Su padre le dejará las asentaderas como un hierro al rojo cuando se entere de que se ha venido sola para la estancia.

—¿Qué podía yo hacer? Don Íñigo nos convoca con urgencia.

—Eso mismo digo yo: ¿qué puede usté hacer? ¡Nada! ¿Qué sabe de manejar una estancia? Podría haberse ocupado su primo, ese petimetre —masculló.

—Créola, no seas insolente —dijo Rafaela, con un tono medido y calmo que sus esclavas conocían y del que no se fiaban—. Aarón viajó a Montevideo para visitar a mi padre, bien lo sabes, y no sé cuándo regresará.

—Podría haber esperado a que regresara la señora Justa, mi niña —intervino Peregrina—, tal como le dijo la señora Clotilde. ¡Qué enojada estaba con usté, mi niña!

Rafaela evitó pensar en su tía Clotilde.

—De mi tía Justa no sabremos en un buen tiempo. Cuando visita a mi prima Candela en San Pedro no regresa hasta después del miércoles de Ceniza, lo sabéis. El problema aquí es que Créola echará de menos a Paolino.

—¡Ja! ¡Eso desearía él! —se jactó la mulata.

"El bueno de Paolino", sonrió Rafaela al pensar en el aguatero que proveía a la quinta de los Palafox y que enamoraba a Créola con sus piropos. Rafaela sólo le compraba a él porque se ocupaba de cargar sus pipas lejos de la costa, donde las lavanderas no corrompían el agua con jabón, lejía y azulete, y lejos también de las desembocaduras de los dos zanjones, el de Matorras y el de Granados, infestados de basura y animales muertos. "¡Pobre Paolino!", lo compadeció. En la estancia, Créola lo olvidaría, cautivada por un peón o alguno de los changadores; era enamoradiza y todos le gustaban. Ella, en cambio, había entregado su corazón sólo una vez.

Juan de Dios Bonmer la salvó del peligro como los caballeros de armadura salvaban a las princesas en las leyendas medievales que le contaba tía Pola. Se había interpuesto entre ella y la jauría de perros cimarrones con sus brazos, su vozarrón y su entereza como únicas armas. Los perros se alejaron, y él la condujo a su casa, a pocas cuadras, en los Altos de Escalada, frente a la Plaza de la Victoria. Temblaba, así que su hermana, Corina Bonmer, la ayudó a sorber chocolate caliente y azucarado. La escoltaron hasta el Cabildo, donde Rómulo Palafox se desempeñaba como Defensor de Pobres; allí la despidieron. Al día siguiente, Rafaela y Créola llamaron a la puerta de las habitaciones de los hermanos Bonmer con algunos obsequios. Ése fue el comienzo de la amistad con Corina y del idilio con Juan de Dios. Pocos meses más tarde, influenciado por el amante de Corina, el gigante Buenaventura Arzac, por Agustín Donado, a cargo de la Imprenta de Niños Expósitos, y por otros amigos del Café de Marcos —Mariano Orma, Antonio Beruti y Domingo French—, Juan de Dios se alistó en un escuadrón de los Húsares con el grado de sargento para defender la ciudad del ataque de las tropas inglesas acantonadas en Montevideo. A principios de julio de 1807, el general Whitelocke fue repelido, la ciudad salvada y Juan de Dios muerto en batalla. El dolor atravesó a Rafaela con la certeza de un filo, y, con culpa, se dio cuenta de que sufría más que en ocasión de la muerte de su madre, a la que nunca se había aficionado. No tenía derecho a llorarlo abiertamente ni a vestir de luto, pues su familia desconocía el romance; lo habrían prohibido. Los Bonmer no eran nadie; su padre, un francés acusado de conspirador, enemigo de Martín de Álzaga, había muerto en prisión en el 95 tras sufrir torturas reiteradas, práctica escandalosa que significó un baldón en la vida política del vasco. A la muerte de Bonmer, sus hijos, Corina y Juan de Dios, marcharon a la Casa de Niños Expósitos, donde los trataron bien, además de enseñarles el oficio de la imprenta. Desde la muerte de Juan de Dios, Rafaela donaba ropa y alimentos al orfanato. Los colocaba en el torno y, mientras Créola lo hacía girar, fijaba la vista en la inscripción esculpida en el sillar sobre la puerta: *Mi padre y mi madre me arrojaron. Divina piedad, ampárame aquí.*

El padre Ciriaco Aparicio salió al balcón del convento de la Merced, el que daba sobre la parte trasera, desde donde se apreciaba el huerto al final del terreno. Artemio Furia llegaría de un momento a otro, e ingresaría por el portón de mulas, que daba sobre la calle de Santo Cristo, y lo haría con su propia llave, una de las prerrogativas concedidas por el principal de la orden de la Merced al gaucho Furia, como se lo conocía en esos tiempos.

Ciriaco sonrió con nostalgia al rememorar los primeros días de Artemio en las tolderías de Calelián, cuando los niños ranqueles dejaron de llamarlo *Pichín-Antü* (pequeño sol) para bautizarlo *Pichín-Ülleún* (pequeña furia) después de que demostró con frecuencia que, si bien de apariencia esmirriada y aire abatido, ocultaba un temperamento que se alzaba como el del león para defenderse si lo provocaban. Al final, con varios magullones, ojos negros y narices sangrantes, los niños terminaron por aceptarlo como a uno de ellos y le enseñaron sus habilidades con la generosidad que caracterizaba al indio pampa. Artemio aprendió a *loncotear*, una forma de lucha para dirimir pequeñas diferencias, a fabricar boleadoras, para fastidio de los perros y pequeñas alimañas, a arrojar la lanza de tacuara, una especie de caña liviana y flexible, y, sobre todo, a dominar el caballo con la asombrosa destreza de los ranqueles. El tiempo pasó, y *Pichín-Ülleún* se convirtió en *Ülleún* o en Furia, su traducción más aproximada.

Los años parecían haberse escurrido como agua entre los dedos, y, cada tanto, cuando a Ciriaco lo asaltaba la inquietud por la suerte de su pequeño Artemio, se instaba a recordar que ya era un hombre, "uno bien bragado", al decir de Belisario, con una reputación granjeada a fuerza de lucha, trabajo y tesón. Lo llamaban *gauderio*, un vocablo del sur del Brasil usado para nombrar a los campesinos andariegos y a los vagabundos, o su equivalente en castellano, *gaucho*, y que refería a los jinetes errantes de las pampas, a los vagos, a los mal entretenidos, que iban de campo en campo en busca de una *changa*, porque así vivía Artemio Furia, como un vagabundo, sin terruño, sin querencia, de puesto en puesto, de estancia en estancia, aunque Ciriaco sabía que su corazón se repartía entre las paredes de ese convento que lo habían protegido de pequeño y los ranchos donde habitaba su familia, los ranqueles.

A veces, para no olvidar, se ponía a rememorar los años en que partía rumbo al sur para visitar a su hermano Belisario, con la excusa de evangelizar a los infieles, llevando consigo al pequeño Artemio, avenido en oblato del convento de la Merced, un poco por aquello de que el Señor los enviaba de dos en dos y otro poco porque no quería separarse de él.

Bastaron pocas semanas para que el niño, llegado con él hacia finales del invierno del año 90, lleno de piojos, delgado y con aspecto de salvaje, sorprendiera al principal con su inteligencia aguda, su templanza y valor. Nunca mencionó lo que había atestiguado la noche del 5 de junio de 1790, y Ciriaco y los demás sacerdotes, después de algunas tentativas, no volvieron a cuestionarlo. Lo que había sucedido estaba enterrado en su mente y en su alma, aunque a veces asomaba y lo atormentaba, en especial de noche, cuando Ciriaco corría a su celda y lo despertaba de una pesadilla. Sobre algunas presunciones tenía casi certeza, como por ejemplo, que el ataque lo había perpetrado un grupo militar, puesto que Artemio, en el camino de regreso a Buenos Aires, se negó, con otro de sus accesos de rabia, a entrar en el fuerte para denunciar el asesinato de sus padres, y Ciriaco no tuvo problema en seguir de largo. Aficionado como estaba al niño, no quería separarse de él, sobre todo después de que le había asegurado que no le quedaba nadie. "Sólo usted, padre", había expresado.

Ciriaco le enseñó a hablar correctamente el castellano, a escribirlo y a leerlo también, aunque lo instó a que siguiera pensando y leyendo en su lengua madre, el inglés, para no olvidarla. Pulió sus rudimentarios latín y griego; le dio lecciones de historia antigua y moderna, de teología, de geografía, de aritmética y geometría. Artemio absorbía los conocimientos con la misma avidez que aprendía lo que Calelián, Calvú Manque, Belisario y los demás le enseñaban durante las temporadas en las tolderías, y así como traducía párrafos en lenguas muertas o resolvía ecuaciones, sabía dominar a un caballo con la simple presión de las rodillas, domarlo al modo indio, pialar, enlazar, cuerear, hacer botas de potro con los cuartos traseros de una yegua o con la piel de un gato montés y trenzar cueros para riendas y lazos de hasta catorce tientos. Era experto acollarando potros a la yegua madrina para formar tropilla, y muy hábil en el arreo de ganado cimarrón, para el cual se requería una destreza que evitase la estampida, la muerte de las crías por aplastamiento o la del propio jinete. Calelián siempre lo convocaba para la *volteada*, esto es, la caza de yeguas cimarronas, de las que le tocaban algunas, que permanecían en las tolderías al cuidado de Calvú Manque. En una ocasión, cuando Artemio era un mozalbete de dieciséis con aspecto de hombracho, el cacique invitó a Ciriaco a presenciar la caza del ñandú, una de las tareas más difíciles, en la que no era imposible perecer. Belisario le ensilló una yegua mansa y se mantuvo junto a su hermano lo que duró la ordalía. El corazón le saltaba al ver caer a los jinetes en su carrera precipitada tras la gigantesca ave, que, zigzagueando y batiendo las alas, eludía las boleadoras. Belisario, con orgullo de padre, iba explicándole por qué Artemio, junto con Calelián y Calvú Manque, era considerado de los mejores.

—¿Por qué hace eso? —quiso saber Ciriaco cuando Calelián arrojó la camisa al suelo.

—Está marcando el lugar donde quedaron las boleadoras, para buscarla después.

Al rato, los cazadores estaban semidesnudos y el campo, regado de prendas.

—Fíjate en Artemio. Fíjate cómo monta más bien suelto, casi no estriba, apenas apoya la punta de los dedos. De esto modo, en caso de caer, no quedaría enganchado al animal. —Ante la mueca de Ciriaco, Belisario añadió—: No te espantes, hermano. Artemio sabe mantenerse en la silla en todo apuro. Estar sobre el caballo es tan natural para él como caminar. Pero si cae, es uno de los mejores paradores que conozco. En estas tierras, plagadas de vizcacheras y madrigueras de peludo, es fácil que el caballo se tropiece y el jinete salga disparado. Depende de su habilidad para no quebrarse el cuello. ¡Mira! —gritó Belisario, y Ciriaco giró la cabeza justo para ver rodar por el terreno al alazán de Artemio. Éste caía de pie, con la gracia de un gato, se sacudía el polvo, respondía a un comentario risueño de Calvú Manque y volvía a su silla, montando al animal de gran alzada con un solo brinco.

Como si la caída le hubiese insuflado nuevos bríos, Artemio arrojó las boleadoras a un ñandú de plumas grises y lo volteó. Sus compañeros levantaron los puños y lanzaron gritos que erizaron la piel de Ciriaco.

Artemio saltó del caballo y corrió hacia su presa, que intentaba ponerse de pie. Daba lástima percibir su desesperación.

—Bien, muchacho —escuchó decir a Belisario por lo bajo—. Observa, Ciriaco. Artemio acabará con el ñandú de la manera menos cruenta, aunque es la más difícil.

El muchacho tomó de su cintura un cuchillo de grandes dimensiones. "Debe de ser pesado", conjeturó Ciriaco al ver cómo se le inflaban los músculos.

—Más fácil —explicó Belisario— habría sido aplastarle la cabeza con las boleadoras o clavarle el *guampudo* —hablaba del cuchillo con mango de "guampa", es decir, de cuerno o de asta— en la parte baja del buche. Pero así sufre el pobre bicho. Artemio lo degollará, limpiamente. Pero para eso se necesita un brazo de fuerza excepcional, porque mientras lo degüellas, debes sostenerle la cabeza, que el animal sacude de un modo infernal.

Ciriaco, embelesado, no conseguía apartar la vista del espectáculo. "Un brazo de fuerza excepcional", repitió, y comparó esos brazos gruesos y fibrosos con los delgados del niño que había encontrado medio muerto seis años atrás. La ilusión del principal del convento de convertir a Artemio en un gran mercedario, de esos que se recordarían en los anales de la historia de la orden, era un sueño vano. Artemio Furia pertenecía a esas pampas; allí su espíritu se expandía y lo elevaba, lo volvía pleno. Se adivinaba en su rostro, en esa media sonrisa, en el brillo de sus ojos, mientras levantaba sobre su cabeza los alones del ñandú como trofeo de guerra.

A medida que pasaba el tiempo, cada fin de temporada con los ranqueles, a Artemio se le hacía más difícil regresar a la vida conventual. El confinamiento y la disciplina lo inquietaban, y Ciriaco lo comparaba con un semental atrapado en un corral demasiado chico y sin yeguas.

—Quiero quedarme con mi padrino. —Así llamaba a Belisario, al cual se encontraba muy ligado desde chico. "Dos almas atormentadas que se atraen", reflexionaba Ciriaco al verlos juntos. Hablaban poco, se entendían por gestos o señas, transcurrían horas en un cómodo silencio. Ciriaco los contemplaba en la enramada del rancho, Artemio le liaba el cigarrillo, mientras Belisario sobaba el cuero para las nuevas botas de potro. Con un asentimiento, le permitía que se lo encendiese con el yesquero y le diera una pitada antes de entregárselo. "Le contagiará ese nefasto vicio", protestaba Ciriaco, más celoso que enojado.

Una mañana, después de maitines, en camino hacia el refectorio para desayunar, Artemio le susurró:

—Necesito hablar con usted, padre Ciriaco.

El mercedario bajó los párpados, inspiró profundamente y se aferró a su crucifijo. "El día de la despedida ha llegado", presagió. Faltaba poco para que Artemio cumpliera los diecisiete años, ya había expresado que no se ordenaría sacerdote y que deseaba marcharse. ¿Cómo habían creído el principal, él y los demás que lo retendrían? Pues si bien de naturaleza sosegada, ese muchacho no conocía la obediencia, carecía de la sumisión necesaria para la vida en un convento; su índole, ajena a aceptar órdenes, lo rebelaba contra los mandatos. Él era su propio jefe y nadie le diría qué hacer.

—Padre Ciriaco, hoy dejo el convento.

—¿Hoy? ¿Hoy mismo? —farfulló, sintiéndose un tonto.

—Ya es tiempo, padre.

—¿Tiempo para qué, Artemio?

—La cuenta que se abrió aquella noche de 1790 espera ser cerrada.

—¿Qué quieres decir? —se asustó Ciriaco.

—Venganza, padre.

—Nunca hablaste de lo que ocurrió aquella noche. Jamás.

—Que nunca haya hablado no significa que haya olvidado.

—¡Háblame! ¡Cuéntamelo todo! Saca fuera ese dolor, hijo mío.

—No es necesario. Yo sé lo que vi. No preciso hablar de ello. Los que destruyeron a mi familia pagarán.

—¡Olvida y perdona, hijo mío! —Artemio se limitó a mirarlo fijamente, y Ciriaco advirtió lo irreparable de su decisión—. ¿Acaso lo que te he enseñado en estos años acerca de la caridad y el perdón no ha hecho mella en ti, Artemio? ¿No ha tocado tu corazón la frase del Señor: "Perdona setenta veces siete"?

—El Señor no tuvo que atestiguar el asesinato de sus padres. En caso contrario, no habría dicho que hay que perdonar setenta veces siete.

—¡Blasfemo! —se enfureció el padre Ciriaco.

—Sí, padre, soy un blasfemo. Me siento más a gusto con la ley del Talión, ojo por ojo y diente por diente. La de Cristo no me sirve. Por eso no puedo continuar aquí. Dios y yo no nos encontramos en buenos términos. Tengo que seguir mi camino.

Horas más tarde, los mercedarios se agruparon para despedirlo en el portón de mulas, el mismo por el que, de un momento a otro, ingresaría una vez más, porque les había prometido que volvería y cumplió. El día de la despedida, dejó a Ciriaco para el final. Se acercó a él con expresión contrita, se puso de rodillas y le besó los cordones. Se abrazaron, y a Ciriaco le pareció quedar perdido en el torso enorme del muchacho. Y le vino a la mente el amanecer del 6 de junio de 1790, cuando lo sostuvo en brazos para darle de beber mistela. Las palabras de despedida que Artemio le dijo al oído, Ciriaco las atesoraba desde entonces.

—Usted es mi padre.

Le practicó la señal de la cruz en la frente, lo bendijo y le aconsejó:

—*Acquiesce et pacem habeto.* —"Tranquilízate y vive en paz."

El alboroto de Serapio lo devolvió al presente. El mulato, que sabía de la inminente llegada de Artemio, hacía rato que simulaba quitar la maleza del huerto, cerca del portón. Al verlo entrar con su caballo por detrás, soltó un grito y corrió hacia él. Artemio lo abrazó, lo levantó en el aire y lo acomodó sobre la montura. Aun a esa distancia, Ciriaco vislumbró la sonrisa que Artemio le dedicaba, de las pocas sinceras que le conocía, las que le dirigía a Serapio, el mulato que habían acogido de recién nacido al hallarlo en una canasta en el torno. Artemio se aficionó a él desde un principio, y lo llamó Serapio porque justo en esos días estudiaba la vida de San Serapio, su mercedario favorito. Ciriaco le preguntó por qué lo admiraba tanto, y Artemio le contestó:

—Porque era de origen irlandés.

Nadie objetó el nombre, y el huérfano pasó a llamarse Serapio, para gusto del mimado del convento. Pronto advirtieron que el pequeño no era normal. Tenía una pierna más corta que la otra y a su cara le faltaba simetría. A medida que pasaba el tiempo, sus discapacidades físicas se pronunciaban como también las mentales. "Será siempre como un niño", le explicó Ciriaco a Artemio cuando éste le preguntó por qué Serapio no hablaba correctamente. La respuesta le causó honda impresión y aumentó el sentido de protección y el cariño que el negrito le inspiraba.

Además de Serapio, salieron a recibirlo algunos de los sacerdotes que desempeñaban tareas en el jardín y en el huerto, entre ellos el padre Cosme, quien, por ocuparse de la tonsura, había tenido a su cargo la tarea de despiojarlo en el 90, recién llegado de los aduares de Calelián.

—¿Cómo dices que lo han apodado esos infieles? —le preguntó a Ciriaco, mientras forcejeaba para rapar a Artemio, que se defendía con denuedo y gritaba.

—*Pichín-Ülleún.* Pequeña Furia.

—¡Pues qué bien puesto el mote! ¡Parece un gato rabioso! ¡Déjate cortar las crenchas, Artemio Pequeña-Furia!

Ciriaco sonrió con el recuerdo. "Artemio Pequeña-Furia." No se decidía a ponerse en movimiento, bajar las escaleras, cruzar el jardín del convento y aunarse al grupo que le daba la bienvenida. Permanecía quieto en la terraza, admirando en lo que se había convertido su Pequeña-Furia, en un hombre espléndido, de contextura imponente, con un aire de perdonavidas que infundía miedo y respeto, e incluso su rostro, de una belleza que de inmediato pasmaba, como si resultara excesiva e inverosímil, se imponía por la severidad de sus facciones y de su mirada. Desde hacía años vestía las *pilchas* de los gauderios, cómodas para las tareas en el campo y para la montura.

Ciriaco notó que, por más que le sonriera a Serapio, el gesto de Artemio nunca mudaba, jamás dejaba de reflejar el carácter huraño de su temperamento y la dureza y frialdad de su índole. Como el gaucho Artemio Furia se había convertido en una leyenda de la campaña, cada tanto le llegaban anécdotas que lo tenían por protagonista de episodios de sangre. "No puede pretender, padrecito", lo instaba a razonar Calvú Manque, "que nos comportemos como dos niñas. La campaña es un lugar feroz". Ciriaco se angustiaba preguntándose si esas anécdotas serían ciertas y si en alguna de esas grescas, su muchacho habría despachado a los asesinos de sus padres. Vivía pidiendo misas por la salvación de su alma.

Artemio Furia alzó la vista y descubrió al padre Ciriaco en el balcón. Sus miradas se cruzaron. Ciriaco le sonrió y Artemio levantó el brazo para saludarlo. Al cabo, se encontraron en el pórtico. Se abrazaron, y Artemio le besó los cordones no por fervor religioso sino en actitud reverencial. Ya no le pedía la bendición como cuando era chico, pero de igual modo, Ciriaco le apoyó la mano en la frente y la murmuró en silencio. Sentía tanta felicidad de tenerlo enfrente. Hacía casi un año que no lo veía y lo había echado de menos.

—Hijo, que en este año que acaba de empezar —deseó Ciriaco—, Nuestro Señor te colme de bendiciones.

—Lo mesmo pa'usté, padre —le contestó, y al sacerdote no lo sorprendió que empleara los modismos de los paisanos; se le habían pegado desde hacía años, después de pasar más de una década entre ellos. No obstante, Artemio le había confesado que, cuando pensaba, seguía haciéndolo en inglés, a veces en gaélico.

Saludaron al principal en su despacho, y Furia le entregó un talego con monedas, una donación que se repetía desde hacía tiempo y que daba cuenta de que los negocios marchaban bien. Al rato, tomaban mate en la cocina; Serapio se los cebaba.

—Supe que desde hace días te encuentras en la ciudad —le reprochó Ciriaco—. ¿Dónde te alojas? ¿En lo de Albana?

—No. En lo de doña Clara.

—¡Uf! —se quejó el mercedario—. Esa mujer era una delincuente en su país, la Inglaterra, y aquí no puede esconder su verdadera naturaleza. Siempre anda vociferando chocarrerías.

—Son divertidas —lo acicateó Artemio, y Serapio soltó una risotada, a la que Ciriaco acalló de un vistazo.

—¿Y qué me cuentas de mi hermano?

—Mi padrino se quedó en la Cañada de Morón. —En esa localidad, a cinco leguas al oeste de Buenos Aires, Artemio había comprado una porción de tierra, con un casco derruido y varios puestos, es decir, varios ranchos para peones donde cobijaba a la familia de Calvú Manque, a otros de la tribu de Calelián y a sus hombres.

—Quizá vaya a visitarlo —dijo Ciriaco, y Artemio asintió. Ambos sabían que si bien Belisario había abandonado la reclusión entre los ranqueles para acompañar a Artemio en su vida de paisano, jamás pondría pie en Buenos Aires, escenario del crimen por el que se lo buscaba.

—Tus amigos andan muy revoltosos —comentó el mercedario, y Artemio levantó la vista sobre la bombilla y lo inquirió sin palabras—. Pancho Planes arenga todas las tardes en el Café de Marcos subido a una mesa. —Artemio movió la comisura izquierda para ensayar una sonrisa—. Su primo, Vicente López, le escribe los discursos subversivos y él los proclama a viva voz. Temo que terminen en las mazmorras del Cabildo. Lo mismo el Gigante Arzac y Mariano Orma. Hace tiempo que no veo a los Pueyrredón.

—En unos días me iré pa'su estancia, en San Isidro. Juan Andrés se quebró la pata y me mandó llamar. Anda necesitando que lo ayude con el rodeo. Padre —dijo Artemio, y por la inflexión que tomó su voz, Ciriaco se puso alerta—, ¿usté conoce a un tal Rómulo Palafox y Binda?

—Sí, lo conozco. Fue regidor del Cabildo en varias oportunidades, siempre al servicio de Álzaga. Son bastante amigos. Ahora anda en las malas. —Aquello pareció interesar a Artemio—. Es uno de los sarracenos y si bien el virrey Cisneros los indultó por esa causa, a Palafox le pesan otras que lo mantienen refugiado en Montevideo.

—Tiene una hija. —Ante el comentario, Ciriaco lo miró como aguardando una explicación, que Artemio no pensaba dar.

—Sí, tiene una hija. No la conozco ni sé cómo se llama. Conozco a su sobrina, Cristiana Romano, una muchacha de gran talento para la música. Lo sé porque forma parte del coro de Facunda Rey, esposa de Blas Parera, y ha cantado aquí para la misa de Nochebuena. —Luego de una pausa, a Ciriaco lo dominó la curiosidad—: ¿Por qué quieres saber de él? ¿Lo conoces?

—De mentas. 'Tonce —dijo, y succionó la bombilla, sin mirar al sacerdote—, su hija no está en el coro de Facunda Rey.

—No, no. Como te dije, poco se sabe de ella. Vive más bien recluida. Parece ser que la deshonraron años atrás. Quedó encinta y sin marido. Me dijeron que la criatura nació baldada. ¿Por qué preguntas?

Artemio hizo caso omiso de la pregunta y siguió indagando.

—¿Rómulo Palafox é peninsular?

—Sí, creo que madrileño, y hace mucha alharaca de su origen. Se da aires por ser peninsular. Aunque su madre era porteña, Engracia Binda, hija de un rico comerciante. La muchacha viajó a la España junto con su criada, una india, para desposar a Ambrosio Palafox. A los pocos años de matrimonio, Ambrosio, Engracia y sus tres hijos (creo que Rómulo es el mayor) marcharon hacia el Potosí, donde don Ambrosio se convirtió en un próspero minero y azoguero. ¿Tienes negocios con él? —insistió Ciriaco.

—Sí —mintió Artemio, porque no le confesaría que lo tenía sin cuidado el tal Palafox y Binda; le interesaba la hija, la que había visto días atrás desde el sitio que ocupaba en la pulpería del Caricaburu, el matadero ubicado frente al Fuerte, sobre la calle de Santo Cristo.

En realidad, lo que había atraído su atención era la niña que caminaba junto a la hija de Palafox; le recordó a Serapio, por sus movimientos desmañados y por su carita enjuta y desigual. El vestidito de blonda y los chapines de raso delataban su origen elevado. Se incorporó en la silla, entre confundido y curioso, ya que la gente de buen ver escondía a los parientes deformes y a los deficientes. Movió los ojos para observar quién la llevaba de la mano y quedó perplejo ante la visión de una muchacha, cuya voz de timbre grave, pulido, culto, flotó hasta él y lo alcanzó como un roce.

—Vamos, Mimita, repite conmigo. ¡Anímate!

—Vamos, Mimita —la instó la negra que las escoltaba.

—*Soy el farolero de la Puerta El Sol* —la oyó cantar—, *cojo la escalera y enciendo el farol. A la medianoche me pongo a contar y siempre me sale la cuenta cabal.* —Y en tanto lo hacía, daba cortos saltitos y movía el brazo, obligando a la niña a bambolearse.

Los transeúntes las contemplaban con un ceño; enseguida, al reparar en la criatura, pasaban de una mueca de estupor a una de repulsión que Artemio les habría borrado de un sopapo, la misma mueca que por años le habían lanzado a Serapio cuando salían a pedir limosna con el padre Ciriaco. "No son miradas compasivas", pensó, "sino de desprecio y condena, como si la niña tuviera culpa de ser imperfecta". A diferencia de él —siempre lo habían enfurecido las miradas que recibía Serapio—, la muchacha seguía cantando como si estuviese en el jardín de su casa o como si paseara con una criatura donosa y bella. La admiró por eso, y un fuerte deseo de verle la cara en detalle lo impulsó a ponerse de pie.

Entraron en uno de los locales de la planta baja de los Altos de Escalada, el de la señorita Bernarda de Lezica, que además de proveer afeites, jabones, abanicos, guantes, colonias y perfumes, era una prestamista de cuidado. Artemio volvió a su sitio en la mesa de la pulpería y aguardó un cuarto de hora.

Al salir de la tienda, la muchacha, con la niña en brazos, y su esclava caminaron deprisa por la calle de Santo Cristo, doblaron en la del Cabildo y se treparon a un cabriolé cubierto que las aguardaba frente a la Fonda de las Naciones. Decepcionado, Artemio volvió sobre sus pasos y se metió en lo de la señorita de Lezica.

—Furia —se sorprendió la mujer—. Buenas tardes. ¿Viene a pagar la cuenta de la señorita Albana?

—Sí —mintió, y sacó de la cartera de su cinto, llamado tirador, un par de monedas. Cancelada la deuda, su voz se tornó intimista al hablar—: Dígame, misia Bernarda —y deslizó una moneda de oro sobre el mostrador—, ¿quién era la joven que acaba de salir?

La mujer detuvo el movimiento de sus manos y lo miró a los ojos. La seriedad del gaucho Furia le advirtió que sofocara la curiosidad y que se limitara a contestar, y, como sabía que con él no se jugaba, dijo:

—Se llama Rafaela Palafox y Binda.

—¿É cliente de su boliche?

—No, es mi proveedora de perfumes, jabones y afeites. —Por primera vez, Bernarda descubrió un ceño de confusión en ese hombre inescrutable—. Rafaela de las flores, así la llaman porque dicen que es capaz de hacer florecer cualquier cosa, por poco que pertenezca a estas latitudes. Me han comentado que su jardín es una selva de flores y plantas aromáticas. Se supone que prepara sus productos y los vende para donar las rentas al Convento de las Clarisas. —Se inclinó sobre el mostrador y bajó la voz al asegurar—: Esto era así hasta hace un año. Ahora los vende para subsistir. Nadie debe saberlo, mucho menos su padre, Rómulo Palafox y Binda, porque se juzga impropio que una dama trabaje. La única renta que sigue destinando a las Clarisas es la que obtiene por la venta de los rosarios de pétalos de rosa. —Bernarda revolvió en un cajón y sacó una cajita de madera. Levantó la tapa, y un penetrante perfume a rosas inundó las fosas nasales de Furia—. Éste es el mío —aclaró, mientras le mostraba el rosario—. Los venden las Clarisas.

—Le compraré uno de los perfumes de la señorita Palafox.

—Acaba de traer éste —y señaló un frasquito de gres más bien rústico, con tapón sellado con cera de abeja—. Es nuevo. —Consultó una lista escrita con una caligrafía grande y redonda, muy clara—. Se llama... Agua de Chipre.

Albana Bouquet, la amiga y amante de Artemio Furia, vivía ahí mismo, en la planta alta de la propiedad de don Antonio José de Escalada, llamada los Altos de Escalada, un enorme caserón que funcionaba como inquilinato. Salió de la tienda, traspuso el portón de cuatro puertas, cruzó el patio en pocas zancadas y subió por la escalera tragándose los escalones. Se precipitó dentro de las habitaciones con la urgencia de un adolescente lujurioso y, haciendo caso omiso de las protestas de Albana —aseguraba que llegaría tarde a la función en el teatro—, consiguió recostarla sobre la cama y desvestirla. Descorchó el frasco de perfume con los dientes y se mojó la punta de los dedos con los que acarició las partes íntimas de Albana, que acalló sus protestas y gimió. Él, acostumbrado a los olores punzantes —el de los gauchos sudados, de los caballos, del estiércol y de las vacas—, y que se quejaba del aroma de los potingues de Albana, se vio cautivado por esa fragancia indescifrable, en la que no se detenía a pensar, sólo le permitía que lo envolviera, que se apoderara de su sentido del olfato y lo extasiara.

—Acaba dentro de mí —le murmuró Albana al oído.

Artemio siguió meciéndose, buscando su satisfacción y la de ella. Se retiró a tiempo y eyaculó fuera. A medida que recobraba el aliento, varios pensamientos le cruzaban la mente. ¿Cómo sería la mujer que había inventado una fragancia tan sublime? ¿Por qué Albana había violado una regla que los regía desde la época en que ella, cautiva en los aduares de Calelián, le había enseñado el arte del sexo? "Rafaela de las flores. Rafaela Palafox y Binda, ¿quién eres, cómo eres?" ¿Acaso Albana deseaba quedar preñada?

—No acabaste dentro de mí —le recriminó.

—Nunca lo hago. Tú mesma me lo enseñaste años atrá.

—¿Lo haces con otras?

—No. ¿Por qué me lo has pedío?

—Porque deseo un hijo. Y sólo puedo pensar en que tú seas el padre.

—¿Y qué hay de tu nuevo amante?

Albana ensayó un gesto airado y se retiró a cambiarse.

—¿En qué piensas? —le preguntó el padre Ciriaco—. Se te ha perdido la mirada.

—En Albana —contestó, y recibió el mate de manos de Serapio.

Aunque el sacerdote censuraba la vida disoluta de la actriz, sentía aprecio por ella. Trabajaba en el teatro, frente al convento de la Merced, y cada tanto cruzaba la calle de San Martín y se reclinaba en el confesorio.

Años atrás, los ranqueles de Calelián atacaron las galeras en las que viajaban Albana Bouquet y su compañía, hacia Mendoza. Calvú Manque le refirió a Ciriaco que Artemio, de diecisiete años, se había retado a duelo con el indio Arrepán, de los más feroces de la tribu, por los favores de la hermosa actriz, y que había salido vencedor. Convivieron en el toldo que el cacique Calelián les asignó hasta que Ciriaco obtuvo la liberación de la mujer, honrando a la congregación a la que pertenecía, fundada en 1218 por San Pedro Nolasco para redimir cristianos en manos de musulmanes.

—¿Qué le ocurre a Albana? —quiso saber el mercedario.

—Náa. 'Tuve con ella y la vide bien.

—¿Cuándo dices que te marchas a la estancia de los Pueyrredón?

—En unos días nomá.

CAPÍTULO V
El señor Furia

Rafaela se sentó en el borde de la cama y estudió la habitación desconocida. Horas atrás, Babila había detenido el coche en el camino de las Chacras y comunicado su decisión de interrumpir el viaje hacia San Fernando de la Buena Vista por temor a la tormenta que se cernía sobre el Río de la Plata. "Las sudestadas se lo llevan todo, mi niña, aun los carruajes. Es de Dios que estemos en la tranquera de la chácara de los Pueyrredón. Será mejor pedir alojamiento por esta noche." Babila había tenido razón, en ese momento la tormenta azotaba los parajes costeros, a veces iluminados por los rayos que caían cada vez más cerca a juzgar por el estruendo que hacía temblar los cristales de las ventanas. Mimita se amparaba en el regazo de Peregrina.

Aunque protestara, Rafaela admitía la sabia decisión de su cochero. No habrían llegado a tiempo a *Laguna Larga*. De igual modo, no conseguía deshacerse del sentimiento de frustración y rabia. "Justo pedir alojamiento en *Bosque Alegre*", despotricaba, refiriéndose a la quinta de los Pueyrredón, donde, desde hacía unas semanas, su prima Cristiana Romano, invitada de Isabel de Pueyrredón de Albarellos, transcurría los meses de estío.

Llamaron a la puerta. Créola se apresuró a abrir. Cristiana entró seguida de su perrita Poupée. Rafaela se puso de pie de un salto.

—¡Toma a esa perra en tus brazos! —le ordenó.

—¿Tanto le temes a un animal pequeño? —se burló Cristiana.

—Ese animal pequeño, tan mañoso y perverso como su dueña, posee unos dientecitos filosos que le gusta clavar en los talones ajenos. Ya mordió a Mimita en la mano. Sabes que le teme. No la dejes suelta. ¡Levántala! —Como Cristiana permanecía inactiva, con una media sonrisa en los labios, Rafaela pronunció—: Haz lo que te digo, Cristiana, o en la primera oportunidad envenenaré a esa perra y la encontrarás tan hinchada y tiesa que la confundirás con una cerda a punto de parir. Sabes que lo haré. Sabes que puedo hacerlo.

Cristiana tomó a Poupée en los brazos y dirigió un fiero vistazo a su prima. Nunca se habían llevado bien. Desde pequeñas, sin motivos aparentes, la rivalidad se había erigido entre ellas como un muro. A veces, Rafaela se acordaba de la alegría que había experimentado cuando su madre le informó que Clotilde, recientemente viuda, y sus hijos, Aarón y Cristiana, habían llegado desde Lima para quedarse en la casa de la calle Larga. El entusiasmo duró hasta que Rafaela decidió que Cristiana era más agraciada y talentosa que ella y que su padre, Rómulo, un esteta nato, la adoraba. Como si esos dones no alcanzaran, su prima había resultado una eximia cantante, y tocaba varios instrumentos con notable talento, al menos eso expresaba, con ojos querendones y cara de tonto, el profesor de música, el maestro Blas Parera, la misma cara de tonto con que Rómulo Palafox la contemplaba tocar el armonio o la guitarra. "He ahí nuestra bella Euterpe", se ufanaba con frecuencia, en tanto se aproximaba para besarla en la coronilla, gesto que Rafaela jamás habría juzgado carente de paternalismo. Apretó los ojos. No pensaría en ello.

Convivieron en una tensa tregua para no causar el desagrado de Clotilde ni el de Rómulo, que intentaban hermanarlas, aunque el abismo entre ellas se había tornado tan profundo que resultaba imposible sortearlo. Cristiana era la "bella Cristiana", la talentosa, la donosa, la ocurrente, la de la sonrisa perfecta, la de las conexiones envidiables. Aunque de escasa cultura, sabía cómo departir con la gente decente, y sus amistades tenían los apellidos más rancios de la sociedad.

—Dejadnos a solas —ordenó Cristiana, y Rafaela asintió con la cabeza en dirección a Peregrina y a Créola—. Me alegro de que trajeras a mi esclava.

—Peregrina no es tu esclava, sino de mi padre. Y no la dejaré aquí para que te rice el pelo y te lustre las uñas cuando la necesito para sacar adelante la estancia.

—¿De veras pasarás una temporada en *La Larga*? A tío Rómulo no le gustará cuando lo sepa.

—¿Qué quieres, Cristiana? Habla de una vez y vete.

—Quiero hablar contigo acerca de lo que te confesé semanas atrás.

—No escucharé tus mentiras.

Cristiana se quedó mirándola con fijeza, pensando que la odiaba y admitiendo que la admiraba. Rafaela era una roca; así la veía ella, como un peñón del cual aferrarse. Por eso, al quedar embarazada de Mimita, sólo atinó a correr a su prima y contarle la verdad. Existía cierta cualidad en Rafaela que la volvía confiable y por la cual resultaba fácil entregarle los secretos. Le hacía acordar a Ñuque, porque Rafaela tampoco se escandalizaba ni sus ojos condenaban mientras oía el peor pecado con una mansedumbre reflejada en su modo de respirar y en el de mover las pestañas; terminaba actuando como un sedativo, como un hechizo y, de pronto, las verdades aterradoras brotaban y fluían como un río que Cristiana no habría pronunciado en el confesorio. Así había sucedido la noche en que se deslizó en el dormitorio de Rafaela para arrojarse en su cuja, confesarle que estaba encinta y llorar. El pánico la dominaba, no le permitía razonar, y se confió al buen juicio de su prima, que, como de costumbre, daría con la solución. De igual modo sucedió la tarde del 1º de enero del año anterior, cuando Babila llegó con la noticia de que habían apresado a Rómulo. Todas las miradas giraron hacia Rafaela, a la espera de la palabra justa y definitiva que salvara la situación, y ella había estado a la altura. Subsistieron gracias a su minuciosa administración, a la venta de sus joyas y de sus perfumes y afeites, que veía con frecuencia en los tocadores de sus amigas. A pesar de todo, no sentía cariño por ella, más bien, la detestaba. Celos, envidia, temperamentos opuestos, lo que fuera, se interponía entre las dos. Pero, sobre todo, se interponía Rómulo Palafox y Binda.

—Tu padre y yo nos amamos —dijo Cristiana, y observó que los pómulos de Rafaela se teñían de rojo.

—¡Cállate!

—Si no nos hemos casado, ha sido por ti, porque tu padre sabe que te opondrías. Y para él, tú eres lo más importante —añadió, con un desprecio que no ocultó una nota de tristeza—. No hará nada que te haga sufrir.

—¡Eres su sobrina! ¡Lo que dices es monstruoso! ¡Pagarás cara esta calumnia!

—¡Sí, soy su sobrina! Pero tu padre se enamoró de mí y me hizo su mujer.

Rafaela le cruzó la cara de una cachetada. De algún modo la haría callar.

—Mimita es hija de tu padre —sollozó Cristiana.

—Me aseguraste que era hija de ese viajero francés que se hospedó en casa de Marica de Thompson.

—Tu padre me prohibió decírtelo.

—¡Largo de aquí! —vociferó, olvidando que se hallaba en casa ajena—. No escucharé más calumnias.

—¡Por favor! Permite que tu padre y yo nos casemos.

—¡Jamás! ¡Es indebido!

—¡No, no lo es! Mi amiga Marcelina Valdez e Inclán casó con su tío Diogo Coutinho. ¡El obispo Lué les dio la dispensa para hacerlo! Si el obispo no se opone, ¿quién eres tú para hacerlo?

—Sobre mi cadáver, ¿lo entiendes? —Se aproximaba a paso lento en tanto Cristiana retrocedía—. ¡Ahora vete antes de que te saque a rastras!

Al quedarse sola, Rafaela se echó sobre la cama para calmar el dolor de estómago. Desde la intoxicación con bayas de glicina a la edad de cinco años, sufría a menudo dolencias estomacales por la ingesta de ciertos alimentos o por disgustos. En ese momento, su cabeza semejaba al vendaval que se desataba fuera y que fustigaba las costas y el río. Como estrellas fugaces, los pensamientos surcaban su mente y la hundían en una confusión que la aterraba. Rafaela era una mujer de certezas, de terrenos firmes, de blancos y negros, de vehementes afirmaciones; necesitaba la seguridad para combatir el miedo, y, desde la aprehensión de su padre un año atrás, había tenido demasiado de lo que detestaba: incertidumbre. Se negaba a admitir la veracidad de la confesión de Cristiana, por mucho que las evidencias se confabularan en demostrar lo contrario. Su padre, el gran Rómulo Palafox y Binda, de sangre noble, de principios y valores inamovibles como las columnas del Partenón, de recia fe católica y respetuoso de los preceptos de la Iglesia, miembro de la Hermandad de la Santa Caridad, no se ajustaba a la descripción del hombre que había seducido a una quinceañera y la había dejado encinta. Aunque, en honor de la verdad, a Rafaela la había desconcertado la actitud de su tía Clotilde y de su padre ante la noticia de la gravidez de Cristiana: ninguna reacción, nada del griterío, el llanto y el descalabro para los cuales Rafaela se había preparado. El arreglo se dispuso en menos de un día: marcharían las cuatro, Clotilde, Cristiana, Rafaela y Ñuque, a *Laguna Larga*, donde aguardarían el alumbramiento. En cuanto a la suerte de la criatura, Rómulo dispuso que, apenas nacida, fuese entregada a una familia de San Fernando de la Buena Vista con una suculenta contribución.

"Mimita es mi hermana", pensó, y una inefable alegría la llevó a incorporarse y a sonreír entre lágrimas. Una vez más agradeció a Dios que la niña hubiese sobrevivido a un parto tan penoso y que a ella le hubiese conferido la determinación para conservarla en el seno familiar, por cierto, a fuerza de las amenazas que profirió para evitar que la regalasen, aunque se arrepentía de no haber impedido que su padre urdiera aquella estratagema para la cual se eligió a una pobre mujer a quien, por doscientos pesos, se le arrancó una firma —una X, en realidad, porque era analfabeta— que quedó plasmada en un infame documento que negaba el verdadero origen de Mimita. *"Digo yo, Nicolasa Ibáñez, que doy y cedo a la señora Clotilde Teodorina Palafox y Binda, viuda de Juvenal Romano, mi hija Milagros por el tiempo de veinte años para que dicha señora la eduque y la vista como buenamente pueda, no quedándome ningún derecho para reclamarla en ningún tiempo, por ser mi voluntad que se sirva de ella hasta el tiempo prefijado."* En aquellas circunstancias, la declaración de Nicolasa le pareció baladí si con eso lograba que su padre cediera y permitiera llevarla a Buenos Aires para criarla en la casa de la calle Larga. En ese momento, sin embargo, lo juzgaba una vil patraña. Mimita era una Palafox y Binda. Pero Rómulo jamás lo admitiría, no porque Mimita fuera bastarda sino porque había nacido defectuosa. Su padre, amante de la perfección y de la estética, que consideraba a la belleza física como la quinta virtud cardinal, y que solía regresar del centro y comentar: "Hoy, desde la ventana de la Fonda de las Naciones, no vi cruzar por la Plaza Mayor a ninguna persona digna de llamarse agraciada", jamás aceptaría haber engendrado a una minusválida.

—¡Oh, padre! —se lamentó, con una decepción que la asustaba.

La imagen que Rómulo Palafox se había afanado en montar comenzaba a agrietarse y a descascararse en el corazón de su hija. Rafaela temía perderle el respeto y, sobre todo, temía odiarlo porque ahora comprendía que había sido él, con su pasión por la estética, quien había abierto el abismo que la separaba de Cristiana y sembrado la inseguridad en ella.

La despertaron unos golpes. Se incorporó y miró hacia la ventana. El postigo se sacudía dada la impetuosidad del viento, y el resplandor de los refucilos le permitía ver las gotas de lluvia que se filtraban por los resquicios y salpicaban el vidrio. Tardó unos segundos en ubicarse: se encontraba en la chacra de los Pueyrredón y llamaban a la puerta de su dormitorio. Por fortuna, Mimita seguía durmiendo acurrucada a su lado. La tapó antes de echarse la bata encima y abrir. Era Cristiana.

—Isabel ha comenzado con el trabajo de parto. ¡Tienes que ayudarla! Un peón ha ido por la partera, pero tememos que, con esta tormenta, no llegue a tiempo.

Se cambió a las apuradas con la ayuda de su prima. Antes de entrar en la habitación de Isabel, se topó con su hermano, Juan Andrés, y con el esposo, Ruperto Albarellos, que la contemplaron con semblantes demacrados y ojos de niño perdido.

—Su merced no debería estar en pie con esa fractura en la pierna —sugirió Rafaela.

—No importa mi pierna ahora, señorita Palafox. Me preocupa mi hermana.

—Le imploro —habló Albarellos—, ayude a Isabel. La señorita Cristiana nos ha asegurado que vuesa merced sabrá qué hacer, que siempre sabe qué hacer.

—Haré todo lo que pueda para asistirla.

En tanto pasaban los meses en *La Larga* a la espera del nacimiento de Mimita, Ñuque le había confiado sus conocimientos en materia de partos, que no eran pocos. Si bien habían transcurrido tres años desde la espantosa experiencia, Rafaela la recordaba vívidamente, por lo que las horas que tardó Isabel en expulsar a su hijo varón le resultaron placenteras en comparación con aquellas en las cuales pensó que Cristiana moriría. La alegría de esas personas casi desconocidas terminó por contagiarla, y el agradecimiento que le profesaban la halagó. Aun Cristiana lucía una sonrisa satisfecha y de orgullo por el desempeño de su prima. La partera, que llegó cerca del mediodía, decretó que Rafaela no habría podido desenvolverse mejor. El niño y la madre se encontraban en perfecto estado.

—Quédese unos días con nosotros —le pidió Isabel—. Me sentiría más tranquila con usted a mi lado, Rafaela.

—Por favor —se aunó Juan Andrés en la súplica—. De igual modo, no podrá llegar a *Laguna Larga* con los caminos completamente anegados por el río. Señorita Palafox —dijo—, ¿podría dedicarme unos minutos? ¿Me acompaña a mi despacho?

Entraron, y Rafaela se ubicó en un confidente cerca de la ventana; la humedad y el calor comenzaban a irritarla. Juan Andrés se sentó frente a ella y colocó la pierna escayolada sobre un escabel. Una esclava les sirvió hordiate fresco.

—Sé que debe de estar cansada después de una noche en vela. Pronto la dejaré volver a su recámara y descansar. Pero antes quería hablar con vuesa merced. —Rafaela lo notó incómodo—. Verá, su llegada de ayer resultó muy auspiciosa puesto que me disponía a enviar a mi capataz para que hablase con el de *La Larga*. He de hacer rodeo, señorita Palafox. —Lo expresó en un tono solemne que indicaba la importancia de dicha tarea. Rafaela se limitó a asentir como si supiera de lo que le hablaba—. Nuestras propiedades, ambas muy extensas, colindan, y mis vacas, buscando agua (el río se había retirado por el viento), se pasaron a sus tierras para beber de la espléndida laguna que da nombre a la estancia de los Barquín.

—Ahora pertenece a los Palafox. *La Larga* era parte de la dote de mi madre.

—Sí, sí, claro. Como le decía, apremia hacer rodeo.

—Señor Pueyrredón, seré franca con su merced. No me encuentro en posición de decidir nada acerca del campo de mi padre. Verá, me dirijo hacia allá porque don Íñigo, nuestro capataz, está enfermo y me dice que la estancia se encuentra en estado lamentable. Desde el exilio de mi padre, nadie se ha preocupado por el destino de las tierras ni el de los animales. No sé con qué me encontraré ni sé cómo solucionaré los problemas ya que ignoro todo sobre el campo.

Ante la franqueza de la joven, Juan Andrés se acomodó en la silla y carraspeó. No estaba habituado a mujeres de carácter directo y sensato. Rafaela Palafox y Binda constituía un raro ejemplo. Su mirada, de magníficos ojos verdes, brillaba con la luz de una inteligencia inusual en las de su género.

—¿Y su primo Aarón? Supe que regresó el año pasado de su largo viaje.

—Él se ocupa de otras cosas —lo justificó Rafaela.

"De apostar en las riñas de gallos y acostarse con rameras", pensó Juan Andrés.

—Señorita Palafox, mi familia y yo estamos en deuda con vuesa merced por el extraordinario servicio que le ha prestado hoy a mi hermana. No sé qué suerte habría corrido Isabel de no hallarse vuesa merced en casa.

—Su merced no está en deuda conmigo. Ayudé a su hermana con todo desinterés.

—Lo sé, lo sé. De todos modos, los Pueyrredón nos encontramos en deuda. Y de alguna manera me gustaría saldarla. Según me dice, *La Larga* se encuentra en estado lamentable y don Íñigo, malo de salud. Pues bien, yo le enviaré a un hombre de mi entera confianza para que él y sus ayudantes pongan orden en los asuntos de la estancia y la asistan en cuanto necesite.

—Señor Pueyrredón —se conmovió Rafaela—, su generosidad me abruma, pero no puedo aceptar. No cuento con el dinero para pagar los jornales de esos hombres.

Juan Andrés sacudió la mano e hizo un gesto de ojos cerrados para desdeñar el escrúpulo.

—Los jornales correrán por mi cuenta.

—¡Oh! —Rafaela sonrió, turbada, insegura de aceptar, cuestionándose acerca de lo apropiado del ofrecimiento—. ¿A quién enviaría? ¿Cuál es el nombre de ese señor de su confianza?

—Artemio Furia.

* * *

Juan Andrés de Pueyrredón saboreaba el agua con panal que la negra
Olinda había mantenido fría en el balde del aljibe, mientras contemplaba
el crepúsculo desde la galería. Ya no le latía la pierna quebrada gracias a
la infusión que había bebido un par de horas atrás, preparada con la
mezcla de hierbas prescriptas por Rafaela Palafox. En los dos días que
permaneció en *Bosque Alegre*, la joven dio muestras de su conocimiento
en materia de plantas y flores, de las que conseguía emplastos, afeites, jabones, tónicos y un sinfín de mejunjes con los que se favorecieron varios
de los habitantes de la chacra, en especial Isabel, que, según le confió Albarellos, se hizo de un bebedizo para el entuerto y una untura para los
pechos. Y a la caída del sol, Rafaela Palafox salía a recorrer las inmediaciones de la casa en busca de nuevas especies y, cada tanto, se detenía para realizar anotaciones en una libreta, y lo hacía con rapidez y habilidad,
lo cual resultaba inusual; por lo general, las mujeres a duras penas gara-
bateaban sus nombres.

Juan Andrés se incorporó en la silla y se hizo sombra con la mano
para distinguir a los jinetes silueteados contra las nubes arreboladas del
horizonte. "Furia", masculló para sí, pues si bien no lo veía con claridad,
habría identificado su estilo sobre la montura entre cientos, el torso erguido con natural disposición, la cabeza erecta con aire decidido y las
piernas sueltas, ya que estribaba ligero, como la mayoría de los gauchos.
Debido a que domaba a sus caballos a lo indio, conseguía cabalgaduras
dóciles y sumisas que se dejaban guiar con economía de movimientos;
un apretón de rodillas, un cambio de posición sobre el recado o un chasquido entre dientes le revelaba al animal tanto como un tirón de riendas.

Lo rodeaban sus amigos, que lo seguían a sol y a sombra, ya que,
cerca del gaucho Furia, nunca faltaba el alimento ni un sitio donde apoyar la cabeza cuando los sorprendía la noche; en ningún rancho se le habría negado un plato de guiso o un jergón. Pertenecer a su círculo más
íntimo traía beneficios, pero no resultaba fácil, porque Furia no era un
hombre fácil. Sus ojos de pesados párpados ocultaban la esencia de un
espíritu complejo que podía elegir entre no alterarse por nada o desatar
su ira con una potencia que amedrentaba al más resuelto. Se caracterizaba por ser callado y circunspecto, más bien prefería escuchar y observar,
porque era desconfiado, y, cuando abría la boca, los demás callaban y
aguardaban sus sentencias expresadas con voz ronca, aguardentosa, que
si uno no la esperaba, le provocaba una honda impresión. Su nombre se
pronunciaba con reverencia en las pampas, también en algunos ámbitos

citadinos, porque sus hazañas, desparramadas por los payadores, alcanzaban los cuatro puntos cardinales. Se comentaba que había conseguido sus primeros doblones en vaquerías ilegales, cazando ganado cimarrón, propiedad de la Corona, y traficando los cueros en armadías hacia la Colonia del Sacramento y el sur del Brasil. Había comprado varias carretas para formar caravanas que transportaran productos hacia el interior y desde él, y contaba con un ejército de troperos para conducirlas. Eran famosas sus incursiones a las Salinas Grandes para buscar sal. Se lo tenía por rápido con el facón, y las malas lenguas aseguraban que se había ocupado del indio Carlos, un pampa alzado, de feroz temperamento, un demonio habilísimo con el guampudo y admirado jinete, que asolaba las estancias y atacaba las diligencias. "Juria nos ha quitao una peste d'encima", afirmaban los paisanos a modo de colofón del relato en el cual "el gaucho rubio" le había puesto "las tripas p'afuera" al malvado indio.

Si bien tranquilo y mesurado, a Juan Andrés no lo confundía: Furia era orgulloso como un pavo real y seguro de sí como un espartano de las Termópilas. Ante nadie bajaba la vista, a nadie juzgaba superior, a nada temía, y, como actuaba de un modo manso, sin bravuconería, se trataba de la manifestación de su verdadera índole, de un comportamiento espontáneo y legítimo, que suscitaba admiración en lugar de infundir rencor. Los Pueyrredón lo respetaban y le brindaban su amistad como muestra de agradecimiento por haber salvado la vida de Juan Martín en la escaramuza con los ingleses, en la quinta de Perdriel a fines de julio del año seis. Aún después de tanto tiempo, a Juan Andrés todavía lo afectaba revivir el momento en que creyó que su hermano moriría. Lo había atestiguado desde lejos, imposibilitado de ayudarlo. El caballo de Juan Martín cayó herido por una descarga de fusil. Él salió despedido, rodó sobre el terreno y quedó medio atontado. Juan Andrés advirtió que un grupo de ingleses se abalanzaba para ajusticiarlo con sus bayonetas, al mismo tiempo que un jinete, ladeado sobre el flanco izquierdo de su caballo, galopaba hasta el lugar de la caída, recogía a Juan Martín con una fuerza impensable y lo cruzaba sobre la grupa salvándolo de una muerte espeluznante. Pasada la contienda, Juan Andrés se enteró de que a ese hombre se lo conocía por Artemio Furia y que formaba parte de las huestes de paisanos y peones que Juan Martín había congregado para expulsar a los invasores.

Los jinetes, con Furia y su inseparable amigo, el indio Calvú Manque, a la cabeza, seguían avanzando hacia el portón que marcaba el inicio del casco de la chacra. Juan Andrés admiró el overo que montaba Furia, cuyo pelaje dorado reverberaba con los últimos rayos de sol. "¡Qué magnífico parejero!", pensó, al tiempo que envidió el modo impecable en que el animal se detenía en seco para que su amo desmontara. Calvú Manque y los demás lo imitaron.

Juan Andrés levantó el brazo y los saludó de lejos, indicando la pierna escayolada como excusa por la descortesía de no salir a recibirlos. Después de unas indicaciones a su gente, Furia, seguido de Calvú Manque y del pequeño Bamba, el marucho de la tropilla, se acercó a la galería. A Juan Andrés no lo sorprendió notar que ni Furia ni Manque llevaban nazarenas. Su relación con los caballos no incluía la violencia; eran pacientes y cariñosos con sus monturas y se entendían con ellas sin necesidad de espuelas o fustas.

—Güenas, don Juan Andrés —saludó Artemio.

—Te estabas haciendo desear, amigo —contestó, risueño, mientras le indicaba una silla a su lado.

—Qué va, don Juan Andrés. —Le entregó los últimos números del *Correo de Comercio de Buenos Aires*, el periódico a cargo del joven abogado Manuel Belgrano y de sus amigos, que formaban la Sociedad de los Siete—. Se los manda el Pancho —explicó Furia, y se refería a Francisco Planes, uno de los muchachos alborotadores, como los llamaba el virrey Cisneros, y miembro de la mentada sociedad.

—Gracias, Furia. Y tú, Manque, ya te pareces a un mozo de prendas con esas pilchas que llevas. No me alborotes el gallinero, ¿eh? —lo previno con una sonrisa, al tiempo que le señalaba otra silla.

—'Ta que es desconfiao, don Juan Andrés —se defendió el indio.

—Oye, Bamba —lo llamó Pueyrredón—, ve a la cocina y dile a Olinda que nos traiga mate.

—¡Yo lo cebo, don Juan Andrés! —se ofreció el niño.

—Está bien. Y dile también a la negra Olinda que atienda a tus amigos como Dios manda —e hizo un movimiento con la cabeza hacia el grupo que se ocupaba de desensillar.

—Si agradece, don Juan Andrés —escuchó decir a Furia.

—¿Y qué me cuentan de la ciudad? ¿Qué han sabido? Yo estoy aquí varado culpa de esta mala pata.

—No traigo noticias de mucha monta —admitió Furia, e iniciaron una charla que poco a poco giró hacia las cuestiones políticas, en especial hablaron del Tribunal de Vigilancia, creación del virrey Cisneros para reprimir la efervescencia revolucionaria que se propagaba en cafés y tertulias. Al producirse un silencio, Juan Andrés se dispuso a hablar sobre el asunto de *Laguna Larga*.

—Te he pedido que vinieras, Furia, porque ando necesitando parar rodeo. Hace tiempo que mis animales se han dispersado en busca de agua hacia el campo de los Barquín. Lo haría yo mismo, pero…

—'Ta bien, don Juan Andrés. Cuente con nosotros.

—Te pagaré el servicio, por supuesto. Pero además, te ando necesitando para otra cosa. La verdad es que ya di mi palabra de que lo harías, sin consultarte, y te pido disculpas por eso, pero las circunstancias...

—¿De qué se trata, don Juan Andrés? —preguntó Artemio, con calma.

—Se trata de mi vecina, la dueña del campo de los Barquín, que está sola y con problemas, y necesita a un taita como tú para resolver las cuestiones de su estancia. Poner en orden ese desquicio llevará unas semanas —admitió.

Furia se quedó pensativo, con el torso inclinado sobre las piernas, mientras chupaba la bombilla.

—No cuento con tanto tempo, don Juan Andrés. Tengo una punta de ganao del saladero *La Cruz del Sur* a la que 'toy apacentando. La trajimos a pura guasca y a pecháas limpias porque era muy chúcara, la mal paría. Llegó en mal estao. Aura se ricupera en mi campito de la Cañada de Morón.

Pueyrredón sabía que al "campito" lo constituía una respetable extensión de tierra con excelentes pastizales donde la hacienda restablecía las carnes perdidas en los largos y agotadores viajes antes de terminar en manos de los matarifes.

—En unas semanas tendré que arriarla a Barracas, al saladero que regentea don Diogo Coutinho, y, cuando se trata de arriar ganao cerca de la ciudá, sólo confío en mí mesmo y en Calvú. Usté sabe que no me gusta negarle un servicio, pero...

—Está bien, amigo, yo me apresuré en comprometerte con Rafaela Palafox...

Lo que Juan Andrés siguió diciendo, Artemio Furia no lo escuchó, y sólo Calvú Manque, que lo conocía en profundidad, advirtió el aleteo de sus fosas nasales y la tensión en la quijada. De pronto, Furia interrumpió a Juan Andrés y le preguntó:

—¿No se trataba de un servicio pa'l campo de los Barquín? ¿Por qué habla de Rafaela Palafox?

—El campo pertenecía a los Barquín, pero ahora es de los Palafox y Binda. La hija de Palafox, Rafaela, pidió alojamiento días atrás en *Bosque Alegre* y, en medio de la noche, ayudó a mi hermana a traer a su hijo al mundo. ¡Qué mujer, amigo! Si no hubiese sido por ella, por su pericia y dominio de la situación, no sé qué habríamos hecho mi cuñado y yo, puesto que la tormenta nos impedía traer a la comadrona. La situación era de veras desesperante, y ella salvó la vida de mi hermana y de mi sobrino.

Calvú Manque soltó un silbido y añadió:

—¡Vaya que está usté en deuda con esa misia, don Juan Andrés!

—La señorita Palafox se encuentra en graves aprietos. Partió para su estancia con un par de esclavas sin saber qué le espera allá. Y yo prometí que la ayudaría. Seré generoso con la paga, lo sabes, Furia.

Artemio ensayó un gesto de aquiescencia y dijo:

—Mire, don Juan Andrés, pa'que no se ande comadriando que usté hace promesas que no cumple, iremos mañana a ver qué ocurre en lo de Palafox. Allí, mi *peñi* y yo decidiremos qué hacer y se lo haremos saber.

—Disculpe la curiosidá, don Juan Andrés —habló Calvú Manque—, ¿é viuda la tal Rafaela Palafox? ¿Por qué anda haciéndose cargo de las cuitas de los hombres?

—Es soltera, pero su familia ha sufrido graves reveses y ella ha debido tomar las riendas. —Sopesó unos segundos lo que expresó a continuación—: Su padre, Rómulo Palafox, es un caballero de mohatra, que, desde su llegada a Buenos Aires años atrás, ha intentado vender a quien ha querido comprar su discurso que lo tiene por descendiente de nobles españoles. Ahora vive en el exilio por haber participado de la asonada del año pasado. En cuanto a su sobrino, Aarón Romano, que podría comandar la nave en este chubasco, se dedica a los naipes y a la vida licenciosa. Es un gandul de primera laya. Su hermana Cristiana, que es ahora nuestra huésped, insinuó que ese pelafustán pretende desposar a su prima Rafaela. Dios la libre y la guarde.

Ahí estaba, Rafaela Palafox y Binda. Al fin la contemplaría de cerca y estudiaría los detalles de un rostro que había intentado delinear a partir del pobre vistazo obtenido cuando la joven salía de lo de Bernarda de Lezica. Se preguntó qué haría subida a esa banqueta.

—¿Por qué sonríes? —se interesó Calvú Manque, que montaba a su lado.

—'Toy acordándome de un chiste de doña Clara —mintió Artemio.

La leve brisa arrastró el sonido acuoso de los chifles de cuerno que colgaban de los borrenes y chocaban entre sí. Rafaela elevó la vista. Un grupo de jinetes se aproximaba a la casa. Colgó las últimas ramas de canela para ahuyentar a las moscas y descendió de la banqueta.

—Ve a llamar a don Íñigo —le ordenó a Créola.

—Don Íñigo está enfermo —repuso la esclava.

—Sí, enfermo —se mofó Rafaela—. Enfermo de tanto tomar. Dile que venga.

A pesar de que le causaban pavor los hombres a los que su padre llamaba gauderios o gauchos, esos que vestían de un modo tan peculiar y que, de tanto en tanto, se mezclaban entre las gentes de la Recova, Rafaela experimentó cierto alivio al ver al grupo que ordenaría el desquicio en que se había convertido *Laguna Larga*. Advirtió que dos de ellos se adelantaban y desmontaban. Rafaela abandonó el resguardo de la galería y se encaminó a recibirlos. El corazón le galopaba en el pecho y la boca se le había secado. El sol la cegaba, así que entrecerró los ojos y se llevó la mano a la frente. Uno de ellos, el más alto, al avanzar hacia ella, la protegió de la luz y le permitió ver con normalidad. De inmediato y como muestra de cortesía, el hombre se quitó el pañuelo negro que le cubría la cabeza por completo. Rafaela quedó atónita ante la visión de su larga cabellera rubia y de su barba en una tonalidad similar, algo más rojiza. En realidad, tres aspectos del gaucho la sacudieron: que fuera rubio, que fuera joven y que la expresión de su semblante fuera tan severa. "Parecen barbas de choclo", pensó de los mechones que le caían sobre la frente.

—Buenas tardes —saludó con sequedad—. Usted debe de ser el señor Furia.

—El mesmo —contestó Artemio, e inclinó la cabeza—, a su servicio.

—Yo soy Rafaela Palafox y Binda.

—Lo sé —repuso el gaucho—. Don Juan Andrés de Pueyrredón nos envió pa'hacer rodeo y pa'poner orden en esta chácara.

—Gracias —balbuceó, intimidada por la voz del hombre, una voz gruesa y a la vez enronquecida, como si hubiese pasado largo tiempo en silencio o recién despertara. Se le erizó la piel de los brazos—. He mandado llamar al capataz, don Íñigo. Se nos unirá enseguida —agregó, insegura de sus palabras; temía que notara que sabía tanto del campo como de los selenitas y sus hábitos. Rómulo Palafox aseguraba que ésas eran gentes pendencieras, peligrosas, de poco honor, y la voz y el gesto del hombre ratificaban las aseveraciones.

Rafaela Palafox se dejaba leer como un libro. Su miedo y desconcierto lo alcanzaban como las lenguas de viento caliente del norte. La había imaginado mal, era distinta de la Palafox de su imaginación. "Aunque sea blanca", reflexionó, "sangre india corre por sus venas", y lo dedujo dado el corte de sus ojos, grandes y a un tiempo sesgados hacia las sienes, como él sólo había visto entre las ranqueles; y también por su boca ancha, generosa, de labios gruesos y delineados con una precisión que, aunque no los llevara coloreados con carmín, podía verse claramente dónde terminaban y comenzaba la piel del rostro. Deseó verla sonreír.

—¡Artemio Juria! —se escuchó la voz chispeante de don Íñigo, que venía acomodándose la camisa como si recién se levantara. Créola caminaba a su lado.

—Don Íñigo —saludó Furia, con aire parco—, ¿cómo anda tuito por las casas?

—Más o menos, Juria, llenos de cuitas y pestes. Pero qué alegrón cuando la niña Rafaela me dijo que usté vendría a echarme una mano. Aquí lo que sobra é el trabajo, verá usté. Estoy solo y enfermo. Los dos piones que tenía se mandaron a mudar porque hace como un año que no recibimos la paga.

Artemio advirtió de soslayo la tonalidad rojiza que cubrió las mejillas de Rafaela, y contuvo el ímpetu de hacer callar a ese necio. Por su lado, Rafaela se debatía entre permanecer con ellos o regresar a la casa. "Si mi padre me viera departiendo con este par", se lamentó, pero enseguida resolvió quedarse y estudiar a Furia. Acababa de percatarse de que no había tenido una dimensión justa de su tamaño hasta verlo al lado de don Íñigo. Más bien delgado, era su altura la que impresionaba. Se acordó del talismán de piedra turca de Ñuque al descubrir sus ojos medio velados por los párpados cuando el gaucho los levantó con asombro ante un comentario del capataz. Porque los de Cristiana eran celestes, pero ésos, por inverosímil que pareciera, eran turquesa, y penetrantes en el marco de su piel bronceada y cejas rubias. En un acto de sinceridad infrecuente en ella, pensó: "Este hombre es un espectáculo que me roba el aliento". Contemplarlo la aturdía e inhibía. Sus contrastes más que su belleza la sumían en ese encantamiento. Nada en él parecía calzar y, sin embargo, su figura transmitía una sensación de equilibrio y de armonía, y de fuerza en reposo que la asustaba y que, paradójicamente, le infundía seguridad. No recordaba que un hombre la hubiese impresionado de ese modo, ni siquiera Juan de Dios Bonmer.

Influenciada por el carácter estético de Rómulo, Rafaela había arribado a la conclusión de que, después del primer vistazo, las personas en general no le resultaban físicamente agradables; las juzgaba feas o, en el mejor de los casos, mediocres; les encontraba defectos, y estaba segura de que ella causaba la misma impresión. Con el tiempo y la ayuda del cariño, las personas que en un principio le habían parecido poco atractivas, se volvían bonitas y agradables, como el caso de Corina o Lupe Moreno. Con ese hombre, con ese gaucho tosco y parco, le ocurría lo opuesto: de un vistazo, el primero, estaba pareciéndole lo más hermoso que había visto.

Adivinó que Peregrina se acercaba; podía oler su perfume, Agua de Paraíso, una de sus fragancias más logradas, que le había regalado para su onomástico. Furia desvió la atención de Íñigo, y Rafaela dedujo que había reparado en la esclava, una cuarterona muy agraciada. No obstante, al descubrir el objeto de su interés, se asombró: contemplaba a Mimita, en brazos de Peregrina, y lo hacía con una expresión renovada, mansa y bondadosa. La niña, a su vez, le ofreció una sonrisa de dientes como piedritas puntiagudas. Resultaba tan infrecuente verla sonreír, sobre todo a un extraño, que Rafaela soltó una corta carcajada de dicha. Al desviar la mirada, se topó con los ojos de Furia que la contemplaban con impertinente intensidad.

Ese mismo día, a la hora del crepúsculo, Rafaela pasaba un momento en el comedor, simulando leer *Visión deleitable de la filosofía y de las otras ciencias* cuando, en verdad, meditaba acerca del señor Furia. No conseguía apartarlo de su mente. "Soy Rafaela Palafox y Binda", se había presentado ella. "Lo sé", había contestado él. La respuesta la llenaba de conjeturas.

Felisarda, la hija mayor de Íñigo, que, junto con Mencia, su esposa, se ocupaba de la cocina y de la limpieza, se presentó en la sala.

—Niña Rafaela, Juria pide verla, niña.

—Dile que pase.

—¿Aquí? —se extrañó, y Rafaela asintió, pensando que debería mandar llamar a Créola o a Peregrina para no recibirlo a solas, desistiendo casi de inmediato incitada por una rebeldía nacida de la desilusión. La confesión de Cristiana le había robado la paz, la había enojado y llenado de rencor. De pronto se sentía con derecho a romper las reglas.

Se puso de pie al verlo cruzar el patio y se movió en su dirección cuando el gaucho entró por la contraventana. Caminaba de un modo peculiar, algo desmañado, con la cabeza y el torso echados hacia delante; a pesar de los ropajes, advirtió que sus piernas, muy separadas, guardaban la forma de la montura. Le indicó con una mano que tomase asiento. Él dudó un segundo; después aceptó. Echó la mano hacia atrás, a la altura de la cintura, y extrajo un cuchillo que depositó sobre una pequeña mesa circular, cuyo diámetro quedaba cubierto por la longitud del arma blanca; las boleadoras, en cambio, permanecieron en su cintura.

Furia se sentó y Rafaela se ubicó bastante alejada, frente a él. Un rayo de sol bañaba la cabeza del hombre. El pelo, que lucía áspero a causa del viento y del polvo, y muy rubio, casi blanco, por la acción del sol, le caía sobre los hombros en total rebeldía. La barba de varios días adquiría tonalidades más rojizas o más rubias según cómo le diera la luz. Se detuvo en un detalle pasado por alto durante la inspección de la mañana: sus pestañas eran renegridas y tan espesas que las de tía Pola sufrían en comparación. No podía detener su escrutinio. "Debería ofrecerle un bálsamo para los labios", meditó, al verlos cuarteados.

—¿Desea tomar un poco de horchata, señor Furia? ¿O quizá té de menta? —Y señaló otra jarra—. Está fresco. ¿Por qué sonríe, señor?

—Porque me han llamao de muchas maneras, pero jamá "señor Furia".

—Pues yo lo llamaré de ese modo, si usted me permite. —Artemio asintió con un brillo en la mirada—. ¿Horchata —insistió, molesta— o té de menta?

Se tomó un segundo para constatar que ella tomaba té de menta.

—Té de menta —decidió, para conocer a qué sabía el interior de su boca—. Si agradece —dijo, y bebió un trago.

Artemio Furia le brindó un informe acerca de la situación de la estancia, nada halagüeño. El ganado, buscando agua y mejores dehesas, había trashumado hacia el norte y, suponían, se hallaba cerca del río.

—No están en la laguna —admitió Rafaela—. La hemos visitado ayer y no hemos visto siquiera una vaca.

—No debería ir sola a la laguna, señorita. Hemos avistao dos jaguares. Ellos han espantao a los animales, tal vez.

—¿Jaguares? —se asustó Rafaela.

—Ansina é. Jaguares. No suelen atacar a los cristianos, salvo que se los amenace. Y no se fíe de las vacas, tambien son peligrosas. Hace mucho que se jueron y deben de haberse güelto bien chúcaras. Bien salvajes —explicó—. La atacarían. Con los caballos —prosiguió—, se ha armao un gran zafarrancho, porque los que supieron ser potrillos aura son tuitos sementales y naides los ha castrao.

—¿Castrado?

—Naides les ha cortao los testículos.

—¡Oh!

Hacía mucho que Artemio no veía a una mujer sonrojarse por pudor; las chinas eran demasiado libres, y Albana, demasiado descarada para reacción semejante.

—Verá, señorita —retomó Furia—, los padrillos no quieren a otros padrillos en la tropilla. Luchan entre ellos por las yeguas y se dispersan, cada uno con su grupo de hembras. A sus caballos de usté, hay que castrarlos primero y acollararlos dispués a la yegua madrina pa'que güelvan a formar tropilla, como Dios manda. Acollararlos a una yegua preñada sería mejor. Se encariñan má rápido.

—Señor Furia —lo detuvo Rafaela, incapaz de proseguir con temas tan procaces—, el señor Pueyrredón asegura que es usted muy idóneo y de su entera confianza. Eso es suficiente para mí. Proceda como juzgue conveniente.

Artemio movió la cabeza en señal de aquiescencia, y un mechón se apartó, revelando la oreja derecha con varias argollas de plata que trepaban por el cartílago. De pronto, Rafaela le tuvo miedo, y la conducta temeraria y rebelde que la había impulsado a recibirlo en la sala se desvaneció. Se puso de pie, urgida por librarse de él. Artemio la imitó. Se inclinó para tomar el cuchillo de la pequeña mesa y, en tanto lo acomodaba en el tirador, dijo:

—Si a usté no le molesta, señorita, mi gente y yo ocuparemos los puestos, é decir, los ranchos que eran de sus piones.

—No, no, por supuesto que no me molesta —balbuceó, y bajó la vista ante la mirada del gaucho. De inmediato la elevó ante una pregunta:

—¿Con qué piensa alimentarse y alimentar a su gente sin vacas pa'carnear?

—Pues, yo no… Nos hemos arreglado con verduras del huerto y huevos y…

—Dejaré a dos de mis hombres pa'que las protejan y les cacen peludos y ñandúes. Tienen una carne excelente.

—¿Protegernos? ¿De qué o de quién? —preguntó, de modo altanero.

—De muchos peligros que aguaitan en la campaña, señorita —le respondió, con evidente impaciencia—. Partiremos mañana antes del alba. No sé cuándo andaremos de güelta. —Acto seguido, se calzó el sombrero de fieltro negro, se tocó el ala en un gesto de despedida y se marchó.

Rafaela se quedó mirándolo hasta que su figura desapareció tras cruzar el patio central. Entornó los párpados y espiró largamente, buscando aliviar la tensión del estómago. La bravata de correr a *Laguna Larga* y hacerse cargo del problema podía costarle caro. Relacionarse con un hombre de esa laya, que hablaba de castrar sementales y de testículos, con argollas en la oreja y un cuchillo del largo de un brazo, demostraba que su sentido común había desaparecido. Tomó asiento, desplegó el abanico y lo aventó con energía delante de su rostro de ojos apretados. ¿Qué aroma tendría su cuerpo? Sacudió el abanico con más vigor. ¿Hedería? De lejos, habría jurado que su camisa blanca, de una sencilla batista, estaría chafarrinada y deslucida; al tenerlo frente a ella, había comprobado lo contrario. ¿Se habría cambiado y lavado para reunirse con ella?

Por la noche, mientras ayudaba a Créola a cerrar postigos y puertas, le preguntó:

—¿Qué averiguaste sobre lo que te mandé?

—La Felisarda —hablaba de la hija mayor de Íñigo— dice que Artemio Furia es un hombre cabal, muy bragado, respetado por infieles y paisanos por igual. Muy querido porque da con generosidad a todo el que le pide. Dice también que para carnear, enlazar, o correr en un rodeo, nadie mejor que él.

—Vaya, vaya. Felisarda parece enamorada del señor Furia.

—Hasta los tuétanos, mi niña. Pero no es la única. La Felisarda dice que a Furia, donde sea que vaya, nunca le falta un palenque donde rascarse. La campaña ha de estar poblada de sus guachitos.

CAPÍTULO VI
Confesiones en una libreta

Después de la partida de Furia y de sus gauchos y con el transcurso de los días, Rafaela fue serenándose y comenzó a disfrutar del campo. No se trataba de que hubiese dejado de pensar en el hombre, porque Bamba e Isidoro, llamado "el rastreador", lo mencionaban a diario. Ambos proveían a la casa de carne fresca de peludos, vizcachas, quirquinchos, liebres y piches; de la laguna traían patos, perdices y becacinas; una tarde llegaron con un pequeño venado que resultó delicioso. Como Isidoro sabía de plantas y conseguía hierbas aromáticas para la olla podrida y otros guisos, Rafaela, incumpliendo su determinación de conservar la distancia, pasaba horas en su compañía, aceptando consejos para el huerto y para el jardín, que se hallaba en completo abandono. Bamba, el marucho, es decir, el que manejaba a la yegua madrina con cencerro, se había ganado su afecto dado el cariño que mostraba por Mimita. A Rafaela la animaba verlos aparecer a caballo con algún "bicho" en la grupa.

—¿Quién se ocupará de conducir a la yegua madrina si tú, Bamba, estás aquí? ¿El señor Furia?

—¡No! ¡Un paisano jamás monta una yegua! Sería una deshonra. Ademá, no me necesitan pa'l rodeo, señorita. La yegua madrina se usa pa'querenciar a la tropa de caballos. Las vacas son otro cantar.

De ese modo, con preguntas inocentes, Rafaela aprendía acerca del hombre que ocupaba su mente, pese a la determinación de olvidarlo. A veces lo lograba, cuando se ocupaba del huerto con Créola, Peregrina y Mimita. El jardín constituía su solaz, y la satisfacía comprobar los adelantos logrados con el tesón de su trabajo y el de las esclavas. Habían dispuesto una habitación junto a la cocina para desplegar los "cachivaches infernales", como llamaba Clotilde al alambique, las redomas, los matraces, el almirez y otros trebejos necesarios para la producción de los perfumes, colonias y demás afeites, y allí pasaba gran parte del tiempo, a veces en compañía de Bamba e Isidoro, que no terminaban de asombrarse de sus aptitudes para obtener ungüentos de una tercerola de manteca de puerco o jabones de un pan de grasa vacuna. La contemplaban con reverencia cuando se inclinaba sobre el vademécum para anotar nuevas combinaciones y recetas.

—¿É muy difícil aprender a leer y escribir, señorita? —preguntó Bamba.

—¡Eso no é pa'nosotros! —interpuso Isidoro—. ¿Acaso lo necesitas pa'saber qué marca de ganao corresponde a quién? —El niño negó con la cabeza—. Entonces, dejate estar callao y no molestes a la señorita.

A Rafaela le gustaba caminar hasta la laguna, incluso un poco más allá. Isidoro siempre la escoltaba, y su compañía le resultaba placentera porque, mientras el gaucho identificaba plantas, ella las dibujaba con excelente trazo en su libreta y apuntaba las cualidades que "el rastreador" le indicaba.

—¿Por qué lo llaman "el rastreador", Isidoro?

—Verá, señorita —habló, con ese aire digno que a Rafaela le agradaba—, é que soy bien capá de seguirle el rastro a cualquier cosa que se mueva.

Le explicó que, en un terreno tan abierto como la pampa, resultaba indispensable contar con un buen sentido de la ubicación y aprender a seguir el rastro de los animales.

—Porque debe saber usté, señorita, que el que se pierde en la pampa, perece.

Aseguró, carente de soberbia, que era capaz de distinguir una huella entre miles y que podía afirmar si el animal se movía deprisa o lentamente, si llevaba peso o iba liviano, si padecía del mal del vaso o del hormiguero, enfermedades que atacan los cascos de las bestias. También sabía rastrear hombres.

—Con esa habilidad tan grande, Isidoro, ¿no estará necesitándolo el señor Furia para rastrear los animales de mi padre y de don Juan Andrés?

—¡Qué va, señorita! Si Artemio y Calvú son tan güenos como yo pa'esas cosas. —Más circunspecto, agregó—: Artemio quería que yo, además de cazar pa'vuesa mercé a diario, me quedara pa'cuidarla. É que sospechamos que el ganao fue robao, señorita. Unos cuatreros deben de andar por estos lares, haciéndose de lo ajeno. Si no, ¿por qué las vacas no están paciendo cerca de la laguna? —Ante la expresión desolada de Rafaela, Isidoro la malinterpretó—: ¡Pero usté no se priocupe, señorita! Naides mejor que Artemio pa'conseguir de nuevo esas vacas. O los cueros. Lo que haiga, él lo va a traer.

—¿Seguirán por las vecindades esos cuatreros?

—¡Amalaya! Ansina Artemio les echa el guante. Si entuavía siguen por ai, ya han de saber que el gaucho Juria y su gente los andan buscando y se van a escuender.

—¿Le temen al señor Furia?

—Sus enemigos le temen. Sus amigos lo rispetan.

—¿Tiene muchos amigos?

—¡Uf! ¡Muchos! Porque así como lo ve, con esa cara de chupar limón —Rafaela se cubrió la boca para ocultar la risa—, é má güeno qu'el pan. Artemio podría ser rico, porque él no é como nosotros, pero vive regalando y dando a los pedigüeños y a quien lo ande necesitando. Además, a él no le importan las riquezas.

Habría deseado preguntar más sobre Artemio Furia, su curiosidad crecía al ritmo de sus dudas. No obstante, optó por cambiar de tema. Ya leía la suspicacia en los pequeños ojos de Isidoro.

—¿Cómo sabrán distinguir unas vacas de otras?

—¡Ah, por las marcas! Pa'eso llevaron a don Íñigo, porque conoce la marca de *Laguna Larga*. Y Artemio conoce bien la de don Juan Andrés, y las de tantas otras estancias. Él sabría distinguir cien marcas de distintos dueños en un rodeo de miles de animales. Pero se me hace que darán con mucho ganao orejano.

—¿Qué es "ganado orejano", Isidoro?

—El que no tiene marca. Los terneros, por ejemplo, o el ganado cimarrón.

Poco a poco, Bamba se convirtió en una sombra que las seguía a todas partes y, como se mostraba ávido por saber, Rafaela le explicaba cómo preparaba pastillas para perfumar baúles o cómo obtenía la gomorresina del estoraque. Bamba, que entendía a medias, sonreía. En un principio, lo cohibía que lo trataran de buen modo, que lo saludaran, que le pidieran los encargos agregando la locución "por favor" y que dijeran "gracias" una vez cumplidos. Él, como zambo, mezcla de indio y negra, estaba habituado al maltrato y al desprecio, y sólo después de conocer a Artemio Furia, que le había enseñado un oficio y que lo consideraba un igual, comenzó a caminar con la cabeza en alto y a no desviar la vista si lo miraban de frente. "¡Ojalá nunca tuviese que irme de *La Larga*!", deseó, mientras escuchaba a Rafaela cantar *Aserrín, aserrán* para que Mimita aprendiera a hablar.

Una mañana de finales de enero, antes de que Mimita se despertara, Rafaela se vistió, sin la ayuda de Créola, con una saya cómoda y una blusa de algodón liviano; se colocó una pamela de alas anchas y partió rumbo a la laguna con su libreta de anotaciones y su lápiz de carbonilla. A pesar de la recomendación del señor Furia —que no visitara sola las inmediaciones de la laguna dada la presencia de jaguares—, Rafaela caminó con decisión, sintiéndose extraña y pletórica de energía. Desde su llegada a *La Larga*, había cambiado, algo dentro de ella se había quebrado, haciéndola sentir libre y osada. Como le gustaba hallar la razón de las cosas, iba reflexionando acerca de los motivos de ese cambio, mientras, en cuclillas, analizaba distintas especies nuevas y tomaba nota. A la par, incluía algunas conclusiones. *Creo haber hallado una alfombra de vincapervinca, de la especie minor. Sus flores azules, medio violáceas, confirman mi hallazgo. Tomaré algunas hojas para preparar un extracto fluido, muy bueno para detener hemorragias. A Demetrio Solá le interesará esta medicina y me pagará bien por ella. Ojalá el señor Furia regresara pronto con un buen hato de vacas. Las venderé y, con ese dinero, pagaré los impuestos de La Larga y de la quinta de Buenos Aires. Me pregunto por qué demora tanto el señor Furia. Ya han pasado semanas. Isidoro asegura que el ganado debe de haberse movido varias leguas, de allí su tardanza. No puedo engañarme: deseo que regrese. Las ansias crecen dentro de mí cada día que pasa; me desasosiegan, me inquietan y me vuelven expectante a la vez. Tengo miedo de mí misma, de lo que me permita sentir por él ahora que me hallo en esta disposición tan ajena a mi índole. ¡Dios mío! Es un hombre tan por debajo de mi condición y ni siquiera me importaría si mi padre y mis tías condenaran este sentimiento. ¿Qué está sucediéndome? Me desconozco. Por mucho que amé a Juan de Dios, jamás se apoderó de mí este espíritu osado. Nuestro amor era algo prohibido, y yo lo entendía bien. Ahora, en cambio, todo parece distinto.*

Se incorporó al escuchar un sonido que se impuso al de los insectos y pájaros, algo similar a un tumulto lejano. Entrecerró los párpados porque el reflejo del sol sobre la laguna la encandilaba. No advirtió nada inusual, aunque dada su posición, en la hondonada del terreno, resultaba difícil ver más allá. Decidió averiguar de qué se trataba y se encaminó hacia la loma.

Artemio Furia se alegró cuando don Íñigo, que cabalgaba a su lado, le informó que las tierras que pisaban pertenecían a *Laguna Larga*. Ansiaba llegar y poner fin a la inquietud que lo asolaba desde hacía semanas, que no se relacionaba con el viaje infernal que estaban a punto de terminar sino con Rafaela Palafox y Binda. Llevaba su imagen impresa en las retinas y en la cabeza. Anhelaba desembarazarse del hedor de las bestias y de su cuerpo sucio para inspirar de nuevo el aroma inefable que lo había hechizado la tarde en que lo invitó a tomar té de menta. Levantó apenas las comisuras con el recuerdo: él, un gaucho, ella, una señorita de sociedad, departiendo en el comedor como dos de la misma casta. Admitía que se había sentido a gusto, ella lo había hecho sentir así, y no existió un instante en que la joven echara mano de su superioridad para imponerse, ni siquiera cuando él, a propósito, le habló de cuestiones que debieron de ofenderla. Quería olerla de nuevo, esta vez, con su nariz clavada en el hueco que se formaba entre la oreja y el cuello para después seguir el rastro hacia abajo, detenerse en el escote y acabar en los pechos. Se acomodó en la montura para aliviar la puntada entre las piernas. Su overo se inquietó y él masculló para aplacarlo, consciente del riesgo de un caballo encabritado en medio de un rodeo tan mañoso.

"Rafaela." Necesitaba pronunciar su nombre, el mismo del arcángel, llamado "medicina de Dios", a quien Ciriaco había encomendado su salud cuando cayó enfermo después del asesinato de sus padres. ¿Sabría Rafaela Palafox que hacía honor a su nombre fabricando medicinas? La noche anterior a partir, Felisarda y su madre le habían asegurado que la señorita no sólo poseía talento para la confección de perfumes y potingues sino para las medicinas, y le mostraron un líquido marrón, obsequio de Rafaela, que se aplicaba para desinfectar cortes y raspaduras.

Inspiró el aire de la mañana, que sólo arrastraba el hedor de los miles de vacas y toros que los circundaban. La ansiedad no mermaba, lo volvía exigente, porque, así como deseaba recorrerla con su nariz y olerle hasta el último rincón, también quería penetrar en su boca con gusto a menta. "¡Uy, la niña Rafaela toma litros de té de menta! ¡Todo el santo día!", había expresado Felisarda.

Giró la cabeza hacia la derecha y echó un vistazo feroz a Gabino, un tape de mal carácter al que apodaban "el domador", cuando su picazo se puso a piafar. A golpes de arreador, se abrió paso entre la marea de vacas y toros y lo alcanzó.

—Me 'tá pareciendo, Gabino, que tu pingo no es güeno pal'rodeo.

—Demasiado arisco pa'una punta como ésta, tan malina —acotó Calvú Manque. Artemio le indicó con un gesto que no se entrometiera, por lo que el indio se alejó sobre su ruano. Gabino no era un hombre fácil, menos aún para hablarle mal de su montura.

—Quedate tranquilo, Juria —habló el hombre—. É medio bravo, el Cachafá, no lo voy a negar, pero lo tengo bien dominao.

Artemio asintió y se movió hacia el frente de la manada, junto con los primeros animales. Según don Íñigo, transpuesta la barranca, pronto llegarían al ámbito destinado para el rodeo, un espacio abierto, sin hierbas, alejado de la casa principal, con un palo de ñandubay en el centro para atraer a los animales a rascarse. Ahí no acabaría el trabajo. Una vez en el rodeo, emprenderían las tareas de separación, curaciones, castraciones y marcaciones de los orejanos, a más de enseñarles a aquerenciarse. Recuperar el ganado de don Juan Andrés y de Palafox no había resultado fácil, especialmente porque tuvieron que arrancárselo a los abigeos que lo habían robado. Los rastrearon durante semanas hasta descubrirlos en la zona del Delta, desde donde se disponían a transportar a los animales en armadías hacia la Banda Oriental. Artemio conocía bien esa práctica puesto que, por años, había contrabandeado cueros y ganado del mismo modo. Les cayeron encima una noche como jaguares rabiosos, matando a varios y permitiéndoles huir en desbandada a los más cobardes. Complicó el regreso que muchos animales se encontrasen en mal estado, que hubiese elevado número de torunos —toros mal castrados—, con un genio de los mil demonios, y mucha vaca chúcara. Los habían arrastrado legua tras legua a pechadas y rebencazos en las paletas, tratando de proteger a los terneros del aplastamiento y galopando de un lado a otro porque formaban punta por cualquier sitio que descuidaran.

Artemio se hizo sombra con la mano ante la visión de algo que emergía de la barranca y cuya silueta se iba definiendo contra el cielo despejado. Percibió cómo sus entrañas se volvían de piedra y la respiración se le cortaba al reconocer a Rafaela Palafox. "¿Qué mierda hace esa china acá?", rugió para sus adentros. Se hallaba frente a él, a cierta distancia y en medio del camino de una manada que la convertiría en un amasijo sanguinolento en caso de una estampida. Levantó los brazos y los sacudió con actitud frenética, lo que ella interpretó como un saludo y le respondió de igual modo. Miró de reojo y confirmó que sus hombres acababan de avistarla y que, al igual que él, levantaban los brazos y ejecutaban señas desesperadas. Ella los saludaba con una sonrisa que Artemio alcanzaba a distinguir bajo la sombra que proyectaba el ala de la pamela. "No debería sonreír de ese modo a cualquiera", masculló.

No necesitó saber que el relincho nervioso pertenecía a Cachafaz, el picazo de Gabino. Giró sobre su montura y lo vio corcovear y sacudir la cabeza. Percibió la inquietud de sus hombres y la de las vacas, que comenzaron a mugir y a abrirse. Gabino descargaba el rebenque sobre las ancas de su caballo y levantaba las riendas, lo que enfurecía aún más al animal, que terminó por bolearse, empinándose de tal modo que acabó con el lomo sobre el suelo, aplastando a su dueño. Artemio vociferó órdenes para salvar al jinete y para atajar al rodeo, que ya corría desbocado. Negros pensamientos inundaron su mente al lanzar su caballo en dirección a Rafaela en un intento por ganarle la carrera a miles de vacas que en cuestión de minutos se cernirían sobre ella.

Rafaela tardó en percibir que el suelo vibraba en tanto la manada se dirigía hacia ella en estampida. Giró apenas la cabeza y lo vio, a Artemio Furia, inclinado sobre la cruz de su caballo, con el rostro transformado y los largos mechones que batían sobre su espalda. Profería gritos que de pronto dominaron sus oídos y acallaron el tumulto. Él se precipitaba a una velocidad que impedía distinguir las patas del overo, el cual cada tanto zigzagueaba para cortar el avance de una vaca o de un toro que lo sobrepasaban. Su mirada encontró la del gaucho, y quedó prendada de la fiereza de sus ojos. Una nueva orden vociferada la obligó a reaccionar. Dio media vuelta y echó a correr.

Artemio se ladeó en la montura hasta quedar paralelo al terreno y, al pasar junto a Rafaela y sin mermar la marcha, la recogió como si se hubiese tratado de una niña y la cruzó sobre la grupa. Rafaela apretó los párpados y jamás los abrió. Por instinto supo que él no la dejaría caer y permaneció inmóvil y tensa, recibiendo en el pecho las sacudidas producto del galope. Al cabo se angustió al pensar que se hallaba en una postura humillante.

Artemio verificó que se encontrasen fuera de peligro antes de apretar los ijares de su caballo para disminuir la velocidad. Rafaela notó que mudaban a un trote hasta detenerse. Furia desmontó de un salto, la tomó por la cintura y la ayudó a bajar. Las rodillas no le respondieron, y habría acabado en el suelo si él no la hubiese sostenido. Rafaela descansó la frente en su pecho. Tenía deseos de vomitar. Estaba sin aliento. Se apartó lentamente y elevó el rostro. La expresión de Furia le dio pánico y se alejó con un impulso.

—¿Qué hacía cerca de la laguna? —La voz del hombre la conmocionó; se había olvidado de su matiz ronco y amenazador—. ¿Qué carajo...? ¿No le dije que no se acercara a esa zona?

—Lo siento, lo siento —suplicaba, con la cabeza baja y apretando los puños—. ¿Ha sido mi culpa?

—¿La estampida? ¡No, claro que no! ¡Pero desobedeció mi orden! Le alverti que no debía...

—¡Oh! —exclamó Rafaela, al tiempo que se contemplaba las manos abiertas.

—¿Qué ocurre? —se asustó Furia, y se las tomó para verificar que no estuviesen lastimadas.

—¡Mi libreta! ¡He perdido mi libreta!

—¿Qué libreta?

—¡La libreta donde realizo mis anotaciones! ¡Mi vida está en esa libreta!

—¿Estuvo a un pelo de morir aplastáa y se priocupa por una libreta de mi...? —En el silencio que continuó sólo se escuchaba el resuello de Furia—. ¡Mujer terca!

"Es que nací bajo el influjo de Tauro", se habría justificado Rafaela, recordando las enseñanzas de su tía Pola, experta en el Zodíaco Solar, un secreto compartido que las habría conducido ante el tribunal de la Inquisición de haber salido a la luz.

Furia la estudió con una mirada penetrante. Por fin la soltó y, sin aviso, la levantó en brazos y la acomodó sobre la montura. Con la agilidad de un gato, se colocó detrás de ella y la aferró por la cintura. Chasqueó la lengua, y el caballo emprendió la marcha a paso ligero.

Durante los primeros minutos, Rafaela permaneció en estado de conmoción. Le costó aprehender la dimensión de lo que había sucedido y de lo que estaba sucediendo: su vida acababa de correr peligro y se hallaba por primera vez sobre un caballo, con la espalda apoyada en el pecho de un hombre al que su padre le habría prohibido mirar. No debía olvidar el detalle de la mano derecha de él apretando su vientre. Casi prorrumpió en carcajadas histéricas. Se mordió el labio y bajó la cara.

Recuperó los sentidos: el del tacto, cuando, en una acción poco juiciosa, descansó la mano sobre la de Furia y la notó seca y áspera; el de la vista, cuando se permitió ver la calidad de la tela de su chiripá y el color de sus botas de potro (tenía los dedos al aire); el del olfato, al percibir un olor acre, mezcla del sudor del hombre y el de la bestia; y ella, tan sensible a los aromas, se dijo que no le importaba pues, si bien se trataba de un olor desagradable, era el de él.

Artemio contuvo la respiración y dejó caer los párpados al sentir la mano de Rafaela sobre la suya. Recordaba sus manos de la tarde en que habían bebido té de menta. No eran pequeñas, pero sí elegantes, muy blancas y de dedos largos, las manos de una mujer fuerte, resuelta, laboriosa. A pesar del esfuerzo de voluntad, se las imaginó en torno a su pene, apretándolo, acariciándolo, cada vez más enérgicamente. Se mordió el labio y espiró con lentitud.

—Es la primera vez que monto a caballo —la escuchó decir.

—¿Por qué no lo hizo antes? —preguntó, cuando se sintió seguro de su voz.

—Porque tenía miedo. Le temo a los animales. A los perros en especial.

—¿Le gustaría aprender a montar?

—Sí, creo que sí.

No volvieron a hablar y, al llegar a la casa, él la ayudó a bajar y, sin despedirse, espoleó el caballo y se alejó al galope.

En la oscuridad de su puesto, Furia se tendió desnudo en el catre y aguardó a que cada músculo y tendón se relajara. Por fortuna, sus hombres habían actuado con diligencia e impedido que la estampida pasara a mayores. Antes del atardecer, habían reunido el ganado disperso, que en ese momento se hallaba en el corral de palo a pique, cercano al rodeo. Estaba molido, le dolía el cuerpo, no tanto por el duro trabajo sino por la tensión experimentada al ver a Rafaela Palafox expuesta a la muerte. Después de dejarla a salvo en la casa, había estado de un humor de perros, con deseos de regresar y golpearla por haberse arriesgado a visitar esa zona pese a sus advertencias. Gabino, con acierto, se mantuvo alejado y afanado en congregar a los animales. Arreglaría cuentas con él al día siguiente.

Inspiró a conciencia y soltó el aire poco a poco. Se sentía mejor. Acababa de darse un baño en la laguna con una pastilla de jabón que Felisarda le había entregado, producción de la niña Rafaela, según comentó. Olía muy bien, y el aroma impregnado en su piel y en su cabello todavía húmedo, flotaba en el aire de la noche cálida de verano. Se incorporó y encendió una bujía con su yesquero. Lió un cigarrillo y se recostó a fumar. Después de unas pitadas, abrió la libreta forrada de cuero que había hallado cerca de la duna, y se dispuso a hojearla. La letra, de un trazo grande y redondeado, algo inclinado hacia la derecha, se correspondía con la de la lista de perfumes consultada por la señorita Bernarda aquel día en Buenos Aires. *Hoy he colgado ramas de canela en la galería para ahuyentar a las moscas. Así me ha encontrado el recomendado de don Juan Andrés de Pueyrredón, Artemio Furia. No sé cómo describirlo. No era lo que esperaba. Al quitarse el pañuelo que llevaba a la corsario, reveló una cabellera rubia y áspera, que le sobrepasa los hombros. La belleza de sus facciones es tan pura e indiscutible que me he quedado mirándolo como lo haría ante una obra de arte, con reverencia y pasmo, sin atender a sus ropajes de paisano ni a su casta. Me sentí fea e intimidada.* Artemio profirió una carcajada. "¿Fea?", dijo en voz alta. "¿Acaso esta mujer además de terca es ciega?", pensó. *También sus ojos llamaron mi atención, algo velados por los párpados, pero de un color turquesa esplendente que se adivina de igual modo. Resulta injusto que un hombre posea pestañas tan ridículamente femeninas, espesas y arqueadas, y de un tono casi negro que contrasta con el de las cejas. ¡Qué daría yo por las pestañas del señor Furia!* Otra risotada. *Su nariz, pequeña y recta, ni siquiera se compara con la de Cristiana. Una nariz de trazo tan delicado no desentona en ese rostro de mandíbulas cuadradas, mentón fuerte, barba de varios días y cuello grueso con una nuez de Adán muy pronunciada. Debe de ser muy velludo porque alcancé a ver los pelos que le asomaban por debajo de la camisa en la base del cuello. Soy alta, y de igual modo he debido llevar la cabeza hacia atrás para mirarlo. A pesar de su hermosura, tiene un gesto que asusta. Su seriedad casi raya en la antipatía. No sabe conducirse con una dama y me ha hablado con la misma crudeza y desentono que debe de emplear con sus pares.* Artemio pasó varias páginas, leyendo a vuelo de pájaro unas recetas, como la de polvo para limpiar los dientes y pebetes para perfumar, y se detuvo a admirar los diseños de plantas y flores. Rió con los comentarios acerca de Bamba e Isidoro hasta que una frase llamó su atención. *Ojalá el señor Furia regresara pronto con un buen hato de vacas. Las venderé y, con ese dinero, pagaré los impuestos de* La Larga *y de la quinta de Buenos Aires. Me pregunto por qué demora tanto el señor Furia. Ya han pasado semanas. Isidoro asegura que el ganado debe de haberse movido varias leguas, de allí su tardanza. No puedo engañarme: deseo que regrese. Las ansias crecen dentro de mí cada día que pasa; me desasosiegan, me inquietan y me vuelven expectante a la vez. Tengo miedo de mí misma, de lo que me permita sentir por él ahora que me hallo en esta disposición tan ajena a mi índole. ¡Dios mío! Es un hombre tan por debajo de mi condición y ni siquiera me importaría si mi padre y mis tías condenaran este sentimiento. ¿Qué está sucediéndome? Me desconozco. Por mucho que amé a Juan de Dios, jamás se apoderó de mí este espíritu osado. Nuestro amor era algo prohibido, y yo lo entendía bien. Ahora, en cambio, todo parece distinto.* "Juan de Dios", repitió Furia, y apretó el cuadernillo al tiempo que sus pupilas engrandecidas se iluminaron con un fuego surgido de la ira.

Como de costumbre, Artemio y sus hombres estuvieron en pie alrededor de las cuatro de la mañana. Bebieron unos mates en silencio en la cocina, una habitación amplia separada de la casa principal, y partieron hacia la zona de los corrales para conducir a los animales al rodeo y emprender las tareas. Artemio les informó que ese día se ocuparían también de los caballos, ubicados en un amplio potrero en muy mal estado. Don Íñigo se había limitado a mantener los abrevaderos con agua y los comederos con forraje. Cerca de las once de la mañana, cuando se disponían a desayunar carne asada y mate, Artemio no se hallaba por ninguna parte. Calvú Manque se dirigió a su puesto, donde lo encontró afeitándose con su cuchillo frente a un pedazo de espejo en el cual se encontraron sus miradas.

—¿No vienes a comer? La carne 'tá casi lista.

—Tengo algo que hacer primero.

—¿Qué?

—Hablar con la señorita.

El indio guardó silencio mientras estudiaba a su amigo por el espejo. Notó que se había cambiado la camisa y que llevaba los calzones cribados sostenidos por una pretina llena de monedas de plata y el chiripá de lujoso tripe azul.

—Te queda grande esa china, *peñi*.

—No existe la china que no pueda ser conquistáa, Calvú.

—'Ta que só altanero. Sempre te ha gustao dar coces contra el aguijón.

—Naides es mejor que naides, Calvú —replicó Furia.

Antes de dirigirse a la casa, marchó al huerto, cortó unas ramas de romero, machacó las hojas entre sus dedos y las pasó por el bozo recién afeitado movido por un comentario de la libreta de Rafaela. *No creo que exista fragancia más varonil que la del romero. Fabricaré un perfume con esta planta, y le agregaré algo de esencia de sándalo y de* Cananga odorata. *Será una fragancia maravillosa.*

Entró en la cocina y le preguntó a Mencia, la mujer de Íñigo, dónde se hallaba la señorita Rafaela.

—'Tá en la habitación de al lao.

Se detuvo bajo el dintel al verla inclinada sobre una mesa enseñando a Mimita a darle forma a un pedazo de masa. Créola lo vio, pero, por alguna razón, no denunció su presencia. Fue la niña quien lo descubrió. Rafaela levantó el rostro, todavía sonriente, y permaneció un instante muda y quieta ante el imperio de esa mirada.

—Señor Furia, es auspiciosa su llegada —acertó a decir—. Desde ayer, quiero hablar con usted. —Se iba acercando, y su perfume, esa estela sutil y femenina, ya familiar para él, que por momentos danzaba bajo sus fosas nasales, se desvanecía un segundo después sumiéndolo en la decepción. Se encontró dando cortas inspiraciones para atraparlo de nuevo.

—Güenos días —saludó, y, al quitarse el sombrero de fieltro, agitó el aire en torno a él.

En su cercanía, a Rafaela la sorprendió un aroma fresco, a hierbas recién cortadas, distinto del olor que temía percibir. Apreció sus mandíbulas afeitadas y el cabello atado en una coleta. Sin tapujos, Artemio observó la figura de Rafaela Palafox y se detuvo en los detalles de su atuendo, muy sencillo, una saya de algodón azul sujeta por un pañuelo blanco, y un jubón de género liviano para la calurosa jornada. El pelo castaño iba recogido en dos trenzas que llegaban casi a la cintura.

—Adelante —lo invitó.

Al cruzar el umbral, Artemio se sintió envuelto en una intensidad de aromas que lo perturbó.

—¿A qué huele? —pensó en voz alta.

—A tantas cosas —contestó Rafaela—. A estoraque mayormente, puesto que ayer lo hemos extraído de su corteza. A melisa también. —Señaló el alambique—. Estamos destilando su aceite esencial. Y también a neroli, a bergamota, a semillas de alcaravea.

Artemio seguía el movimiento de sus labios con la boca entreabierta de deseo. Brillaban, como si les hubiese aplicado aceite. Quería morderlos, saborearlos, chuparlos, meterlos por completo dentro de su boca, aplacar la sequedad de los suyos en la generosa humedad de los de ella. Sus pechos le atrajeron la mirada; eran grandes y estaban ajustados bajo el jubón. Se imaginó aflojando los cordeles y liberándolos para que cayesen en sus manos. La esclava Créola lo pilló con la vista en el escote de Rafaela, aunque su gesto, si bien serio, no lucía condenatorio.

—Señor Furia —Rafaela habló con acento amistoso—, ayer no tuve oportunidad para disculparme por mi imprudencia ni para agradecerle por haberme salvado de la estampida.

—Yo también quiero disculparme por mi enojo de ayer. É que tengo un caráter odioso —admitió.

—Hace honor a su apellido —acotó Rafaela, con una risita, y pensó que Furia se había ofendido debido a la mirada que le echó—. Discúlpeme.

—No hay náa que disculpar. En verdá, hago honor a mi apellido. —Quedaron atrapados en un silencio incómodo hasta que Artemio recordó—: Ayer volví a la barranca y encontré su libreta.

Una exclamación se deslizó entre los labios de Rafaela, al tiempo que se sonrojaba de dicha, sentimiento que se transformó en desasosiego al comprender que ese hombre, carente de honor y educación, podría haberla leído. Simuló estudiar la libreta porque no se atrevía a levantar la vista. "Es analfabeto", razonó, y ese pensamiento, en lugar de tranquilizarla, la entristeció.

CAPÍTULO VII

El registro de donaciones

Apenas se hubo esparcido la noticia del arribo a Buenos Aires de Roger y Melody Blackraven, conde y condesa de Stoneville, junto con sus hijos, la casa en la calle de San José se llenó de visitantes, muchos de los cuales interrumpieron sus descansos en las quintas de localidades aledañas, debido a la importancia del acontecimiento. Al mismo tiempo, en la parte posterior de la casa, se congregaron esclavos y libertos para saludar al Ángel Negro, como apodaban a la señora condesa, su benefactora.

En las tertulias, Lupe Moreno y Pilar Montes, las mejores amigas de Melody, la acaparaban la mayor parte del tiempo, en tanto los comerciantes ingleses radicados en Buenos Aires monopolizaban la atención del conde de Stoneville, futuro duque de Guermeaux. Conocían su influencia en el Río de la Plata y en Londres y planeaban pedirle ayuda.

—Melody —dijo Lupe—, hace días que llegaste a Buenos Aires y aún no has ido al hospicio. Todos anhelan verte.

—Planeo ir mañana.

—Mi esposo —habló Pilarita— le extenderá una invitación al tuyo para que pasen unos días en nuestra quinta en San Isidro. Nosotros nos hemos quedado en la ciudad a la espera de vuestra llegada, pero las miasmas de la canícula porteña no son nada saludables y ya deseamos partir. ¡Quiera Dios que el conde acepte! Lupe, tú y tu familia estáis invitados también.

—Pensábamos pasar una temporada en Capilla del Señor —comentó Melody—, en *Bella Esmeralda*, la estancia de mi hermano Tommy. Hace años que no nos vemos. Deseo conocer a mi sobrino, que lleva el nombre de Jimmy.

—Podrían pasar unos días en San Isidro —insistió Pilar Montes— y luego seguir camino hacia Capilla del Señor.

—Suena una maravillosa idea —acordó Melody.

En otro sector del salón, Roger Blackraven concedía su atención a Alexander Mackinnon, el representante de los comerciantes británicos en el Río de la Plata.

—Verá, su excelencia, el virrey Cisneros, si bien ha prorrogado varias veces nuestra salida del puerto de Buenos Aires, nos ha dado como última fecha el próximo 18 de abril. Para nosotros es inaceptable. Necesitamos más tiempo para perfeccionar nuestro comercio en esta plaza.

—Entiendo —expresó Blackraven—. Dígame, Mackinnon, ¿cuál es la situación política de Cisneros?

—Muy comprometida, su excelencia. Las arcas del virreinato están vacías y el descontento de los nativos es cada vez mayor. La calamitosa situación de la España colabora para que el malestar adquiera ribetes revolucionarios. —Blackraven levantó las cejas, simulando sorpresa—. Sí, su excelencia. Cisneros ni siquiera controla a la fuerza militar, prácticamente en manos de nativos. El coronel Saavedra, jefe del regimiento de Patricios, es el hombre poderoso en este momento.

Una vez despedidos los invitados, Blackraven se encerró en el despacho con su mano derecha, el turco Somar, y su espía en Buenos Aires, Zorrilla, que pintó un panorama bastante similar al expuesto por Mackinnon. Le contó también que el secretario del Consulado, Manuel Belgrano, lideraba un grupo que publicaba un periódico, *Correo de Comercio de Buenos Aires*, donde se ocupaban de instilar las ideas de independencia de manera velada. Seguían juntándose en la quinta de Mariano Orma, en la de Nicolás Rodríguez Peña o en la jabonería de Vieytes, ubicada en la esquina de las calles de Rosario y San Miguel, donde confabulaban contra Cisneros, a quien llamaban el Sordo, porque casi no contaba con ese sentido. Los criollos sostenían que, de acuerdo con lo expedido en la Real Cédula del rey Carlos V en 1519, ratificada en años posteriores, la América constituía un reino independiente de la España, y su vínculo se establecía sólo con el rey.

—Por ello —continuó Zorrilla—, Belgrano sostiene que las Indias Occidentales se incorporaron a la Corona y no al Reino. Por lo tanto, al no existir rey de la España en este momento, no hay vínculo alguno, ya que no reconocen al hermano de Bonaparte.

—¿Hablan abiertamente de independencia, entonces?

—No todos —admitió el espía—. Algunos prefieren formar Junta, como en Sevilla, en nombre de Fernando VII. Sucede que el coronel Saavedra, la voz cantante en el ejército, no es proclive a cortar lazos con la España, y sin él, nada se puede hacer.

—Ya veo —dijo Blackraven, mientras recordaba que el ejército le debía varios de los pagarés que Liniers había firmado en el año seis.

—Los comerciantes ingleses —prosiguió Zorrilla—, que se juntan en la pensión de doña Clara, la de la calle de Santo Cristo, han dado por llamar al grupo que conforman *Committee of British Merchants*. Tienen catalejos en la azotea con los que controlan el ingreso y la salida de los barcos. Están decididos a quedarse en Buenos Aires, y Cisneros se presenta como el mayor escollo.

—¿Quién es su representante legal?

—El doctor Mariano Moreno. Su bufete ha ganado gran prestigio en estos años. Es un notario habilísimo.

A Blackraven complació la declaración. Conocía bien la inteligencia de Moreno, y también su carácter obsesivo y meticuloso y sus ideas rousseaunianas con tintes jacobinos. Despidió a Zorrilla luego de entregarle una suculenta paga y, en tanto Somar lo acompañaba a la puerta, sirvió brandy en dos copas. Al regresar, el turco cerró la puerta del despacho y tomó de manos de Blackraven la copa con brandy. Se acomodaron en el sillón y planearon las actividades del día siguiente.

—Eddie me ha confirmado que vendrá mañana, a primera hora. —Somar se refería a Edward O'Maley, a cargo de la mayoría de los asuntos de Blackraven en el Río de la Plata—. Después iremos a *La Cruz del Sur*. Ha llegado una invitación del virrey para que lo visites en el Fuerte mañana por la tarde. ¿Envío la respuesta de aceptación?

—¿Y qué otra cosa nos queda por hacer? No desairaremos al virrey, ¿verdad? —Se puso de pie y bebió el último trago de un golpe.

—El Sordo debe de estar intranquilo, contigo por sus costas.

—Hace bien en estarlo. Mañana te necesito para que acompañes a las mujeres al hospicio. —Somar asintió—. Buenas noches, amigo.

—Buenas noches, Roger.

Al día siguiente, terminado el desayuno, Melody y sus asistentes, Miora y Trinaghanta, en compañía de los niños, marcharon hacia los interiores de la casa para prepararse ya que visitarían el hospicio Martín de Porres, que Melody, Lupe Moreno y Pilar Montes habían fundado en el año seis en la zona cercana a la Plaza de Marte.

Blackraven, en tanto, se encerró en el despacho con Edward O'Maley. Se saludaron con un abrazo e intercambiaron preguntas de rigor. Eddie contaba con la absoluta confianza de Blackraven y era de los pocos que lo conocían en profundidad. Sabía, por ejemplo, que el conde de Stoneville formaba parte de la cúpula de una cofradía secreta llamada *The Southern Secret League* —La Liga Secreta del Sur—, con planes de independencia para la América Española.

—¿Qué sabes de Juan Martín de Pueyrredón? —se interesó Blackraven.

—Está en el exilio. Cuando regresó de la España, lo encarcelaron porque se decía que venía con ideas revolucionarias. Pero logró escapar. Uno de sus hombres lo ayudó. Ahora se encuentra en Río.

—¿Quién lo ayudó a huir?

—El mismo que le salvó la vida en Perdriel, un paisano, un gaucho, como lo llaman acá. Su nombre es Artemio Furia.

—¿Lo conoces?

—Sí, y muy bien. Es un hombre de cuidado, de esos que, en silencio y sin dar explicaciones, se ponen al mundo por montera.

—¿Sigue formando parte de la caballería de Pueyrredón?

—No. Luchó para expulsar a los ingleses, pero ahora se dedica a sus asuntos, que tienen que ver con el campo. Supongo que, si don Juan Martín se lo pidiese, volvería a luchar a su flanco. Pocas veces he visto un jinete tan hábil. —Blackraven abrió grandes los ojos, impresionado por la afirmación de O'Maley—. Es un hombre peculiar, Roger, una especie de paladín de la justicia entre los peones y paisanos, que lo veneran dada su munificencia con el trabajo y el dinero. Además, se ha cargado a unos cuantos de mala fama, y eso le ha granjeado el respeto entre la peonada. Lo seguirían al mismo infierno. La campaña se levantaría en armas sólo con un chasquido de sus dedos.

—Debería conocerlo. Podría resultar de utilidad para mis planes.

O'Maley sacudió la cabeza, mientras fruncía los labios.

—No es un hombre que se pueda manejar. No reconoce autoridad ni moral. Es más bien solitario, aunque ande rodeado de sus hombres. Si él juzga que una asociación contigo es de su conveniencia, lo tendrás luchando a tu lado. De lo contrario, no.

—¿Tiene sangre india?

—En absoluto. Es rubio y de ojos celestes. —Por segunda vez, Blackraven expresó su asombro con un gesto—. Nada se sabe de él, ni de sus orígenes ni de su familia. De algo estoy seguro: es sajón, quizás irlandés o escocés. A veces conmigo habla el inglés, aunque con un fuerte acento, como si, en realidad, su lengua madre fuera el gaélico.

—Dices que se dedica a cuestiones relacionadas con la campaña.

—Así es. De hecho, es el principal proveedor de ganado de *La Cruz del Sur*.

—¿Es adinerado?

—Estimo que sí, aunque no lo demuestra. Vive la vida errante de los gauchos, cuya fortuna se limita al recado y al caballo.

Melody recorría las estancias de la casona que funcionaba como hospicio. Respiró hondo y absorbió el olor de la pintura con que blanqueaban las paredes de una nueva habitación donde se alojarían tres ancianos más. En la cocina, la recibió el aroma a pan caliente y a café recién colado, y se le hizo agua la boca. Miró en torno y fijó la vista en el jardín que había medrado de modo notable. La atrajo la frescura que se adivinaba en la fronda de sus árboles y plantas, y se sentó bajo un tilo a abanicarse y a reponerse del calor. Se sintió plena y satisfecha.

En el despacho, Pilar y Lupe se empeñaron en mostrarle las entradas que realizaban semanalmente en los libros contables, y, a pesar de que a Melody la tenía sin cuidado, sus amigas insistían en que prestara atención al destino de las sumas de dinero que entregaba cada seis meses el agente de Blackraven en el Río de la Plata.

—Hemos habilitado un libro para registrar las donaciones —comentó Lupe— ya que en los últimos tiempos hemos recibido muchas y de modo constante.

Más por curiosidad, Melody analizó los registros que comenzaban a finales del año siete.

—Aquí hay un nombre —expresó Melody— que se repite de continuo.

—¿De quién se trata, querida? —preguntó Pilar Montes.

—Rafaela Palafox y Binda. ¿Quién es?

Le refirieron que la muchacha llevaba una vida retirada en una quinta para el lado de Barracas y que no contaba con amistades entre las familias patricias.

—Rafaela está consagrada al cuidado de una pequeña niña a la que llaman Mimita. Es minusválida. De la mente —explicó Pilarita, con un dedo en la sien—, pero a Rafaela parece importarle poco y, las veces que va al centro, se pasea con ella por la Plaza Mayor como si fuese una pequeña princesa. El 1° de enero la trajo al hospicio y la conocimos. ¡Pobre angelito! Hasta dificultad para caminar tiene.

—Las malas lenguas dicen que es la ilegítima de Rafaela, por mucho que sus tías y su padre quieran hacerla pasar por una recogida.

—¿Cómo es Rafaela?

—Encantadora —se apresuró a contestar Pilar—. Muy generosa, a pesar de los aprietos económicos en los que se encuentra ahora.

—A ti te agradaría, Melody —acotó Lupe.

—Pues quiero conocerla —resolvió.

—Se encuentra en la estancia de su padre, en San Fernando de la Buena Vista. Podríamos visitarla durante vuestra estadía en nuestra casa de San Isidro —sugirió Pilar—. No es un trayecto muy largo el que separa ambas localidades.

—Me parece una estupenda idea —acordó Melody.

CAPÍTULO VIII
El descubrimiento

*D*ía a día, Rafaela advertía los progresos de la estancia que a principios de enero lucía desolada y abandonada. Algunos se debían a su trabajo; la mayoría, al del señor Furia y sus trabajadores, a los cuales empezaba a habituarse más allá de que la intimidaban con sus miradas ambiguas y sus facones. Además de Bamba e Isidoro, "el rastreador", le resultaba familiar el nombre de Torquil, "el marinero", un galés con tatuajes en los brazos que conducía la armadía cuando contrabandeaban ganado al Brasil; o el de Billy, "el rengo", un soldado irlandés, desertor del ejército de Beresford, gran conocedor de las mañas y enfermedades del ganado vacuno; o el de Juan, "el peludo", de aspecto ominoso, con cejas gruesas y pobladas; o el de Modesto, "el entrerriano", al que a veces llamaban "el talabartero", por su habilidad para trabajar el cuero; o el de Buenaventura Buena, un joven hábil para bordonear la guitarra en los fogones; o el de Gabino, "el domador", que andaba con gesto severo desde que, por su culpa, se había producido la estampida.

—Trae cara de velorio —explicó Felisarda a Créola y a Peregrina, y Rafaela prestó atención— porque Juria le ha prohibío domar a los caballos al modo gaucho.

—¿Y cuál ha de ser ese modo gaucho? —preguntó Peregrina.

—Montándolos hasta quebrarles la voluntad, pobres bestias.

—Artemio dis —apuntó Bamba— que ansina se echan a perder muchas y buenas monturas.

—¿Y cómo doma el señor Furia a sus caballos? —preguntó Rafaela, y todos se dieron vuelta, sorprendidos por su interés.

—Al modo de los indios —explicó Bamba, y se quedó mirándola—. Esta tarde —reanudó—, si su mercé quiere, la llevo a ver cómo doma Artemio a lo indio.

—¿El señor Furia está domando un caballo de mi tropilla?

—Ansina é.

Rafaela luchaba por olvidar ese nombre, Artemio Furia, que los demás pronunciaban con una liviandad que la exasperaba. En ella, el efecto de esas dos palabras resultaba sobrecogedor. Artemio. Furia. Se levantaba temprano por la mañana pensando en él e imaginaba su rostro antes dormirse por la noche. Se movía por la casa y los alrededores con la intención de encontrarlo, ansiosa, atenta. Su corazón le recordaba de modo constante que ahí estaba, en el costado izquierdo de su pecho, porque no cesaba de palpitar, y, cuando por fin avistaba la silueta del señor Furia, el pulso se le desbocaba en la garganta hasta hacerle doler y dejarla sin habla. Sudaba al tiempo que la boca se le secaba. Jamás había sufrido una alteración semejante por nadie, y cada día cerca de ese hombre acentuaba su vulnerabilidad, su desconocimiento de sí misma. Tenía la impresión de que habitaba en el cuerpo y en la mente de una extraña.

En general, Rafaela adquiría una inusual seguridad en la confrontación con personas a quienes juzgaba inferiores desde un punto de vista no sólo social sino intelectual. ¿Qué cualidad poseía ese hombre, un gaucho analfabeto, para intimidarla al punto de convertirla en una pusilánime? La enfadaba que él siempre mantuviera un aire sereno y reservado, y que la voz no le temblara, en tanto ella asentía y balbuceaba monosílabos. "¡Hombre petulante, soberbio, entonado!", despotricaba de noche contra la almohada. No obstante, y a pesar del desbarate que le provocaba la cercanía de Furia, ella lo buscaba. Sabía que, al caer el sol, lo hallaría en la cocina, sorbiendo los mates que Mencia le cebaba, y masticando pan de centeno. Se presentaba con cualquier excusa. Lo saludaba con un movimiento de cabeza antes de simular ocuparse de algún quehacer, a la espera de que él se dignara a hablarle, lo que no siempre ocurría.

Mimita se sentía igualmente atraída por Furia, con la diferencia de que, en lugar de asustarse, desplegaba una personalidad y unos talentos que Rafaela no le conocía. Furia, por su parte, le prodigaba palabras afectuosas que discrepaban con su voz poco pulida y su aspecto montaraz. Rafaela se quedaba contemplándolos hasta que las palpitaciones se apaciguaban y una sonrisa ligera le curvaba los labios. Él no parecía experimentar aversión por esa criatura tan poco agraciada y torpe; por el contrario, daba la impresión de que la encontraba maravillosa. Una tarde, Furia llamó a Mimita y le ató al cuello un tiento que él mismo había trenzado, con pequeños dijes de hueso en color púrpura. La niña prorrumpió en expresiones de alegría y se abrazó a las piernas del gaucho. Los ojos de Rafaela se pusieron calientes hasta colmarse de lágrimas, que, sin remedio, desbordaron por sus mejillas. Era la primera vez que veía feliz a Milagros, y la confundía pensar que ese momento de magia se lo debía a un hombre del que sólo habría esperado actitudes ramplonas y palabras soeces.

Furia movió la cabeza hasta fijar la vista en Rafaela, que deprisa, casi con impaciencia, se secó las lágrimas con las manos. Él siguió observándola de ese modo intenso e impertinente que siempre terminaba por obligarla a levantar el rostro para permitirle que la subyugara. En esa ocasión, la expresión de Furia la afectó de un modo especial, algo ocurrió en ese instante que la dejó sin aliento, ella percibió que un cambio había alterado por completo la actitud del hombre. Sus ojos se mostraban francos y parecían decirle: "No llore, Rafaela", con una suavidad que le provocó un temblor. Esbozó una sonrisa que sólo Furia, que la contemplaba con fijeza, habría advertido. Un mutuo acuerdo se había establecido entre ellos, se habían hablado sin necesidad de palabras, compartían un secreto cuando apenas se conocían. Rafaela no comprendía qué estaba ocurriendo, de dónde nacía el impulso de caminar hacia él y acurrucarse contra su pecho de hombre fuerte y digno. Y de repente entendió, como si un golpe de luz hubiese iluminado una parte oscura y tenebrosa a la que nunca había querido acercarse, que Artemio Furia era el hombre que ella siempre había buscado y deseado. Vivir un día con Furia le daba sentido a su vida. Era extraño, él podía ofrecerle lo que había buscado, alegría, apoyo, amor, y, al mismo tiempo, convertirse en su ruina social y moral. Esa noche, cuando las emociones de la tarde menguaron, e, incapaz de dormir, daba vueltas en la cama, se atormentó al reflexionar que Artemio Furia jamás desearía a una mujer como ella. Buscaría a una de voluptuosa sensualidad, con el espíritu de la pampa impreso en el carácter, de temperamento libre, sin remilgos, que supiera montar y que no le temiera a las bestias y a casi todo.

No volvió a tener paz desde el día en que descubrió su amor por ese gaucho que hablaba mal y que no sabía leer ni escribir. Sus jornadas se desvanecían en un intento por obtener un atisbo de su figura, un sonido de su voz, una anécdota de su vida. Aguardaba en ansias mortales el momento en que, con cualquier excusa, se presentaría en la cocina para verlo tomar mate con Mencia, a veces en compañía de sus hombres. La atraía el indio Calvú Manque, el cual le parecía tan simpático y abierto como austero y hermético era su amigo. Por él supo que Furia tenía una debilidad: la torta de patay. Al día siguiente, mandó a Babila a la abacería de San Fernando de la Buena Vista a comprar varios kilos de harina de algarroba y horneó la torta mientras Mimita dormía la siesta. Créola le contó que el gaucho Furia devoró dos pedazos sin hablar. Al tercero, le confesó a Mencia que nunca había comido una torta de patay tan sabrosa.

—¡Debió verle la cara, mi niña —se entusiasmó Créola—, cuando doña Mencia le dijo que había sido usté y no ella la que la había preparado!

Rafaela quería que su esclava le detallara el gesto del señor Furia, su reacción, qué había dicho y hecho a continuación. Lamentaba haberse perdido la oportunidad de recibir su gratitud y sus halagos. A partir de ese día, no faltó la torta de patay a la hora en que Furia y sus gauchos aparecían en la cocina por mate.

Al caer el sol, Bamba pasó a buscarlas para ir donde Furia domaba el caballo a la usanza de los indios. A poco de andar, Rafaela cayó en la cuenta de que se dirigían hacia la laguna.

—Sí, vamos a la laguna, señorita —confirmó el muchacho—. Nos vamos a escuender tras los caldenes pa'no espantar al caballo. Artemio me mataría.

Créola se tapó la boca para contener una risotada al ver el sonrojo de su ama ante la figura semidesnuda de Artemio Furia, que se había quitado la camisa y el chiripá; llevaba sólo los calzones e iba descalzo. Tenía el pelo atado en una coleta mientras un tiento le sujetaba los mechones que le caían sobre la frente. Después de la turbación, Rafaela fue acostumbrándose al torso desnudo y sorbió su imagen con la avidez de un sediento. Él sabía que estaban allí, tras los troncos de los árboles, pero no dijo nada. Se lo veía más sereno que de costumbre, se movía con lentitud, y su actitud poco a poco contagió el ánimo de Rafaela.

Bamba, en susurros, explicaba las distintas fases de la doma. Furia sobaba al animal en las verijas, en la cruz, en el cuello, en las babillas y en las paletas para desembarazarlo del cosquilleo. Le pasaba un cojinillo, una especie de manta de vellón que se colocaba bajo la montura, o recado, como la llamaban los paisanos, para habituarlo a la textura. Si el animal se inquietaba, Furia detenía el manoseo y le hablaba. A cierta distancia, abrió y cerró varias veces unas tijeras, cuyo sonido perturbó al caballo al punto de encabritarlo. Furia sujetó el lazo y lo obligó a apoyar los cuartos delanteros en el suelo hasta ponerlo de rodillas. Créola advirtió que su ama entreabría los labios y cesaba de pestañear al atestiguar la fuerza de esos brazos, cuyos músculos y tendones se estiraban e inflamaban bajo la piel bronceada y sudorosa.

—¿Por qué hace ruido con las tijeras? —quiso saber Créola.

—Pa'que el pingo no se espante cuando le tusen las crines y la cola.

Después de apaciguarlo, Furia condujo al caballo a la laguna. El animal dudó en la orilla, no quería entrar, piafaba y sacudía la cabeza.

Según Bamba, le temía al agua porque sabía que, en las proximidades, siempre se hallaban sus depredadores. Con paciencia, hablándole y acariciándolo, Furia consiguió que entrase. Lo guió hasta donde el agua lo cubría casi por completo —sólo la cabeza quedaba fuera— y lo montó. La reacción fue inmediata: el animal corcoveó y relinchó. Parecía desesperado. En cada corcoveo, hundía el hocico, y el agua le ingresaba por los ollares y las orejas, lo que lo fastidiaba aún más que el peso en el lomo. Bastaron unas inmersiones para que eligiera estarse quieto. Resoplaba y batía la cabeza hacia los costados. Furia, inclinado sobre la cruz, lo palmeó y le habló en voz baja. Pasaron largos minutos hasta que por fin jinete y caballo abandonaron la laguna. De las alforjas que descansaban al pie de un árbol, Furia tomó un puñado de azucarillos y se los dio de comer al animal como recompensa por el buen trabajo. Así terminaba la sesión de doma por ese día, y Rafaela pensó que se había tratado de unos de los espectáculos más interesantes y atractivos que había visto.

—Bamba —lo llamó Furia—, átalo al ñandubay cercano al cobertizo. Dale poco ronzal, pa'que no coma el herbaje.

El muchacho salió corriendo para cumplir el mandato, y dejó solas a Rafaela y a Créola, que observaban a Furia secarse malamente y echarse encima la camisa y calzarse las botas de potro.

—Volvamos a la casa —le susurró a su esclava.

—¡Señorita! —se escuchó la voz del hombre—. Quisiera hablarla —dijo, y se acercó.

—¿Por qué no quiere que coma el herbaje? —le preguntó Créola, cuando lo tuvo a tiro.

—Lo que dure la doma —explicó el hombre—, sólo yo le doy de comer y de beber, pa'que aprenda a rispetarme y a confiar en mí. —Mientras habló, todo el tiempo miró a Rafaela—. Es un güen pingo.

—¿Por qué está domándolo?

En lo que iba del día, era la primera vez que escuchaba la voz de la joven Palafox. Lo afectaba su timbre profundo, más bien grave, y pulido; le hacía pensar en una mujer inteligente y culta. Como de costumbre, se aproximó a ella con la intención de absorber cuanto pudiera del perfume que desprendía su cuerpo, que lo alcanzó como una caricia apenas perceptible antes de desvanecerse en la brisa del crepúsculo.

—Estoy domándolo pa'usté, señorita. Pa'enseñarle a montar.

—¡Oh!

Créola, fuera de la vista de Rafaela, se tapó la boca para no carcajear ante el sonrojo y la expresión lastimosa de su ama, y le guiñó un ojo al gaucho, que continuó serio. Caminaron en dirección a la casa en tanto Furia exponía los avances del rodeo y de la tropilla de caballos.

—Señor Furia —lo interrumpió Rafaela—, ¿cree usted que debería despedir a don Íñigo y colocar a otro en su lugar?

"No es ninguna tonta", caviló Artemio. Hacía tiempo que él sospechaba que Íñigo había tomado parte en el robo del ganado. Sin embargo, al carecer de pruebas, prefería callar. Además, estaba tan lejos de convertirse en un soplón como de volverse turco.

—Si usté me lo pregunta, señorita, é porque le ha perdío la confianza al Íñigo. Y sin confianza, no hay náa.

—Tiene razón. De todos modos, es una decisión que no me compete. Será mi padre quien se ocupe de este asunto, cuando regrese —añadió, y enseguida cambió de tema—: ¿Cuándo estima que las vacas se encontrarán prontas para ser vendidas?

Artemio la estudió de soslayo y advirtió la ansiedad con que esperaba su contestación, y de nuevo se dio cuenta de que podía leerla como un libro. "Es demasiado franca y abierta." No tuvo corazón para decirle que, si las vendía en ese momento, obtendría muy poco dado lo enflaquecidas que estaban.

—Señorita, ¿usté anda urgida de riales?

A Rafaela le tomó un instante comprender qué le preguntaba —aún no se habituaba a la jerga de los paisanos— y otro, intuir que el hombre se disponía a ofrecerle un préstamo.

—¡Oh, no, señor Furia! —se apresuró a contestar—. No, no, sólo quería saber.

"Y también es orgullosa", completó Artemio, y bajó el rostro para ocultar una sonrisa. "Esta mujer será mía", se juró con una ansiedad que no le era propia, que lo confundía y que al mismo tiempo lo colmaba de exultación.

Los gritos de Bamba acabaron con la agradable atmósfera. Furia corrió a su encuentro, oyó las explicaciones atropelladas y partió a toda carrera hacia los potreros. Rafaela y Créola iban a la zaga. Hallaron solo a Gabino, que, desde su montura, echaba el lazo, sin éxito, a una vaca encerrada dentro de un corral de dimensiones notablemente más pequeñas, utilizado para realizar las curaciones. Rafaela ahogó un alarido al descubrir a Billy, "el rengo", dentro del corral, con la espalda pegada a los tientos de la empalizada de palo a pique, escabulléndole a la cornamenta de la vaca, el rebenque como toda arma. Bamba se unió a Rafaela y a Créola y, casi sin aliento, les explicó:

—Billy intentaba curar las heridas llenas de queresas de ese toruno.

—¿Acaso no es una vaca?

—¿Qué es un toruno?

—Toros mal castrados, señorita. ¡Tienen el mismo humor endiablao del diablo!

—¿Qué ocurrió, pué? —lo urgió Créola.

—Al Gabino, que lo pialaba desde ajuera, se le cortó el lazo. El marrajo se soltó y comenzó a perseguir a Billy, indinadísimo porque le había echao salmuera en la herida. Y ahí lo tiene, acorralao. Si hubiera estao Calvú, ya lo habría pialao, pero tuitos se jueron a la pulpería.

—¿Acaso nadie puede enlazarlo? —lo interrumpió Rafaela.

—'Tá difícil porque el muy mal parío se mueve tuito el tempo y se ha sacudío dos veces el lazo del Gabino. ¡Ahí va Artemio! —exclamó Bamba, y lo señaló.

Iba montado en pelo; evidentemente no había tenido tiempo de ensillar; ni siquiera llevaba riendas. "Dios mío, protégelo", murmuró Rafaela al verlo ingresar en el corral. La plegaria se deslizó entre sus labios de modo inconsciente. Ella jamás había visto a un animal tan enfurecido como ese toruno, y admiró el coraje de ese hombre.

Furia cruzó al caballo delante de Billy, "el rengo", para escudarlo de una embestida. Rafaela soltó un alarido al ver la mueca de dolor de Furia cuando el animal arremetió contra su pierna. Corrió hacia el potrero y no razonó al trepar a la tranquera, donde se quedó, resollando y llamando al animal, las manos sujetas a los troncos.

—¡Bamba! —La voz áspera y potente de Furia tronó en la tensión de la escena—. ¡Sácala de ai, carajo!

El despliegue de Rafaela había servido para distraer al toruno, que se alejó en su dirección para embestirla. Artemio Furia se inclinó sobre Billy y lo ayudó a montar detrás de él. Dado que el toruno se había colocado frente a la tranquera atraído por la muchacha, no podían abrirla para permitir que el caballo de Furia saliera. Éste podría haber saltado la cerca si el diámetro del corral hubiese ofrecido espacio para la carrera.

Advertida del dilema, Rafaela corrió hacia el sector opuesto y, con gritos y agitación de brazos, atrajo al animal, que se arrojó contra la empalizada y partió varios troncos. Siguió embistiendo, procurando su libertad para destrozar a la mujer que lo enfurecía. Un momento después, Rafaela vio que un lazo se cerraba en la cornamenta del toruno y lo tiraba hacia atrás. Furia, aún montado en su caballo, apretaba el ceño y fruncía los labios en el esfuerzo por someterlo, tenso el lazo enroscado en su brazo derecho. En la mano izquierda, llevaba la desjarretadera, una pica larga con un filo en el extremo inferior en forma de medialuna. La blandió y cortó con precisión los jarretes del toruno, que se desplomó, echando espuma por la boca y jadeando.

—¡Carnéenlo! —ordenó, rabioso, y saltó del caballo.

Gabino se retrajo al verlo avanzar, consciente de que merecía la catilinaria que Artemio le endilgaría; esa mañana, al ver la resequedad de sus lazos, le había ordenado que los engrasara para evitar que se cortasen, lo que finalmente había ocurrido, poniendo en riesgo a Billy. Furia, no obstante, pasó a su lado, sin mirarlo.

Rafaela lo vio caer sobre ella como un ave de rapiña sobre una liebre. Como ya había vivido esa situación y descubierto la furia en sus ojos turquesa, le tuvo miedo. El gaucho la aferró por los hombros y la sacudió al vociferarle:

—¡En qué mierda 'taba pensando cuando se subió a esa tranquera! ¡Ese maldito animal podría haberla destrozao con sus guampas!

—¡Perdón! ¡Lo siento! —repitió—. ¡Tuve tanto miedo! ¡Tanto miedo!

Se contemplaron durante unos segundos donde la intensidad de la mirada los abstrajo del lugar, del tiempo y de los albures. Resultaba evidente que ya eran incapaces de mirarse de otro modo que no revelase la pasión que se inspiraban.

Al notar el brillo que tornaba de un verde intenso los ojos de Rafaela, como el de la gramilla en verano, Furia aflojó la presión en los hombros, sin soltarla.

—Mujer necia, terca, orgullosa —le dijo, con firmeza, pero sin enojo—. Corajuda. Corajuda, caray.

Los demás observaban en un silencio reverente, apenas alterado por el chirrido de los primeros insectos nocturnos y los trinos de las últimas aves. Créola se aproximó a su ama, la tomó por la cintura y la apartó de Furia. Rafaela se mostró dócil al dar media vuelta y marchar hacia la casa.

De pie frente a la ventana enrejada de su dormitorio, Rafaela esperaba a que el festejo terminara. Prestaba atención a las voces y a los cantos que llegaban desde afuera preguntándose cuándo acabarían. Buenaventura Buena parecía incansable a la hora de tocar la guitarra y entonar canciones. Sobre las voces masculinas, sobresalían las de Felisarda y sus hermanas, la de Mencia también. Comían el toruno sacrificado y festejaban el final feliz de la ordalía vivida en el corral de las curaciones.

Los celos más que la espera la mortificaban. Imaginaba a Felisarda coqueteando con el señor Furia de la manera en que la había pillado en varias ocasiones mientras le cebaba mate, acercándole el escote casi desnudo a la cara y sonriéndole todo el tiempo. Apretó los puños en torno a las rejas de la ventana, donde descansó la frente y cerró los ojos. Se sentía avergonzada. Le costaba creer que se hubiese enamorado del señor Furia. Que la perdonase Dios, pero así era. "¿Qué me sucede?", se preguntó, como tantas veces desde su llegada a *La Larga*. Paredes de orgullo, de moral y de sensatez caían con estrépito en su interior, dejándola inerme y expuesta.

Sonrió ante el recuerdo de la acción temeraria de esa tarde, cuando saltó a la tranquera para captar la atención del toruno, para apartarlo de él, de Artemio Furia, para salvarlo. Ella, la miedosa, la insegura, la cobarde. En verdad, no meditó su acción. Un impulso desconocido la llevó a actuar, y habría sido capaz de una proeza más osada para protegerlo. No le quedaban dudas acerca del amor que le profesaba, un amor como ella no había conocido, que la tentaba a presentarse en el rancho del señor Furia una vez terminada la fiesta. Como poseía una buena imaginación, había inventado varias excusas para justificar su aparición en la vivienda de un hombre soltero y, para peor, de noche, aunque sabía que no existía pretexto que salvara una conducta que su padre y su tía Clotilde habrían juzgado de aberrante. Daría un paso definitivo. Y no tenía miedo.

Se envolvió en su rebozo, tomó la lata con ungüento y salió en puntas de pie hacia el corredor que conducía al patio principal. El silencio delataba el fin de la fiesta. Los puestos, o ranchos, de los peones se hallaban en las inmediaciones de los potreros, hacia el norte de la propiedad y a varas de la laguna. Rafaela caminaba sin otra luz que la de la luna, sin importarle que Mencia hubiese soltado a los perros, sin reparar en que había jaguares, sin pensar en los demás peligros y alimañas. Inspiró profundamente y sonrió. ¡Qué maravilloso era no tener miedo! El corazón le palpitó, desbocado, y lo hacía de alegría, de excitación y de expectación.

Entrevió luz en el rancho de Furia. Caminó decidida hasta la enramada. Allí se detuvo de golpe. Sus bríos comenzaron a desmoronarse al reflexionar que un hombre como el señor Furia no pasaría solo la noche después de las insinuaciones de una joven bonita y descarada como Felisarda. Movida por un anhelo perverso más que por la curiosidad, se aproximó e intentó oír sus voces. Si se hallaban en el interior del rancho, ya dormían o se conducían de modo muy silencioso. Entreabrió la puerta de cuero y tacuaras. No había compartimientos, se trataba de una única estancia escuetamente amueblada y con dos postes de sostén. "Artemio me tenía a guascazos limpios al prencepio, porque yo era muy desbolao y dejaba tuitas las cosas tiráas ande juera." Las palabras de

Bamba le vinieron a la mente al comprobar el orden reinante. En la mesa, ardía una lámpara de aceite que echaba una luz pálida y amarillenta sobre dos banquetas y un catre cuyo elástico de cintas anchas de cuero no tenía jergón ni sábanas. Rafaela se preguntó dónde dormiría. Junto a la lámpara, descubrió herramientas cortantes y pedazos de astas y huesos, lo que la llevó a pensar en el collar de cuero trenzado y dijes color púrpura que Furia le había regalado a Mimita. Se acordó de los varios anillos que él llevaba en las manos, todos de hueso. "Los hace él mismo", concluyó. También había un libro, y el hallazgo le provocó una fea sensación. Se trataba de la historia del Caballero de Zifar, incluso había anotaciones en los márgenes. "¡Dios mío! ¿Acaso este hombre sabe leer y escribir?"

Giró de pronto la cabeza hacia el sector más oscuro del rancho atraída por un ruido. Algo o alguien se arrastraba. La alcanzó un siseo, o más bien un soplido, el de un gato enojado. Retrocedió de modo mecánico sin apartar la vista del sitio de donde provenía el susurro. Ya distinguía los lineamientos de un animal que se aproximaba al charco de luz. Se mordió el labio para no gritar, horrorizada ante la imagen de un felino gigante, un jaguar, dedujo. El animal casi reptaba con la cabeza entre las patas, el pelo del lomo encrespado y las orejas bajas. La amenazaba exponiéndole los largos y afilados dientes y clavándole sus ojos amarillos. Sabía que empalidecía, que la sangre le abandonaba el rostro. Comenzó a sudar aunque sintiera frío, y un malestar en la boca del estómago trepó hasta convertirse en náuseas.

Luchó contra la desesperación y el pánico para estudiar las posibilidades de escapatoria. La puerta entornada había quedado a varios pasos, a su derecha, y juzgaba poco sabio moverse por temor a provocar al jaguar. No contaba con un arma para defenderse, sólo la lata con ungüento. Podría arrojársela para ganar unos segundos, los que necesitaba para hacerse de la lezna que se hallaba entre los utensilios para tallar hueso. A punto de llevar a cabo su plan, advirtió una presencia detrás de ella y, enseguida, vio una mano de hombre que le rodeaba la cintura y le abarcaba el vientre.

—Tranquila. —El aliento de Furia jugueteó en su oreja.

Rafaela se sujetó al brazo que la circundaba al percibir que las rodillas le temblaban. El alivio que experimentó se convirtió en un sollozo.

—Tranquila —insistió él—. Quinto no le hará náa. Él y yo somos viejos amigos.

Rafaela no caía en la cuenta de que clavaba las uñas en el brazo del hombre. Él, sin embargo, no se quejó. Dijo, en cambio:

—Ven, amigo, acércate. Quiero que conozcas a alguien.

—¡Oh, por Dios! —se asustó Rafaela al verlo avanzar, incapaz de advertir el cambio en la actitud del felino.

Furia se acuclilló, arrastrándola a ella, que quedó en medio de sus rodillas separadas y con su brazo aún en torno a la cintura. Al ver que el animal se aproximaba, Rafaela no logró controlar el pánico, giró sobre sus pies y escondió el rostro en el pecho de Artemio.

—¡Por favor, señor Furia! ¡Por favor! Que se aleje. Ordénele que se aleje.

Lo escuchaba reír entre dientes y hablarle al animal. Rafaela sintió una humedad en el brazo y supo que el felino estaba olfateándola. Permaneció quieta, sujetando la respiración, con los dedos hundidos en los hombros del gaucho.

—Vamos, señorita, no sea ingrata con Quinto, que quiere ser su amigo.

Rafaela levantó los párpados lentamente y advirtió que tenía la cara pegada al torso desnudo y velludo del señor Furia. Lo notó mojado, como si acabara de darse un baño, y el aroma a jabón de sosa confirmó la suposición. Se preguntó si tendría cubierta la parte de abajo. Se dio vuelta, no tanto para complacerlo sino para verificar que llevara los calzones.

Furia le tomó la mano y la guió hasta la cabeza del puma. Rafaela dio un respingo al contacto de ese pelaje suave y duro. A contrapelo, pinchaba. El animal apreciaba las caricias porque entrecerraba los ojos y ronroneaba.

—Eres un pícaro —lo amonestó Artemio—. Te toca una mujer y te güelves un gatito.

Rafaela rió, estimulada por la seguridad que le infundía Furia a sus espaldas, y se soltó para acariciar al animal por su cuenta, en el lomo y de nuevo en la cabeza. Furia también reía, complacido. Tomó a Rafaela por los codos y la puso de pie. La obligó a girar y a enfrentarlo. Se contemplaron por un momento en el que no pestañearon ni respiraron.

—Perdón —dijo Rafaela.

—¿Por qué?

—Por haber entrado en su puesto sin permiso.

—Me alegra que lo haiga hecho.

—Vine a traerle esto —se apresuró a aclarar—. Es un ungüento que preparo a base de árnica. Es muy bueno para desinflamar contusiones. —Como él seguía mirándola con expresión ambigua, añadió—: Para el golpe que le propinó el toruno.

—Si agradece —contestó él, y lo tomó—. Siéntese.

Rafaela se ubicó en una banqueta, y enseguida Quinto le apoyó la cabeza en la rodilla en busca de más caricias. La situación le resultaba fascinante. Tenía a un jaguar sobre la pierna y no sentía miedo, mientras Furia, medio desnudo, se echaba encima una camisa, y ella no se avergonzaba. La inverosimilitud de su propia conducta la aturdía, y se preguntó si aquello no conformaría parte de un sueño.

—Si agradece —insistió Furia, una vez sentado frente a ella, y levantó la lata con ungüento—. No debería haberse molestao.

—No ha sido molestia, señor Furia. Es lo menos que puedo hacer después de la ayuda invaluable que usted está prestándome. ¿Su caballo resultó herido por el toruno?

—Le levantó un poco el pellejo con las guampas. Ya lo he curao.

—Lo siento.

—'Ta bien.

Se quedó callada, estudiándolo con desvergüenza. Tenía el pelo mojado.

—¿Se llama Quinto el jaguar?

—No é un jaguar, é un puma. Y sí, ésa é su gracia porque lo hallé a orillas de ese río, años atrá, entuavía siendo cachorrón.

—¡Qué maravilloso debe de ser tener a un puma por amigo! Yo le temo a los animales, aunque algunos son hermosos y me siento igualmente atraída por ellos.

—Pues ya tiene a un puma por amigo al que jamá deberá temerle. Se ha ganao la devoción de Quinto, lo digo en serio. É muy arisco, y sólo a Calvú o a mí nos permite que lo toquemos, a veces al padre Ciriaco, un amigo mío. Y aura a usté.

Rafaela experimentó un orgullo que se traslució en el rubor de sus carrillos y en el brillo de sus ojos. "¡Qué ojos!", pensó Furia.

—No había visto a Quinto anteriormente. ¿Es que lo mantiene escondido en su puesto durante el día?

—Quinto é demasiao libre pa'mantenerlo escondío. Él va y viene como se le da la gana. Aparece y desaparece. Se mantiene lejos de los cristianos porque sabe que lo han de cazar si lo viden. Me busca en cuantito me anda echando de meno. ¿Verdá, amigo?

—¡Qué hermoso es! —pensó Rafaela en voz alta, sin detener las caricias.

Cayeron en un silencio. Artemio Furia no apartaba la mirada de la muchacha. Para él, el momento también poseía una esencia mágica y onírica. Rafaela Palafox lo había sorprendido, y eso no resultaba usual. Y aun en la anormalidad de la situación, él se sentía tan cómodo y a gusto como si frente a él se encontrara el padre Ciriaco o Calvú Manque. Asimismo, experimentaba un cosquilleo en el pecho que lo llevó a preguntarse si no se trataba de pura dicha.

A Furia lo conmovió admitir que respetaba a esa mujer como a pocos hombres. Él, a las mujeres, no las respetaba; las trataba con gallardía, aunque las considerara criaturas mañosas y arteras, como Albana. Menos aún respetaba a las señoras encumbradas, que ocultaban tras oropeles y discursos de moralidad las mismas artes empleadas por sus congéneres de la mala vida. De improviso, se preguntó de qué color serían sus pezones.

—Debo irme —dijo Rafaela, y se puso de pie, de pronto avergonzada por la mirada del gaucho Furia.

—Quinto y yo la acompañaremos hasta las casas.

—Gracias.

—No, a usté, señorita, por el ungüento. Y por haberme ayudao a sacar a Billy de ese aprieto.

—Usted se enojó mucho —le recordó—. Siempre se enoja conmigo.

—Me puse como loco cuando la vide en la tranquera, llamando al toruno.

—¡Es que me asusté tanto cuando ese animal rabioso lo golpeó! —estalló Rafaela, con un ardor que inmutó a Furia—. Debo irme —insistió, y echó a andar, reprochándose la vehemencia de la declaración.

Enseguida, Furia y Quinto se ubicaron a cada lado, y, cuando Furia le buscó la mano, ella le permitió que la tomase. Caminaron en un silencio cómplice, los tres a gusto. Pocas veces Rafaela se había sentido tan segura. De hecho, aunque se esforzase, no encontraba entre sus memorias un momento más pleno y tranquilo. Deseó que el señor Furia jamás saliera de su vida.

Se detuvieron al llegar a los lindes de la casa. Rafaela acarició la cabeza del puma, que le lamió la mano y la hizo reír. Con timidez, levantó el rostro hasta encontrar los ojos de Artemio, que mostraban abiertamente la ansiedad que lo dominaba. Esa mirada la colmaba de emociones desconocidas, le resultaban confusas y difíciles de definir. Por un lado, la halagaba que él la contemplara con deseo cuando ella había supuesto que no la encontraría atractiva; por el otro, la llenaba de resquemores. Con Juan de Dios, de algún modo, se había sentido dominante. Él había sido un joven tranquilo, de contextura menuda, un poco más alto que ella, de mirada lánguida y modos refinados, lo opuesto al señor Furia. Juan de Dios había intentado besarla varias veces y ella se lo había permitido en dos ocasiones, un simple roce de labios que ella había juzgado bastante anodino. Al mirar la boca del señor Furia, supo por intuición que él no se andaría con rodeos ni admitiría la mejilla.

—Buenas noches, señor Furia. Que descanse.

El hombre inclinó la cabeza y dio un paso al costado para permitirle pasar.

CAPÍTULO IX
La muchacha de los ojos verdes

l amanecer encontró a Artemio Furia subido a un árbol de los que formaban un bosquecillo cerca de la laguna. Con la espalda apoyada en el tronco, disfrutaba del espectáculo de la salida del sol, advirtiendo que la noche se volvía más intensa durante los minutos previos a que asomase la luz del alba. Quinto descansaba en la rama contigua y se quejaba cuando él detenía las caricias.

Había dormido poco y mal, y con la señorita Palafox clavada en la mente. Anhelaba que Rafaela Palafox le perteneciera como jamás había deseado que una mujer formara parte de su vida. La intimidad compartida en el rancho lo había apaciguado y alborotado, todo al mismo tiempo. Rafaela Palafox y Binda ponía su mundo de cabeza y también le otorgaba un equilibrio. Habían estado muy cerca, no sólo desde el punto de vista físico sino en otro sentido, que tenía que ver con una comunión de espíritus. Todavía lo estremecía el recuerdo de ella entre sus brazos, el perfume de su cabello, la delicada curva de su cintura, su pánico y su alivio, su sonrisa al hacer migas con Quinto, cada detalle de Rafaela era importante.

Se preguntó a qué juego estaba jugando, adónde deseaba llegar. No la quería para una noche, la quería para todas, sin reflexionar que ella despreciaría la vida de un gaucho errante. Sacudió la cabeza, alarmando a Quinto. Se negaba a creer que la señorita Palafox lo despreciaría. Cuando lo contemplaba con sus ojos grandes y rasgados, parecía entregarse, confiada y feliz. Y sin embargo, ella también le temía, lo había leído en su mirada en varias ocasiones. Por supuesto que le temía, él era un gaucho, un gauderio, un sotreta, un mal entretenido, un hombre del peor jaez, en tanto ella era una dama. ¿Qué fuerzas contenderían en su interior? Quizás estarían despedazándola.

Pronto la estancia cobraría vida. Sus hombres y don Íñigo pulularían, muy entusiastas, puesto que ese día iniciarían la yerra de los orejanos y los terneros. Con tantas cuestiones y responsabilidades, no podía

141

pasarse la noche en vela suspirando por una china. Por ejemplo, contaba el tema de Gabino, "el domador", a quien había despedido después del incidente con el toruno. Sabía que el tape no se quedaría quieto y eso le preocupaba, con tantas mujeres en la casa grande. Pensó también en que, terminada la yerra, conduciría la punta de ganado de los Pueyrredón a *Bosque Alegre*, por lo que se ausentaría un tiempo. Antes liquidaría el asunto de la venta de los animales de Palafox, para lo cual se precisaba la intervención del juez de paz que certificara la operación y llenara la papeleta. Pagaría tres veces lo que costaba esa punta estropeada y la arrearía hasta su campito en Cañada de Morón para engordarla. Sería un pésimo negocio, aunque valdría la pena si le arrancaba una sonrisa a Rafaela Palafox al poner en sus manos más de seiscientos pesos de moneda fuerte.

Unas risas femeninas lo obligaron a mirar hacia abajo. Quinto levantó la cabeza y paró las orejas. Furia le ordenó que se mantuviera quieto. Rafaela Palafox y su esclava, la negra Créola, se dirigían hacia la laguna con toallas y un cesto en los brazos; resultaba obvio que tomarían un baño. Furia movió la cabeza en señal de enojo. "¡Qué china más terca!", se mosqueó. ¿Cuántas veces le había prohibido que se acercara sola a la laguna?

En ningún momento se debatió entre delatar su presencia o permanecer oculto. Se irguió en la rama para no perder detalle y sonrió con malicia al comprobar que, a diferencia de lo que se esperaba de una mujer de su condición, Rafaela no se bañaría con la bata de liencillo sino completamente desnuda. La última prenda cayó, y la visión de su trasero blanco y regordete, que destacaba en la media luz del amanecer, le borró la sonrisa. La estudió con avidez y concluyó que su cuerpo semejaba a una pera. La muchacha se dio vuelta para extender una sábana sobre la marisma, y sus grandes pechos se sacudieron y rebotaron. Furia los observó con los labios entreabiertos. Sus pezones eran de un rosa tan pálido que resultaba difícil distinguirlos, aunque casi de inmediato se tornaron de una coloración más encarnada cuando una brisa fresca, que incluso lo alcanzó a él, los crispó.

Resultaba atractivo el contraste entre las figuras de la esclava y de su ama, no tanto por la negrura de una y la blancura cremosa de la otra, sino por sus formas. La silueta de Créola transmitía la idea de rectas, cuando la de Rafaela Palafox lo hacía pensar en curvas. Más allá de un respingado y mullido trasero, Créola era enjuta, de hombros cuadrados, piernas largas y esbeltas y nada de cintura. Rafaela, por el contrario, parecía mullida donde sus ojos se posasen, en los brazos, en las piernas, en el vientre abultado, en sus pechos generosos, con una cadera que parecía ancha quizá por lo estrecho de la cintura. Se movió en la rama para calmar el latido entre las piernas que se acentuó al imaginar que encerraba entre sus manos la pequeña circunferencia de esa cintura, para bajar hasta las nalgas, apretarlas y subir luego a los pechos. Se detuvo. No emprendería ese camino o terminaría por echar mano al alivio que no necesitaba desde hacía años, desde que Albana lo había iniciado en el sexo. Lo incomodaba la situación, en realidad, lo enfadaba. No estaba habituado a imaginar el objeto de su deseo. En general, entre el deseo y el alivio no pasaba mucho tiempo. Veía a una mujer, la quería y la tomaba, si ella se mostraba dispuesta.

—Créola, pásame la piedra pómez —la escuchó decir.

—Niña, ¿quiere que le jabone la espalda?

—Sí, por favor. Utiliza el jabón de benjuí que preparamos ayer. Huele tan bien.

La conocía con el pelo recogido por lo que aguardó con ansiedad mientras la veía desarmar el rodete a la altura de la nuca. Debía de tratarse de una cabellera pesada y abundante a juzgar por cómo cayó sobre su espalda y la cubrió por completo. La esclava la lavó y, después de enjuagarla, le pasó un afeite en las puntas. El aroma subió hasta el árbol y jugueteó bajo la nariz de Furia.

—¡Qué bueno es estar aquí, Créola! Nademos hasta la mitad de la laguna. Nadar siempre te ha gustado.

—Luce muy contenta hoy, mi niña.

—Lo estoy, Créola.

—¿Furia tiene algo que ver con esta dicha?

Artemio se irguió, dominado por la curiosidad de un jovenzuelo enamorado. Rafaela Palafox no contestó y, riendo, se adentró en la laguna.

Rafaela meditaba sobre varias cuestiones mientras cosechaba albaricoques subida a una escalera con la ayuda de Créola. Necesitaba a Ñuque y planeaba enviar a Babila a Buenos Aires para que la trajera. Aunque Clotilde se opondría, la vieja nodriza terminaría haciendo su voluntad, como de costumbre. Adoraba a Ñuque, esa india callada y arrugada que había cuidado de su padre y de sus tías desde recién nacidos, lo mismo que de ella y de sus primos. Confiaba en Ñuque, en que siempre le diría la verdad, como cuando le explicó cómo venían los niños al mundo. Quería contarle acerca del señor Furia, lo que él provocaba en su cuerpo y en su mente. Quería decirle que, pese al origen de Artemio Furia, se advertía en él una superioridad que se relacionaba con su nobleza, su inteligencia y su capacidad de trabajo más que con su clase social. Sólo Ñuque sabría comprender ese pensamiento que habría resultado sacrílego a su padre.

Créola se incorporó y detuvo el parloteo que Rafaela no escuchaba al descubrir al señor Furia junto a la cesta. El gaucho se llevó el índice a los labios para exigirle que se mantuviera callada. La esclava, impresionada por el hecho de que un hombre de esa contextura se moviera con el sigilo de un gato, lo miró fijamente, con miedo y respeto. Artemio sacudió apenas la cabeza para darle a entender que desapareciera. Créola echó un vistazo a su ama, encaramada en la escalera, concentrada en los albaricoques, le sonrió al gaucho, le guiñó un ojo también y se marchó en puntas de pie.

—Toma, Créola —dijo Rafaela, y, sin darse vuelta, llevó el brazo hacia atrás, con un fruto en la mano—. Este de aquí parece listo también. ¡Ah! —se quejó, al sentir que su esclava la asía por la muñeca con fuerza y la obligaba a soltar el albaricoque. Giró el torso y lo vio—. ¡Señor Furia!

Artemio Furia se lo había pasado de mal humor todo el día, no tanto por la falta de sueño sino porque, después del espectáculo presenciado desde el árbol, una efervescencia bullía en sus entrañas. Parecía un animal herido y rabioso. Sus hombres responsabilizaban al altercado de la tarde anterior, cuando despidió a Gabino. Calvú Manque, que lo conocía como nadie, no compartía esa idea. Al mediodía, en un descanso, le exigió: "Esta noche te encamas con la Felisarda o te obligo a hacerlo". "¡Que Felisarda ni ocho cuartos!", se fastidió Artemio, con el nombre de Rafaela tañéndole en las orejas. Esa destemplanza lo incomodaba; él siempre había sabido sobrellevar con dignidad sus períodos de abstinencia.

—¿Algún problema, señor Furia? —preguntó Rafaela, vacilante.

—No.

En un principio, creyó que la contemplaba con enojo; un momento después entendió que trataba de decirle algo y que no se atrevía. Resultaba un cambio inesperado verlo vacilar.

—¡Oh! —exclamó, cuando el gaucho estiró el brazo y le rozó la mejilla con la punta de los dedos.

Ante la reacción, Furia retiró la mano. El desconcierto y la timidez del hombre tocaron una fibra íntima en Rafaela. Le buscó la mano y la guió hasta apoyarla en su rostro. Dejó caer los párpados para agudizar la sensación de los dedos de él sobre su piel. Desprendían un aroma agradable, y no tardó en distinguir que se trataba de romero, sus dedos olían a romero, como si hubiese estado arrancando hojas de esa planta segundos antes. Inspiró profundamente en la palma de su mano y la besó. Abrió los ojos al escuchar que Furia soltaba el aire haciendo ruido. Él ya no lucía desconsolado sino como un niño suplicante. Rafaela se sintió poderosa. Levantó la mano y le acarició el filo de la mandíbula.

Furia le rodeó la cintura y le pasó un brazo por la espalda a la altura de los hombros. Rafaela, subida a la escalera, lo observaba directo a los ojos. En un instante, él se había hecho del control. No podía moverse dada la firmeza con que la sujetaba. Inconscientemente, cesó de pestañear y de respirar, y advirtió que el turquesa del iris casi había desaparecido para convertirse en una negrura insondable.

—¿Qué desea de mí? —Incluso para ella, la pregunta sonó estúpida.

Furia hundió la cara en su cuello y le pasó la nariz de arriba abajo, de modo brusco, hundiéndola en su carne, raspándola con la barba, marcándole surcos rojos que iban desde el lóbulo de la oreja hasta el nacimiento del escote.

—Quería olerla. Hace mucho que quiero olerla.

La voz del hombre, más ronca de lo habitual, envió corrientes eléctricas desde el cuello de Rafaela a las extremidades. Se le erizó la piel hasta dolerle; el cuero cabelludo también se le erizó, y le tiró el nacimiento del rodete.

Furia se había embriagado con Rafaela Palafox, lo habían embriagado ella y su perfume, al que encontraba fresco y, a un tiempo, dulce y penetrante; a veces prevalecían las notas suaves, a veces las más agudas. "Es como ella", pensó, "a veces se muestra cándida e insegura; a veces, intensa y osada". Por fin había conseguido atrapar esa fragancia, ya no se desvanecía en sus fosas nasales. Podría haber permanecido horas con la nariz enterrada en la base de su cuello, inspirando el sudor exquisito de su piel. Se sentía eufórico. No sabía qué clase de hechizo lo mantenía pegado a ella, con aquel talante tan peculiar. ¿Sería una bruja y ese perfume, un filtro de amor? Levantó la vista. Los ojos verdes y enormes de Rafaela lo contemplaron con pasmo y miedo. Le miró la boca entreabierta y se aproximó para oler su aliento. Té de menta. "Acaba de beber un té de menta."

Al primer contacto de sus bocas, Rafaela dejó escapar el aliento. Furia la acariciaba con sus labios secos y resquebrajados, enervándola, provocándole escalofríos que confluían en un punto de su cuerpo, muy abajo, que nunca había visto. Trató de apartarse al darse cuenta de que Furia le levantaba los labios con la lengua y se la pasaba por las encías y por la cara interna de la boca. Quería entrar, lo supo guiada por el instinto. Lo juzgó impropio, bajo e inadmisible, e intentó sentirse asqueada y ofendida.

Separó apenas los dientes, y él agradeció la invitación con un gruñido. Intentó penetrarla lentamente, no tanto para evitar escandalizarla sino para apreciar cada aspecto de su interior, la calidez de su boca, la textura de su lengua, el sabor de la menta. Comenzó a respirar de manera pesada a modo de preludio del instante en que pasó de la circunspección al desmadre. Tomó por asalto la cavidad de su boca. Introdujo su lengua como una estocada para lamerle el interior como si se tratara del jugo de una fruta dulce. No podía detenerse. Imaginó que se movía dentro de su vagina a punto de alcanzar el clímax. Enajenado, la empujaba contra la escalera, sin caer en la cuenta de lo que esa intimidad significaba para una joven con una educación como la de ella. Un poco de mesura operó en su ánimo al escuchar el ahogo de Rafaela y al percibir que intentaba apartarlo.

—Perdón, perdón —suplicó, con la frente apoyada en su escote desnudo, demasiado avergonzado para mirarla. La escuchaba respirar con dificultad y temblar. Levantó la vista—. No tenga miedo. Nunca tenga miedo de mí. Jamá le haría daño.

La vio asentir y levantar la tira del justillo en una actitud que lo enterneció. Le sonrió para apaciguarla. Ella, sin embargo, seguía contemplándolo con una mueca entre temerosa y desconfiada y se asustó cuando él levantó la mano para acariciarle la boca enrojecida. Al contacto, los labios de Rafaela le parecieron mullidos y carnosos, como debía de ser su cuerpo. Y suaves también. A ella, los de él debían de resultarle ásperos.

—Tengo los labios agrietaos —se disculpó.

Ella metió la mano en el bolsillo del mandil y extrajo una latita que le cabía en la palma. La abrió, untó su dedo en una pomada de color blanquecino y le aplicó una capa sobre el labio inferior primero y sobre el superior después.

—El sol del verano y el viento se los resquebrajan —le explicó, y a Furia le gustó que hubiese cobrado algo de serenidad—. Al igual que el frío en el invierno.

—Sabe bien.

—A vainilla —acotó Rafaela.

Artemio untó el índice en la pomada y lo pasó a su vez por el labio inferior de Rafaela. Primero lo lamió con suavidad. Después lo introdujo en su boca y lo succionó hasta quitarle el ungüento. El beso continuó, más enardecido a cada momento.

"Ñuque, Ñuque, ¿esto está bien?", se cuestionaba Rafaela, incapaz de oponerse a ese palurdo sin modales ni moral. "¡Oh, Dios santo! Ha sucedido. ¡Él está besándome!" o al menos estaba haciendo algo que semejaba a un beso. El aire fresco de la tarde revoloteaba en su pierna izquierda y en su escote, ambos al desnudo. Él le había levantado la saya y bajado la tirilla del justillo otra vez, había introducido la mano derecha bajo la pechera del mandil y la movía con nerviosismo y ansiedad por su cuerpo, le masajeaba el seno izquierdo apenas protegido por el delgado género de la prenda y enseguida le apretaba la cintura para luego tocarle la rodilla y el muslo hasta que ella balbuceaba que no, que se detuviera.

Aunque la sujetase prisionera, el vértigo la llevaba a aferrarse a la escalera con la mano izquierda, y a la nuca de Furia con la derecha. Abrió los dedos con lentitud al darse cuenta de que debía de estar haciéndole doler. Tomó una inspiración profunda, aprovechando que él había abandonado su boca. Consciente de la lengua que descendía por su escote y del cosquilleo de la barba en su cuello, le dio por pensar que ella jamás habría imaginado que un hombre pudiera tocar a una mujer en sus partes pudendas y con aquella intemperancia. Ahora comprendía que Ñuque había limitado bastante la explicación o bien desconocía detalles que quizá, caviló, constituyeran hábitos de los hombres de la categoría de Furia, jamás los de un caballero.

Escuchó un carraspeo y reprimió un grito al descubrir a Créola a corta distancia. Apartó el rostro de Furia de su escote. Éste le dirigió un vistazo confundido. No había escuchado nada.

—Está Créola —susurró, en tanto se cubría las piernas y acomodaba el justillo.

Sin soltar el abrazo, el gaucho giró la cabeza y fulminó a la negra, que le sonrió y le guiñó el ojo de nuevo. Furia se volvió hacia Rafaela y le acarició el rostro, le acomodó el cabello y la besó varias veces en los labios, mientras le susurraba: "'Tá bien. Tuito 'tá bien. Usté no se priocupe de náa". Al fin la dejó libre e inició su camino hacia la zona de los peones. Al pasar junto a Créola, la esclava se fijó en su entrepierna y largó una risotada. Pese a los pliegues del chiripá, la erección de Furia se mostraba sin pudor.

—Lo han dejado tiritando, Furia.

—Te ordené que te jueras —le reclamó en voz baja.

—Y lo hice. Pero no iba a permitir que mancillara el honor de mi ama en un escalera cuando ella es una princesa que merece una cama de oro, ¿verdá?

El comentario pareció afectar al gaucho, que soltó un improperio entre dientes y siguió su camino a paso rápido. Rafaela, todavía asida a la escalera, había atestiguado el diálogo, sin oír palabra. Al encontrarse con la sonrisa de Créola, cobró ánimos. Bajó de la escalera y se abrazó a su esclava.

—¿Ha estado bonito? —Créola supo que Rafaela asentía en su hombro—. ¡Es que ese Furia es un macho de verdá! ¡Voto a Dios que sí!

—¡Oh, Créola! ¿Qué voy a hacer?

Rafaela necesitó media hora para calmarse y emprender el regreso a la casa. Tenía la impresión de que todos se darían cuenta de su pecado, incluida Mimita. Por otra parte, pasarían por la zona de los peones, y no deseaba encontrarse con Furia en ese momento. Al rato, se calzaron las canastas con albaricoques en las caderas y emprendieron la vuelta. Caminaban en silencio. Rafaela cada tanto cerraba los ojos y contenía el aliento al evocar la intimidad compartida en la escalera, al pie del árbol. Aún sentía las manos de Furia en su cuerpo, le habían quedado improntas calientes. Las imágenes la aturdían, la privaban del sentido común que la habría salvado de experimentar esa dicha. Pensó en su padre, en su tía Clotilde, en el asco con que la mirarían si se enterasen de que un gaucho le había metido la lengua en la boca y apretado los pechos. Sin embargo, por alguna razón arcana, no se sentía sucia ni mancillada. ¿Se debería a esa condición de la que no se enorgullecía y por la cual se hallaba a gusto entre gentes de clases inferiores? "No me siento sucia ni mancillada porque yo amo a ese hombre", concluyó. Amarlo, sin embargo, también estaba mal.

Artemio Furia la vio aparecer con la canasta apoyada en el costado. La notó silenciosa y pesarosa. "No debí haberla rozado siquiera una vez porque ahora me he convertido en su esclavo", se recriminó, ajeno a la algarabía de sus hombres y de las hijas de Íñigo, que pululaban en torno, preparando el festejo para celebrar la primera jornada de yerra. Algunos se ocupaban de encender el fogón y de estaquear los pedazos de carne; otros arrastraban carcasas y calaveras de vacas para formar una rueda amplia sobre la que se sentarían a comer; también cantarían y bailarían, jugarían a la taba y quizás a los naipes.

—¡Ey, Artemio! —La voz de Calvú Manque lo hizo apartar la vista de Rafaela.

El indio le señaló la lejanía. Gabino, "el domador", se aproximaba a todo galope. Furia masculló un insulto. Habría problemas. Lo vio desmontar antes de que Cachafaz se detuviera por completo y aproximarse a él con paso vacilante. "Está en pedo", se dijo. Y cuando Gabino se emborrachaba, varios demonios se desataban dentro de él, y su manejo del cuchillo, paradójicamente, mejoraba.

—¡Mire, niña! Ahí está el Gabino. Me juego la cabeza a que le ha venido a reclamar a Furia, que lo despidió ayer después de lo del toruno.

Rafaela siguió con atención al gaucho que se arrojaba del caballo antes de que éste frenase y que se dirigía a Furia al tiempo que cruzaba su cuchillo en la parte delantera del tirador. Apoyó la canasta en el suelo y corrió para interponerse.

—¡Niña Rafaela, deténgase! ¡No se acerque, mi niña!

Los gritos de Créola distrajeron a Furia, que, con un movimiento de mano, le ordenó a Calvú Manque que la mantuviese alejada. El indio le salió al encuentro y se le plantó enfrente.

—Apártese, Calvú. ¡Apártese! Debo detener esa pelea.

—L'único que la ha de detener é Artemio, señorita. Y me anda pareciendo que no se le antoja.

—¡Por favor! Puede correr sangre.

—De eso, siguro.

—¡Déjeme pasar! ¡Ésta es mi estancia! ¡Es mi responsabilidad!

—Señorita, usté no sabe cómo son las cosas en la campaña. Aquí no se arreglan como en los salones de la ciudá. Aquí é bien distinto. No se meta y tenga pacencia.

Rafaela debatió entre seguir adelante o admitir la sabiduría del consejo. Dejó caer los hombros y asintió.

Resultó significativo el intercambio de miradas entre Gabino y Furia. La algarabía de minutos antes se había esfumado. Todos se concentraban en lo inminente.

—Che, Juria. Vo y yo tenemo una cuenta pendiente.

—¡Fijate qué cosa! Y yo que creí que había quedao saldáa.

—Me 'tás debiendo más de diez pesos.

—¡Veinte también! —se burló Furia.

—Tuita la gente sabe que eres mal pagador y que te quedas con plata ajena. ¿Acaso no despenaste al Ismael Santos y te quedaste con sus carretas y a má con su china, la Dolores García?

—De tuito se cansa el hombre meno de hablar al ñudo —expresó Furia, y levantó la comisura izquierda en una sonrisa cargada de mordacidad.

El comentario, expresado en tono condescendiente, enfureció a Gabino. Se quitó el poncho, que llevaba de gurupa, es decir, recogido en la cintura, y lo hizo girar hasta enroscarlo en su antebrazo izquierdo. Remató ese acto aferrando el facón.

—¿Te atreves a peliar, Juria, o me vas a mezquinar el garguero? ¡Capá que sea de Dió que de una bendita vé se va a saber que eres un maula!

Calvú Manque se aproximó a su amigo con la actitud de un escudero diligente y le entregó un poncho. Mientras lo envolvía en su antebrazo, Furia le ordenó:

—Sácala de aquí, Calvú.

—Señorita Rafaela, mejor la llevo pa'dentro. Artemio no quiere que se quede.

—Estoy en mis tierras y me quedo donde quiero.

Calvú Manque le echó un vistazo a Furia y se sacudió de hombros, vencido.

—Mujer terca y desobediente —masculló, sin apartar los ojos de ella, que le devolvió la mirada con abierto desafío.

Al entender que el poncho serviría de escudo, Rafaela deseó que el de Furia estuviese confeccionado en lana gruesa y no en ese calicó liviano para la época estival. Las hojas de ambos facones lucían afiladas y amenazadoras. Una sensación de irrealidad la anegaba. Al verla pálida, Créola le susurró que entrasen en la casa, a lo que Rafaela se negó sacudiendo la cabeza.

Los rivales se ubicaron frente a frente y extendieron la pierna derecha hasta pegar las puntas de sus pies. Pelearían "pie con pie", comentó Calvú Manque, con una liviandad que fastidió a Rafaela. Pasó la mirada por el resto del público y notó en sus semblantes la misma actitud casi indolente del indio, nada del miedo aterrador de ella. Al comentárselo a Calvú Manque de mal modo, éste sonrió y le dijo:

—É porque confiamos en Artemio.

Furia, por su parte, recordaba las veces en que, por diversión, habían "visteado" con Gabino, o sea, habían reemplazado el cuchillo por el canto de la mano lleno de tizne y simulado pelear. Esa práctica, cuya consecuencia se limitaba a quedar con arañazos negros en el rostro y en el atuendo, le había bastado para comprobar que no se dirimía con un novato. Levantó el brazo y aproximó la punta del cuchillo.

Al primer choque de las hojas filosas, Rafaela apretó el brazo de Créola. El sonido metálico le produjo un terror visceral. Respiró hondo y se instó a no desmayarse. Un momento más tarde, contemplaba la pelea con la misma fascinación de los demás, apreciando la maestría de esos gauchos, los cuales, al mantener las piernas derechas extendidas hacia el centro y los pies fijos, movían la cintura con una agilidad y flexibilidad admirables. En ocasiones, cuando echaban sus torsos hacia atrás para escapar a una finta, quedaban paralelos al suelo.

Rafaela comprendió que el poncho de Gabino no era más grueso sino que éste lo había enroscado muy suelto en torno a su antebrazo, y comprendió también el motivo de tal proceder al advertir cómo se deshacía de él con facilidad para proyectarlo como un látigo cerca del rostro de Furia. Éste soltó una risotada, al tiempo que ladeaba el cuerpo y, con la mano izquierda, aferraba la prenda y se la arrancaba a Gabino, el cual, al carecer de la protección del poncho, recibió varios cortes en el antebrazo. La sangre se encharcaba sobre la tierra y, al ser pisoteada, se convertía en un barro que a Rafaela le provocó náuseas. Créola le pasó un brazo por la cintura y la sostuvo.

En un movimiento veloz e inesperado, Gabino se agachó, tomó tierra en el puño izquierdo y la lanzó a los ojos de Furia. Rafaela contuvo el aliento al verlo trastabillar, mientras intentaba limpiarse con el poncho del antebrazo izquierdo. Pegó un alarido que pareció cortar el aire cuando Gabino soltó una finta hacia su vientre. Por instinto, Furia se movió hacia atrás, y la punta apenas le abrió un delgado surco. La sangre le tiñó la camisa. Veía mal, le ardían los ojos. Ante una advertencia de Calvú Manque, los abrió con esfuerzo. El filo del facón de Gabino centelleó delante de su rostro, y, para evitar que lo marcara, giró sobre sí y recibió la cuchillada en el hombro. Rafaela se mordió el puño y empezó a recitar el padrenuestro como una autómata, una y otra vez.

Por el modo en que reemprendió la pelea, a Rafaela le dio la impresión de que, hasta ese momento, el señor Furia había estado sofrenándose. Sus mandobles se volvieron tan rápidos que resultaba difícil verlos. Gabino tenía la camisa echa jirones, empapada en sangre. A los dos los acometía la debilidad. Inspiraban aceleradamente y mal. Una finta confundió a Gabino, que se protegió la cara, cuando, en realidad, el facón de Furia se dirigió a su vientre. Rafaela se tapó la boca con ambas manos para amortiguar el grito.

Gabino se congeló en su posición, como si se hallara suspendido al borde del abismo, y apartó el antebrazo de su cara con lentitud hasta encontrar los ojos de Furia. Éste resollaba haciendo ruido y mantenía la punta del cuchillo hincada en su abdomen. Una estocada fuerte y seca habría bastado para terminar ensartado como un trozo de asado. Y Gabino sabía que Furia, a pesar de lucir agotado, contaba con el vigor para hacerlo. Soltó su facón y levantó los brazos.

—'Tas de suerte, Gabino. Hoy ando con pocas ganas de desgraciarme. Mandate a mudar y más vale que no güelva a sentir mentar tu gracia porque si no ¡por ésta —se practicó la cruz sobre los labios—, te despacho pal'otro mundo!

Cuando Gabino amagó con acuclillarse para recoger el arma, Furia le puso el pie encima y chasqueó la lengua varias veces.

—No, éste me lo quedo yo.

Hizo un ademán con la cabeza que puso en movimiento a sus hombres. Bamba acercó a Cachafaz. Juan, "el peludo", y Modesto, "el entrerriano", ayudaron a Gabino a montar. Furia propinó un golpe al anca del caballo que galopó hacia el sur. Rafaela siguió con la vista al jinete, temiendo que cayera por tierra. Al volverla hacia Furia, lo descubrió mirándola con fijeza mientras limpiaba el filo del facón en el poncho que aún llevaba enroscado en el antebrazo. Se levantó el ruedo del vestido y salió corriendo.

—¡Mierda! —masculló el hombre. Pero no iría tras ella aunque la vida le fuera en ello. No se rebajaría ante sus hombres.

Rafaela se dirigió a su dormitorio por su cajita de madera. Al regresar, se topó con una multitud en la cocina que rodeaba la mesa. Aunque hablaban a porfía, distinguió la voz de Juan, "el peludo", que se lamentaba de no haber visto las tripas de Gabino al sol. Se abrió paso hasta el señor Furia, sentado a la mesa. Felisarda le limpiaba la herida del hombro con un trapo escabioso sin perder oportunidad de lisonjearlo por su destreza en la lucha.

—¡Apártate! —le ordenó, y la joven soltó el trapo de mal modo—. ¡Fuera de aquí! Todos, fuera de aquí. Créola, tráeme un poco de agua caliente.

Apoyó la caja sobre la mesa y levantó la tapa. Furia vio botellitas, latitas y esparadrapos. La buscó con la mirada y al rato se dio por vencido. Resultaba evidente que se había propuesto no prestarle atención. "Está enojada", se dijo.

Rafaela le quitó la camisa de varios rasgones. Por fortuna, la herida del hombro había restañado.

—Esto dolerá —le advirtió antes de comenzar a limpiar ambas heridas con jabón de sosa y agua caliente, y, aunque Furia no emitió sonido, Rafaela observó que respiraba aceleradamente y que una capa de sudor le cubría la frente y la nariz.

Al librar las heridas de costras de barro y de sangre seca, Rafaela evaluó que la del vientre no traería complicaciones; la del hombro, en cambio, precisaba sutura; tenía los labios muy separados y se hallaba en un sitio de mucha movilidad.

—Créola, prepara una valeriana bien dulce para el señor Furia y un té de menta para mí. —Por primera vez, se dirigió a Artemio mirándolo de frente—: Esta herida deberá ser cosida. Si bien he visto a mi nodriza coser sajaduras en varias ocasiones, jamás lo he hecho. Mandaré por el barbero de San Fernando.

—Hágalo usté —le pidió Furia—. No quiero que un matasanos me toque. Sólo usté.

El orgullo le impidió confesarle que no se atrevía. No deseaba que descubriera su naturaleza medrosa; anhelaba que él pensara bien de ella, que era una mujer valiente y curtida como Felisarda y sus hermanas. Asintió. Destapó dos botellitas, y Artemio alcanzó a leer *Bálsamo de Melisa* y *Agua de Aciano (con atutía)* en las etiquetas escritas con letra hermosa y femenina. Rafaela acercó la botella con el agua de aciano al rostro del gaucho y le explicó:

—Verteré unas gotas de este colirio en sus ojos para limpiarlos.

Los estudió de cerca. El turquesa resplandecía en la maraña de venas rojizas causadas por la irritación. Todavía tenía tierra suspendida en las pestañas, que les opacaba el renegrido natural. Al sentir las gotas en sus ojos, Furia exhaló un suspiro. Rafaela secó el exceso con un pañuelo de lino, casi sin rozar la piel. Al pasarlo por las pestañas, se aplastaron contra el párpado inferior para volver a arquearse tan espesas y negras como antes.

Empapó un retazo de género con el bálsamo de melisa. Sin explicaciones, untó los hombros, el cuello y el rostro del gaucho, con tanta delicadeza que, poco a poco y pese al dolor de las heridas, los párpados le pesaron y las pulsaciones le disminuyeron. El aroma de la melisa, como a limpio, se mezclaba con el perfume de Rafaela creando un aura en torno a él. Como las friegas se detuvieron, Furia abrió los ojos y vio a Rafaela llenándose las manos de bálsamo. Volvió a cerrarlos cuando ella comenzó a masajearle los brazos, en especial en la articulación y en la muñeca. Las comisuras de sus labios se elevaron sutilmente, nadie se habría percatado de esa sonrisa de satisfacción. Jamás habría permitido que lo tocasen de ese modo y sin brindarle explicaciones. Con Rafaela Palafox, la entrega se había producido de manera natural. Quedó blando cuando la joven acabó.

—Ahora beba esto —le indicó, mientras vertía un chorro de la opiata de su padre en la valeriana—. Lo coseré una vez que haga efecto.

Se sentó delante de él y sorbió el té de menta para cobrar ánimos. Lo cosió con una aguja que bañó previamente en alcohol y a la cual enhebró un sedal muy fino. Cuando la aguja se hincaba en su carne, Furia mordía el trozo de cuero colocado para evitar que se rompiera los dientes. Entre puntada y puntada, tomaba grandes inspiraciones, y el festín de aromas —el de la melisa, el del perfume de ella y el de su aliento a menta— le devolvían el vigor. La tortura acabó antes de lo que imaginaba. Le pesaron los párpados al abrirlos. Rafaela esparcía un polvo amarillento sobre la herida en tanto Créola preparaba una venda. Lo ayudaron a incorporarse y lo condujeron a los interiores, haciendo caso omiso de sus protestas. Se sentía débil y perdido, su voluntad parecía haberse disuelto. No presentó resistencia ante la cama que se proyectó delante de él. Cayó en un sueño profundo apenas se acostó y no supo que entre Rafaela y Créola le quitaron las botas de potro, el tirador y el chiripá y extendieron una manta de algodón sobre su torso desnudo.

—Dormirá hasta mañana. Le di una gran dosis de opiata.

Créola aferró las manos de su ama.

—¡Qué brava ha estado usté, mi niña! ¡Qué brava!

Al día siguiente, Rafaela se enteró por Bamba de que Furia se había despertado al alba y trabajado toda la mañana en la yerra. Enojada, marchó hacia la zona de los potreros recordando que su padre se lo había prohibido desde pequeña. Había violado tantas reglas últimamente que mostrarse remilgada por comparecer en ese sector habría sido un acto de hipocresía.

Se topó con Furia a las puertas del cobertizo. Quedaron frente a frente, y ella, que había ensayado una filípica por descuidar su salud, se vio desprovista de palabras. Sin sombrero y con el pañuelo ciñéndole la cabeza, su oreja con argollas de plata descollaba, subrayándole el aspecto despiadado. Era tan hermoso y al mismo tiempo tan salvaje. Se preguntó que veía el señor Furia cuando la miraba. ¿Le agradaría la visión o repararía en la mediocridad de sus facciones?

—Lo que me dio a beber ayer me ha dejao azonzao —le reprochó—. Jamá güelva a dármelo. —Su voz sonaba más enronquecida y áspera que de costumbre.

—No quise que sufriera mientras lo cosía.

—He aguantao que me cosieran manos muchos meno delicaas que las suyas.

Rafaela comprendió que había ofendido su orgullo.

—Necesitaba descansar —interpuso.

—Dormí tuita la noche como una marmota. —La declaración causó la hilaridad de la joven, que Furia no compartió—. Y si Gabino volvía, jurioso, ¿qué habría sido de usté conmigo tan dormío?

—Gabino se fue en muy mal estado. No habría regresado.

—Usté no conoce a esta gente, señorita.

La declaración la dejó muda. Apretó el entrecejo. Habló de "esta gente" como si él no perteneciera a la misma casta.

Los hombres de Furia se aproximaban dando risotadas y levantando la voz. Furia la tomó por el codo y la guió dentro del cobertizo para evitarlos. Al cerrar la puerta, el lugar quedó en penumbras. Rafaela percibió el olor a humedad y a forraje, un aroma que la transportó a su niñez cuando, con Créola, se escabullían a la hora de la siesta para esconderse en ese sitio, que aún albergaba la vieja carreta sin ruedas, apoyada sobre cuatro tocones, donde habían jugado por horas. Observó que si bien la madera estaba deslucida y combada en algunas partes y el cuero que abovedaba el techo se había apolillado, la carreta se conservaba entera. Miró hacia adentro por uno de los orificios del cuero y descubrió montones de paja y plumas. Se sobresaltó cuando Furia, sin tocarla, le apoyó la nariz en la nuca y comenzó a olerla.

—No puedo olvidar el beso que nos dimos ayer —le susurró.

—Yo tampoco —admitió ella. Se reinclinó sobre la carreta y apoyó las manos en el adral, a la espera de lo que anhelaba.

Furia le admiró la curva del cuello, donde nacía el hombro, y se la besó. Enseguida percibió que la piel de Rafaela se erizaba. Le puso la mano en el vientre y la atrajo hacia él, hasta que la espalda de ella se amoldó a su pecho. Lamentó oler a tabaco, a caballo y a sudor cuando ella parecía un compendio de flores. Sus labios seguían resquebrajados y secos; los de ella lucían como una fresa. La obligó a darse vuelta y la estudió con detenimiento, intentando descubrir el rechazo y el asco en su expresión. El sol, que ingresaba por una ventanilla cerca del techo, bañó el rostro de Rafaela, y Furia contuvo el aliento ante el brillo de sus ojos verdes y la calidad untuosa de su piel. Ni siquiera entre las jóvenes de buen ver él había visto una piel tan tersa, sin manchas, sin defectos, como si se tratara de una estatuilla de porcelana. Pensó en su madre, en su piel blanca y diáfana. Levantó la mano con lentitud, temiendo asustarla, y le rozó el pómulo con la punta de los dedos. La raspaba, lo sabía. Así como ella era toda blanda y suave, él era áspero y duro.

Rafaela sujetó la mano de él y la besó en la palma, apreciando la aspereza de los callos en sus labios, observando las uñas astilladas y sucias. Furia cerró los ojos e irguió la cabeza para tomar una inspiración profunda. Ella siguió besándolo, en las venas de la muñeca, en la palma y en la punta de los dedos hasta que él se inclinó y le buscó los labios para chuparlos y lamerlos con suavidad.

—Yo no sé besar —la escuchó decir dentro de su boca, y su aliento a menta le provocó un gozo en el pecho. Le apretó la cintura y la obligó a ponerse en puntas de pie para fundirse en un beso.

—Abra su boca pa'mí —le pidió, y, cuando ella obedeció y su lengua jugueteó tímidamente con la de él, Artemio la tomó con firmeza por la nuca y las nalgas y la inclinó para penetrarla hasta sentir que colmaba su cavidad, como habría querido hacerlo entre sus piernas. Se trató de un beso devastador.

Al separarse, agitados y sorprendidos, se contemplaron sin pestañear. Resultó una experiencia fascinante la de mirarse y hablarse con el corazón, nada de palabras, ni siquiera gestos, como la vez en que él le entregó el colgante a Mimita. Los dos confesaron con la mirada lo que no podían expresar con palabras: lo que se había desatado entre ellos, sólo Dios podría detenerlo. Lo admitieron sin falsas hipocresías, y Furia la amó por eso, ya que, de los dos, Rafaela era la que más tenía que perder.

Se abrazaron porque necesitaban darse ánimos. Rafaela cerró los brazos en torno a la cintura de Artemio y hundió la cara en su pecho, absorbiendo sus olores, percibiendo los restos de la melisa junto con los de su piel transpirada. Transpirada porque trabajaba duro. Le gustaba que trabajase duro, que conociese tan bien su oficio y que su gente lo respetase. Quizás influenciada por la lectura del Quijote, Rafaela detestaba a los hombres que desdeñaban el trabajo y exaltaban la vida de canónigo. Amaba a ese hombre por trabajador y por respetable. En los días compartidos, jamás lo había visto embriagarse ni apostar.

—Perdón —lo escuchó pronunciar a Furia sobre su coronilla.

—¿Por qué?

—Por lo de ayer, por lo de Gabino. No quise que usté viera eso. No quise. Le pedí a Calvú que la alejase, pero usté é má terca que una recua de mulas y ahí se quedó, viéndome desgraciarme ante sus ojos.

La angustia del hombre la conmovió. Su voz se había vuelto más rasposa y ronca, y suplicante. Se apartó lentamente y le pasó las manos por las mejillas barbudas.

—Lo perdono, señor Furia. No le habría perdonado que se hubiese dejado matar porque en ese caso, ¿qué habría sido de mí? Habría querido morir con usted.

—¡Rafaela! —La abrazó de nuevo con una rudeza que a la joven le causó puntadas en las costillas—. No la merezco, no la merezco, pero soy demasiado ruin para dejarla partir. Debería hacerlo, pero no, no lo haré. No sabría cómo.

Rafaela había caído en un estupor silencioso. A la emoción de oírlo pronunciar su nombre de pila siguió la perplejidad de escucharlo expresarse sin acento de paisano y sin cometer errores de fonética ni gramaticales. El efecto de una sorpresa operaba mal en ella, la despojaba del habla, le ponía la mente en blanco.

Por fin se apartaron. Furia, consciente de su vehemencia, necesitó caer en temas triviales para aplacarse.

—Esta noche habrá jolgorio, el que no se hizo ayer por lo de Gabino. Me gustaría que usté y Mimita me acompañaran. Naides la ofenderá de nenguna manera, se lo prometo.

Rafaela asintió.

—Tengo que irme —dijo, en un hilo de voz—. Mimita...

—Sí, sí, vaya nomá —la interrumpió—. Salga usté primero.

Furia permaneció un buen rato sentado sobre un fardo de forraje, con la cabeza inclinada, los codos sobre las rodillas y las manos en la frente, como si rezase. "¿Qué estoy haciendo?", se recriminó. "Ella no tiene lugar en mi vida de venganza y rencor. La destruiré. La arrastraré a la indignidad. Destruiré su buen nombre, su reputación y todo por nada, porque no sabré hacerla feliz. He llevado por mucho tiempo esta vida errante y ya no podría volver atrás", y, mientras por un lado se convencía de olvidarla, por el otro la imaginaba aparecer con Mimita en el fogón de esa noche.

Al refugiarse en su laboratorio, Rafaela descansó las manos sobre la mesa de mármol. Le agradó el contacto frío. Tomó asiento y apoyó primero una mejilla, luego la otra para bajar el rubor. Sus pulsaciones aún batían, enloquecidas, en su garganta. Se mordió el labio. "¿Qué estás haciendo, Rafaela?" Cualquier argumento que esgrimiese para abandonar al señor Furia pasaría al olvido en cuanto él le metiese la lengua en la boca para incitar esos espasmos de placer que la privaban de moral y discernimiento. "Sólo un hombre tan bajo me provocaría una emoción tan pecaminosa", y lo dijo para avivar el poco orgullo que le quedaba. Buscaba con desesperación un hilo de cordura al cual aferrarse. Se llevó las manos a la cabeza y profirió un quejido. Se irguió de súbito y se instó a calmarse, como Ñuque le habría exigido. Tomó varias inspiraciones hasta aflojar la tensión en su estómago. Intentó razonar. ¿Por qué, contra todas las probabilidades, se había enamorado de ese hombre cuando, después de la muerte de Juan de Dios, había optado por el celibato y por cuidar a su padre en la ancianidad? ¿De dónde surgía el descaro con que le coqueteaba, ella, que jamás lo había hecho? ¿Por qué estaba tan a gusto con él? "Porque junto a él no tengo miedo." La respuesta, expresada en términos encendidos, la deprimió más aún. "No iré al fogón esta noche", se dijo, mientras se calzaba el mandil y se ponía a trabajar.

No obstante, a las siete de la tarde, ella y Mimita, escoltadas por Créola y Peregrina, se presentaron en el festejo. Calvú Manque salió a recibirlas y las ubicó sobre unas banquetas de colihue que, con las calaveras y las carcasas bovinas, formaban un perímetro, más bien amplio, en torno al fogón. El grupo se silenció mientras las invitadas se ubicaban. Sólo destacaban el siseo de los jugos del asado al caer sobre las brasas y el chirrido de los insectos. Buenaventura Buena templó la guitarra y rompió el mutismo. Poco a poco, retornaron las risas y las conversaciones. Rafaela, sin embargo, continuó incómoda. Le parecía mentira formar parte de esa reunión.

Artemio Furia se hallaba frente a ella, separados por el diámetro del perímetro, con el fogón en medio, que echaba sobre su rostro tonalidades que le afilaban los rasgos, confiriéndoles una dureza que la intimidaba.

Mimita saltó de su regazo y corrió con movimientos grotescos para arrojarse a las rodillas del gaucho, que la recibió en sus brazos con una sonrisa amplia y franca como Rafaela jamás le había conocido. "¡Oh, Señor!", exclamó para sí, ante la transformación de su semblante a la luz de ese gesto. El labio superior casi desapareció para revelar una dentadura pareja y blanca que descolló contra la piel bronceada. Dos líneas profundas, rematadas con hoyuelos, le ocultaron las comisuras. La sonrisa le inundó los ojos.

Mimita también sonreía mientras el gaucho le hablaba en tono intimista y le tocaba el colgante que la niña no había admitido que le quitasen siquiera para el baño. Rafaela la vio abrir grandes los ojos y juntar las manitos ante el objeto que yacía en la palma de Furia. Lo abrazó y lo besó al recibirlo, casi parecía normal en compañía de ese hombre. Regresó al lado de Rafaela para mostrarle un peine de hueso con el mango teñido en la conocida tonalidad púrpura.

—A-a-tie-mio —dijo, señalándolo, y Rafaela, con un nudo en la garganta, la abrazó y la besó.

—Sí, mi tesoro, sí. Artemio.

Mencia y sus hijas comenzaron a servir la comida. Furia advirtió que, si bien Rafaela le daba trozos de carne a la niña, ella sólo aceptaba tamales y guiso de liebre. Para él y sus hombres, que se alimentaban con carne y nada más y lo hacían con las manos y asistidos por sus facones, ése era un festín digno de Lúculo. Había consentido que se bebiera aguardiente con la amenaza de estaquear al que se embriagase, y, aunque pensó que el festejo languidecería dada la presencia de la señorita Palafox y la prohibición de libar a gusto, sus hombres comían y conversaban con ánimo inquebrantable. Créola y Peregrina lucían cómodas y festejaban las ocurrencias de Calvú Manque y de Bamba.

Rafaela tenía la impresión de participar de un rito profano. Artemio Furia lo era, con sus argollas de plata, su pelo rubio y largo y su belleza pagana. Vestía por completo de negro, a excepción de los calzones blancos con flecos que asomaban bajo el chiripá, y de una rastra muy lujosa, tachonada con monedas plateadas. Las botas no eran de potro sino de piel de gato montés. Comía con las rodillas separadas y el torso echado hacia delante para no ensuciar las prendas, y lo hacía con una voracidad que hablaba de que, pese a las heridas en el hombro y en el vientre, ningún mal lo aquejaba. Rafaela dedujo que había terminado cuando lo descubrió liando un cigarrillo. Utilizó el pedernal y la yesca para encenderlo y, al dar la primera pitada, acentuó el ceño y entrecerró los ojos, y Rafaela se preguntó por qué aquel simple acto, que había visto ejecutar tantas veces a Aarón, en Furia le resultaba tan atractivo.

A la comida, siguió el canto y la danza. Bamba bailó con Mimita. Felisarda y sus hermanas, ubicadas junto a ella, le mostraban los pasos y se los enseñaban. Rafaela no podía quitar sus ojos de la niña. "¿Cuándo ha sido tan feliz mi niña?" Si bien Mimita era retrasada, su sensibilidad no conocía límites y la exponía a percibir con increíble conciencia tanto la hostilidad en casa de su padre como el cariño de esa gente. Después de dos piezas, terminó agotada y buscó cobijo en el regazo de Rafaela, donde se durmió.

Los bailarines necesitaban reponer fuerzas y aplacar la sed, por lo que Buenaventura Buena cambió el talante de la música y bordoneó unos acordes tristes antes de entonar con voz de bajo una canción compuesta por él, según le comentó Bamba a Rafaela. *Tú, la muchacha de los ojos verdes,/ más verdes y hermosos que el sol en el tramonto./ Verdes, verdes y profundos,/ como pocas cosas en este mundo./ Mi muchacha de los ojos llenos de amor,/ a veces dulces y cálidos,/ a veces fríos y sin candor./ ¿Por qué me miras de ese modo?/ De ese modo receloso./ Si has decidido no amarme,/ no me mires así pues vas a matarme./ Tú, la muchacha de los ojos verdes...*

Se buscaron hasta confluir en una mirada que permaneció suspendida a través de las llamas del fogón y a lo largo de las estrofas. Rafaela había descubierto que Artemio Furia era hombre de pocas palabras, aunque de una mirada tan elocuente e intensa como un panegírico. Ellos no se unieron a los aplausos al término de la canción.

"Ya deben de estar medio mamados", conjeturó Furia al oírlos pedir el pala-pala, una danza mal vista por su erotismo. Pensó en detenerlos y enseguida cambió de parecer. Observó a Rafaela. Ella había permanecido en su banquito de colihue, moviendo los pies al son de la música y sonriendo.

Rafaela vio que Artemio abandonaba su sitio y caminaba en dirección a ella. Créola anunció que llevaría a dormir a Mimita y dejó libre el banquito junto a su ama, donde Furia tomó asiento sin pedir permiso ni pronunciar palabra. Con los codos en las rodillas, el hombre se dedicó a contemplar los preparativos para la danza. De soslayo, Rafaela le estudió el perfil, la pequeña y recta nariz, las pestañas femeninas y negras, y el ángulo recto que formaba su mandíbula. Se sintió la dueña de tanta belleza. De repente, él la miró, y Rafaela volvió la vista hacia la pista de baile.

—Pala-pala —Furia se inclinó para hablarle— quiere decir cuervo en quechua. —Rafaela asintió, sin mirarlo—. La mujer es la chuña, la paloma, a la que el cuervo desea y quiere atrapar.

El baile la sedujo desde el principio. Calvú Manque extendía un poncho negro imitando las alas del cuervo, en tanto Felisarda lo hacía con una mantilla blanca. Los cuerpos se rozaban de continuo, los rostros se enfrentaban a escasa distancia. La chuña, o paloma, rehuía los avances del pala-pala, o cuervo, éste la perseguía y la tocaba, hasta que, con su ímpetu, la mataba. Dos pañuelos rojos simulaban la sangre que manaba de las entrañas de la paloma. Le siguieron Juan, "el peludo", y otra de las hijas de Mencia e Íñigo, que alardearon de su destreza.

—¿Bailamos? —le preguntó Artemio.

—No sé bailar —se apresuró a contestar.

—Ya sabe cómo se hace. É fácil. —Sin permitirle una respuesta, la tomó de la mano y la condujo al centro.

Artemio recibió el poncho negro y Rafaela se colocó la mantilla blanca sobre los hombros. Le costó empezar, la cohibía mostrarse, y, a diferencia de su prima Cristiana, detestaba convertirse en el centro de una reunión. No obstante, al comprobar que Furia bailaba peor que ella, rió y se dejó llevar por la música y el aliento de los demás. Furia la tocó, la rozó y la olió frente a aquellas personas como si estuvieran solos. Y ella se lo permitió, sonrió y lo gozó. Esas gentes no la juzgarían, por el contrario, parecían disfrutar.

Casi al final, Artemio la envolvió por la espalda con el poncho e, inclinándose en su oído, le habló en un susurro fervoroso:

—Chuña. Chuñita mía.

CAPÍTULO X
La madre virgen

*H*oras más tarde, Rafaela no hallaba posición en la cama. Se levantó dando un resoplido. La almohada y las sábanas se habían tornado calientes como la noche. Se puso la bata y caminó a la habitación contigua, donde Mimita dormía con Créola. Lucían tranquilas y para nada afectadas por el calor. De vuelta en su dormitorio, se aproximó a la ventana abierta, donde apoyó la frente sobre las rejas, cerró los ojos y soltó una larga espiración.

Caminó hasta la mesa de noche de donde extrajo el aceite de lavanda. Se sentó en una silla, apoyó los pies sobre el escabel y se levantó el camisón hasta las rodillas. Se masajeó el empeine y los tobillos, con suaves fricciones, más bien caricias, inspirando el aroma que la sedaba. Quería dormir, su cuerpo se quejaba de cansancio; su mente, sin embargo, no hallaba paz.

Alzó la vista y supo de inmediato que las siluetas que se perfilaban en su ventana pertenecían al señor Furia y a Quinto. Ahogó un grito de alegría y corrió hasta allí. Se sujetó a las rejas, y Artemio le cubrió las manos con las suyas.

—¿Cómo logró entrar?

—Me subí en el lomo de Cajetilla —se refería a su overo— y salté el tapial. Quinto trepó como un gato. —Rafaela rió—. No le molesta, 'tonce.

—No, claro que no. —Después de una pausa, le confesó—: No podía dormir.

—Yo tampoco.

—El calor es insoportable. —"Y el recuerdo de sus besos y del pala-pala, aún más."

Él la contempló a través de las rejas, y el encuentro de sus miradas se convirtió en un choque de profundas emociones.

—Rafaela —pronunció, en un tono denso y grave, y ella tuvo clara conciencia de que haría todo cuanto él le pidiese—. Véngase pa'la laguna. Pa'refrescarnos.

Sacó toallas del ropero y marchó por el corredor hasta la sala que daba al patio principal, donde Artemio y Quinto le salieron al encuentro. Se abrazaron, demasiado dichosos para hablar. Con el silencio bastaba. Rafaela se apartó y le rodeó la cara con las manos.

—Huela mis manos —le pidió—. Sé que le gustan mis olores.

—Quiero pasar tuita la noche oléndola. ¿A qué huelen sus manos maravillosas?

—A lavanda.

Rafaela se acuclilló y rodeó el cuello del puma y apoyó la mejilla en su enorme cabeza.

—Hola, Quinto.

—La andaba echando de meno, el muy canijo —comentó Furia—. Vamos.

Dejaron atrás la casa y, previo a dirigirse a la laguna, buscaron el caballo de Artemio que pacía junto al muro. Rafaela notó las riendas sueltas y le preguntó si no temía que se le escapase.

—No lo haría. 'Tá muy apegao a mí.

—Es increíble que Cajetilla no se espante ante la presencia de Quinto.

—Cajetilla é como un padre pa'l Quinto. De muy cachorro, lo llevaba en la grupa.

A orillas de la laguna, Furia se quitó las botas y las colocó sobre la hierba junto a las toallas y a los chapines de badana de Rafaela. El agua les lamía los pies, mientras contemplaban el reflejo de la luna sobre la superficie estática.

—Señor Furia, ¿está usted casado?

—No —contestó él, sin vehemencia ni sorpresa.

—¿Quizá comprometido para casarse?

—No. ¿Y usté? ¿Usté 'tá prometía pa'casar con alguno de la ciudá?

—No, claro que no. No habría venido hasta aquí de estarlo.

—¿Y su corazón? ¿Le ha pertenecío a algún cristiano alguna vé?

—Sí, una vez le perteneció a un muchacho de Buenos Aires.

Aunque formuló la pregunta intentando mostrarse desapegado, la respuesta se convirtió en una dura prueba para su mal genio. Nunca una mujer había despertado esos celos en él.

—¿Qué pasó con el muchacho?

—Murió peleando contra los británicos en el año siete.

—¿Y a quién pertenece aura su corazón?

—¡A usted! —contestó ella, casi ofendida.

Él estiró las manos y empujó la bata con lentitud deliberada, dándole tiempo para que comprendiese lo que ocurriría, para que dijese que no. La seda le lamió las pantorrillas hasta formar un montículo a sus pies. Furia la mantenía aferrada con el poder de sus ojos, y Rafaela se dio cuenta de que aguardaba a que lo rechazara mientras ella ansiaba que él prosiguiese. Se encontraban atrapados en la red de su anhelo. Rafaela jadeó cuando Artemio le pasó las palmas sobre las protuberancias que habían formado sus pezones bajo la batista del camisón. La sensación de aquel simple roce y la promesa de emociones más intensas ejercían sobre ella un poder al que no presentaría batalla. Que su mente despotricara cuando quisiese; su cuerpo no tenía intenciones de detenerse.

Furia la sorprendió tomándola entre sus brazos y pegándola a su cuerpo. Le suplicó al oído:

—Rafaela, no quiero que mañana se arripienta de ser mi mujer. Deténgame aura si mañana sentirá asco de mí.

La sonrisa suave de Rafaela lo desarmó. No recordaba haberla visto tan tranquila ni dueña de sí. Lo que ella expresó a continuación, le arrancó lágrimas, a él, que desde la muerte de sus padres no había vuelto a derramarlas.

—Lo amo, señor Furia, así como es usted, mal hablado, pendenciero, con argollas en la oreja, con un genio que hace honor a su apellido y hasta con olor a caballo. Lo amo como nunca amé a nadie porque nunca conocí a nadie con su nobleza, su pasión por el trabajo y su respeto por el prójimo. Lo admiro por su coraje, señor Furia, y por su orgullo sin vanidad. Lo amo porque usted es de las pocas personas que le mostró cariño a Mimita. Pero sobre todo lo amo porque a su lado no tengo miedo.

—¡Rafaela! —exclamó, enloquecido, y la abrazó con fiereza, sacudiéndola como si se tratase de una muñeca rellena de estopa en su codicia por conquistar con la boca y las manos cada centímetro de su cuerpo.

Ella siguió hablándole, con el aliento entrecortado, con la cabeza echada hacia atrás y el cuello expuesto a los besos, los mordiscos y a la intemperancia del gaucho.

—No lo conozco. Poco sé de su vida y de su índole. Sin embargo, confío, confío ciegamente en usted, señor Furia.

Pronto la tuvo desnuda frente a él. Era tan blanca que brillaba en la oscuridad. Le apartó el cabello para revelar sus pechos grandes y pesados. Se deleitó con la expresión que le alteraba las facciones mientras él le tocaba los pezones con la punta del índice, y sonrió al verla tambalearse y morderse el labio ante el impacto de la caricia. Se deshizo de la rastra y del tirador, del chiripá y de los calzones. Rafaela, con el brazo cruzado sobre los pechos y una mano ocultando el monte de Venus, lo observaba en silencio mientras él se bajaba las bragas. Se le demudó el gesto ante la visión del miembro erecto, y Furia advirtió que desviaba la vista y evitaba volver a mirar entre sus piernas.

La inminencia del acto definitivo e irreversible que se encontraba a punto de concretar le causaba pánico, que no bastaba para ahogar el deseo y la pasión que rugían como una tormenta en sus oídos y le llenaban de latidos y dolores el cuerpo y de osadía la conducta. Se aproximó y le pasó las manos por los brazos que habían sojuzgado al toruno. Su cuerpo despedía un aura de fuerza y poder que la conmovía y la hacía sentir a salvo. Por instinto supo que él jamás volvería esa fuerza contra ella. En puntas de pie, sintiendo cómo el torso velludo de él le tocaba los pezones, le besó la venda en el hombro y siguió subiendo por el cuello hasta alcanzar el lóbulo de su oreja y mordisquearlo. Lo hacía temblar, lo escuchaba exhalar con ruido, y la novedad de esa influencia sobre él acentuó el carácter osado y libre de su genio. Ni por un segundo volvió la vista atrás ni pensó en sus deberes hacia Dios o su familia, menos aún se preocupó por el futuro. ¿Cómo pensar en las consecuencias en un momento como ése?

Artemio perdió todo rastro de sumisión cuando la aferró por las nalgas y refregó su falo henchido de sangre en la entrepierna de ella. La obligó a arquearse para apoderarse de su cuello y rendirlo a la voracidad de su boca. Y ella se abandonó a sus besos y, aunque no adivinó su intención, le permitió que le sujetase la muñeca y le guiase la mano. Rozó algo húmedo y duro. Los dos reaccionaron al mismo tiempo: él profirió un ronquido a causa del contacto, y ella, una exclamación de pasmo y vergüenza. Furia la obligó a cerrar el puño en torno a su pene antes de regresar y perderse en su cuello. Era inexperta, pensó, ya que se limitaba a conservar la mano cerrada. No obstante, eso bastaba para enardecerlo. La obligó a recostarse sobre la marisma para cubrirla con su cuerpo y ocultar la luz de su piel, para cerrarse sobre ella y absorberla en él. La besó, infinidad de veces, le bañó el rostro y el cuello con su saliva y, cuando su boca mamó sus pechos, la hizo gritar.

—¡Quiero que sus besos sean sólo para mí! —la escuchó suplicar—. ¡Quiero que usted sea sólo para mí!

—¡Sí, sí, se lo juro!

Apresada en esa red de gemidos, gritos y placer, Rafaela pensó que jamás se había encontrado tan fuera de control y se dijo también que su imaginación no habría bastado para revelarle la profundidad que alcanzaba la intimidad entre un hombre y una mujer, o más bien, entre un gaucho y una mujer. La hipocresía no ganaría esta vez: ella era tan impúdica, descarada e irreverente como ese montaraz. Sin embargo, como una reacción autómata que no nacía de su verdadera índole sino de los nudos atávicos que la sujetaban desde la infancia, cerró las piernas al percibir que él le hurgaba ese sitio que ella apenas se tocaba al higienizarse y que nunca había visto.

—Tranquila —le susurró Furia—. Ya 'tá preparáa —añadió.

Le separó las piernas y la penetró con un impulso sordo. Se dio cuenta, demasiado tarde, de que, debajo de él, yacía una virgen. El desgarrón que propició con su pene le retumbó en los oídos. El chasquido del himen roto se reprodujo como un eco junto con los gritos de dolor de Rafaela, y su garganta se anegó de un sabor ferroso, como el de la sangre. Permaneció inmóvil, suspendido sobre ella, impotente ante la expresión doliente de sus facciones. Resolló, asombrado, algo furioso también.

—¿Qué mierda…? Usté… ¡Usté tiene una hija, carajo! Mimita…

Aun en la penumbra, Furia advirtió la palidez que se apoderaba de las mejillas de Rafaela y de la tonalidad violácea de sus labios. Salió de ella con extrema suavidad y se puso de pie. La vio colocarse de costado y cerrarse sobre sí misma. La sangre de la joven goteaba de su glande. Temió haberla lastimado más de lo normal. Corrió por una toalla, la envolvió y la cargó hasta su puesto, con Quinto y Cajetilla por detrás. Percibió cómo la rigidez de la muchacha le ocasionaba contracciones en los músculos. Abrió la puerta de un puntapié y la depositó sobre el catre donde había extendido el cojinillo y las caronas a modo de colchón. Ella, de inmediato, pegó las rodillas al pecho y volvió a cerrarse, transmitiéndole su miedo y rechazo.

Acercó a la cama un caparazón de mulita que, a modo de lebrillo, contenía agua limpia. Buscó uno de los pañuelos que usaba para cubrirse la cabeza, uno recién lavado, de un algodón suave. Lo empapó en el caparazón y lo estrujó. Realizó una delicada presión en las rodillas de Rafaela para que abriera sus piernas.

—No, por favor. No.

Artemio se inclinó y le besó la sien. Le habló sin apartar los labios.

—Rafaela, ¿por qué no me alvirtió que era virgen?

—Creí que lo sabía. —Su respuesta surgió como una exhalación.

—Mimita, ¿ella no é su hija, 'tonce?

—Mimita es mi hermana —admitió por primera vez.

—Quiero limpiarla como usté hizo conmigo. Por favor —le suplicó, apoyándole los labios todo el tiempo en la mejilla, en el ojo, en la sien—. 'Tará má cómoda dispués, lo prometo.

Se movió con cuidado para quedar de espaldas sobre el recado, si bien mantuvo los ojos cerrados, los labios fruncidos, los brazos sobre los senos y no abrió las piernas, por el contrario, las apretó para ahogar el persistente latido. Artemio no intentó apartarlas. Acarició su vientre y le humedeció los muslos con el pañuelo. Sentado en el piso, le susurró cerca del oído para calmarla con una cadencia áspera en la voz.

—'Tonce, usté ha sío solamente mía. Nunca jué de ese muchacho, el que luchó contra los herejes.

La negativa de Rafaela resultó casi imperceptible.

Se despertó sin sobresaltos. Levantó los párpados y percibió el brillo de la cabellera de Furia. Poco a poco, sus lineamientos cobraron nitidez. Él se hallaba de costado, en el catre y, con la cabeza apoyada en la mano, la contemplaba de un modo que le transmitió paz. Se preguntó cuánto tiempo había dormido. Parecían horas transcurridas plácidamente. Durmió como hacía meses no dormía.

—Perdón. —La voz apenas le salió.

—¿Por qué?

No pudo explicarle. Movió la cabeza para evitarlo. En ese momento, la belleza de ese hombre le molestaba. Sintió que Furia depositaba pequeños besos en el filo de su mandíbula hasta llegar al mentón.

—Vivimos pidiéndonos perdón —marcó él, con una risa—. É usté tan comedía que tiene miedo de equivocarse a cada paso.

—¿Por qué pensó que Mimita era mi hija?

—É lo que dicen.

—No me extraña —admitió con ecuanimidad, aunque la declaración de Furia la había turbado; ella no se hallaba al tanto de las murmuraciones—. ¿Piensa usted mal de mí, señor Furia? —Por el gesto de él, supo que no comprendía la pregunta—: Por haberme entregado a usted —explicó—, como una mujer de la mala vida —acotó, y Furia debió inclinarse para oírla—. Me entregué a usted sin estar casados. Es que no pude resistirme. No puedo resistirlo a usted. Esto que siento es más fuerte… No puedo contra esto.

—La verdá la hará libre —citó él, con una sonrisa—. Y la libertá es lo más preciao que tenemos. Naides con el alma en la chirona é feliz. Sea libre, Rafaela. Conmigo, nunca finja lo que no é. Conmigo, sea libre.

Parecía el demonio que la tentaba con palabras dulces y pecaminosas.

—¿En verdad no piensa mal de mí?

—¡No! —Se lo dijo sobre los labios, con un ardor que le reblandeció las extremidades.

—Hágame su mujer, entonces. —Él negó con la cabeza—. Por favor.

—Sufrirá y no quiero.

—Estoy siendo valiente para usted, señor Furia. No me rechace. Quiero ser su mujer. ¿Es que ya no me desea?

—Nunca he deseao a otra como a usté.

—Ahora me siento incompleta sin usted dentro de mí. ¡Compléteme, por favor!

Rafaela cerró los puños en las sienes de Furia. Él la estudió con esa fiera intensidad a la que no llegaba a acostumbrarse. Lo que sentía por él la desbordaba, resultaba incontrolable además de indescriptible pues jamás imaginó que se pudiera experimentar ese cataclismo de emociones.

—Artemio, amor mío —musitó.

Un gemido oscuro brotó de la garganta de Furia. La cubrió con su cuerpo para concederle lo que ella necesitaba en ese momento; para su deleite, sin embargo, tendría que esperar. El cuerpo virgen de Rafaela habría sido incapaz de recibirlo por completo esa noche.

—Mi madre decía: "Con besos tuito se cura".

Rafaela comprendió el significado de sus palabras cuando Furia le frotó el monte de Venus con el mentón antes de que su cara desapareciera entre los rizos de su pubis. Exclamó y gimió, escandalizada y excitada, al darse cuenta de que con su lengua le describía la zona prohibida. "Sea libre", la había conminado.

Ella sabía a gloria. Una réplica de los sabores y los olores de su boca y de su cuello se hallaba oculta entre los labios de su vulva, con dejos de un intenso dulzor. ¿Qué clase de mujer era ésa que sabía a fruta madura, a almíbar? La lamió como un gato lame la leche del cuenco hasta dejarla blanda y húmeda, lista para recibirlo.

Con los antebrazos apoyados a los costados del rostro de Rafaela, cuidando de no cargar todo su peso sobre ella, atento a cada detalle, a cada una de sus reacciones, la penetró con una lentitud y una paciencia que jamás habría empleado con otra. Lo hacía por ella, porque ella era especial, su Rafaela, su Rafaela de las flores y de los aromas como hechizos, Rafaela, la industriosa y la señorita bien, la temerosa y la valerosa, la recatada y la lujuriosa, la etérea y la carnal. "Rafaela mía." Existió un chispazo de conciencia antes de eyacular dentro de ella, antes de que su simiente —la que se había cuidado de no esparcir por la campaña y la ciudad— bañara las entrañas de esa mujer.

CAPÍTULO XI
La libertad

*N*unca dudó, nunca se arrepintió, nunca sintió temor porque sabía que ese ardor que la consumía y le quitaba la paz, lo consumía a él también. Le había entregado su virginidad; la única dote con que contaba era de él, un gaucho, un descastado, un ser despreciado. La pérdida la había lastimado físicamente; sin embargo, de aquel lacerante dolor sólo conservaba la sensación de embeleso y de dicha por haberse convertido en la mujer de ese hombre. Comprendía que, durante todos esos años, no había sido el miedo su peor compañero sino la falta de libertad. Era libre. Y poderosa. Y hermosa. Y amada. Y deseada. Y, sobre todo, era del gaucho Furia. Y era de él porque la tomaba donde se le antojaba, al igual que ella lo tomaba a él cuando quería. Se miraban de lejos, codiciando el cuerpo del otro, y se buscaban hasta encontrarse. Por esos días, Rafaela escribió en su libreta: *Me encuentro tan feliz que es como si mi alma se expandiera y desbordara los límites de mi cuerpo.*

Entre ella y Créola, habían limpiado el cobertizo y dispuesto la carreta con mantas y almohadones y una caja de madera que cubrieron con un mantel y donde acomodaron frasquitos con los perfumes y aceites que Artemio quería olerle en el cuerpo. Parecía el estrado de tía Clotilde, un sitio apartado, elevado sobre el terreno, frívolo y confortable, donde se amaban hasta la extenuación. Después, mientras sus cuerpos se secaban y las pulsaciones bajaban a ritmos normales, Rafaela le daba fruta en la boca. Había descubierto que las frutas eran su debilidad, junto con la torta de patay. Le gustaba descubrir los secretos del gaucho Furia, la fascinaba verlo reír a mandíbula batiente o inerme y entregado cuando alcanzaba un orgasmo. Le encantaba jugar con él, poner pedazos de durazno amarillo en sus pezones y ofrecérselos; o esconder una flor entre sus piernas, que él le quitaría con los dientes; o esparcir té de menta tibio en la depresión que formaba su vientre para que él lo bebiera. En ocasiones, se estudiaba en el espejo y sonreía con las mejillas coloradas por lo impúdica que se había vuelto. "Sea libre", la había invitado Furia, y ella cumplía el mandato. "Ésta es la verdadera Rafaela", se decía, la que se había entregado sin reservas, sin dejar nada atrás. Lo amaba con locura. Él lo sabía, se lo había confesado esa primera noche, porque ella no habría sido ella si no se lo hubiese dicho. Su impulsividad —que el padre Cayetano llamaba "desafuero"— la caracterizaba. "Sea libre", y así lo había sido. Él, en cambio, se mantenía como un hombre de pocas palabras, circunspecto y ecuánime, salvo en el sexo, porque se mostraba distinto en la intimidad, y era cuando Rafaela más cerca lo sentía, aunque él no hubiese pronunciado lo que ella tanto anhelaba oír: "La amo". Después de todo, él seguía siendo el gaucho Furia, un hombre hosco y corto de genio.

A veces, mientras mateaban en la cocina por la tarde y ella se presentaba con una excusa, lo estudiaba departir con sus hombres y se daba cuenta de que, cuando su voz sonaba, las demás callaban para oír el comentario con actitud solemne. La autoridad que inspiraba entre los suyos le confería una dignidad reservada y misteriosa. Habría querido ser como él, con ese dominio permanente sobre sí que le impedía arrepentirse a cada paso de lo dicho o hecho. Nada lo afectaba ni lo perturbaba. Habitaba en él el espíritu audaz y despreocupado de quien había vivido todo y a nada temía, todo lo conocía, nada lo sorprendía. Era la criatura más independiente que Rafaela conocía, ni siquiera parecía temerle a Dios, con quien aseguraba no hallarse en buenos términos. Había momentos en que la angustiaba sentirlo inalcanzable; sin embargo, cuando él le sonreía, no la mueca sardónica que empleaba para los amigos sino el gesto que le iluminaba los ojos y le suavizaba la severidad del rostro —casi parecía un niño feliz—, Rafaela se decía que había atrapado una estrella.

No sólo en la vieja carreta transformada en estrado, Artemio y Rafaela se amaban. Como ella decía, riendo, salvo en su cama, no quedaba sitio en la estancia en que él no la hubiese poseído. Las lecciones de equitación duraban poco y acababan por lo general en un revolcón en la hierba; en ocasiones, no terminaban de ensillar porque Artemio la tomaba contra la empalizada de la caballeriza; se trataba de cópulas desesperadas y rápidas, urgidas por el riesgo de ser pillados. Él ni siquiera se quitaba el tirador; liberaba su pene entre los pliegues de los calzones y del chiripá, mientras ella se bajaba las bragas con randas y encajes, que quedaban a un costado, sobre la alfalfa. Los pies de Rafaela apenas rozaban el suelo; Furia, hundido en ella, la mantenía empalada, fija contra la pared, con la mano sobre su boca para evitar que los chillidos atrajeran a los trabajadores. A veces, se amaban con un ánimo jocoso y retozón; en otras, él la miraba, emocionado, y a Rafaela le gustaba fantasear que le imploraba:

"Ámeme, ámeme siempre". Había ocasiones en que la poseía con un aire reconcentrado y fiero, demandante, casi violento, como desafiándola a quejarse, a oponerse, a contrariarlo, a negarle lo que por derecho le pertenecía. Ella no lo hacía, siempre se amoldaba a sus humores, y con palabras y caricias lograba apaciguarlo.

—Soy sólo suya, señor Furia.

Se había convertido en un juego entre ellos que siguiera llamándolo "señor Furia". Sólo transida en el placer del orgasmo, brotaba de su garganta un "Artemio" entrecortado e implorador.

El sentimiento que Furia le inspiraba tenía un aspecto mundano y terrenal, casi profano y pagano, como el propio Artemio Furia. Lo comparaba con Juan de Dios, y caía en la cuenta de que con él jamás se habría producido la comunión de carnes que, de modo natural, había nacido entre Furia y ella. Para demostrarle su afecto, Juan de Dios echaba mano de palabras corteses y gestos caballerosos de los que carecía el gaucho Furia. Jamás había existido la tensión sexual que explotaba cuando se hallaba cerca de Artemio. Los instrumentos de seducción de Furia eran su cuerpo y su temperamento de miradas ambiguas, de reticencias cargadas de significado; ambos, su cuerpo y su carácter, irradiaban una fortaleza y una constancia que no sólo provocaban efectos físicos en ella sino que la hacían sentir segura. A su lado, Rafaela se creía invencible.

La tarde del día en que Furia partió hacia *Bosque Alegre*, arreando el ganado de los Pueyrredón, llegó Ñuque a *Laguna Larga*, y la felicidad de Rafaela se completó. Apenas la vio, la anciana despejó sus ojos levantando los párpados como pergaminos y los fijó en los de ella con atención, hasta que volvió a esconderlos. Le palmeó la mano al pasar junto a ella y le dijo:

—Ya me contarás. Ahora debo descansar.

Por la noche, Rafaela se presentó en el dormitorio de la anciana con una bandeja. Deseaba compartir la cena en intimidad con su nodriza y con Mimita. La pequeña se subió al lecho de Ñuque y la abrazó. La mujer le besó la frente.

—Mi niña —susurró—. ¿Cómo has estado?

Mimita se tomó el colgante con los dijes púrpura y se lo mostró.

—¡Qué magnífica joya! ¿Quién te la ha regalado?

—A-tie-mo.

—Ar-te-mio —la corrigió Rafaela.

—¿Quién es Artemio?

Los carrillos de Rafaela se colorearon. Miró fugazmente a Ñuque y bajó las pestañas, mientras servía el caldo de gallina.

—Artemio Furia, un recomendado de don Juan Andrés de Pueyrredón, que vino a poner orden en la estancia. Él talló los dijes.

Mimita, que había abandonado la habitación, regresó con el peine y otros objetos que Furia le había dado. Los depositó sobre el regazo de Ñuque.

—Atemo —insistió.

—Veo que el tal Artemio Furia es un gran artista.

No se lo mencionó nuevamente. Comieron y conversaron sobre las novedades de la ciudad; en realidad, no había muchas. Aarón se hallaba en Montevideo, ayudando a su tío Rómulo en ciertos negocios. Tía Justa permanecía en San Pedro, de visita en casa de su hija Candela, mientras Clotilde despotricaba contra Rafaela por haber mandado llamar a Ñuque. De Cristiana, sabían que se encontraba a gusto en *Bosque Alegre* y que regresaría a la ciudad después del miércoles de Ceniza.

—El pobre de Paolino ha preguntado por la ingrata de Créola todos los días. Ella, en cambio —se quejó Ñuque—, ni me lo ha mencionado cuando llegué.

Rieron. Cuando las risas languidecieron, sus miradas cambiaron. La mano sarmentosa de Ñuque acariciaba el cabello rubio de Mimita, que dormía sobre sus piernas.

—Siempre supiste que era hija de mi padre, ¿verdad?

—Sí —admitió la mujer, imperturbable.

Eso le gustaba de Ñuque, que, al acertar con la pregunta, la anciana siempre contestaba con la verdad. En cuanto a lo demás, lo callaba. Rafaela se preguntó qué otros secretos conocería acerca de su familia. Ñuque era un cofre lleno de tesoros arcanos.

—Mi padre es un farsante —dijo, más bien deprimida.

—Tu padre es solamente un hombre, con sus debilidades y virtudes, como todos.

—¡Ñuque! ¿Llamas debilidad a abusar de su sobrina? ¡Yo lo llamo aberración! Ni siquiera acepta a Mimita. ¡La habría regalado! ¡A su propia hija! La desprecia porque no es normal ni bonita.

Se lamentó del exabrupto. De pronto, Ñuque lució agobiada, como si la culpa recayera sobre sus hombros.

—Perdóname. Quieres a mi padre como a un hijo y te duele que hable mal de él.

—Cristiana te reveló la verdad, ¿no es así? —Rafaela asintió—. Ella ama a tu padre y quiere casarse con él. Rómulo no lo hará porque sabe que con eso ganaría tu desaprobación y enojo. Y para Rómulo, hija mía, no existe nada ni nadie excepto tú. Después de que tu madre abortara tantos embarazos y de que tus dos hermanos murieran apenas nacidos, Rómulo perdió la esperanza de ser padre. Luego llegaste tú, que sobreviviste a un parto difícil, y él se enamoró de ti desde el primer momento en que te vio. Te llamaba "su guerrera" porque luchabas a capa y espada contra la muerte. Por días pensamos que no sobrevivirías y que seguirías la suerte de tus hermanos. Rómulo te tomaba en sus brazos y te daba ánimos, y tú seguías luchando. Así fuiste ganando peso y fortaleza, hasta que nos convencimos de que no te perderíamos como a los demás. Para ese entonces, tú te habías convertido en la dueña de tu padre, en el centro y sentido de su vida.

—Yo amo a mi padre, Ñuque, pero…

—No lo juzgues con dureza, Rafaela. No guardes ese rencor dentro de ti. Aunque tú digas que nunca casarás con nadie, llegará el día en que el amor de un hombre te aleje de tu casa y de tu familia. Entonces, mi Rómulo estará solo. En cambio, si no te opones a la boda con Cristiana…

—Ñuque —la interrumpió—, el amor ya ha llegado a mi vida.

Le refirió los detalles de su relación con Artemio Furia con la prodigalidad que jamás habría empleado en el confesionario. La anciana siguió el relato con esa atención apacible que siempre conseguía calmarla. Rafaela terminó abrazada a Ñuque, llorando en su regazo.

—No llores. Despertarás a la niña. Además, ¿por qué lloras si eres tan feliz?

—Porque sé que mi padre me repudiará y que jamás volveré a verlo, ni a ti, ni a mi tía Justa, ni a mi primo Aarón.

—¿Prefieres permanecer junto a tu familia y renunciar a él?

—¡No! —La negativa surgió de modo tan encendido que aun ella se sorprendió.

—Veo que no tienes duda —comentó Ñuque, con un tinte irónico—. ¿Qué te ocurre? —se preocupó, al ver que una sombra cruzaba el semblante de Rafaela.

—Ñuque —dijo, luego de una pausa—, el señor Furia y yo… —"¡Qué difícil!", admitió.

—El señor Furia y tú —la ayudó Ñuque— os habéis conocido íntimamente, ¿verdad? —Rafaela asintió, con el mentón pegado al pecho—. Está bien, mi niña. No te descorazones. Es algo natural y bello.

—Pero no estamos casados, Ñuque. Además, él… él me ha hecho cosas que…

—¿Te ha forzado o lastimado de algún modo? —le preguntó, con delicadeza.

—¡Oh, no! Por el contrario. Ha sido muy dulce conmigo. Sólo que, por ser gaucho, echa mano de prácticas muy pecaminosas, medio salvajes. Y lo peor, Ñuque, ¡lo peor es que a mí me gustan!

—Mejor así, Rafaela. —La muchacha levantó la vista—. No pienses en él como lo haría tu padre, con menosprecio. Él no es un gaucho para ti, por mucho que lo sea, sino un hombre, el que amas. En cuanto a sus prácticas, te diré algo, mi niña: un hombre y una mujer pueden echar mano de cualquier práctica en la intimidad, siempre y cuando ambos las disfruten y no salgan lastimados.

—¡Oh, Ñuque! —exclamó Rafaela, y abrazó el cuerpo menudo de la anciana—. ¡Gracias a Dios que viniste!

Artemio Furia regresaba de *Bosque Alegre* a galope tendido. Lo seguían Billy, "el rengo", y Juan, "el peludo", quienes lo habían ayudado a arrear el ganado; los demás habían permanecido en la estancia de Palafox. Sus hombres sospechaban que entre la señorita Rafaela y él había nacido una relación que sobrepasaba los lindes de la de patrona-empleado. No obstante, se cuidaban de mencionarlo, a excepción de Calvú Manque, que lo importunaba con bromas pesadas. "Nenguna china te ha pegao tan juerte, *peñi*", le había dicho antes de despedirse y después de que Artemio le encomendase la seguridad de Rafaela y de Mimita.

En verdad, meditó, ninguna mujer lo había afectado del modo en que lo afectaba Rafaela Palafox. Se comportaba como un mentecato, como cuando le pidió que mojara un fular con su perfume, el que llevó en el tirador durante esos cuatro días lejos de ella y en el que enterraba la nariz antes de dormirse. Cuatro días lejos de ella. Una inquietud desconocida había ganado su ánimo, tornándolo apesadumbrado e irritable. Le faltaba algo. Le faltaba ella. Sus olores, sus sonrisas, su cuerpo. Sobre todo su cuerpo. Níveo y blando y acogedor y generoso y suyo, pensó, con una codicia y un sentido de la propiedad que no le había provocado siquiera el de Albana, esa criatura bellísima y perfecta y diestra en la cama como no lo era Rafaela y, sin embargo, la ingenuidad y la impericia de esa muchacha doce años menor que él lo habían esclavizado. No se borraba de sus retinas ni desaparecía de sus oídos la mueca y el grito de dolor que acompañaron la embestida que la desvirgó. Apretó las riendas a la par de sus dientes imaginando el sufrimiento que le había causado. Si bien volvieron a amarse muchas veces —lo que para ella constituía una fuente permanente de asombro y descubrimiento—, él, que no había conseguido eliminar la mala memoria de aquel primer encuentro, no se permitió hundirse por completo en ella, porque era estrecha, y él, grotesco y grande. Desde pequeño, los niños de la tribu de Calelián se habían burlado de su apéndice largo y blanco, llenándolo de vergüenza y desconsuelo, hasta que su padrino, don Belisario, le explicó que, en realidad, una verga —así la llamó— grande se consideraba motivo de orgullo y jactancia. "M'hijo, usté la tiene como la de un toro", le había dicho, sonriendo y palmeándolo en la cabeza.

Nada deseaba más que Rafaela lo contuviera por completo, lo absorbiera todo, lo apretara y lo condujera hasta sus entrañas. De la entrega confiada de ella no albergaba duda, sino de su destreza y su dominio para guiarla y enseñarle a tomarlo hasta el final sin causarle daño. Presionó las rodillas sobre los flancos de Cajetilla y masculló una orden para soliviantarlo. El overo y Regino, el parejero de remuda, apretaron el paso, alejándose de Juan y de Billy.

Al llegar a la estancia, se precipitó a buscarla, desatendiendo a sus potros, que quedaron en manos de Bamba. El marucho lo miró, sorprendido.

—¡Bájales los cueros —gritó Furia a la distancia— y pásales la almohaza!

En tanto recorría los lugares donde podía hallarla, iba quitándose el sombrero de fieltro y el pañuelo de la cabeza, con el que se enjugó el sudor de la cara. Cuatro días. Cuatro largos días sin ella. Sabía que se armaría la de Dios es Cristo al saberse la noticia de que había raptado a una señorita decente, de familia acomodada. Porque había terminado por admitir que no la dejaría atrás. Aunque su vida no se hallaba preparada para recibir a una mujer, tendría que aprontarse y recibirla porque él, sin Rafaela Palafox, no se iría de *La Larga*.

La búsqueda infructuosa comenzó a inquietarlo. ¿Dónde estaba Rafaela? La casa, sumida en una pasividad infrecuente, lo desalentó. Un momento después, su corazón se desbocó ante una idea abominable: Rafaela había regresado a la ciudad. La angustia lo condujo por el predio con cara de desquiciado y un nudo atascado en la garganta. Contra toda probabilidad, regresó al cobertizo y abrió la puerta.

Rafaela se dio vuelta ante una exhalación ronca y ruidosa. Furia, de pie bajo el dintel, la observaba como si de una aparición se tratase, con ojos desorbitados y aliento irregular. Soltó la escoba de biznaga y corrió a sus brazos. Furia dio un paso adelante, pateó la puerta para cerrarla y la cobijó en su pecho.

—¿Dónde estaba? ¿Dónde estaba? —le demandó, enfebrecido, besándola y acariciándola—. ¡Traigo las tripas hechas trenza de la angustia! No podía encontrarla.

—¡Aquí! ¡Hace rato que estoy aquí! Dentro de la carreta, limpiándola para nosotros.

"Para nosotros." ¡Qué dulces sonaron esas palabras! "Nosotros." Hacía veinte años que él no pensaba en un "nosotros". Con ella, todo cobraba sentido. Le tomó el rostro entre las manos, pequeño, de contornos suaves y redondeados y de huesos delicados, y la estudió. Vio cómo sus ojos verdes brillaban, cargados de lágrimas, y esperó con el aliento contenido a que la primera desbordara y le mojara los dedos.

—¿Por qué llora? —le preguntó, mientras le barría las lágrimas con los labios.

—De felicidad. De felicidad pura. Porque usted ha regresado.

De pronto, la felicidad y la emoción del reencuentro se desvanecieron para dar lugar a un exceso que Artemio no pensaba reprimir. Sus manos le contuvieron el trasero y se lo masajearon con movimientos lentos y circulares, imitados por los de su lengua dentro de la boca de Rafaela. El leve tirón que Furia realizaba al separarle las nalgas enviaba una corriente que al final se convertía en un pinchazo de placer en el sitio prohibido. Rafaela gimió, vencida y relajada; los cuestionamientos que la habían atormentado durante su ausencia se esfumaron. No recordaría que Felisarda había comentado acerca de "la mujer que Juria tiene en la ciudad", una tal Albana, de la cual se decía que era actriz y cuya fama no sólo obedecía a que pisaba bien las tablas sino a su belleza.

Sí, olvidaría a Albana. El modo en que Furia estaba besándola la hacía sentir única. Le pasó una mano por la nuca y apoyó la otra en su mejilla sin afeitar, cerca de la boca. Entrelazó la lengua con la de él y lo escuchó resollar. Rafaela tuvo conciencia de que el último baluarte de cordura había caído cuando Furia le desnudó las piernas. La frisa de su guardapiés le acarició en su ascenso las pantorrillas primero, las corvas y los muslos después. Lo ayudó a desatar el cordón que le sujetaba la ropa interior, y él se la quitó sin detenerse ante los leves rasgones de la tela. Rafaela profirió un corto grito, que él sofocó con un beso febril, cuando las manos ásperas y grandes del gaucho le apretaron de manera dolorosa los glúteos desnudos. Siguió gimiendo y jadeando, arqueándose y estremeciéndose, en tanto los dedos de Furia descendían por la hendidura de su trasero y vagaban hasta lo que parecía haberse convertido en el centro de su ser. Como atacada por una convulsión, echó la cabeza hacia atrás cuando él la penetró con un dedo, luego con dos.

La humedad de Rafaela le empapó la mano. Su respuesta lo dejó atónito; nunca una mujer había reaccionado de ese modo a su provocación. Ella irguió la cabeza y levantó las pestañas con lentitud, como si recién despertase, y él pensó que sus ojos eran grandes e inocentes como los de un venado. Existió una pausa en que la sostuvo y se quedó mirándola. Se hallaba al límite de la excitación, con el pene como de hierro que pugnaba contra la franela de los calzones. Lo liberó con dificultad, mascullando entre dientes. Un temblor casi lo arrojó al suelo cuando la tibia mano de Rafaela se cerró en torno a él; con la otra, le acarició los testículos. Se sujetó a ella en busca de equilibrio y apoyó la frente en su hombro.

—Naides me ha hecho temblar como lo hace usté, mi Rafaela. 'Toy duro como una piedra. Hoy quiero que me reciba tuito dentro de usté. Completo. Hasta aquí —dijo, y se tomó los testículos.

Calló de repente. Él era silencioso en el sexo, Albana siempre se lo recriminaba. Sin embargo, ese breve discurso había brotado de manera espontánea y natural, y habría querido expresar otros pensamientos que el rostro acalorado de Rafaela le inspiraba. La emoción terminó por enmudecerlo. Ella le observaba el miembro y se pasaba la lengua por el labio en una actitud entre inocente y ambiciosa. La envolvió con sus brazos, más en una actitud protectora que apasionada, y le buscó los labios, y con su mano regresó para acariciarla entre las piernas, y las caricias se volvieron fricciones hasta que le provocó un orgasmo. Rafaela despegó su boca de la de él y emitió un gemido como un sollozo y cerró las manos en los hombros de Furia cuando sus piernas cedieron. Él la observaba con embeleso, sonriendo. Era tan maravillosa mientras el placer la demudaba. Estuvo allí, esperándola, cuando ella levantó los párpados y volvió a la realidad del cobertizo, jadeando y con los carrillos encendidos.

La hizo girar y la apoyó contra la pared de adobe. Se aferró el miembro y le pasó el glande, hinchado y oscuro, por la hendidura entre las nalgas, esparciendo las gotas que lo lubricaban. Ella gemía y se movía en respuesta al estímulo, y en vano intentaba sujetarse a algo.

La sangre corría con velocidad por las venas de Furia, y un sonido ensordecedor explotaba en sus oídos. La penetró con un impulso que despegó los pies de Rafaela del suelo. Ella se deslizó sobre él, tragándolo, envolviéndolo, conteniéndolo. Artemio respiraba con dificultad, la frente sobre la coronilla de Rafaela y los brazos extendidos sobre la pared para conservar el equilibrio. Su pene palpitaba dentro de ella, a punto de reventar. Las embestidas comenzaron con cautela y poco a poco tomaron un ritmo que profetizaba un final que Artemio, sabía, jamás había experimentado. Sus caderas la empujaban con mayor ímpetu a cada momento, impeliendo su falo más adentro. Que ella lo contuviese en su totalidad, por favor, que ella se abriera a él, porque lo necesitaba, *la* necesitaba, con locura, a su Rafaela, a su Rafaela de las flores, amor mío, ábrete a mí. Su boca se negaba a pronunciar las palabras, hablaba su cuerpo y buscaba una fusión con esa mujer como no lo había hecho en su vida. Mientras levantaba la pelvis para sacudir su carne dentro de Rafaela, le observaba la parte derecha del rostro, la otra había quedado aplastada contra la pared. Su boca entreabierta sobresalía como si se dispusiera a dar un beso, tentándolo con su color, su humedad, con el aroma que exhalaba en cada jadeo. Se inclinó para devorarla, para chupar el labio inferior. Rafaela giró apenas la cabeza y le salió al encuentro. Tomó su lengua y la succionó.

La contención ya no fue posible. Impulsado por una fuerza extraordinaria, Artemio se desprendió del beso, llevó la cabeza hacia atrás y tensó el cuerpo. El orgasmo le quitó la respiración. Su miembro reventó dentro de ella. Tembló y gritó sin temperancia. El placer devastador continuaba como una corriente sin fin, él seguía eyaculando como si en lugar de cuatro días de abstinencia se hubiese tratado de cuatro años. En medio del delirio, escuchaba a Rafaela, sus delicados gemidos ahogados por sus roncos gruñidos. Éxtasis, euforia. Moriría, su corazón no resistiría. Apoyó la frente en la pared y estiró los brazos en cruz, cubriendo a Rafaela por completo. Los latidos se volvieron pesados y dolorosos, lo mismo su respiración. Tomaba grandes inspiraciones para colmar sus pulmones y alcanzar un ritmo regular.

Se dio cuenta de que cargaba todo su peso sobre Rafaela y se apartó unos centímetros para permitirle respirar con normalidad. Sin salir de ella, la arrastró con él al suelo, donde quedó sentado sobre sus calcañares. Rafaela, a horcajadas en las piernas de Furia, apoyó las rodillas a los costados, sobre el suelo, y echó las manos hacia atrás, buscando un punto para sujetarse. Artemio la envolvió con los brazos y hundió la nariz en su cuello.

—Señor Furia —Rafaela le habló sobre la mejilla barbuda—, lo que usted acaba de hacerme es lo más hermoso que he sentido en mi vida. Gracias —añadió, en un susurro.

—Jamá había sentío ansina —admitió él—. ¡Rafaela! —se conmovió de pronto—. Pensé que moría cuando no la encontraba. Me pareció que se había marchao.

—¿Marcharme? ¿Sin usted, señor Furia? Yo ya no podría vivir sin usted.

Artemio se mordió el labio y apretó los ojos. Por fortuna, ella no atestiguaba ese momento de flaqueza. La calidez de Rafaela, la significación de sus palabras, la entrega y la pasión de su cuerpo, la largueza con que lo había aceptado en su carne y el placer que le había regalado, todo en ella suavizaba su naturaleza ríspida, su genio malhumorado, su alma atormentada y su corazón mortalmente destrozado. Las garras de odio clavadas en su interior se aflojaban. Las caricias de Rafaela cicatrizaban las heridas. Sus besos borraban las malas memorias.

—Rafaela —pronunció—, usté no tiene idea lo que su amor significa pa'mí —dijo, casi sin pensar, más bien como si meditara en voz alta.

—Dígamelo, señor Furia. Quiero saber. ¿Qué significa?

Se mantuvo en silencio, buscando las palabras que describiesen el alboroto de sentimientos que estaba cambiándolo de manera irreversible.

—Significa vida. Vida y alegría. Usté es l'único pa'mí. Quisiera seguir dentro de usté pa'siempre. —Y pensó, en inglés, como le había enseñado el padre Ciriaco para no olvidar su lengua madre: "Porque si estoy dentro de usted estoy a salvo de los demonios. Porque usted me quita el frío de la muerte. Porque si la miro, aquellas imágenes aberrantes que me han atormentado día a día durante veinte años se desvanecen. Porque si sus ojos verdes y bondadosos me contemplan con amor, entonces, mi vida cobra sentido". Quizás obedeciendo a su inveterada costumbre de ocultar, de callar y de protegerse, guardó esos pensamientos para sí.

Rafaela se movió para acomodarse, y el miembro reblandecido de Furia se endureció de nuevo dentro de ella. Pocos minutos atrás se había agotado en su interior, y, como ya no era un zagal sino un hombre de treinta, la pronta recuperación lo sorprendió. Le mordió el hombro a través de la tela del jubón.

—Ábrase el justillo —le murmuró—, que quiero tocarle los pechos.

Rafaela obedeció con la diligencia y sumisión que la caracterizaban y que a él lo complacían. Apoyó la nuca sobre el hombro de Furia y gimió ante el contacto de sus manos callosas.

—Están duros como mi verga —lo escuchó decir, mientras sus pezones giraban entre el pulgar e índice del gaucho—. ¿Cómo se siente? ¿'Tá muy dolorida? —Rafaela meneó la cabeza en su hombro—. Yo 'toy caliente de nuevo —expresó, con el acento que empleraría para disculparse—. Y no se me queje, qu'é por su culpa —añadió, y un escalofrío le erizó la piel de los brazos cuando Rafaela estalló en una carcajada.

—Perdóneme —expresó, entre los últimos vestigios de risa.

—La perdono si me deja amarla otra vez.

—¿Aquí, señor Furia, en el suelo, conmigo sobre sus piernas?

—Sí —jadeó él, excitado sólo por oírla pronunciar su "señor Furia"—. Abra bien las piernas pa'mí.

—Así lo haré. Abriré mis piernas cuanto pueda —dijo, mientras apartaba las rodillas— porque quiero complacerlo. —Arrastró los labios por su mandíbula y le confió—: Quiero complacerlo siempre. Siempre. Toda mi vida.

Se le cortó el habla cuando Furia la levantó para deslizarla de nuevo sobre su miembro. La carne enardecida de ambos se estremeció. Rafaela sintió una quemazón en la vagina y se quejó. Artemio permaneció quieto, aguardando a que ella se habituase a la invasión de su pene. La tomó por las caderas para indicarle el vaivén que lo excitaba y después volvió a sus pechos para juguetear con los pezones porque sabía que la volvía loca de deseo. Ella reaccionó de inmediato. Los movimientos circulares de su pelvis se intensificaron para enterrarlo cada vez más profundamente, como si nunca bastara, como si lo necesitara en sus entrañas.

Rafaela clavó las uñas en las piernas de Furia cuando la sensación eléctrica se concentró y explotó entre sus piernas. Un espasmo de placer empujó a Artemio hacia delante y arrastró a Rafaela en su caída. Los brazos de él recibieron el impacto y la salvaron del golpe. Ambos terminaron de bruces, ella sobre el suelo de tierra apisonada, él, sobre la espalda de ella. El peso de Furia le resultaba abrumador y, a un tiempo, estimulante. Le gustaba sentir el calor de su torso y absorber el aroma de su sudor con una nota punzante que ella identificaba con sus actividades amatorias. Furia se impulsaba dentro de ella, una y otra vez, y sus embistes la mecían. Notaba la dureza del suelo en sus pezones y en su mejilla izquierda y, como casi tocaba la pared con la cabeza, Artemio la protegía colocando la mano en su coronilla. No se daba cuenta de que contenía el aliento y apretaba los labios, mientras arqueaba las caderas y las movía para introducirlo dentro de ella. Quería experimentar la sensación maravillosa nuevamente, infinitas veces. Pensó en la gula, en la lujuria, en la fornicación, en los actos impuros, en tantas faltas que cometía al mismo tiempo. Era demasiado tarde para arrepentirse, de igual modo, no le importaba. Se olvidó como por arte de magia de su índole de gran pecadoriza cuando el punto que se inflamaba y palpitaba entre sus piernas se dispuso a estallar otra vez. Ahora, ya viene, se acerca, sube, sube, crece, sí, sí, ya llega.

—¡Oh, Artemio! —clamó.

Furia la siguió un instante después y lanzó un grito como si lo hubiesen herido de muerte, ajeno a la brutalidad con que se enterraba en ella, buscando saciar el hambre que le causaba. Su voz fue extinguiéndose junto con las arremetidas y cayó exhausto sobre la espalda de Rafaela. Permanecieron tendidos en el suelo del cobertizo por largos minutos, hasta que, con un esfuerzo de voluntad, él se puso de pie, la cargó en brazos y la llevó a la carreta.

* * *

Los hombres de Artemio Furia comenzaban a inquietarse y a preguntarse cuándo se marcharían de *Laguna Larga*. Día a día, cumplían con las tareas como si fuesen peones permanentes, sabiendo que el dinero que cobraban salía de la faltriquera de Artemio, porque don Juan Andrés ya había pagado por lo que había prometido. Exponían a Calvú Manque sus inquietudes, y el indio se mostraba evasivo, lo mismo que Furia.

—Don Beli ha de andar con el Jesú en la boca preguntándose por qué no hemos llegao a Morón.

—Lo sé, Calvú —admitió Furia—. Enviaré a Billy y a Isidoro con un mensaje pa'mi padrino.

—¿Ellos arriarán el ganao de Palafox hasta tu campito en Morón?

—Ya no compraré el ganao de Palafox. He decidío llevarme a la señorita Rafaela conmigo, Calvú. Ella ya no andará pasando apremios. Si su padre o su primo andan urgíos de riales, que vendan ellos esas vacas estropeáas.

—¿Llevarte a la señorita Rafaela contigo? ¿Qué dices, *peñi*?

—Me la llevo porque la quiero pa'mí. La quiero como mi mujer.

—¿Qué bicho te ha picao, *peñi*? Nunca has querío amancebarte con nenguna, ni siquiera con la Albana. Sempre me decís que hasta no cumplir con aquello, no pensarás en mujer ni en hijos. —Artemio lo miró con seriedad, y Calvú Manque supo que no le contestaría—: ¿Acaso te olvidarás de aquello y plantarás la búsqueda?

—¡Nunca! —contestó, con los ojos llenos de fuego.

—¿Se te ha cruzao por el balero que ella no é mujer pa'un hombre como tú? Estas gentes nos miran como oliendo mierda, *peñi*. Ella é una misia refináa, de esas que tienen esclavas y prendas finas. ¿Aguantará nuestra vida?

—*Peñi*, no creas que no he pensao en lo que 'tás diciendo. Sé que la señorita Palafox es refináa y culta, pero también la vide trabajar duramente en estas semanas. No é melindrosa como las otras de la ciudá.

—É verdá, é muy trabajadora, no le teme a ensuciarse las manos. É bien guapa.

—Me la llevo, Calvú. A la niña también. —Despué de una pausa, agregó—: Además, podría estar preñáa.

—¿Preñáa? Sempre te has cuidao de no...

—Con ella no, *peñi*.

—¡Ah, carajo que se te ha ablandao la sesera con esta china!

—Puede que sea —admitió.

—¿Cuándo nos iremos, Artemio?

—Nomá la haiga hablao.

Para Artemio Furia, que poseía un espíritu temerario y que, por convicción, jamás se permitía arredrarse o echarse atrás, la desazón en que lo sumía la posible negativa por parte de Rafaela y el miedo a enfrentarla le acentuaban el humor hosco y la cortedad de genio. En ocasiones cobraba ánimos, en especial cuando ella utilizaba locuciones como "para siempre" y "toda mi vida". ¿Cómo olvidar que, antes de entregarse a él por primera vez, le había confesado: "Lo amo, señor Furia, así como es usted, mal hablado, pendenciero, con argollas en la oreja, con un genio que hace honor a su apellido y hasta con olor a caballo"? Pero ahí no terminaba la cosa. Él era eso, un mal hablado, un pendenciero, un gaucho, tenía argollas en la oreja (tantas como cristianos e infieles había despachado al otro mundo), y más aún. Sólo que ella no lo sabía. Al pedirle que huyese con él, le expondría la verdad completa, sin suavizarla. A su lado debería olvidarse de las prendas bonitas, de las tertulias y de las fiestas, de las orquestas y de los bailes, de las amigas y de la gente distinguida para vivir a su modo, como la mujer de un gaucho, con su gente y en su campito de Morón, en una casa que en nada semejaba a las lujosas residencias de Buenos Aires, o bien viajando largas distancias, porque él no se avendría a dejarla para que otro se la robara. Ella era su mayor tesoro.

Rafaela, que lo notaba taciturno, no se atrevía a preguntarle el motivo. Temía que admitiera que se había cansado de ella y que se largaría en poco tiempo para proseguir con su vida de paisano errante. Se quedó mirándolo dormir. A juzgar por el modo en que acababa de hacerle el amor, sus escrúpulos eran infundados. No obstante, persistían.

"¡Señor, qué criatura tan perfecta y hermosa has creado!", pensó, en tanto sus ojos vagaban por los lineamientos de su cara y por su cuerpo. Ella se hallaba sentada en el interior de la carreta, apoyada sobre los adrales cubiertos de cuero, mientras Artemio yacía de espaldas, la cabeza sobre sus piernas y las manos, de dedos largos y delgados, descansaban sobre un torso tan peludo que ella, cuando deseaba lamer sus tetillas, se abría paso entre la espesa mata rubia como el arado que amelga la tierra. Aunque de rostro curtido y oscuro, en aquellas partes donde el sol no lo tocaba, su piel era casi translúcida. Con delicadeza para no despertarlo, enredó los dedos en el vello de sus pectorales y probó la dureza de su carne, y se enorgulleció al concluir que se trataba de la consecuencia de su trabajo con las reses y los caballos. Pocas veces había visto tal despliegue de fuerza y pericia combinadas. Descendió hacia el ombligo. Sonrió al advertir que el miembro de Furia respondía a su caricia.

Al despertar, Artemio se encontró con los pechos de Rafaela columpiándose sobre su rostro. Un dije turquesa le colgaba del cuello. No controló el acento desconfiado y duro con que preguntó:

—¿Quién le ha dao eso? —y lo balanceó con el índice.

—¿Qué sucedería si le confesase que me lo ha obsequiado un hombre?

—Usté no querría saber.

—Sí, quiero saber. Dígamelo.

—Lo degollaría por haberse atrevío a darle algo a mi mujer. —La aferró por los brazos y la atrajo hacia él. Le habló cerca de la boca—. Y después la mataría a usté por acetarlo.

—Ñuque —contestó ella—, me lo ha regalado Ñuque. —Lo besó en los labios para aplacarlo con la paciencia de una taurina, como habría apuntado tía Pola—. Cuando le conté que usted tenía los ojos de un turquesa similar al de su talismán, se lo quitó y me lo entregó. ¿Y estos anillos? —quiso saber a su vez, y levantó el tiento de cuero que Artemio jamás se quitaba.

—De mis padres —dijo, cortante.

Furia no había hablado de sus padres salvo para informarle que estaban muertos. Sin entrar en detalles y poniendo en claro que no le gustaba referirse al pasado, había mencionado sus años en el convento y la educación que el padre Ciriaco le había impartido. "Hablo como mi gente porque ansina me he acostumbrao dispués de tantos años y porqu'é con ellos que comparto la vida", le explicó, marcando el acento campestre a propósito, cuando ella le manifestó que la desconcertaba que se expresara de ese modo cuando podía emplear un perfecto castizo. "¿A usté le molesta?", la había cuestionado. "Usted bien sabe que no", había sido la contestación de Rafaela.

—¿Hace mucho tiempo que perdió a sus padres?

—Veinte años —dijo, reluctante.

—¿Murieron juntos? —Furia asintió—. ¿Cómo fue?

—Los desgraciaron.

Rafaela se quedó mirándolo. El instinto le marcó que no ahondara en la cuestión. Podía ver el sufrimiento que lo embargaba. Sintió tanto amor por él en ese momento que habría deseado que su dolor pasara a ella para librarlo de la carga.

Tomó el frasco con su perfume y se mojó detrás de las orejas, a lo largo del cuello y entre los pechos antes de inclinarse sobre su nariz y tentarlo. Ya había reparado en el poder que sus aromas ejercían sobre la voluntad del gaucho Furia. Él comenzó a olisquearla, de manera renuente al principio, con avidez creciente a medida que las manos de Rafaela se paseaban por su miembro y sus testículos de manera indolente.

—Huélame, señor Furia. Sé que es algo de mí que le gusta. Huélame hasta saciarse. Soy toda suya, señor Furia, con mis aromas y con todo lo que hay en mí.

Ante esas palabras, Artemio la tomó por los brazos y la apartó para mirarla con esa expresión inescrutable que le resultaba familiar, aunque turbadora.

—¡Dios mío, Rafaela! —exclamó, y Rafaela quedó perpleja porque sabía que él jamás usaba el nombre de Dios en vano, no tanto por respeto como por resentimiento y orgullo—. Usté, Rafaela, es l'único que no me hace perder por completo la fe en este mundo. Por usté sería capá de vivir otra vé tuito lo que he vivío. Por usté, Rafaela. Sólo por usté, mi Rafaela.

—Y yo, por usted, señor Furia, daría mi vida. Lo amo, señor Furia, como jamás he amado a nadie. Como nunca amaré a nadie. Lo sé. Sé que usted está grabado a fuego en mi corazón y que ya nadie podrá borrarlo de allí.

—Que naides me borre de su corazón —suplicó él, con feroz ansiedad—. Que naides se atreva a borrarme de su corazón.

Se incorporó para tumbarla sobre las mantas que cubrían las tablas de la carreta y la penetró lentamente, sin apartar la vista de ella. Rafaela Palafox componía la visión más maravillosa que él conocía, pero en el gozo, ella se convertía en un espectáculo sublime. Le robaba el aliento.

Días atrás, Rafaela había recibido una nota de su amiga Pilar Montes donde le informaba que Melody Blackraven, condesa de Stoneville, y ella deseaban visitarla en *Laguna Larga*. Proponía un día y una hora. Rafaela, emocionada, garabateó un "Sí, os espero con ansias" y le devolvió el papel doblado al mensajero.

Esa tarde, por fin conocería a la famosa Melody Blackraven, la mujer que por mucho tiempo se había encontrado en el centro de las hablillas de Buenos Aires. Su prima Cristiana, que la había conocido en casa de Rafaela del Pino, más conocida como la virreina vieja, aseguraba que "la negrófila", como la llamaba su madre, Clotilde, no era ni bella ni agraciada y que tenía la figura de un tonel. "Dicen que está en estado de buena esperanza", adujo Rafaela en aquella ocasión. "Pues le costará mucho recuperar su figura, si alguna vez la tuvo", profetizó su prima.

Como se trataba de una jornada agradable de principios de marzo, con el cielo diáfano, acomodaron una mesa y varias sillas en el patio principal, donde la brisa arrastraba el perfume de los muguetes que trepaban por las columnas de la galería. Rafaela echó un vistazo a su alrededor y quedó conforme con el resultado. La mesa, cubierta con un mantel blanco de hilo, reflejaba la alegría que anidaba en su corazón. Gracias a las provisiones compradas por el señor Furia en San Fernando de la Buena Vista, la habían colmado de manjares y bebidas. Del jardín de Rafaela, habían obtenido las flores del ciclamor y del naranjo amargo para decorarla. Incluso Rafaela se había acicalado para la ocasión, y creía que el jubón de muselina en un tenue amarillo y la basquiña de bombasí en un tono verdemar le sentaban a su tez pálida y acentuaban el color de sus ojos. Se estudió en el espejo de su dormitorio y se vio hermosa, con una tonalidad saludable gracias al papel con polvo de cochinilla que Créola le había pasado por los pómulos. Sus ojos lucían grandes y brillantes, en parte porque los había aclarado con té de manzanilla y también porque Créola le había arqueado las pestañas apretándolas contra la parte cóncava de una cucharita caliente. Su tocado consistía en dos trenzas que le rodeaban la cabeza como coronas y en las cuales Peregrina había colocado pequeñas flores de muguete y de azahar. Se perfumó con prodigalidad y sonrió al imaginar la mueca de Furia ante ese festín de aromas. ¿Qué estaría haciendo en ese momento? Se encontraría en el rodeo, o en el potrero con los caballos, o curando la herida de un toro o ayudando a parir a esa vaca que estaba a punto de reventar. Amaba verlo reconcentrado en sus labores. La pasmaba la pericia y el conocimiento con que se desempeñaba. Su vigor la volvía blanda de deseo. Esparció en sus labios el bálsamo con sabor a vainilla, mientras una idea que cobraba vigor la hacía sonreír como una bribona. "Esta noche", prometió.

Mimita lucía muy linda también, con su vestidito de tafetán rosa y sus chapines blancos. Rafaela la perfumó con una colonia almizclada, le ajustó el moño en cada trenza y la abrazó.

—Te quiero, Mimita —le dijo al oído, y percibió que las manitos de la niña se ajustaban en su espalda.

Cerca de las cuatro, Peregrina entró en el patio, sacudiendo los brazos y vociferando como una gallina clueca. La señora Pilarita y su amiga, la condesa, acababan de llegar. Rafaela, con Mimita de la mano y sus esclavas como escoltas, salió a recibirlas. Dos carruajes estacionaron frente al portón principal, y a Rafaela le dio la impresión de que nunca acababan de vaciarse. Muchos niños, varias mujeres y un hombre exótico, con turbante y aspecto amenazador, componían el grupo. Rafaela supo, apenas posó sus ojos en ella, quién era la condesa de Stoneville. "Ha recuperado la figura." Pilar Montes las presentó.

—Señorita Palafox —dijo, y tendió sus manos a Rafaela, que las tomó con incomodidad pues no se acostumbraba el contacto físico entre los porteños—. ¡Tenía tantos deseos de conocerla!

—Al igual que yo, señora condesa —admitió, con una corta reverencia.

—Nada de señora condesa. Llámeme Melody.

—Y vuesa merced, por favor, llámeme Rafaela.

Habituada al silencio y al orden, Rafaela se vio desbordada por las risas y los gritos de los niños. En medio de la algarabía, Melody realizó las presentaciones. Rafaela asentía con una sonrisa y no recordaba los nombres. La hechizaba la manera natural con que la condesa desplegaba su encanto y repartía su amor a todos. Pensó en tía Clotilde, en cómo habría desaprobado esos modos francos y abiertos, que implicaban muchos apretones de manos, besos y sonrisas, todo lo que ella detestaba, aunque concluyó que, si la condesa de Stoneville hubiese mostrado preferencia por conocer a su hija Cristiana en lugar de a ella, para tía Clotilde se habría constituido en el epítome del buen gusto y de la delicadeza, ya no la habría llamado "negrófila" y hasta habría desestimado que concediera el mismo trato a Pilar Montes, baronesa de Pontevedra, que a la tal Miora, una negra.

Ante el asombro de Rafaela, Melody se acuclilló frente a ella y tendió la mano hacia Mimita, que se ocultaba entre los pliegues de su basquiña, atemorizada por la invasión de niños y de ruidos disonantes.

—Tú debes de ser Mimita, ¿verdad? ¡Qué vestido tan bonito llevas! Y mira qué zapatos tan elegantes. Ella es Rosie, mi hija. —La niña se aproximó con el paso vacilante del que recién empieza a caminar, y un paquete en la mano—. Vamos, Rosie, entrégale el regalo a Mimita. Esto es para ti, cariño —dijo Melody.

Una pelota se formó en la garganta de Rafaela y enseguida un escozor le ganó los ojos. Con disimulo, bajó la cara, sacó el pañuelo que llevaba bajo el puño y se secó las lágrimas que amenazaban con desbordar. Se acuclilló a su vez.

—¡Oh, señora condesa! No debería haberse molestado.

—Llámame Melody, por favor. Quienes me conocen saben cuánto me irrita que utilicen mi título para llamarme.

—Disculpe. Abre tu regalo, tesoro. —Mimita rompió el papel de arroz que cubría la caja. Rafaela la abrió—. ¡Qué magnífica muñeca! ¡Mira, tesoro, qué bonita es! Dile gracias a Melody. Vamos, dile "gra-cias".

Mimita, en cambio, se echó al cuello de la condesa y le dio un beso ruidoso y salivoso en la mejilla. Todos rieron, incluso el tal Somar.

Tomaron asiento en torno a la mesa. Créola y Peregrina llenaron los vasos con horchata, hordiate y té de menta, y repartieron los dulces, masas y confites. Todos parecían disfrutar la tarde. Rafaela suspiró, complacida.

—Entiendo que eres muy hábil con las plantas y las flores —comentó Melody—. El señor Belgrano me aseguró que sabes tanto como el naturalista Haenke.

No supo qué responder. No sabía que Manuel Belgrano, amigo de Corina Bonmer, hubiera reparado en ella alguna vez.

—Manuel —terció Pilarita— te ha dicho la verdad, Melody. Tú misma has podido comprobar las dotes de nuestra querida Rafaela al ver el jardín del hospicio.

—No logro imaginar —dijo Melody— la belleza de *tu* jardín, Rafaela, si has conseguido que el nuestro luzca tan espléndido.

—En verdad, Melody, mi jardín, el de nuestra quinta en Buenos Aires —aclaró—, es mi orgullo. En primavera, cuando todas las plantas florecen a porfía, con tantos aromas y colores que se entremezclan, su exuberancia lo vuelve casi vulgar.

—Me han referido Pilar y Lupe que fabricas perfumes y afeites.

—Y también velas, jabones, pastillas para pebeteros y rosarios de pétalos de rosa. Los preparo con las flores y las plantas de mi propio jardín. Si gustan, las invito a conocer la habitación donde Créola, Peregrina y yo fabricamos nuestros productos, aquí, en *La Larga*. Aunque debo admitir que es un taller precario. El de la ciudad es realmente muy completo.

—¡Me encantaría conocerlo! —aseguró Béatrice, prima de la condesa.

A punto de incorporarse, Rafaela vio ingresar en el patio a Artemio Furia con el desenfado que había adquirido en las últimas semanas. Él se detuvo de pronto ante el inesperado cuadro.

—Disculpen —dijo, y volteó para retirarse.

—¡Señor Furia! —Rafaela abandonó su sitio y caminó hacia él—. Por favor, señor Furia, no se vaya. Me gustaría presentarle a unas amigas. —Se miraron fijamente—. No se vaya, por favor —le suplicó en un susurro.

—¡Atiemo! —Mimita abandonó la muñeca y a sus nuevos amigos, corrió donde el gaucho y se abrazó a sus piernas. Él la levantó en brazos y continuó observando a la concurrencia con cara difidente.

—Pase, señor Furia, por favor —insistió Rafaela.

—Señoras —dijo Artemio, y se quitó el pañuelo para inclinar la cabeza.

Rafaela atestiguó el instante en que los ojos de Furia se detuvieron en la condesa de Stoneville, y advirtió el cambio en su expresión, cómo la tensión de sus músculos se relajaba, y apreció la lentitud con que se entreabrían sus labios y la luz que pareció circundarlo y que le dio un aspecto de beatitud, como si hubiese hallado lo más preciado para él. No se equivocaba: la condesa de Stoneville había farfullado, casi sin aliento: "¡Dios mío!", y su semblante también reflejaba el impacto del encuentro con ese hombre. Se contemplaron durante unos segundos.

Al alternar la vista de una a otro, Rafaela cayó en la cuenta de que la tonalidad de sus ojos, los de la condesa y los de Furia, era la misma, ese sólido turquesa, casi inverosímil. Carraspeó, se compuso e inició las presentaciones. El ambiente se había enrarecido y, después de que Furia se excusó, no prosiguió la conversación amena del principio. Media hora más tarde, las invitadas regresaron a San Isidro.

Rafaela se incorporó dentro de la cuba que le habían acondicionado para bañarse. El agua tibia despedía el perfume del aceite de bergamota, y, si movía la cabeza, la inundaba el del aceite de almendras que llevaba en el pelo. Los aromas que desde hacía años formaban parte de su vida habían adquirido un nuevo significado, el que les había dado el señor Furia. No usaría de nuevo su perfume sin pensar en él, ni se frotaría con el bálsamo de melisa sin recordar el efecto que le ocasionaba, ni se colocaría manteca de cacao en los labios sin evocar la voracidad de sus besos.

Una lágrima se mezcló con las gotas de agua que humectaban sus mejillas. Artemio Furia había deseado a la condesa de Stoneville con una intensidad que no había podido ocultar; la deseó abiertamente, como su espíritu arisco y libre se lo permitía. Por su parte, la condesa de Stoneville se había conmovido ante la belleza de sus facciones y la imponencia de su figura. En cierta manera, la comprendía; ella también había sido víctima del conjuro que ese hombre echaba sobre las mujeres, el conjuro que a ella la había privado de cordura, moral y sentido común. Recordó las palabras de Créola, que parecían tan lejanas en el tiempo: *La Felisarda dice que a Furia, donde sea que vaya, nunca le falta un palenque donde rascarse. La campaña ha de estar poblada de sus guachitos.* Y pensó en la actriz, la tal Albana, y en las otras que lo amarían. Un hombre como él no permanecería fiel a un amor si existían tantas mujeres dispuestas a entregárselo a manos llenas.

Rafaela lloró en silencio y amargamente. Lo quería sólo para ella o no lo quería. Se puso de pie y permaneció quieta en la cuba, aguardando a que el agua escurriera junto con las lágrimas. Bajó la vista y se miró. Estaba desnuda por completo. Ya no usaba el camisón de liencillo para bañarse, otra costumbre decente a la que había renunciado desde la pérdida de su virginidad. De pronto, la urgió la determinación de recuperar lo que había abandonado por él. Necesitaba aferrarse a las máximas y a los principios desechados durante esas semanas de locura y pasión. Resultaba imperioso volver a ser la Rafaela de antes.

Dio un respingo y ahogó un chillido al advertir que alguien se movía en la habitación. Artemio Furia emergió de un sector oscuro y caminó hacia el círculo donde la bujía echaba una luz trémula y amarillenta. La contemplaba con una severidad que le dio miedo. Se cubrió los pechos y el triángulo entre las piernas. ¿Cuánto tiempo había permanecido oculto, observándola? Podía ser sigiloso si se lo proponía.

—¿Cómo entró en la casa? —quiso saber, con voz quebrada.

—La Créola me dejó entrar. ¿Qué pasa? —Se dirigió a ella en un susurro áspero y exigente—. ¿Por qué llora? ¿Por qué se cubre?

Rafaela salió de la cuba y se envolvió con la toalla. Volvieron a mirarse a través de la corta distancia y de la penumbra. Lo vio avanzar con rapidez, sin arrancar un sonido al piso de ladrillos, y caer sobre ella para tomarla por los brazos, justo bajo las axilas. La sacudió para que lo mirase, pero ella se negó.

Artemio quería que le dijera a la cara que ya no lo amaba, que la visita de sus amigas refinadas la había llevado a evaluar cuánto perdía al unirse a un paria como él. El mal presentimiento que lo embargó al ver a ese grupo tan peripuesto junto a su Rafaela, que ya no vestía las sayas y blusas de género barato sino un jubón y una basquiña costosos y que se había coloreado las mejillas y peinado con un tocado bastante complicado, permaneció el resto de la tarde y creció por la noche mientras el tiempo pasaba y ella no se escabullía para encontrarse con él. En ese momento, sintiéndola fría, las sospechas se convirtieron en certezas.

—Dígame lo que tiene que decirme —le exigió, cerca de los labios.

—¿Qué tendría que decirle?

—¿Por qué no vino a mí esta noche? 'Tuve esperándola como un zonzo ahí juera.

—¿Tengo que ir cada noche?

Artemio hundió sus dedos en la carne de Rafaela y apretó el ceño. Hizo ademán de hablar y calló. Sus respiraciones agitadas componían el único sonido de la habitación, que crispaba las feroces emociones en que se hallaban envueltos.

—Cada noche. Sí, cada noche —repitió, con los dientes apretados—, cada día, cada hora, cada minuto. Usté é mía, Rafaela, y la quiero pa'mí, sempre.

—En cambio, usted, señor Furia, no me pertenece. —Él manifestó su desconcierto levantando las cejas—. Una vez le dije que quería que sus besos fuesen sólo para mí, que *usted* fuese sólo para mí.

—Y yo le juré que ansina era. Yo no juro al ñudo, Rafaela.

—Pues mintió.

Pensó que la destrozaría. Jamás había visto esa furia en su mirada. Le temió como nunca había temido a un ser humano. Su intensidad y fortaleza la envolvieron y le quitaron la respiración. La mano de Furia se cerró en torno a su cuello y lo apretó, causándole un cosquilleo incómodo en la garganta.

—¡Suélteme! —alcanzó a articular.

—Jamá güelva a dudar de mi palabra. É porque soy lo que soy que ya no me quiere, ¿verdá? ¡Dígamelo! No sea cobarde.

—¿Qué dice? ¡Es usted un necio! ¡Lo quiero! ¡Lo quiero de esta manera desesperante! ¡Lo quiero a pesar de saber que usted no merece mi amor! Porque para usted, yo sólo soy una más.

Furia se echó hacia atrás como si hubiese recibido un empujón.

—Usté é l'única —dijo, con escaso aliento, y se quedó mirándola, sin pestañear, agitado, perplejo.

—¡Descarado! ¿Cómo se atreve a decirme que soy la única después de haber devorado con la mirada a la condesa de Stoneville? ¿Piensa que soy idiota? ¿Acaso ciega?

—No —dijo en voz baja, y levantó la mano para acariciar el cuello de Rafaela, donde le había hecho daño. Ella se retiró, se alejó, le dio la espalda—. Rafaela. —Se aproximó con prudencia, temiendo espantarla—. Rafaela, amor mío.

Rafaela se mordió el labio, cerró los ojos y ajustó los brazos en torno a la toalla. Era la primera vez que la llamaba "amor mío". "Dígalo una vez más, señor Furia. Por favor, una vez más."

—Amor mío —lo escuchó pronunciar de nuevo, y en un instante se halló en la trampa que constituía su abrazo. Él la había obligado a volverse y la apretaba contra su pecho y la besaba y le pasaba las manos por el cuerpo, completamente abandonado a sus instintos y a sus pasiones—. Amor mío —repetía—. Mío. Mío y único.

La toalla cayó a sus pies, y Rafaela quedó perdida entre las ropas y los brazos de él, envuelta en su aroma a tabaco y humo. El género del poncho le raspaba los pezones, el metal del tirador se clavaba en su vientre, y los empeines le picaban a causa de los flecos del calzón. Desnuda y descalza, se sintió pequeña e inerme. Él se erguía como un titán sobre ella.

—'Tonce, ¿no va a dejarme?

—No. No podría —admitió ella, ya sin orgullo ni rabia.

Furia le buscó los labios y los devoró. No se trataba de un beso. Él no estaba besándola sino tratando de aplacar en ella la locura de miedo y furia que se había desatado en su interior al creer que la perdía. La lamía, la succionaba, la mordía. Arrastraba sus labios calientes por su boca, sus mejillas y su cuello. Le apretaba el trasero y la restregaba contra su bulto. Rafaela notó que se deshacía del tirador y liberaba su miembro. Lo sintió duro y viscoso contra el vientre.

La tumbó en la cama, y Rafaela, aunque movida por otra disposición, levantó las piernas y le permitió que se introdujera dentro de ella. Artemio vibró mientras se deslizaba en la apretada calidez de su vagina y explotó segundos después. Rafaela lo contempló en el orgasmo, extasiada al verlo abrir la boca en un grito mudo, que terminó por convertirse en un gemido prolongado, ronco, que al final se tornó afónico. La mecía con brutalidad, mientras impulsaba su pelvis para eyacular cada vez más dentro de ella. Se desplomó, extenuado por la pasión.

Rafaela lo envolvió con sus brazos y le besó la cabeza. Alcanzó a comprender que Furia le susurraba:

—Durante el día, intento arrancarla de mi cabeza. Pero cuando cae la noche, la ansío. Tanto. Tanto.

Rafaela guardó silencio y siguió acariciándole la espalda y el cabello, creyéndolo tan suyo que deseó no sentir así. Artemio Furia no pertenecía a nadie. Las lágrimas brotaron y resbalaron por sus sienes.

—Rafaela —pronunció Artemio, conmovido al verla llorar—, hoy, cuando vide a la condesa, me pareció que era otra persona. Creí que…

—¿Qué creyó, señor Furia?

—Creí 'tar frente a mi madre. Creí que volvía a verla. Tuito me la ricordaba, su mirada, el color de su pelo, el de sus ojos.

—Era igual al suyo —apuntó ella—. Turquesa.

—Rafaela, no vide a la condesa como un hombre vide a una mujer, como yo a usté, sino como un hijo a su madre.

—¿Tan parecida es la condesa a su madre?

—Mi madre se jué hace veinte años y a veces su cara se va de mi mente. Pero hoy… Hoy la ricordé como si juese ayer. La condesa me la ricordó.

—Lo siento, señor Furia. Lamento haber desconfiado de usted. Creí morir cuando sus ojos se posaron en ella. La condesa también se mostró afectada. Aunque eso no debería sorprenderme. Sé bien lo que su belleza causa en las de mi género.

Artemio se puso de pie. No apartó la mirada de Rafaela mientras se desvestía. Su pene comenzó a erguirse y sus testículos se volvieron pesados. Lo tenía en un puño, lo dominaba como a un niño sólo por mirarlo de ese modo, por estar allí tendida, desnuda, con las piernas volcadas hacia un costado, los pechos relajados y generosos. Su piel blanca, casi iridiscente, lo atraía en la oscuridad de la habitación. Se acostó sobre ella y escuchó que se le cortaba el aliento al recibir el peso de su cuerpo.

—Rafaela. Rafaela mía. ¿Soy lindo pa'usté? —Ella exhaló un suspiro de exasperación que causó la risa de Artemio—. Dígamelo. Dígame que yo le gusto a usté.

—Señor Furia —habló la joven, pasado un momento—, usted sabe lo que pienso porque lo leyó en mi libreta. La primera vez que lo vi me quedé mirándolo como necia, alimentando su vanidad, acrecentando su soberbia. No finja que no lo recuerda porque mi actitud fue tan palmaria que hasta un ciego la habría notado. —Artemio lucía divertido con la confesión y volvió a carcajear—. No se ría. Ya ni dignidad me queda para ocultarle que imagino a las otras, mirándolo como yo lo hice, boquiabiertas y ofreciéndose a usted para que las ame; los celos me ciegan y despiertan en mí una hostilidad que no sabía que existía en mi interior. Me hacen sentir mundana y frívola.

—Le juré que era sólo pa'usté —insistió, mientras la besaba en el cuello y le imprimía un caricia húmeda y caliente en su descenso hasta los pechos.

—¿Qué ha visto en mí, señor Furia? —Se arqueó y jadeó cuando Artemio usó la punta de su lengua para dibujarle el contorno de la areola—. No soy hermosa como la condesa ni como mi prima Cristiana, la que conoció en *Bosque Alegre*. ¿Qué ve en mí cuando me mira?

Artemio sonrió sobre su pezón y se propuso no iluminarla acerca del efecto que causaba en los hombres; por ejemplo, no le mencionaría que don Juan Andrés había quedado medio enamorado de ella, ni que Mariano Orma, amigo de Buenaventura Arzac, andaba preguntado por la señorita de las flores ni que Manuel Belgrano la admiraba como a pocas. En verdad, su belleza se soslayaba con el primer vistazo, porque no se reducía a facciones perfectas sino a un conjunto de elementos —el matiz de su voz, la tonalidad untuosa y pareja de su piel, la dulzura de su carácter, la buena disposición que mostraba, los aromas que despedía su cuerpo, el color y tamaño de sus ojos, su pasión por las plantas, la voluptuosidad de su figura y la poca conciencia de sí misma—, los cuales, a medida que iban descubriéndose —y sólo los descubriría aquel que contara con la paciencia y el discernimiento para ver más allá de una simple cara bonita—, delineaban a una persona completa, cuerpo, alma y temperamento, que podía definirse con la palabra "tesoro". Quien ganase su favor, jamás querría perderlo. Artemio experimentó una exultante euforia: Rafaela Palafox sólo le había pertenecido a él, y si bien lo fastidiaba que hubiese amado al tal Juan de Dios, se consolaba diciendo: "A nadie ha querido como a mí", porque a nadie se había entregado en cuerpo y alma. Para eso lo había elegido a él, un gaucho, un mal entretenido.

La tomó por los hombros y, riendo, dio un giro en la cama para quedar de espaldas, con Rafaela a horcajadas sobre su pelvis.

—¿Quiere saber qué veo cuando la miro?

De pronto, Rafaela no quería saber. Ella no era bonita. ¿Qué le diría? No deseaba que le mintiera para complacerla. Se inclinó sobre él y le ofreció sus pechos porque, al menos de eso estaba segura, él los encontraba apetecibles. Se los pasó por las mejillas y se estremeció con el contacto de su barba. La tenía espesa y dura. Hacía días que no se rasuraba.

—Me gustan sus comisuras, señor Furia. Son marcadas, muy varoniles. Me gusta besarlas justo en el pliegue —dijo, para distraerlo.

—¿No quiere que le diga qué veo cuando la miro? —Rafaela negó con la cabeza—. ¿Qué quiere, pué?

—Usted sabe —dijo, evitando su mirada.

Artemio sonrió, esa sonrisa amplia en la que mostraba sus dientes perfectos, en la que destacaba su nariz, pequeña y afilada, en la que se le formaban arrugas en torno a los ojos, que chispeaban con picardía. Rafaela suspiró, abrumada por tanta belleza.

—Quiero que me lo diga —insistió, y sus manos comenzaron a vagar por la espalda de ella—. Quiero que me diga qué quiere que le haga. —Rafaela volvió a sacudir la cabeza, y Artemio advirtió que sus carrillos se coloreaban—. Quiero oírselo mentar.

Rafaela lo contemplaba con una seriedad que a Furia le daba risa. Se habían amado muchas veces y, en general, de formas poco ortodoxas; ella se había entregado con confianza y, sin embargo, le costaba expresar lo que deseaba.

—¿Por qué no me lo dice?

Rafaela le susurró al oído:

—Me da vergüenza.

Artemio reflexionó que nunca una mujer había despertado en él tanta pasión y ternura al mismo tiempo.

—A mí no me daría vergüenza porque me fío de usté. ¿Usté se fía de mí?

—Sí. En nadie confío como en usted, señor Furia.

—Rafaela —susurró él, y levantó los brazos para acunarle el rostro con las manos.

Ella se reclinó sobre él y volvió a hablarle al oído:

—Se lo diré. Le diré lo que quiero. Quiero que mis pezones estén en su boca y que usted los chupe como si estuviera alimentándose de mí. —Las pupilas de Furia se dilataron y Rafaela sintió en el vientre la presión de su miembro que crecía—. Quiero también que me chupe aquí —dijo, y se señaló entre las piernas.

—¿Dónde? —la instigó él, con una voz oscura que la enmudeció—. Dende aquí, no veo. Dígame cuál é la gracia de esa parte.

—No lo sé —admitió, en un hilo de voz, y enseguida agregó—: En verdad no sé su nombre, pero sé cómo se llama su dueño. Él es el gaucho Artemio Furia, el único que la ha tenido alguna vez, él único que la tendrá siempre.

Con un movimiento rápido que la asustó, Furia se incorporó y quedó sentado frente a ella, rodeado por sus piernas. Entonces, él inclinó su cabeza y le dio lo que ella había pedido. Y después, mientras la tenía saciada entre sus brazos, le confesó:

—Cuando la miro a usté, mi Rafaela, veo a mi mujer, a l'única a que he querío, a l'única que he deseao, a la que llevo clavá'aquí —y se golpeó el pecho—. No llore, Rafaela. No le he dicho esto pa'que llore.

—Lloro de felicidad, Artemio. Ahora me doy cuenta de que ésta es la primera vez que soy feliz. Y se lo debo a usted. Mi señor Furia.

Roger Blackraven y su anfitrión, Abelardo Montes, conversaban después de la cena, disfrutando de un excelente coñac y de unos vegueros fabricados con el tabaco de *La Isabella*, la finca de Blackraven en Antigua. Después de discutir asuntos de negocios, Montes comentó:

—Sus compatriotas andan queriendo quedarse en el Río de la Plata. Parece que el comercio aquí se les da bien. Pero Cisneros se muestra renuente a permitirles que se queden. Los ingleses se han unido, formando un pequeño comité. A la cabeza está Alexander Mackinnon, cuyas gestiones lograron que el Sordo prorrogara el plazo hasta el 18 de abril.

—Estuve con ellos en Buenos Aires. Me comentaron la situación.

—El doctor Moreno es su notario. Están bien representados —aseguró— y harán lo posible para quedarse, incluso sacar a Cisneros.

—¿De veras? —Blackraven simuló sorprenderse.

—Las aguas están muy turbulentas, Roger. La marejada que azota la España alcanza estas costas. La muchachada criolla anda con los espolones de punta. No quieren saber nada con que nos gobiernen Juntas españolas, las cuales, según ellos, no tienen soberanía sobre nosotros. Alegan que nosotros pertenecemos a la Corona de la España, no a la España misma. Y si la Corona no está, dado que Napoleón la mantiene prisionera, entonces nosotros tenemos derecho a gobernarnos por nuestra cuenta. En medio de este escenario, los comerciantes ingleses aprovechan la situación. Además, cuentan con el apoyo de la flota inglesa recalada en las costas del Plata. Querido amigo, estamos sentados en un polvorín.

Más tarde, antes de retirarse a la habitación que Blackraven compartía con su esposa en la estancia de San Isidro, propiedad de los Montes, cruzó unas palabras con el turco Somar, que había acompañado a Melody a San Fernando de la Buena Vista.

—Todo marchó bien. Miss Melody conoció a la señorita Rafaela Palafox y pasó un momento agradable. Aunque ocurrió algo que llamó mi atención. Apareció un hombre, un paisano, por las prendas que usaba, aunque de aspecto extraño.

—¿A qué te refieres con "aspecto extraño"?

—A que era rubio, muy rubio, y sus ojos de un turquesa similar al de miss Melody. Ella se mostró muy sorprendida al verlo y se quedó mirándolo fijamente. La señorita Palafox lo presentó. Dijo que se llamaba Artemio Furia.

—Sí, lo he sentido nombrar. Es amigo de Eddie. —Somar ensayó un gesto de asombro—. Está bien, Somar. Vete a descansar. Buenas noches.

Blackraven marchó hacia su dormitorio con un ánimo negro. Encontró a su esposa amamantando a Rosie, y Melody creyó que el vistazo que le dispensó se debía a eso; hacía meses que le pedía que destetara a la criatura. "Terminarás piel y hueso", le reprochaba a menudo.

La niña se quedó dormida con el pezón en la boca. Melody le limpió la leche de las comisuras, la obligó a eructar aun dormida y la recostó en la cuna ubicada al lado de la cama. Se aproximó a su esposo y le abrazó el torso desnudo por detrás. Enseguida percibió su enojo.

—¿Qué ocurre, Roger?

—¿Cómo te fue esta tarde en lo de Palafox? —disparó él.

—Bien, aunque…

—¿Aunque qué?

—Sucedió algo que me ha dejado inquieta. Mientras compartíamos unas bebidas en el patio de la casa, apareció un hombre, un peón, imagino, al que Rafaela presentó como la persona que está haciéndose cargo de la administración de la estancia. Su nombre es Artemio Furia.

Blackraven giró con brusquedad, y Melody advirtió la ira que fulguraba en sus ojos azules.

—¿Qué hay con el tal Furia?

—Es que... ¡Oh, Roger! De pronto pensé que tenía a mi padre frente a mí.

—¿Qué?

—Sí, a mi padre. Furia me lo recordó de un modo tan vívido e intenso que me quedé mirándolo como tonta. Di un espectáculo lamentable, lo sé. La impresión me hizo actuar así.

—¿Qué puede tener en común un hombre de la campaña con tu padre?

—Si bien su cabello era rubio, no como el de mi padre, que tiraba a rojizo, así, como el mío, sus facciones y sus ojos eran los de él. No puedo quitármelo de la cabeza.

—Así que te recordaba a tu padre.

—Sí, vívidamente.

Blackraven experimentó alivio cuando los celos se esfumaron. Terminó de higienizarse y se metió desnudo en la cama.

—Ven —le ordenó a su esposa, que acomodaba la ropa y los enseres—. Deja eso, mujer. Te necesito aquí conmigo.

Melody se acostó junto él y se acurrucó en su abrazo.

—¿Qué edad crees que tiene el tal Artemio Furia?

—Diría que unos treinta —calculó Melody.

—El parecido con tu padre podría tratarse simplemente de una casualidad o bien Artemio Furia podría ser su bastardo.

—¿Hijo de mi padre? Oh, por Dios...

—Dime, cariño, ¿qué sabes de la familia de tu padre?

—Muy poco, en realidad. Mi padre no hablaba de su pasado en la Irlanda ni de su familia, salvo para despotricar contra los ingleses y para relatar la ordalía por la que lo habían hecho pasar cuando lo torturaron. Ni siquiera después de la llegada de Enda a *Bella Esmeralda*, él se mostró afecto a recordar los viejos tiempos. Y Enda, por supuesto, jamás mencionaba su vida pasada. Pero te referiré lo que sé.

CAPÍTULO XII
Déjala ir

*A*rtemio Furia despertó, e incluso antes de abrir los ojos, se sintió contenido en el perfume de Rafaela, potenciado por los sudores de la noche. Sonrió, siempre con los ojos cerrados, y tomó una gran porción de aire, que le expandió el pecho desnudo. Su memoria no registraba otro momento en que hubiese experimentado tanta dicha como en esa mañana junto a Rafaela.

Sus comisuras bajaron lentamente cuando resabios de la tristeza y de la furia, viejas compañeras de camino que le habían moldeado el carácter, se colaron en sus pensamientos. Terminó juzgando como una traición el sentimiento que lo llevaba a agradecer estar vivo. Imaginó el rostro de su madre, tan nítido después de haber visto a la condesa de Stoneville el día anterior, y se esforzó por borrar la imagen de su cuerpo frío y ensangrentado. Quería evocarla sonriendo y acariciándolo. Apretó el *claddagh* y, por primera vez en veinte años, le habló en gaélico: "*Màthair*, se lo entregaré a Rafaela. Espero que lo apruebes".

Después de tanto tiempo, la mala jugada del destino, la que lo había preservado de los enemigos de su padre aquella noche del 5 de junio de 1790, adquiría una significación.

—Furia.

Los párpados de Artemio se dispararon. Créola se inclinaba cerca de su rostro. Se asombró de no haberla escuchado.

—¿Qué ocurre? —susurró.

—Tiene que irse. Mencia y Felisarda ya están en la cocina. No quiero que lo vean salir de la casa.

—¿Qué hora é?

—Las cinco y media.

—Carajo —masculló.

Jamás se quedaba dormido. Pensó en Calvú Manque y en los demás, que debían de estar trabajando en el rodeo desde hacía una hora.

—Iré a la cocina para evitar que Mencia y Felisarda se metan en la casa —propuso Créola—. Usté váyase rapidito.

Esperó a que la esclava saliera del dormitorio antes de apartar la sábana. Se movió con cuidado para no molestar a Rafaela. Que siguiera durmiendo, pensó; debía de estar exhausta después de una noche como la que habían compartido. Se vistió deprisa, sin desviar la mirada de su mujer, que dormía desnuda, de costado, con las manos bajo el mentón y las rodillas cerca del pecho. Lucía tan estática que se acercó para verificar que respirara. Debía de estar loco para seguir perdiendo tiempo, acuclillado junto a la cama, oliéndola y acariciándole la pierna. "Es un secreto", le había dicho Rafaela cuando él le preguntó con qué fabricaba su perfume, aunque después consintió en revelarle la parte fundamental de la fórmula. "Aceite esencial de rosas, de bergamota y de naranjas dulces." Él quiso saber con qué nombre lo había bautizado. "No lo he bautizado de ninguna manera en especial", admitió ella, "siempre pienso en él como en 'mi perfume'. Desde hoy lo llamaré *Amor*". Le explicó que *Amor* era una fragancia exclusiva, que ella no vendía a nadie. "Aunque ya no volveré a fabricarla", anunció, "porque cuento con poco aceite esencial de rosas". Artemio se enteró de que, a diferencia de otros destilados, el de rosa no lo obtenía en el alambique de su rudimentario laboratorio sino que compraba el que importaba Demetrio Solá. "Necesitaría miles de rosas para conseguir algunas gotas de aceite", explicó. Sin embargo, el aceite que comercializaba el boticario Solá costaba una fortuna y ella no podía permitírselo.

Artemio la cubrió con la sábana, le besó la sien y se marchó. Halló a sus hombres repartidos entre el rodeo y el potrero y les informó que en dos días partirían rumbo a la Cañada de Morón.

Rafaela tomaba té de menta sentada frente a la contraventana de la sala principal que daba a la galería del primer patio. Ñuque, que tejía en su telar, cada tanto levantaba la vista al escucharla suspirar. Mimita jugaba con su muñeca, bautizada Melody en honor a la condesa de Stoneville, cerca del escabel donde Rafaela apoyaba los pies.

La joven se llevó la taza a los labios y sorbió el té, haciéndolo jugar en su boca, queriendo empaparla de ese sabor que a Furia tanto gustaba. La actitud de reposo en la que se hallaba, después de una jornada de intenso trabajo, no revelaba la verdadera disposición de su espíritu. Experimentaba una dicha que la conducía por disquisiciones que le arrancaban una sonrisa, por ejemplo, agradecer a Dios que la estancia *La Larga* se hubiese encontrado en estado lamentable pues de otro modo no habría conocido a Furia; o peor aún, agradecer a Dios que su padre hubiese participado en la asonada del nueve, la cual había propiciado el abandono de *La Larga* y el consecuente pedido de auxilio de don Íñigo. Cualquier sufrimiento del pasado se justificaba a la luz de los acontecimientos que la habían guiado a los brazos de Artemio Furia.

El tiempo de tomar una decisión se aproximaba. Esa mañana, Ñuque expuso su deseo de pasar la Cuaresma en la quinta de la calle Larga, por lo que en breve emprenderían el regreso a Buenos Aires. La idea de volver a esa casa, con su tía Clotilde y con Cristiana, resultaba insoportable. Tampoco deseaba enfrentar a su padre, a pesar de que hacía más de un año que no lo veía. Se preguntó si Aarón habría conseguido revocar las demandas que lo mantenían en Montevideo. No le importaba. Rómulo Palafox, tarde o temprano, echaría mano de sus conexiones y amistades para quedar limpio y recuperar su sitio entre las familias porteñas. Todo volvería a ser como antes. Su padre continuaría bregando en el seno de la Audiencia Real para obtener la Ejecutoria de Nobleza que certificara que él, como bisnieto del marqués de Montalbán, tenía derecho al título y a las prerrogativas aparejadas, obtenidas gracias a sus antepasados, los Pineda y los Bracamonte, que en tiempos de Carlos II y Felipe III, se habían destacado como militares. Hacía tiempo que Rómulo luchaba por ese reconocimiento. No había resultado fácil conseguir el primer documento con el cual se iniciaba el penoso trámite, llamado "certificado de pureza de sangre", que aseguraba que en la familia Palafox y Binda no existían rastros de sangre judía, ni mora, ni negra, ni de otras castas. Ellos eran cristianos viejos y españoles puros y, como tales, nunca se habían envilecido realizando trabajos mecánicos.

Recordó la tarde en que Rómulo las congregó en su despacho y, con orgullo, procedió a la lectura del certificado, emitido a partir de los papeles arribados de Madrid y gracias al testimonio de don Martín de Álzaga. *Esta familia es limpia de toda mala raza de moros, judíos, mulatos y de los recién convertidos a nuestra Santa Fe. Ninguno de sus miembros ha sido castigado por el Santo Oficio de la Inquisición ni por otro tribunal con pena que induzca infamia. Se declara que tampoco se han ejercido oficios mecánicos ni viles.* Aunque amaba a su padre, la fastidiaban las molestias que se tomaba para pasar a formar parte de la aristocracia española. Lo vivía como una humillación; Rómulo mendigaba un reconocimiento que, en el fondo, todos sabían que no merecía. Sospechaba que había pagado una fuerte suma por el certificado y que lo haría también por la Carta Ejecutoria de Nobleza. Le dolía la certeza de que Rómulo evocaba de continuo a su padre, Ambrosio Palafox, y nunca a su madre, Engracia Binda, porque ésta había sido criolla. Parecía olvidar que su esposa, Rosalba Barquín, lo había sido y que su hija lo era también.

No quería ni podía formar parte de la hipocresía de la casa de la calle Larga. Artemio Furia le había enseñado a ser libre. Su felicidad dependía de él. No obstante, una nube gris se suspendía en el horizonte ya que se acercaba el fin de la temporada en *La Larga* y Furia no mencionaba qué ocurriría con ellos. Se negaba a dudar de su honorabilidad. La noche anterior le había confesado que la consideraba su mujer y que la llevaba clavada en el corazón.

Mimita lo vio primera. Rafaela se giró en el confidente al escucharla pronunciar su "Atiemo". Lo descubrió en el ingreso de la sala principal, con esa mirada enérgica que acusaba un rápido dominio de la situación. "Es formidable", pensó. Aunque seguía sin afeitarse y su barba se le espesaba con el correr de los días, la blusa corralera y la camiseta que vestía estaban limpias, y se notaba que se había aseado después de las faenas con el ganado. Al quitarse el sombrero, reveló el pelo recogido en una coleta; un tiento de cuero le circundaba la frente. "Es formidable, orgulloso y poderoso", insistió. Su porte, casi aristocrático a pesar de las prendas, no la engañaba; un sustrato de salvajismo acechaba bajo ese modo desenvuelto y tranquilo; ella lo sabía capaz de matar. Su mirada impasible al mismo tiempo se mostraba alerta; los movimientos desmañados de su cuerpo podían convertirse en los de un felino. Pensó que se trataba de un hombre complejo y, sin embargo, también lo juzgaba práctico y de un gran sentido común; sobre todo le admiraba que, a diferencia de ella, se tomara las cosas con calma y no le temiera a la vida.

Artemio cruzó la mirada con la de Ñuque, que, para estupor de Rafaela, dedicó al gaucho una sonrisa de encías casi desdentadas que no le conocía.

—Ave María purísima —saludó el hombre.

Con ella no empleaba esa fórmula sino un "señorita Rafaela" y una inclinación de cabeza con el sombrero o el pañuelo en la mano. A Ñuque destinaba los modos y códigos que utilizaba con su gente. Rafaela se sintió marginada y celosa.

—Sin pecado concebida —contestó la anciana—. Pase m'hijo, pase. ¿Cómo dice que le va?

—Aquí 'tamos, Quelupén, trabajando pa'no perder la costumbre —contestó, al tiempo que tomaba en brazos a Mimita y le daba un beso en la mejilla.

—Así me gusta, m'hijo. Porque como dice San Pablo: "El que no trabaja, que no coma".

—Señorita Rafaela —dijo al cabo, y, de acuerdo con lo que Rafaela esperaba, inclinó la cabeza a modo de saludo.

Furia se colocó detrás de Ñuque para apreciar su labor en el telar. Comentó algo en la lengua de los indios que arrancó una carcajada a la anciana, más inusual aún que la sonrisa desdentada. Rafaela se ubicó junto al gaucho, ávida de su atención, enferma de celos. Él movió la cabeza, y sus ojos turquesa la inmovilizaron. Así permanecieron por largos segundos, contemplándose, hablándose con la mirada, evocando la noche anterior, las palabras compartidas, el placer recibido y entregado. No se habían topado durante el día, y vivieron ese encuentro como un momento sublime, y lo compartieron en un silencio reverencial en el que sólo se escuchaba el roce del huso en el telar y la respiración congestionada de la niña.

Rafaela percibió el sigilo con que Furia le ajustaba la cintura con su brazo libre y cómo, con una ligera presión, la obligaba a ponerse en puntas de pie para besarla en la boca, de costado, con Mimita en el otro brazo, mirándolos. Entrelazaron sus lenguas y jugaron, los labios de Artemio engulleron los de ella. Él terminó abandonando la cintura de Rafaela para sostenerle la parte posterior de la cabeza e introducirse en su boca hasta sentir que la ahogaba. Se cuidó de no hacer ruido al despegarse. No quería que Ñuque los pillara en una situación comprometedora.

Mimita los observaba sin alarma ni condena, como si hubiese presenciado en varias ocasiones un beso de esa naturaleza. Rafaela y Artemio le sonrieron, y la niña les respondió de igual modo. Rafaela exultaba de alegría. Ellos formaban una pequeña familia.

Furia se inclinó en su oído y le pidió:

—Sírvame té de menta así llevo el sabor de su boca tuito el tempo en la mía.

Mientras servía la infusión, Rafaela lo escuchó retomar el diálogo con Ñuque en esa lengua cacofónica y gutural. Se aproximó y aguardó a que Furia depositara a Mimita en el suelo antes de entregarle la taza.

—¿Por qué la llama Quelupén?

—Porque ése es su nombre.

—Su nombre es Ñuque —se empecinó Rafaela.

—Ñuque significa madre —explicó Furia—. Quelupén es su nombre.

—¿Por qué nunca me has dicho que Quelupén es tu nombre?

—Porque nunca lo has preguntado —contestó la anciana.

—Hemos estado llamándote "madre" toda la vida —se admiró Rafaela.

—Así es —afirmó Ñuque, y se acomodó en la silla para continuar con su labor—. Dígame, m'hijo, ¿cuándo es que se marcha de *La Larga*?

—En dos días.

Rafaela lo buscó con la mirada, sin éxito; Furia contemplaba el telar de Ñuque. La desesperación y el miedo le ganaron el ánimo. Él había decidido que se marchaba y en tan sólo dos días. Nada le había dicho, nada le había mencionado. Apoyó la taza sobre la mesa con mano temblorosa. Se mordió el labio y apretó los ojos para refrenar las lágrimas.

Un ladrido retumbó en el espacio. Todos se volvieron hacia el umbral. Rafaela pensó, con alivio: "¡Ah, es Poupée la que ladra!", y enseguida cayó en la cuenta de que su padre, con Cristiana del brazo y Aarón a su lado, acababa de aparecer en la sala. La escena se tornó confusa.

—¿Qué hace este changador en mi sala? —preguntó Rómulo Palafox, y agitó la mano enguantada en dirección de Furia.

—¡Padre! —logró articular Rafaela, y avanzó hacia él.

Horas después, en la soledad de su dormitorio, Rafaela repasaría esos momentos y concluiría que había actuado como autómata y con la impotencia de quien vive una pesadilla.

—¡Padre! —exclamó de nuevo—. ¡Qué alegría verlo!

—Rafaela —insistió Rómulo—, ¿qué hace este palurdo aquí?

—¡Padre, por favor! No hable así. El señor Artemio Furia —y, en tanto hablaba, se alejaba de su padre para acercarse al gaucho— es amigo de don Juan Andrés de Pueyrredón.

A Furia lo humilló y exasperó que Rafaela echara mano de esa conexión para dignificarlo a ojos de su padre. Las miradas se cruzaron. Ambos las sostuvieron con imperio, como si se tratase de un cotejo de fuerzas. Las explicaciones de Rafaela se habían convertido en un sonido lejano, sin importancia.

Con suavidad, Rómulo desprendió el brazo de Cristiana y avanzó hacia Ñuque, a quien besó en la frente. Se volvió hacia su hija. Artemio habría deseado que la expresión de Rafaela no comunicara tanto miedo ni sumisión.

—Haga el favor de abandonar esta casa —ordenó a Furia, sin mirarlo.

—No —se opuso Rafaela—. El señor Furia me ha…

—¡Cállate, Rafaela! —explotó Rómulo—. Te has comportado como una pelandusca. —Rafaela se llevó la mano a la boca y retrocedió, con los ojos bien abiertos. La conmoción no la salvó de escuchar la risita de Cristiana—. Me has avergonzado —continuó su padre— y has enlodado mi nombre vendiendo esos potingues que fabricas a la pérfida de Bernarda de Lezica, que se lo ha contado a todo el mundo. Te has paseado por la ciudad con esta criatura —dijo, y señaló a Mimita— cuando sabes que te he prohibido hacerlo. Has abandonado la seguridad de tu hogar junto a tu tía Clotilde y te has refugiado en *La Larga* para departir en mi sala con personajes del peor jaez —y apuntó a Furia.

—¡El señor Furia no es ningún personaje del peor jaez! ¡Usted no tiene autoridad moral para juzgarlo! —acotó, con la vista en Cristiana, que se ruborizó detrás del abanico.

Aun a Rafaela, la contestación le resultó excesiva. A Rómulo, inesperada. Le tomó un segundo reaccionar. Levantó el brazo para pegarle. Una fuerza lo detuvo.

—No le ponga un dedo encima.

Había una nota siniestra en la voz de ese hombre, como si proviniese de ultratumba. Esa tonalidad ronca, casi de susurro, hablaba de un poder subyacente y letal, el cual no terminaba de disimularse en el modo certero y apacible con el cual había sujetado la muñeca de Rómulo. Esa peligrosidad vibraba también en sus ojos, de un color antinatural, donde ardía una furia que los tornó oscuros en cuestión de segundos. Pasmaban la seguridad con que actuaba y la superioridad que comunicaba su figura alta y sólidamente construida. Con todo, Palafox no tuvo oportunidad de sentirse intimidado ni avergonzado ya que se mantenía inmóvil, subyugado por ese a quien había llamado changador, lo mismo que el resto, incluso Ñuque. Daba la impresión de que la casa misma había sujetado el aliento.

—¿Cómo se atreve? —atinó a balbucear.

Artemio levantó la comisura, y Rafaela se estremeció. Le conocía ese gesto macabro que simulaba una sonrisa.

—Por favor, señor Furia —le rogó—, deje ir a mi padre.

La sonrisa de Furia se había transformado en una mueca de abierto desprecio. Giró la cabeza con deliberada lentitud para observar la mano que sostenía en la actitud de considerar la posibilidad de soltarlo.

Rafaela atestiguó el instante en que el rostro del gaucho demudaba y se le congelaba la expresión en una mueca de estupor. Se deshizo de la mano de Palafox como si ésta lo hubiese quemado.

—¿Qué carajo...? —articuló en voz baja, corto de aliento, mientras caminaba hacia atrás—. ¿Qué mierda...?

Rafaela avanzó hacia él, con los brazos extendidos.

—Señor Furia —suplicó, pero su padre, de un empujón, la tiró al suelo.

Cristiana y Aarón se apartaron para dar paso a Artemio, que abandonó la sala en pocas y largas zancadas.

Rómulo orientó su ira y orgullo herido hacia Rafaela y la abofeteó.

—¿Cómo osas rebajarme frente a ese don Nadie? —Descargó su puño una vez más en su hija—. ¿Cómo has permitido que ingresase en esta casa? ¡Eres una perdida!

—¡Rómulo! —La voz de Ñuque sonó con firmeza—. ¡Retírate de ella! —Palafox se incorporó, y, jadeando, se echó en una silla—. Aarón, ayuda a tu prima a levantarse. ¡Créola! —La esclava debió de estar espiando pues apareció en un santiamén—. Lleva a tu ama a su recámara. Y tú, Peregrina, dile a Mencia que le prepare una tisana de pasionaria, melisa y cedrón. Ven, Mimita —dijo al cabo, ablandando el tono de voz—, ven, cariño. No llores.

Artemio saltó sobre la montura y profirió un grito que hizo encabritar a Regino, su parejero. Al caer los cascos sobre el terreno, el bayo salió disparado a una velocidad que impedía distinguir sus patas. Furia cargó el torso sobre la cruz de Regino y le permitió adentrarse en la llanura, sin rumbo, tan sólo ponía distancia entre ellos y el casco de *Laguna Larga*. Entre él y Rafaela.

No quería reflexionar sobre lo que acababa de vivir en la sala de los Palafox. Apretaba los ojos para no volver a ver lo que cambiaría su vida y sellaría un destino perverso. Hacía chirriar los dientes para no romper en llanto y, un segundo después, soltaba una carcajada con lágrimas ante lo irónico de la situación.

Regino perdía fuerza. Furia, también. Ya no lograba sofrenar la rabia, el rencor y, sobre todo, el dolor que le tensaban el cuerpo. Avistó un ombú; cerca había un rancho. Se aproximó al trote ligero. Varios perros trasijados comenzaron a ladrar. Se apeó y los espantó agitando los brazos y soltando amenazas. Una muchacha corrió la tela que servía de puerta y lo miró.

—Ave María purísima —saludó Artemio.

—Sin pecao concebía.

—Ando queriendo un poco de agua pa'mi parejero, nada má.

—'Ta bien. Pase.

Además del agua para Regino, la muchacha le pasó un chifle con ginebra y colocó frente a él un cuenco con guiso. Lo devoró en silencio y bebió más de la cuenta.

—¿Quiere echá su recao ahí, pa'descansar?

La estudió con impertinencia. La muchacha no se mostró ofendida; por el contrario, le sonrió y balanceó las caderas en una tácita invitación.

"No está nada mal", se dijo. "Además está sola." Se presentaba como un bocado fácil y tentador, y en tanto seguía aquilatándola, el rostro de Rafaela se dibujó en su mente. "¿Cómo olerá esta china? A rayos", concluyó. "¡Mierda!" Antes la habría volteado sobre el recado sin miramientos ni melindres. "Antes", repitió.

—Si agradece, pero debo seguir camino.

—¿A estas horas? Ya casi é de noche. Y esta parte 'tá llena de vizcacheras y madrigueras de mulita. Se le va a poner manco el pingo, y sería una pena. É bien bonito. Como su dueño —agregó, con una risita.

Se despidió de la muchacha y montó de un salto. Se alejó al galope. La comida y la bebida habían mejorado su ánimo, como si hubiese recuperado la sangre. Sin embargo, el cansancio lo decidió a hacer noche en medio de la pampa. Desensilló y trabó las patas delanteras de Regino con una manea. Si hubiese montado a Cajetilla, lo habría dejado suelto; de este parejero, aún no se fiaba. Tendió la matra en el suelo, colocó el cojinillo para blandura y usó los bastos del recado como almohada. Escondió el tirador y colocó a mano el cuchillo antes de echarse y liar un cigarrillo. Se cubrió con el poncho de lana.

Con el brazo izquierdo bajo la cabeza, fumaba y contemplaba el contraste entre la luminosidad de la luna y de las estrellas y la negrura de la bóveda nocturna. Aunque necesitaba la soledad del campo, ansiaba a Rafaela a su lado. "Rafaela", susurró, deseando que ella pudiese ver ese cielo y que él pudiese sentir su calor perfumado. Sabía que actuaba como un cobarde y que se negaba a enfrentar la verdad desvelada en la sala de los Palafox. No se detendría en eso, no aún, y siguió cavilando en ella, en el beso que le robó bajo el albaricoquero, en el pala-pala, en la carreta del cobertizo donde la había amado tantas veces. "Chuña, Chuñita mía." Metió la mano bajo la carona y hurgó en su tirador hasta extraer el pañuelo perfumado. Lo aplastó contra su nariz e inspiró. Persistían algunos rastros de la fragancia, la de rosas, bergamotas y naranjas dulces, la que sólo ella usaba, la que resumía su esencia, a un tiempo femenina y vigorosa.

Sin proponérselo, terminó analizando la expresión de Rafaela al descubrir en la sala a su padre del brazo de Cristiana. El asombro y la incredulidad la impulsaron a abrir de un modo desmesurado los ojos. Sus labios se separaron, las manos le cayeron como muertas a los costados del cuerpo; no obstante y pese a la sorpresa, halló la fibra para defenderlo, ella, una niña decente, prejuiciosa y de principios, sometida a la autoridad paterna y al miedo, lo había defendido, a él, a un changador. "Rafaela mía." Las lágrimas brotaron al tiempo que un sentimiento cálido pugnaba contra el frío de su alma. Sabía que ésa sería la última oportunidad para llorarla y amarla porque se aproximaba el momento en que, al enfrentar la verdad, la apartaría para siempre de su vida.

Se incorporó de modo súbito y brusco, y asustó a Regino. Artemio descansó la frente sobre las rodillas flexionadas, mientras cerraba el puño en torno al pañuelo. Aguantó la tirantez en la garganta y en el rostro hasta que, vencido, soltó un aullido ronco y profundo que estremeció el orden de la pampa. Lloró con rabia, mordiéndose el puño, apretando los dientes hasta sentir dolor en las encías, insultando y maldiciendo al destino que le había jugado sucio al entregarle lo que buscaba desde hacía años a cambio de un altísimo precio: Rafaela. ¿No había pagado suficiente con la pérdida de su familia? Ahora también le arrebataba al amor de su vida.

La verdad resultaba escalofriante. Haberse enamorado de la hija de uno de los asesinos de sus padres era algo para lo que el gaucho Furia no estaba preparado, porque, sin duda, la mano de Rómulo Palafox era la que él había visto, desde el baúl, la noche de la tragedia. Jamás la olvidaría; la habría identificado entre miles. No sólo se trataba de la falta del pulgar ni del sello que le ocupaba una falange en el índice de la mano derecha, sino de las características de sus uñas, del largo de sus dedos, de la rugosidad de la piel, del tamaño de la palma, del color de los nudillos, medio amarillentos, del ancho de las articulaciones, del callo manchado con tinta junto a la uña del dedo mayor. Él había visto esa mano en detalle y la llevaba impresa en la retina desde hacía veinte años. Se acordó de la inquietud que le había causado la marca del ganado de Palafox, una P y una R, yuxtapuestas, una copia de las del sello; en realidad, una R y una P, Rómulo Palafox. Le extrañaba que no las hubiese reconocido durante la yerra.

Quedó estragado por la rabia y el llanto, débil también, con las extremidades entumecidas. Despegó la cabeza de las rodillas y la irguió, sumido en una sensación de pesadez. Al secarse las lágrimas con el pañuelo y despejarse los ojos, descubrió a Quinto frente a él, sentado sobre sus cuartos traseros, observándolo con solemnidad. Las comisuras de Artemio Furia se movieron en un gesto que no llegó a formar una sonrisa.

—Ven, amigo —le pidió, con voz rasposa—. Acércate. —El puma caminó sobre el cojinillo y se detuvo a centímetros de Furia—. Has llegao justo cuando te andaba necesitando —admitió el hombre.

Acabada la cena, compartida en un ambiente tenso y de caras largas, Aarón Romano decidió salir de la casa a fumar un cigarro que armaba con el tabaco que su prima Rafaela le perfumaba con ámbar. Pensó en ella, encerrada en su dormitorio. Rómulo no le había permitido cenar con ellos. De igual modo, Aarón dudaba de que Rafaela hubiese aceptado acompañarlos. Pocas veces la había visto tan alterada, y nunca, contradecir a su padre y faltarle al respeto. "Y todo por defender a ese mostrenco." Artemio Furia, un nombre que se mentaba con frecuencia en las pulperías del Bajo. Había quienes lo admiraban y quienes lo odiaban, y aun éstos preferían mantenerse fuera de su camino y no despertar la furia que, decían, le había dado el apellido.

Según los rumores, no se trataba de un gauderio más. Si bien errante y con pinta de malandrín, era taimado como una culebra, con ascendencia entre los peones y campesinos, y dueño de un portamonedas bien gordo que había comenzado a llenar gracias al comercio con las provincias, para lo cual se sirvió de las carretas de su patrón, Ismael Santos, a quien despachó de una cuchillada. La viuda de Santos, Dolores García, que vivía en Córdoba, todavía lo recibía con gusto en su cama. Furia se dedicaba al abigeato y al contrabando de ganado en pie, de cueros y de toda clase de mercancías. A diferencia de sus pares, no malgastaba los reales en naipes ni en bebida. Corría el rumor de que viajaba de modo incansable por el Virreinato del Río de la Plata en busca de sus peores enemigos, a quienes había jurado despedazar. No se sabía quiénes ni cuántos eran ni por qué se habían granjeado su odio. "Esos pobres diablos", aseguraban los parroquianos, "son dinos de compasión. Tienen la suerte echáa. Naides se salva del guampudo ni de la juria de Artemio Juria".

El hombre contaba con la amistad de los Pueyrredón y de varios de los alborotadores, los que se reunían en el Café de Marcos a despotricar contra el Sordo y el régimen colonial. Se lo había contado su amigo, Tomás de Grigera, el alcalde de las Lomas de Zamora, que conocía a Furia porque había tenido tratos con él. "Mire, Romano", le había referido Grigera en aquella oportunidad, "si el gaucho Furia se lo propusiera, podría levantar en rebelión a la mitad de la campaña, como lo hizo en el año seis cuando, junto con don Juan Martín" —hablaba de Pueyrredón— "formó ejército para expulsar a los ingleses. Esos paisanos son unos centauros endemoniados y lo siguen y respetan. Furia es su líder". Aarón admitía que, después de la descripción provista por Grigera, una mezcla de envidia, miedo y reverencia lo asaltaba cada vez que se lo nombraba. Esa tarde, al conocerlo, la impresión lo dejó pasmado. Furia era rubio, de ojos celestes y de una estampa que hablaba de antepasados vikingos. Evocó el instante en que su mirada se cruzó con la del gaucho. Algo siniestro habitaba en él.

Terminó de fumar y se encaminó al puesto de don Íñigo. Esperaba encontrarlo sobrio. Golpeó las manos cerca de la enramada y varios perros salieron a recibirlo.

—¡Don Aarón! —se sorprendió Mencia—. Pase, pase, por favor.

—No, no. Dígale a don Íñigo que salga.

—Como usté mande, don Aarón.

"Está ebrio", concluyó al verlo tambalearse. "Quizá sea mejor", pensó. "Los borrachos siempre dicen la verdad."

—Don Aarón. Buenas noches, patrón.

—Ven. Caminemos hacia el potrero.

Al alejarse del puesto, Aarón se volvió y miró con desprecio al capataz.

—¿Qué mierda pasó con el ganado? Mis hombres dicen que se lo arrebataron una noche, y que tú formabas parte del grupo que lo hizo.

—Yo no maté a naides, don Aarón —farfulló Íñigo, al borde del llanto—. Juria y sus hombres despacharon a varios y les perdonaron la vida a otros. Yo no hice náa.

—¿Qué carajo hace Furia aquí?

—Yo hice tuito lo que suecelencia me mandó. Después del robo, le pedí al pulpero que le escribiera esa nota a la niña Rafaela, pa'que no se sospechara de mí. Ella se apareció a los días y, poco después, se presentó Juria. Dis que lo mandaba don Juan Andrés pa'ayudar a la niña. Él se puso al mando, recuperó el ganao y metió orden por tuitos los lados.

—¿Hace mucho que llegó a *La Larga*?

—Mucho, casi tres meses.

—Mierda —masculló Aarón.

El gaucho Furia le había arruinado un negocio redondo. El dinero obtenido por el abigeato lo habría destinado a las obras del burdel y del garito como también a devolver el platal que le debía a Bernarda de Lezica. Se encontraba en un aprieto.

—Me tuve que hacer el zonzo, don Aarón, porque me dio miedo de que ese pícaro de Juria se diera cuenta de que yo había tenío algo que ver con el robo del ganao. Me vi en el brete de tener que ayudarlo a recuperarlo, porque habría sospechao de mí, si no. Usté no lo conoce, a Juria, pero é un hombre malino. ¡Vaya uno a saber cuántos cristianos se jueron al otro mundo gracias a su guampudo! É taimado como un zorro. ¡Y sí que tiene garrones! Naides sabe como él sobre las faenas del campo. No é fácil pasarlo al cuarto.

Fastidiado con el panegírico, Aarón lo mandó callar.

¿En qué momento la felicidad se había transformado en un infierno? A partir de la tarde del día anterior, hasta respirar le significaba un esfuerzo. Después de una noche en vela, la peor que recordaba, no había encontrado consuelo en el amanecer. La asaltaban oscuras premoniciones. Según la información recabada por Créola, Artemio Furia se había marchado de *La Larga* y ni Calvú Manque sabía adónde. Su padre la despreciaba y la mantenía encerrada en el dormitorio. Jamás lo había visto tan furioso. Cristiana debía de estar disfrutándolo. "¡Maldita Cristiana!" Le deseaba toda clase de tormentos. Le deseaba la muerte. "¡No, no!", se arrepentía, asustada de los oscuros abismos de su corazón.

Escuchó la llave que giraba en la puerta y se incorporó en la cama. Ñuque entró con una bandeja que lucía más pesada que ella. La depositó sobre el tocador y se encaminó hacia Rafaela, que se abrazó a ella y hundió la cara en su regazo.

—Ya, mi Rafaela. No llores. Todo se solucionará.

—El señor Furia me llamaba así, "mi Rafaela". ¿Dónde está él, Ñuque? Necesito verlo. Necesito verlo con desesperación.

—No lo sé. No lo he visto hoy. Nadie lo ha visto.

El llanto de Rafaela recrudeció. Ñuque, en silencio, la ayudó a higienizarse y a cambiarse. La peinó y la obligó a tomar la sopa y a beber la leche. Aunque en un principio Rafaela se opuso a comer, después reconoció que se sentía más animada.

—Puedes salir de tu dormitorio. Tu padre te lo ha permitido.

—Mi padre —dijo, y sus palabras destilaron odio—. Llegar aquí, del brazo de esa ramera. E insultar al hombre que ha salvado su estancia de la ruina. Al hombre que recuperó su ganado de manos de los abigeos, a riesgo de su propia vida. ¡Lo detesto, Ñuque! ¡Con toda mi alma!

—Siempre has sido mujer de emociones extremas —comentó la anciana—. Y más de una vez te he visto arrepentirte de tu vehemencia. Cálmate y sal un rato. Te hará bien pasar unas horas en tu laboratorio o en tu jardín.

Rafaela, en cambio, se escabulló hacia la zona de los potreros y se refugió en el cobertizo. Trepó a la carreta y se recostó sobre las mantas. Albergaba la ilusión de que Artemio Furia la buscase en ese sitio donde habían hecho el amor. Se quedó dormida. Al despertarse comprobó que su sueño no se había vuelto realidad; estaba sola. Se dirigió a la zona de los puestos. Allí se topó con Calvú Manque y los demás, que entraban y salían de los ranchos con bultos y trastes.

—Nos vamos, señorita —le informó el indio—. Su padre nos ha echao.

—Lo siento —balbuceó Rafaela—. Estoy tan mortificada y avergonzada.

—No se priocupe, señorita. Artemio ya nos había dicho que en dos días nos iríamos de *La Larga*.

—¿Sabe algo de él? ¿Dónde está, Calvú?

—No lo sé, señorita. Yo me llevaré sus cosas y al Cajetilla. Él anda con el Regino.

Rafaela asintió, sin atreverse a pedirle que no se llevase las pertenencias de Furia. Quería darle una excusa para regresar.

—¿Mi padre les ha pagado los jornales que se les adeudan?

—No, señorita. De eso se ocupaba Artemio.

—¿Cómo? ¿Acaso no les pagaba don Juan Andrés?

—Pues sí, al prencepio. Dispués, nos pagaba Artemio, de su faltriquera. ¡No se me ponga así, señorita! —le suplicó el indio, ante los ojos anegados de Rafaela—. Él lo hacía con mucho gusto, pa'ayudarla a usté.

Rafaela se secó las lágrimas y se limpió la nariz con disimulo antes de despedir y agradecer al resto de la partida. Los hombres se quitaron los sombreros y la saludaron con una inclinación de cabeza.

—Calvú —dijo Rafaela, y volvió sobre sus pasos—, cuando vea al señor Furia, dígale... No, no le diga nada.

Cristiana y Poupée entraron en la sala principal con airosa actitud. Ñuque levantó la vista del telar, la estudió unos segundos y reinició la labor. Mimita, que jugaba en el suelo con su muñeca Melody, profirió un gritito y se trepó a las piernas de Peregrina, que cebaba mate sentada en la alfombra. La pequeña perra, que profesaba una animosidad especial por la niña, corrió hasta ella y comenzó a saltar y a ladrar. Peregrina se puso de pie de un brinco, mientras Mimita se encaramaba hasta su cuello. Temblaba y gritaba. Peregrina también.

—¡Saca a tu perra de aquí! —le ordenó Ñuque, mientras Cristiana reía de los torpes intentos de Mimita por quedar fuera del alcance de Poupée. Siempre le había parecido una criatura desagradable, pero, gesticulando por el miedo y el llanto, la encontraba repulsiva.

Rafaela vio la escena antes de ingresar en la sala. Corrió por la galería y se abalanzó dentro. Pateó a Poupée, que profirió un gañido y terminó bajo el telar de Ñuque. Giró sobre sí y descargó su puño en la mejilla de Cristiana, que aterrizó sobre el sofá, con el tocado deshecho. Se apartó los mechones para ver a su prima arrancar a Mimita de los brazos de Peregrina. La niña escondió la cara en el cuello de Rafaela y se echó a llorar.

La fastidiaba el vínculo entre Mimita y su prima. Aunque le costaba admitirlo, sentía celos, rabia, dolor. Aunque pensó: "¡Ojalá Mimita hubiese muerto al nacer!", en ocasiones anhelaba amar a su hija. Ese anhelo se desvanecía cuando Cristiana se decía que, más allá de la potencial oposición de Rafaela, Rómulo se negaba a desposarla por temor a que, de su unión, naciera otro espantajo como esa niña. Por otra parte, intuía que su tío consideraba a Mimita un castigo divino por la relación incestuosa que mantenían.

A tres años del parto, aún recordaba las horas de sufrimiento indescriptible en las que Rafaela se mantuvo a su lado, aferrándole la mano, secándole el sudor, dándole de beber aguamiel, animándola a pujar. Nunca la abandonó, a diferencia de su madre, que delegó el asunto en manos de Ñuque y no regresó hasta la mañana siguiente. "Es una niña y está muerta", dictaminó la india cuando por fin el bebé salió de su cuerpo. Lo depositó en el suelo, sobre una sábana. Cristiana jamás olvidaría la impresión que le causó el color azulado de las facciones de su hija, con un matiz violáceo en torno a los labios. "Todo ha terminado", pensó. Cerró los ojos y enseguida volvió a abrirlos al escuchar el llanto de Rafaela. La vio acuclillarse junto a la criatura y tomarla en brazos; la vio besarla en la cabeza, en los párpados y en la frente, y acomodarla sobre sus piernas y, con un bálsamo —de alcanfor, a juzgar por el aroma—, masajearle el pequeño torso, los bracitos, las manitas y las piernas. Lo hacía con tanta delicadeza y lentitud que Cristiana comenzó a adormecerse. Un graznido la sobresaltó, al que siguió un quejido tenue. "¡La niña respira! ¡La niña vive!", exclamó Rafaela, y Ñuque se movió con agilidad para asistirla. La llamaron Milagros, porque, en verdad, vivía de milagro. Gracias a Rafaela, que le había devuelto el aliento. Cristiana reflexionó que Mimita podría haber fallecido días más tarde, de hambre, pues ella se negaba a amamantarla y la leche de burra le causaba diarrea. Entonces, conoció la índole oculta de su prima, violenta, fuerte y cruel. "Amamántala", le ordenó, mientras colocaba a la criatura en su regazo. "¡Hazlo! O tus amigas aristócratas sabrán que has parido a una bastarda. Te juro por la vida de mi padre que lo haré."

Poupée la devolvió a la realidad saltando sobre sus piernas, en busca de consuelo. Cristiana se percató de que el llanto de Mimita languidecía, en tanto Rafaela le palmeaba la espalda y le cantaba una canción de cuna. La escena le resultó intolerable.

—Es la segunda vez que me golpeas, Rafaela. La próxima vez...

—La próxima vez —la detuvo— te dejaré pelada. Te advertí que mantuvieras lejos a ese engendro endemoniado. Te lo advertí y no me hiciste caso.

—¿Quién eres tú para que yo te haga caso?

—¡Soy la dueña de casa! ¡De la casa donde tú, tu madre y tu hermano viven como recogidos!

—¡Oh!

—¿Qué ocurre aquí? —La voz de Rómulo tronó en la sala.

—¡Tío! —Cristiana se incorporó y corrió a refugiarse en los brazos de Palafox—. ¡Rafaela me golpeó!

—Sí, te golpeé, y la próxima vez te dejaré pelada.

—Parecen dos bandoleras de la Recova.

—Yo no me comporté como una bandolera, tío.

—Es cierto, tú no eres una bandolera —apuntó Rafaela—. Eres un ser macabro que disfruta viendo cómo un animal mañoso y perverso lastima a una criatura indefensa.

—¡Basta! —se impacientó Palafox.

Cristiana bajó la vista; Rafaela, en cambio, sostuvo la de su padre. No descubrió en él el enojo del día anterior; por el contrario, la juzgó una mirada deprecatoria. Los contempló alternadamente, a su padre y a Cristiana, y supo que jamás hablaría de modo franco sobre su amorío. Algo muy profundo en ella se lo impedía. Dio media vuelta y se marchó con Mimita en brazos. Encontró a Créola en el laboratorio. Le entregó a la niña y se puso a trabajar. Abrió dos vainas de glicinas y echó las semillas en el almirez. Comenzó a machacarlas.

—¿Qué hace, mi niña?

—Si estas semillas casi me mataron cuando niña, de seguro acabarán con Poupée.

—¡Niña Rafaela! ¡Por amor de Dios!

—Mezclaré la pasta con su comida. Mañana amanecerá muerta.

—¡No, no! ¡No lo haga!

—Lo juré, Créola. Juré a Cristiana que si ese animal importunaba de nuevo a Mimita, lo envenenaría. Y acaba de importunarla.

—Esa perrita no tiene culpa de nada, mi niña. Los animales son como sus dueños los crían. Ella no tiene culpa —insistió—. Es culpa de su prima, de nadie más.

La declaración de Créola la llevó a detenerse. Artemio Furia había dicho algo similar al hablarle de los caballos. Y con qué pasión lo había hecho. Amaba a esos animales y ellos a él, y sospechaba que pocos conocían de manera tan acabada la naturaleza de esas bestias, las características de su anatomía, las enfermedades que los aquejaban, sus mañas y caprichos.

—Dicen que domar un potro a lo indio no es cosa de hombres —le había referido en aquella oportunidad—. ¿Pa'qué, me pregunto yo, quebrarle el lomo a la pobre bestia que será nuestro aliao pa'no perecer en la pampa? Sin el pingo, los changadores no somos naides. Ellos son nuestros verdaderos amigos. É muy raro que se arruine a un caballo si se lo doma a lo indio. En cambio, con el modo de los cristianos, é má bien frecuente. Así muchos güenos pingos se pierden, cuando, trataos con rispeto y cariño, hubiesen sido ecelentes. Se le echa la culpa al animal. Se dis que tiene mucho temperamento, se los tilda de estrelleros.

—¿Estrelleros?

—Porque, como son ariscos, dan cabezadas, es decir, levantan la vista *pa'ver las estrellas*. Incluso a algunos, se manda carnearlos. El caballo é un animal con ecelente memoria y no se olvida ni perdona un mal rato. Por eso é mejor tratarlos bien dende potrillos, pa'que sean confiaos y, por tanto, confiables. Al domarlo como los indios, se obtiene un pingo con muy poco uso de rienda, casi se lo maneja con el cuerpo, mediante movimientos y señales. Esto é muy güeno cuando se está cazando, en especial al avestrú. El caballo é, pues, como su dueño lo críe —había rematado, pasado un silencio.

Rafaela se dirigió al pozo de los residuos, ubicado en el patio de la servidumbre, y arrojó la pasta de glicinas. Habría matado a Poupée si su esclava no la hubiese detenido. A veces la asustaban sus impulsos. "Siempre has sido mujer de emociones extremas", le había dicho Ñuque horas atrás. Las pasiones la habían dominado desde pequeña, y la agotaba el esfuerzo por mantenerlas a raya y mostrar una superficie calma para agradar a su padre. Furia, al tentarla con la libertad, había cortado el nudo gordiano que sujetaba su verdadera índole. Quizás había sido un error probar esa libertad porque sospechaba que ya no se conformaría con menos.

Tampoco cenó con su familia esa noche. Un dolor de cabeza la excusó de enfrentar a su padre, a quien terminaría por reclamar que hubiese despedido a los hombres de Artemio. Se quedó dormida de inmediato, sin conseguir paz en el sueño. Una pesadilla la despertó angustiada, con un dolor en la garganta a fuerza de reprimir el llanto. Se dio cuenta de que había dormido poco, pues la bujía no se había consumido. La realidad, que Artemio Furia se hubiese marchado, se volcó de nuevo sobre ella, y se puso a llorar.

Un sonido rompió la mansedumbre de la noche. Detuvo el llanto para oír. Se trataba de un gruñido. Levantó el torso y giró la cabeza. El corazón le dio un brinco. De pie, al otro lado de la ventana, se hallaban Artemio Furia y Quinto. La alegría y el alivio arrasaron con la angustia. Saltó de la cama y, sin echarse la bata encima, cruzó el dormitorio a la carrera. Abrió la ventana de par en par y no reparó en el viento frío que le pegó el camisón al cuerpo.

Artemio la contemplaba dormir desde hacía un rato. La había visto agitarse en sueños y despertar. En ese momento, mientras observaba cómo se mecían sus hombros a causa de un llanto apenas audible, se mordía el labio para no llamarla y acabar con su pena. Él, un hombre de gran resistencia, capaz de soportar climas extremos, regiones inhóspitas, hombres sanguinarios y depredadores feroces, sucumbía ante la tristeza de su Rafaela. Sin embargo, tenía una promesa que cumplir. Su corazón volvió a tornarse de piedra. Cerró las manos alrededor de las rejas, donde apoyó la frente, agobiado por el peso de una promesa y la intensidad de su amor. "Vete, márchate", se instó. "Olvídate de ella. Déjala ir." "Sólo una vez más", se dijo. "Quiero verla una vez más. Después, la dejaré ir."

Quinto lo delató. O quizá percibió el anhelo que lo dominaba y actuó por él. Al verla saltar de la cama y correr hacia la ventana, sólo su desprecio por la cobardía lo mantuvo quieto, porque, en verdad, habría huido, trepado el muro y caído sobre Regino para escapar. No tenía valor para enfrentarla, no confiaba en su determinación.

Allí estaba su Rafaela, de pie frente a él, contemplándolo con sus enormes ojos verdes, las pestañas pesadas de lágrimas, los labios húmedos, hinchados y entreabiertos, como después de recibir sus besos. La deseaba, a pesar de que fuera la hija de un hombre detestable. Había creído que, luego de evocar la noche del 5 de junio de 1790, repasando los momentos más trágicos de su vida, habría conseguido exorcizar la imagen de Rafaela y reconstruir la pared de furia y odio que ella había demolido.

—Señor Furia —dijo, y se tomó de las rejas. Artemio le cubrió las manos con las suyas y cerró los ojos cuando Rafaela le besó los dedos, mojándoselos—. Gracias a Dios, ha regresado. —Su voz quebrada agitó las palpitaciones de él—. Lamento tanto lo ocurrido ayer en la sala. Estoy tan avergonzada. Mi padre ha sido injusto y miserable. Hoy despidió a sus hombres, sin darles un cuartillo.

—Usté no se priocupe por eso. Usté no se priocupe por náa.

Debía marcharse, no toleraba la hipocresía. Él, que planeaba destruir a Rómulo Palafox, le pedía que no se preocupara por nada. Sintió asco de sí.

—Me marcho.

—Sí, sí. Aguarde un momento. Preparo un lío de ropa para mí y para Mimita y nos iremos con usted.

Artemio metió la mano entre las rejas y la detuvo por la muñeca.

—Me marcho solo.

—¿Solo?

—¿Usté pensó que la llevaría conmigo? —Su acento irónico la golpeó. El orgullo le impidió contestar—. Usté es una niña de sociedá, ¿cómo pensó que me la llevaría? ¿Pa'qué? Sería un estorbo. Ni siquiera come carne. Y en la campaña, *sólo* se come carne.

Rafaela dio un paso atrás.

—¿Por qué hace esto, señor Furia? Yo creí que...

—¿Que qué? ¿Que nos casaríamos?

—No. Creí que usted me amaba tanto como yo lo amo a usted. —Furia carcajeó para ocultar el efecto producido por la declaración—. ¿Por qué hace esto? —insistió Rafaela—. Ya le dije que estoy avergonzada por el comportamiento de mi padre. Yo no soy como él. No me castigue.

—Ustede, *la gente de buen ver*, se creen más que naides, con sus apellidos españoles y sus costumbres pomposas.

—Yo no —sollozó Rafaela.

—Usté é igual que tuita la gente de su casta. Ansina lo sentí cuando su padre la pilló conmigo en la sala. ¡Se avergonzó de mí!

—¡No! ¡Jamás!

Tensó los músculos para controlar un temblor. Las lágrimas de Rafaela y su expresión de niña perdida significaban un duro golpe; no obstante, simuló un aire despiadado. Quería que lo odiara tanto como él debería odiarla por ser la hija de Palafox.

—¿A qué vino, señor Furia? —le preguntó, sin enojo.

—Ya le dije. A decirle que me marcho. A despedirme de usté.

La imagen de Furia se distorsionó. Lo observaba a través de un velo de lágrimas. Habría deseado ser una mujer inteligente, de respuestas rápidas, como tía Pola; en cambio, permanecía allí, de pie frente a la ventana, con la reja interponiéndose entre ella y Furia, y no atinaba a hilar dos palabras. Por experiencia sabía que, en unas horas, elaboraría varios argumentos sólidos e ingeniosos para retenerlo. Ella los precisaba en ese instante en que su mente se mantenía en blanco. La desesperación le recrudeció el llanto. Él la miraba con irreverencia, como si la juzgase poca cosa, privándola de fuerza y del deseo de vivir.

—¿Se va, entonces? —Furia la miró y no le contestó—. ¿Así termina todo?

Lo vio asentir. Rafaela se deslizó hasta quedar sentada en el suelo, con la frente sobre las rejas. Artemio anhelaba consolarla contra su pecho, dejarse hechizar por su aroma, beber sus lágrimas, besarla entre las piernas, arrancarle un último orgasmo. Ninguna mujer era tan bella como Rafaela Palafox cuando el placer anegaba su cuerpo y le resplandecía en la cara. Ninguna mujer había respondido a su ardor como ella. Ninguna volvería a significar para él lo que su Rafaela de las flores. Dio media vuelta para ocultar el llanto inminente, el que despuntaba en los temblores de su mentón, y echó a andar en dirección de la tapia.

—¡No! —se desesperó Rafaela, y se olvidó del orgullo—. ¡No me deje! —reaccionó.

Artemio Furia se detuvo en medio del patio, se volvió apenas y apartó el rostro deprisa para no volver a ver a Rafaela en ese estado. Las lágrimas le enturbiaban la vista, y le resultaba una ordalía no hincarse y prorrumpir en gritos. El odio, la rabia, el amor, la impotencia y la angustia se agolparon en su pecho hasta transformarse en una puntada que lo privó de aliento. Rafaela seguía llorando y llamándolo, "Artemio, Artemio". Lo torturaba la última imagen de ella, de rodillas, con la cara sobre las rejas y los brazos extendidos hacia él. "Artemio, Artemio." Consiguió inhalar. El dolor se acentuó para disminuir un momento después en tanto la respiración se normalizaba. Corrió hasta el algarrobo que crecía junto al muro, trepó con la agilidad de Quinto y se encaramó en la tapia. Cayó de pie sobre el recado y se deslizó hasta sentarse. El caballo se paró en sus cuartos traseros, relinchó y salió disparado hacia el norte.

CAPÍTULO XIII
Venus y Mercurio

*D*espués de la partida de Artemio Furia, Rafaela cayó enferma. La fiebre la atacó al día siguiente, durante el viaje de regreso a Buenos Aires. La garganta le raspaba, y tosía con una ferocidad que terminó por desgarrarle el costado izquierdo. El dolor del desgarro fue tan violento —como si hubiese recibido una cuchillada— que le quitó la respiración. Pensó: "Estoy muriendo", y experimentó alivio. Sin embargo, el dolor remitió y ella siguió viviendo, apenas consciente, pues la fiebre la sumía en el delirio. Por momentos se hallaba en la carreta junto a Furia, en otros, en la laguna o en su puesto, donde veía a Quinto; sólo a veces reconocía las facciones de Ñuque, que se inclinaba sobre ella.

—Bebe, Rafaela —y la obligaba a sorber una tisana a los tumbos, en el habitáculo de la volanta.

—¿Dónde estoy?

—En el coche, camino a Buenos Aires.

—Mimita —se desesperaba.

—Ella viaja en la otra galera, la de tu padre, con Créola. No puede permanecer aquí. Podrías contagiarla.

Cerraba los ojos y enseguida se zambullía en un mundo de confusión. No supo si entró y salió de ese estado morboso por días o por horas. Tuvo una visión fugaz del rostro de su primo Aarón, que le besaba la frente y la cargaba en brazos. Identificó el aroma de su dormitorio y, al entreabrir los ojos, distinguió las líneas de su cuja tijera con baldaquín. La depositaron sobre el colchón, y distinguió el perfume a limpio de las sábanas. "Estoy de vuelta en casa", se alegró. Tenía la impresión de que había abandonado la quinta de la calle Larga años atrás. Soltó un suspiro y se hundió en una negrura plagada de imágenes confusas, como la de su padre llorando sobre su mano, o el ceño del doctor O'Gorman, que le sostenía el brazo, o la sonrisa de Ñuque, mientras le acercaba una cuchara a la boca. También percibía los aromas, el de los óleos, que le recordó el día en que su madre recibió la Extremaunción; el de su primo Aarón, como a albaricoque, que se mezclaba con el del tabaco almizclado de sus cigarros; el de Mimita, a la que Créola perfumaba con Agua de Hungría; o el de su perfume, el que había bautizado *Amor*. "Señor Furia", deseaba gritar, pero la voz no le salía.

Paolino, el aguatero, descargó varias canecas de agua en los tinajones del último patio de la quinta de los Palafox. Créola, enviada para supervisar el escanciado, arrojar la pastilla de alumbre que purificaría el agua cenagosa del río y pagarle cinco reales, miraba hacia otro lado, hacia el terreno que se desplegaba más allá del patio, ocupado casi en su totalidad por el jardín de la señorita Rafaela y por el huerto, ambos famosos por su feracidad y exuberancia. Paolino no necesitó preguntarle a la esclava a qué se debían sus ojos hinchados y su nariz colorada.

—¿Cómo sigue la niña Rafaela?

—Mal.

—¿Muy mal? —Créola asintió—. ¿Tanto como para...? —La pregunta quedó en suspenso.

—Eso dice don Miguel —hablaba del doctor O'Gorman—, que tenemos que esperar lo peor. La neumonía es muy peligrosa.

Créola se cubrió la cara con el mandil y rompió a llorar. Paolino echó vistazos antes de abrazarla y besarla en la frente. Se despidieron entre lágrimas, con profesiones de amor. El aguatero saltó sobre el yugo y aguijó a los bueyes que tiraban la carreta. Con la misma pértiga, golpeó la campana para anunciar su presencia a los vecinos de la calle Larga. Le pareció que los campanazos comunicaban un mensaje lúgubre, como si reflejaran la pesadez de su ánimo. No podía ver sufrir a Créola.

Al llegar a las inmediaciones de la Plaza de la Victoria, Paolino tomó por la calle del Cabildo, en dirección a la de Santo Cristo. Se detuvo en la esquina, frente al Matadero Central, conocido como Caricaburu. Entró en la pulpería. Divisó a Artemio Furia sentado a una mesa en un rincón oscuro. Se quitó el sombrero de paja y se acercó.

—Güenas, Paolino.

—¿Cómo anda, don Furia?

—Siéntate.

Paolino, sin levantar la vista y estrujando el sombrero entre las manos, hizo como se le ordenaba. A pesar de su timidez, se enorgullecía de estar sirviendo al gaucho Furia; se jactaría entre sus amistades. Artemio Furia, a quien Paolino había escuchado mentar en varias ocasiones y de quien se había formado una imagen que rayaba en la leyenda, en ese momento, se encontraba frente a él porque le había pedido un favor por el cual le pagaría con generosidad —su largueza era conocida—. Cada real contaba para alcanzar su sueño: comprar la libertad de Créola y desposarla.

Furia extendió un vaso de azófar y escanció chicha. Le indicó a Paolino que bebiera.

—Gracias.

—¿Qué me has averiguao de Rómulo Palafox?

A pesar del tono bajo, casi un murmullo, la voz de Furia lo impresionaba. Parecía emerger de una fosa o de una caverna.

—Poco y nada, don Furia. No he podido preguntarle a la Créola porque anda de capa caída. Es que la niña de la casa está mal, muy mal. A la muerte, dicen.

—¿Mimita? —La inflexión en el acento de Furia no pasó inadvertida al aguatero.

—No, no, la criatura no. Se trata de la señorita de la casa, de la niña Rafaela.

Los lineamientos de Furia debieron de alterarse ostensiblemente, puesto que Paolino se echó hacia atrás, como si se dispusiera a escapar. Artemio estiró el brazo a través de la mesa y lo aferró por el hombro. Aunque le hacía doler, el aguatero no se quejó.

—¿Qué dices? —La pregunta apenas se escuchó; surgió como un soplido.

—La señorita Rafaela Palafox, la ama de mi Créola, está a la muerte. Neuni... Neuno... No me acuerdo de lo que tiene. Algo con neu... No, no me acuerdo.

El horror lo condujo a un estado de abstracción en el cual sólo sentía las pulsaciones en el cuello, dolorosas y lentas, y veía un manchón lleno de colores delante de él. Su mente se había empantanado en una palabra, "Rafaela", y la repetía con constancia exasperante. Hizo fondo blanco con la chicha y se sirvió de nuevo, para echársela otra vez al coleto.

—Don Furia, ¿qué le sucede?

—Náa, náa. ¿Qué má sabes?

—Dis la Créola que Palafox está hecho trizas. Para él, nada es más importante que su hija. Es sabido que la consiente desde pequeña y que ella es la luz de sus ojos.

Furia se puso de pie y arrojó unas monedas sobre la mesa.

—Paolino, en dos días volveremos a encontrarnos aquí. Averigua cuanto puedas acerca del estado de la señorita Palafox.

En la calle, Artemio miró hacia uno y otro lado hasta detenerse en la tienda de Bernarda de Lezica. Las memorias acudieron a él como la crecida de un río, de manera violenta e inesperada, cubriéndolo, ahogándolo, hundiéndolo en un pesar que él sólo acertaba a asociar con la noche del 5 de junio de 1790, porque de pronto se sintió como un niño indefenso, vulnerable y miedoso al que le habían quitado todo. Desató a Cajetilla del palenque, montó de un salto y lo solivió a gritos.

Caía la noche cuando jinete y caballo alcanzaron los lindes de la propiedad de los Palafox. Aún no colgaban el crespón negro en la puerta ni celaban las ventanas. "Vive", se reanimó. Volvió todos los días. Se mantenía oculto y atento. Avistó varias veces a Rómulo trepar al coche y rumbear para el centro. No tenía dudas acerca de la identidad de ese hombre: había sido cómplice del asesino de sus padres, junto con Antenor Ávila. De igual modo, tenerlo enfrente no agitaba en él los demonios que debieron haberse desatado. Sólo quería saber si Rafaela vivía.

Rafaela despertó una mañana de principios de abril y, aunque soltó un quejido —algo martilleaba sus sienes—, notó que tenía la mente despejada y que no veía los objetos a través de un velo de niebla sino que percibía con claridad sus contornos y colores. Al volver el rostro, se topó con la expresión ansiosa de su tía Justa.

—Tía… —murmuró. No pudo seguir. La debilidad y un dolor en el pecho se lo impidieron.

—No hables, tesoro —le suplicó Justa.

—Agua.

Al rato, Ñuque le daba de beber una tisana dulce. Como no podía incorporarse en las almohadas, la faena se tornaba lenta y engorrosa, y Justa debía limpiarle las comisuras por donde escapaba el brebaje. Su padre le sostenía la mano y se la besaba, le pasaba la mano por la frente y repetía, con voz gangosa: "Ya no tiene fiebre". Quizá se quedó dormida, pues al levantar los párpados de nuevo, el paisaje había cambiado. El doctor O'Gorman le tomaba el pulso y secreteaba con Clotilde. Alejada, como agazapada en un rincón, se hallaba Créola, con los ojos hinchados y la nariz roja.

—Créola —la llamó.

Ante el consentimiento del médico, la esclava se arrodilló junto a la cabecera de la cuja y apoyó la frente en la palma de la mano de Rafaela. Se echó a llorar.

—¿Qué pasa? ¿Por qué lloras? —dijo, casi sin aliento—. ¡Mimita!

—No, no. Ella está bien, mi niña. Muy bien. Lloro por usté. Porque casi se nos va.

No comprendió la declaración de Créola. "¿Adónde me iba?", se preguntó, y dedujo que su familia se había enterado de su intención de huir con Artemio Furia. El pánico se esfumó casi enseguida cuando los recuerdos la invadieron con la violencia de un vendaval. Su intención, la de seguir al señor Furia donde el destino los llevara, había quedado en agua de borrasca. Él la había traicionado y abandonado. La había seducido con mentiras para divertirse durante los días en *La Larga* y cobrarse el trabajo que nadie le pagaba. Podría haber tomado a Felisarda —la muy descarada se mostraba más que dispuesta—; no obstante, el hombre había apuntado alto: a la niña de la casa, a la hija del dueño, a una dama.

Rafaela se detestaba por estúpida. Había jugado con fuego y se había quemado, porque todo el tiempo había estado consciente de que lidiaba con un gaucho. Al final, le daba la razón a su padre: ésas eran gentes despreciables. Guiada por ideales románticos vanos, apabullada por su belleza y hombría, se había reblandecido y actuado sin criterio ni cordura. Le había entregado su virginidad a un ser bajo que ni siquiera la había creído virgen. ¡Cómo se reiría de ella en ese momento! ¡Cómo se jactaría de sus proezas amatorias! ¡Cómo se mofaría del amor que le había profesado!

La noche en que Furia la abandonó, deseó morir, Rafaela lo recordaba muy bien, y su cuerpo casi cedió a la tentación. Neumonía, ése fue el diagnóstico del doctor O'Gorman. La convalecencia llevaría semanas, advirtió el médico, y recetó descanso, buena alimentación y tónicos. Como acechaban los primeros fríos otoñales, la habitación debía permanecer cálida, aunque resultaba imperioso airearla todos los días. Rafaela atestiguaba desde la cama el empeño de Ñuque, de su tía Justa y de las esclavas por cumplir las prescripciones médicas y por consentirla en todo cuanto pidiese. Las observaba moverse por la habitación y se reprochaba: "Iba a abandonar a mi familia, los únicos que verdaderamente me aman, por ese palurdo". Rómulo la visitaba tres veces por día. No le mencionaba su escapada a *La Larga*, ni sus tratos con los peones, ni con Furia. Lo notaba tranquilo, por lo que presumía que sus cuestiones con la ley se hallaban bajo control.

Aarón la hacía reír. Se sentaba junto a la cuja y le contaba anécdotas de su *grand tour* por la Europa y el norte del África que le arrancaban carcajadas que la debilitaban. Ñuque lo echaba con cajas destempladas. Rafaela cayó en la cuenta de que ansiaba las visitas de su primo alrededor de las cuatro de la tarde. Su ánimo se alegraba cuando el aroma a albaricoque inundaba la estancia y la obligaba a dilatar las ventanas de su nariz. A veces, Aarón se perfumaba con la colonia comprada en París, la que ella no terminaba de descifrar: almizcle, nuez moscada, benjuí y algún otro ingrediente desconocido; por momentos creía que se trataba de algo tan simple como laurel y en otros, algo más complejo, como algalia. Se trataba de una esencia penetrante y exótica como su primo. En tanto él le hablaba, Rafaela lo observaba y se preguntaba qué pensamientos ocupaban su mente. Aarón Romano era un hombre inescrutable. De modos impecables, jamás protagonizaba un arranque de ira o una expresión de felicidad. Siempre se mostraba constante, racional y de buen humor. Manejaba con habilidad la ironía, y en ocasiones la utilizaba para ridiculizar a quien consideraba inferior y de pocas luces; sólo una mente aguda habría identificado la sutileza de su sarcasmo. Priorizaba la etiqueta a la sinceridad, aun entre los miembros de su familia. "Tan distinto de Furia", meditó.

Lo pensaba de continuo. A veces el rencor cedía a la nostalgia. En su memoria guardaba cada palabra, cada gesto, cada caricia, cada instante compartido con ese hombre. Lo odiaba y lo amaba, y para ella, una mujer de certezas, esa combinación la angustiaba. El Artemio Furia que la convirtió en mujer no tenía nada que ver con el que la humilló la última noche en *La Larga* y la dejó abandonada en la ventana de su habitación. Pasaba horas conjeturando los motivos del cambio inopinado y cruel, y siempre llegaba a la misma conclusión: la había engañado. El verdadero Artemio Furia era un ser sin escrúpulos, malvado y con dotes para la actuación, que de seguro había aprendido de la mujer que mantenía en la ciudad, la tal Albana, actriz del Teatro Argentino.

La debilidad de sus miembros y de su mente no se convertiría en astenia. Rafaela deseaba recobrar la alegría de vivir. Artemio Furia no merecía ese padecimiento. Abandonaría la cama, volvería a sus labores, prepararía perfumes y afeites, trabajaría en el jardín, visitaría a Corina Bonmer, con quien evocaría al bueno de Juan de Dios, retomaría el hábito de consultar la biblioteca del cuñado de su prima Federica, fray Cayetano Rodríguez, e iría al Convento de las Clarisas para conversar con la hija menor de su tía Justa, Águeda (sor Visitación), quien, con sólo mirarla, le transmitía paz.

Clotilde, que comparecía en el dormitorio de Rafaela para las distintas oraciones del día, le anunció una mañana que el doctor O'Gorman había autorizado que se levantara por una hora desde el día siguiente.

—Nada de locuras, Rafaela. Permanecerás aquí, en tu dormitorio, bien abrigada y próxima al bracero. O'Gorman dijo que, con la ayuda de alguien, deberás dar algunos pasos cada día. Te marearás en un principio, pues has guardado cama por dos semanas, pero, con el tiempo, irás recuperando la fortaleza.

Al otro día, apoyada en el brazo de Aarón, caminó hasta el tocador, donde se desplomó en el taburete que carecía de respaldo, por lo que su primo se colocó detrás y la sostuvo por la espalda. Con los ojos cerrados, Rafaela descansó la cabeza en el pecho de él e inspiró para dominar el mareo y las náuseas. Más segura, se irguió. Al descubrir su imagen en el espejo, soltó un quejido. No la angustió tanto el estado del cabello —mustio, enredado y sucio— como los círculos violeta alrededor de los ojos y el tono macilento de la piel. Los pómulos sobresalían en las mejillas esmirriadas.

—Volverás a ser tan hermosa como eras antes de la enfermedad —profetizó Aarón.

—Sí, querida, así será. Pronto recobrarás tu belleza —acotó Justa, a la que ninguno prestó atención. Se contemplaban a través del espejo. Él sonreía, como siempre. Ella, en cambio, lo estudiaba con seriedad.

Al alejarse de las calles céntricas, Aarón obligó a su caballo a acelerar el paso. El doctor Diego de Saldaña residía en una quinta al norte de la ciudad, en la distante calle de San Pablo, un sitio conveniente para visitarlo sin levantar sospechas. Nadie debía enterarse de que padecía de sífilis, en especial, su tío Rómulo. Durante la estadía en Montevideo, mientras cerraban algunos negocios y finiquitaban las cuestiones legales, Aarón le había pedido la mano de Rafaela y su tío se había mostrado dispuesto a concedérsela. No hablaron acerca de la dote porque Aarón desestimó el tema.

El doctor Saldaña le debía dinero, perdido en la mesa de juego, por lo que lo atendía gratis y no le cobraba los preparados que él mismo fabricaba. Aarón no recurría a él porque no le cobrara sino porque Saldaña aplicaba un nuevo método para curar el morbo francés. "Una noche con Venus, una vida con Mercurio", había expresado el médico después de confirmar el diagnóstico. Sin embargo, la novedad de su profilaxis se centraba en el uso del arsénico —a más de los emplastos, ingesta y vapores de mercurio—, cuya sudoración despedía un ligero aroma a albaricoque.

Por fortuna, habían desaparecido las manchas que por semanas le habían inutilizado las manos y las plantas de los pies, a las que Saldaña llamaba "clavos sifilíticos". Su desaparición no implicaba la cura. "Así como desaparecieron los chancros de su miembro", le explicó, "también desaparecerán los clavos. La enfermedad, sin embargo, persistirá, siempre latente y al acecho."

Después de la revisión del médico, que transcurrió sin novedades, Aarón enfiló hacia el centro. Le haría una visita a su amigo, el coronel Martín

Rodríguez, a cargo de los Húsares del Rey. Los cuarteles se hallaban sobre la calle de la Santísima Trinidad, entre la de San Carlos y la de San Francisco, a la vuelta de la iglesia. Ató su caballo en el palenque y cruzó el patio del cuartel saludando con un movimiento de cabeza a los militares. Sin mayor ceremonial, el secretario de Rodríguez le franqueó la entrada en el despacho de su jefe pues conocía la estrecha amistad que los unía. En tanto se quitaba el barragán, los guantes y el sombrero, Aarón pasó revista a la pequeña junta con la que se encontró. El sargento mayor Rodríguez, sentado a su escritorio, se hallaba rodeado de algunos compañeros de armas, a los que Aarón enseguida individualizó: Lucas Vivas y Pedro Núñez, segundo y tercero en el mando de la Caballería; el sargento mayor Antonio Beruti, del escuadrón al mando de Vivas, al que se conocía como La Infernal; el gigante Buenaventura Arzac, que era sargento de los Húsares; y Esteban Romero, a cargo de uno de los regimientos de Patricios. Sus facciones conservaban el entusiasmo de la noche anterior durante el conciliábulo en la fábrica de jabones de Vieytes, en el cual los vasos de carlón se vaciaron y llenaron varias veces. Sólo un ciego no habría advertido el aire conspirativo de sus expresiones. Aarón pensó que lucían como miembros de una logia.

Lo recibieron con sonrisas y palmeos en la espalda porque lo sabían de parte de la causa por la libertad. En realidad, a Aarón le importaba poco la independencia de las colonias. Su interés radicaba en hallarse siempre del lado vencedor. Y, de acuerdo con el modo en que se precipitaban los hechos, estimaba que al Sordo le quedaba poco tiempo como virrey y que esos militares jóvenes y de temperamentos jacobinos, que lo consideraban su amigo, terminarían haciéndose con el poder. Faltaba el principal, el hombre fuerte del momento: el teniente coronel Cornelio Saavedra, comandante del Regimiento de Patricios, héroe de las Invasiones Inglesas y vencedor de la asonada del 1° de enero de 1809. Según Aarón, Saavedra no mostraba el mismo fervor de los jóvenes. ¿Acaso no les contestaba: "Paisanos, las brevas aún no están maduras" en cada oportunidad en que lo enfrentaban para solicitar su apoyo? El grupo de intelectuales al frente del movimiento independentista, en especial Manuel Belgrano, Nicolás Rodríguez Peña, Juan José Castelli, Juan José Paso e Hipólito Vieytes, sabían que, sin las armas al mando de Saavedra, no podrían actuar en contra de Cisneros.

—¿Y el comandante Saavedra? —se interesó Aarón.

—Pasa una temporada en su quinta de San Isidro —le informó Esteban Romero.

—No es tiempo para alejarse de la ciudad —comentó Beruti, a quien todos tenían por exaltado, fanático de la causa y valiente.

La charla se extendió por una hora. Aarón confirmó su asistencia a la próxima reunión de la Sociedad de los Siete, que ya contaba con muchos más miembros, en la quinta de Mariano Orma, y se despidió. Detuvo su rápida caminata cerca de la salida al divisar, bajo el mojinete de la galería que circundaba el patio del cuartel, a Artemio Furia, que conversaba con el sargento mayor de los Húsares, Domingo French. Lo notó cambiado. Si bien vestía las típicas prendas de los hombres de campaña, éstas eran muy finas, de buen género y confección; se había afeitado. A ese mal nacido le debía haber perdido una fortuna que lo habría sacado del aprieto en el que se hallaba. Este pensamiento le recordó que aún le quedaba por realizar una última gestión: enfrentar a Bernarda de Lezica, a quien le debía una buena suma de dinero. Montó su caballo y partió hacia la calle de Santo Cristo.

"Maldita sea", insultó para sus adentros al toparse en la tienda de la Lezica con Juvenal Romano, que por esos días se hacía llamar León Pruna. Se midieron con miradas intensas.

—¿Cómo estás, hijo?

—No me llame así.

—Eres mi hijo —afirmó Juvenal, con una calma que indignaba a Aarón.

—Sabe bien que no lo soy.

—Sin embargo, llevas mi apellido.

—Algo de lo que no me enorgullezco.

—¿Habrías preferido que te llamaran bastardo?

"*Touché*", pensó Aarón. Intentó abandonar la tienda, pero Romano lo detuvo por el brazo. Lo soltó enseguida.

—No vuelva a ponerme una mano encima, marrano inmundo.

Juvenal pasó por alto el insulto ya que, salvo lo de inmundo, en lo demás Aarón decía la verdad: él era un marrano, un converso que, ocultamente, practicaba el judaísmo.

—Bernarda me ha dicho que le debes una fuerte cantidad.

—Ése no es asunto suyo.

—Yo podría pagarle tu deuda.

—¿A cambio de qué?

—De que dejases de lado tus actividades *non sanctas* (no necesito explicarte a qué me refiero) y que trabajases conmigo en un nuevo negocio que emprenderé: una compañía de alquiler de coches para viajes al interior. —Aarón se rió, una carcajada hueca y forzada—. Sé en qué andas metido. Terminarás mal, Aarón. Te ofrezco una actividad decente. Sería tuya el día en que yo muriese.

—Olvídese de mí, olvídese de mi madre. No vuelva a visitarla ni a importunarla.

—Ella es mi esposa y Cristiana, mi hija. Tengo derecho a verlas.

—Usted no tiene derecho a nada, judío de mierda.

—Sé de tus visitas a la casa del doctor Saldaña. Sé también lo que las motiva. Sé todo sobre ti, Aarón. Si eligiese destruirte, podría hacerlo.

La Lezica emergió de la trastienda y enseguida notó la palidez de Aarón. Éste sabía que Juvenal y Bernarda eran amigos, algunos insinuaban que amantes. De lo que se encontraba seguro era de que ambos se dedicaban a la usura.

—Buenas tardes, señor Romano.

—Buenas tardes, señorita de Lezica.

—¿Cómo se encuentra su prima de usted? —Ante el silencio de Aarón, Bernarda se apresuró a aclarar—: Supe que la salud de la señorita Palafox no es buena.

—Ya se encuentra mejor —contestó de manera lacónica.

—¡Cuánto me alegro!

Aarón la estudió con desenfado. Hacía tiempo que lo atraía la cuarentona. Quizá, si consiguiese llevarla a la cama, obtendría una quita en la deuda o una condonación total.

—Volveré más tarde, señorita de Lezica, cuando podamos hablar con mayor tranquilidad.

—Como guste.

Al cerrarse la puerta tras Aarón, Juvenal expresó:

—Intentará seducirte esperando que le perdones la deuda.

—No sabe con quién está lidiando, entonces.

—¿De veras la señorita Palafox está enferma?

—Así cotillean en las tertulias.

Juvenal se entristeció. Había conocido a Rafaela en esa tienda, Bernarda los había presentado. La joven lo trataba con deferencia, aun con simpatía, lo mismo al encontrarlo en su casa de la calle Larga cuando él, ansioso por ver a Clotilde y a Cristiana, se presentaba sin ser invitado.

—Se rumorea también que tu hijo pretende su mano.

—¿La de la señorita Rafaela?

Bernarda asintió.

Artemio observó el sol y calculó que debía de ser la una de la tarde. Paolino le había comentado que las señoras Palafox solían concurrir a la misa de una en San Francisco escoltadas por Ñuque. Necesitaba ver a la india y preguntarle por Rafaela. Como contaba con tiempo —la misa no terminaría sino cerca de las dos—, decidió marchar a los cuarteles de la calle de la Santísima Trinidad para encontrar a su amigo, el sargento mayor Domingo French, quien le había enviado un mensaje a la pensión de doña Clara. *La cosa está que arde*, rezaba la nota. *Necesito hablar contigo*. No la había firmado porque sabía que Artemio identificaría la caligrafía. La amistad databa de varios años, desde la época en que French, recién casado y sin un cuartillo en la faltriquera, se conchabó para los mercedarios. En 1802 renunció al empleo en el convento de la Merced porque lo nombraron cartero oficial de Buenos Aires, trabajo que conservaba hasta ese momento y que desempeñaba al mismo tiempo que su actividad castrense en el Regimiento América de los Húsares, también conocido como La Infernal.

—¡Artemio! —se alegró French al verlo trasponer el portón del cuartel.

Se dieron un abrazo e intercambiaron preguntas de rigor.

—Ven, pasemos a mi despacho. Aquí hay demasiadas orejas ansiosas por escuchar.

Tras cerrar las puertas, French cebó un mate a Furia y comenzó a pintarle el panorama político. El grupo de jóvenes criollos, a quien Cisneros llamaba "subversivos", había alcanzado un punto que exigía acción.

—Ya basta de arengar en las mesas del Café de Marcos —despotricó French— o de confabular en la fábrica de Vieytes. Aquí hace falta poner los huevos, amigo, y sacar de en medio al Sordo. ¿Qué legitimidad tiene este virrey para venir a darnos órdenes? ¿Quién lo designó? ¡La Junta de Sevilla! ¡Ja! Un grupete de plebeyos, tan súbditos de Fernandito como nosotros. ¿Acaso ellos tienen poder sobre las colonias? ¡De ninguna manera! Las Indias Occidentales no pertenecen a la España sino a la Corona.

Furia chupaba la bombilla y oía con atención, para nada intimidado por la vehemencia del discurso ni por los colores rubicundos que adoptaba el hermoso rostro de French. Conocía sus maneras exacerbadas que coincidían con el fervor de sus ideas independentistas.

—Necesitamos que tengas listo al paisanaje, Artemio. Más temprano que tarde sacaremos del gobierno a estos maturrangos —con ese término se llamaba a los españoles, conocidos por montar sin estilo y mal— a sablazo y a boleadora limpia.

—¿Contamos con el apoyo de Saavedra?

—¡Qué sé yo! —se exasperó French—. Ése no hace más que repetir: "Las brevas no están aún maduras". Me tiene hasta la coronilla. Joaquín Campana —French hablaba del secretario privado del jefe de los Patricios— se fue para San Isidro a llevarle unas cartas donde lo convocamos para que tome las armas. Veremos si tiene los cojones. Yo creo que es un pusilánime.

—Me pone de malas lidiar con tibios, Domingo. No sabes con qué te saldrán.

—Lo sé. A ti te gusta tener todo bajo control —añadió, con una sonrisa—. Y, sin duda, lidiar con tibios puede traer sorpresas desagradables. En mi opinión, Saavedra lo es. Un tibio, quiero decir. Pero lo necesitamos.

—¿Y la curia? —se interesó Artemio.

—Dividida —admitió French—. El obispo Lué y Riega, como imaginarás, está del lado de los maturrangos. Otros curas nos apoyan. Alberti, Grela y, por supuesto, tu querido padre Ciriaco Aparicio se están jugando la sotana arengando desde los púlpitos en favor de la causa. ¡Yo tengo fe en que triunfaremos! —explotó de súbito—. Sólo es cuestión de convencer a Saavedra y organizarnos. Por eso te convoqué hoy, para que aprestes a tu gente, como lo hiciste en el año seis. Tomás de Grigera también está movilizando a sus paisanos de las Lomas de Zamora.

—Sabes que no me gusta Grigera.

—Sí, lo sé. A mí también me cae como patada al hígado, pero lo necesitamos. Cuanto mayor fuerza armada reunamos y presentemos, más fácil será y, aunque parezca una paradoja, menos efusión de sangre habrá, si es que ninguna. Los españoles no tendrán cojones para enfrentarnos. Sus tropas son pocas, están debilitadas, mal entrenadas y sin pertrechos. ¡Saben que los merendaríamos!

French lo acompañó hasta la salida del cuartel, donde cruzaron las últimas palabras antes de despedirse. Con una ansiedad desconocida, Artemio montó su overo y lo guió al paso por la calle de la Santísima Trinidad. Apenas dobló a la derecha en la de San Carlos, avistó el grupo de mujeres que salía de la misa de una en San Francisco. Se aproximó al límite del atrio y, sin apearse, escrutó el gentío. Al toparse con la figura encorvada y pequeña de Ñuque se dio cuenta de que ésta lo había descubierto antes que él a ella. Lo observaba con fijeza y, a pesar de que no le veía los ojos, pues permanecían ocultos por los párpados caídos y arrugados, percibió la fuerza de esa mirada. La vio girar y acercarse a unas mujeres. Se dirigió a dos de ellas, y Furia dedujo: "Deben de ser las hermanas de Palafox". Paolino le había dicho que se llamaban Clotilde y Justa. Con la carpeta arrollada bajo el brazo, la anciana ingresó de nuevo en el templo. Artemio esperó unos segundos para saltar del caballo y seguirla.

La divisó en la penumbra del templo, surcada por un rayo de luz de colores, que revelaba el humo del incienso aún suspendido en el aire de la basílica. No se atrevió a acercársele. Se quitó el sombrero y aguardó cerca de la pila con agua bendita. La india iba de negro, pero no debía inquietarse, se dijo, porque no significaba que llevara luto. Las mujeres asistían de negro a misa.

Sin necesidad de voltear, Ñuque advirtió la presencia de Furia detrás de ella, a unos pasos. La energía de ese hombre la tocaba como una mano, su ansiedad la conmovía, su misterio la inquietaba. Se hizo la señal de la cruz, dio media vuelta y caminó hacia él. Las ansias mortales en que se hallaba Furia se revelaban en su cuerpo inmóvil y tenso y en una expresión seria aunque no severa, de labios apretados y ojos inmóviles. Advirtió que el gaucho se aferraba al borde de la pila con una fuerza que alteraba el color de sus nudillos. Ñuque estaba segura de que él no percibía que estaba tocando el agua bendita con la punta de los dedos. Supuso que no hablaría. La nuez de Adán le subía y bajaba por el cuello. De igual manera, holgaban las preguntas.

—Rafaela se encuentra bien. El doctor ha dicho que está fuera de peligro.

Artemio dejó caer la cabeza. El mentón le rozó el poncho. Se llevó la mano a la cara y se apretó los ojos con los dedos. Ñuque escuchaba su respiración agitada y veía los estremecimientos que le sacudían el cuerpo.

Artemio levantó la vista, y la anciana no supo si eran lágrimas o agua bendita lo que aglutinaba sus pestañas negras. Pensó: "Es un hombre de una hermosura sacra. Excesiva".

—Gracias, Quelupén.

Advirtió que la voz del gaucho surgía ronca y pastosa. Le respondió con una inclinación de cabeza. Furia tuvo la impresión de que la india le soltaría una andanada de preguntas y reclamos. Se mantuvo firme, con la vista fija en la de ella, a la espera del embate.

—No vuelva usted a lastimar a mi niña —expresó Ñuque—. Que Dios lo bendiga y lo acompañe, m'hijo. —Pasó a su lado con la carpeta enrollada bajo el brazo.

Melody contempló el perfil de su cuñada Elisea mientras ésta amamantaba al pequeño James Maguire, o Jimmy, como lo llamaban. En el silencio se intensificaban los sonidos que realizaba con su pequeña boca al succionar.

De pronto, Elisea quebró el mutismo para preguntar:

—Melody, ¿sabes por qué tu padre bautizó esta estancia con el nombre de *Bella Esmeralda*? Se lo he preguntado a Tomás —hablaba de su esposo, el hermano de Melody—, pero él asegura no saber.

—Mi padre tenía una hermana llamada Esmeralda, a la que había querido mucho. Supongo que, en honor de ella, llamó así a la estancia.

—Sería una mujer hermosa —infirió Elisea.

—Tan sólo una vez mi padre la mencionó y fue en su lecho de muerte. Me dijo: "Me recuerdas a mi hermana, mi querida Esmeralda".

—Entonces, era hermosa —aseguró Elisea—. ¿Sabes qué ha sido de ella?

—En absoluto. Sospecho que murió hace años. Algo oscuro se relacionaba con ella, pues así como mi padre hablaba abiertamente de su hermano Jimmy, jamás pronunció palabra acerca de Esmeralda.

Llamaron a la puerta. Era Brunilda, la doméstica.

—Señora Elisea, el almuerzo está pronto.

Varios comensales ocupaban la mesa de *Bella Esmeralda*, porque a los usuales se habían sumado Edward O'Maley y Liam Flaherty, capitán de uno de los barcos de la flota de Roger Blackraven, el *White Hawk*, que había recalado días atrás en Las Conchas, un puerto natural al norte de Buenos Aires. Traía correspondencia y periódicos con noticias inquietantes de la España.

—La señora Isabella —habló Flaherty para referirse a la madre de Blackraven— y el capitán Malagrida viajaron a la Francia donde visitaron al primo de usted, capitán Black, en el castillo de Valençay.

La amistad de Blackraven con el emperador de la Francia, Napoleón Bonaparte, afianzada tras años de un fluido intercambio epistolar, implicaba ciertas prerrogativas, como por ejemplo que Isabella di Bravante visitara a su sobrino Fernando VII en el castillo de Valençay, donde vivía exiliado desde 1808.

—Era bueno el estado de salud de Fernando, supongo —comentó Roger, con sarcasmo.

—Sí, bueno, aunque de ánimo quejumbroso, según me refirió vuestra madre, capitán. Fernando alega que Bonaparte no ha cumplido con lo prometido en Bayona.

Blackraven profesaba un afecto genuino por su tío, el destronado rey de la España, Carlos IV, a pesar de que no contaba con las luces ni con el temperamento indispensable para un soberano. Su primo, en cambio, lo fastidiaba. Influenciado por el canónigo Juan de Escoiquiz, se había dedicado a intrigar contra su padre, su madre y el ministro Godoy, asestando el golpe de gracia a los Borbones de la España.

—Recibió de buen grado la letra de cambio que la señora Isabella le entregó en vuestro nombre, capitán. "El buen Roger" lo llamó.

Blackraven ladeó la boca en una sonrisa despreciativa al evocar los párrafos zalameros de la carta de su primo, como también los comentarios de Napoleón acerca del exiliado de Valençay. *Su primo de usted, mi querido Roger, es tan obsecuente como su excelencia astuto. Me pide que le encuentre esposa de mi elección y me ofrece a su hermano, don Carlos María Isidro, para conducir los ejércitos españoles que enviaré a la Rusia. Me profesa admiración y me asegura que anhelaría ser mi hijo. ¡Y el pueblo español lo llama* El Deseado *y dejan su sangre en el campo de batalla para llevarlo de regreso a su patria! ¿Quién comprende a los pueblos? Quizá me decida y publique la correspondencia de ese adulador y felón en* Le Moniteur *para exponerlo al juicio de sus súbditos.*

—¿Le enviaste dinero a tu primo Fernando? —se extrañó Melody.

—Lo envié porque deseo que mi tío, Antonio Pascual, a quien mi madre adora, y mi primo Carlos María no pasen necesidades en el castillo de Valençay.

—Entiendo.

—Por supuesto, el pusilánime de Fernando gozará de ese beneficio también.

En realidad, a Blackraven no le inquietaban tanto las noticias acerca de su primo como las publicadas por varios periódicos ingleses de principios de año, que Flaherty le entregó apenas arribado: Sevilla se encontraba en manos del ejército napoleónico, y con la desaparición de la Junta Central, que gobernaba en nombre de Fernando, el reino se hundía en el caos.

"Ya nada ata a las colonias con la Metrópoli", reflexionó Blackraven. "Hasta el Sordo ha perdido legitimidad, pues la Junta Central, que lo nombró virrey del Río de la Plata, ha dejado de existir." En su opinión, desde 1806, después de la expulsión de los ingleses, existían las condiciones para reclamar la independencia. Los acontecimientos de los últimos años —la invasión napoleónica en la España, la defección de los Borbones en Bayona y el virtual abandono en que se hallaban las colonias— promovían la agitación entre los criollos, quienes, abiertamente, declaraban el derecho del Virreinato del Río de la Plata de formar Junta. La noticia de la caída de Sevilla y la conformación de un Consejo de Regencia en Cádiz, último baluarte de los españoles, precipitaría los acontecimientos por los que Blackraven peleaba desde hacía largo tiempo.

Después de la cena, mientras los hombres, reunidos en la sala, fumaban vegueros y pipas y tomaban oporto, Edward O'Maley se preguntó:

—¿Sabrá el Sordo acerca de la caída de Sevilla?

—Es lo más probable —admitió Blackraven—, aunque mantendrá la noticia oculta bajo siete llaves. Él sabe que si llegase a manos de los criollos, sus días como virrey estarían contados.

—¿Por qué? —se interesó Flaherty.

—Porque los criollos no aceptarán a las Cortes de Cádiz como un órgano soberano para gobernar las colonias —explicó Roger—. Dirán que los hombres de Cádiz son tan súbditos de los Borbones como ellos y que no tienen autoridad sobre las Indias Occidentales. Es lo que vienen diciendo de la Junta Suprema. Este advenimiento, la caída de la Junta Suprema de Sevilla, les dará la excusa para actuar.

—¿Qué es lo que pretenden los nativos? ¿La libertad? —se interesó el capitán del *White Hawk*.

—Sí, la libertad —concedió Blackraven—, aunque no lo admitirán abiertamente. Dirán que tienen derecho a formar Junta y gobernar en nombre de Fernando VII al igual que las Juntas de la España. Sin embargo, lo que realmente pretenden es quitarse el yugo español. En el fondo de la cuestión, lo económico guía todo. Están cansados de pagar altos impuestos para llenar las arcas de un reino decadente que los ha olvidado hace años. —Y no comentó, por deferencia a su cuñado Tommy, quien odiaba a los ingleses, que la presión que éstos estaban ejerciendo sobre el virrey Cisneros para comerciar libremente en el Río de la Plata sellaría el destino del virreinato.

La conversación derivó en otros temas y desembocó en el saladero *La Cruz del Sur*, propiedad de Blackraven.

—Roger, días atrás estuve con Furia en Buenos Aires —comentó Eddie O'Maley—. Asegura que la punta de ganado está gorda y pronta. Dijo que él mismo la arrearía hasta *La Cruz del Sur*.

—¿Furia? —se interesó Tommy Maguire—. ¿Artemio Furia?

—Sí, Artemio Furia —contestó Eddie.

—¿Lo conoces? —quiso saber Blackraven.

—¿Que si lo conozco? Pablo y yo éramos sus troperos. La caravana para la que trabajábamos era de su propiedad.

—¿Qué puedes decirme de él?

Tommy bajó la vista y se presionó el mentón en tanto buscaba las palabras para describir a su antiguo patrón.

—Es un gaucho fuera de lo común —afirmó.

Eddie, riendo, preguntó:

—¿Porque es rubio y de ojos celestes?

—Bueno, sí, aunque no me refería a eso sino a su comportamiento, a su modo de pensar y de conducirse. Como buen paisano, era callado, más bien taciturno, a quien la compañía de los hombres terminaba por fastidiar. Sólo con su amigo, el indio Calvú Maque, a quien Furia llamaba *peñi*, que significa hermano en la lengua de esos infieles, parecía a gusto. Se dice que se criaron juntos.

—¿Entonces a Furia lo criaron los indios?

Tommy sacudió los hombros en señal de desconocimiento.

—Poco se sabe de él —admitió—. Como dije antes, era callado, hablaba poco, menos aún para referirse a sí mismo. Se volvía huraño si intentaban averiguar sobre su pasado. Y si bien era tranquilo y no acostumbraba a levantar el tono de voz, cuando su mal genio se desataba, amedrentaba al más bragado. Mejor no hallarse cerca si decidía desenvainar su guampudo. Era hábil como el mismo Lucifer. Lo vi batirse con tres hombres, tres troperos que quisieron robarle —añadió—, y dejarlos con las tripas al sol en menos de lo que canta un gallo.

—Doy fe de eso —acotó Eddie.

—Lo hizo frente a todos, a modo de escarmiento. "Aquí el que da las órdenes soy yo. Al que no le guste, se me manda mudar", eso dijo ese día. Decían que lo de Furia le iba porque sus arranques de furia eran proverbiales, aunque no frecuentes. Siempre me pasmaba de él la seguridad y la autoridad con que manejaba a un tropel de gauchos con caras de demonio. Nunca parecía intimidado, nada lo conmovía, ni la peor de las vicisitudes. Siempre conservaba la calma. Aunque exigente como patrón, su paga era de las mejores.

—¿Tenía enemigos? —se interesó Roger.

—Un hombre como ése —meditó Somar— debe de contarlos por montones.

—Es cierto —coincidió Tommy—, aunque también tiene aliados muy fuertes. Por ejemplo, es amigo de los Pueyrredón y de otros criollos encumbrados.

—¿Tiene mujer? —se interesó Blackraven.

—Varias, según recuerdo. No le conozco hijos.

—¿Qué edad tiene?

—Una indefinida entre los treinta y los cuarenta.

—Su aspecto —dijo Blackraven—, ¿nunca llamó tu atención?

Tommy levantó las cejas, sorprendido por la pregunta.

—¿En qué sentido llamaría mi atención?

—¿No te recordaba a nadie?

—La última vez que lo vi —expresó Tommy— usaba una barba tan larga que le llegaba al pecho y las crenchas le cubrían la mitad de la espalda. No me recordó a nadie que yo conociera.

A la mañana siguiente, Blackraven convocó a Somar y a O'Maley en el despacho. Desplegó los periódicos ingleses que Flaherty le había entregado y dijo:

—Eddie, es imperioso que estos periódicos lleguen a las manos adecuadas. Aquí se informa acerca de la caída de la Junta en Sevilla y del desbande de sus miembros, que han formado un Consejo de Regencia en Cádiz.

—¿A quién debo hacérselos llegar?

—Éstos a Mackinnon, el líder de los comerciantes ingleses en el Río de la Plata. Vive en lo de doña Clara —añadió—. En caso de que no des con él, se los llevarás al doctor Moreno, a su bufete de la calle de la Piedad. Él es el notario de los comerciantes ingleses —explicó—. Y éstos se los entregarán a don Nicolás. —Blackraven se refería a Nicolás Rodríguez Peña.

—Así se hará.

—Sé discreto. Si sales esta misma tarde —quiso saber Roger—, ¿cuándo arribarás a Buenos Aires?

—A revienta caballos —apuntó Eddie—, lo más probable es que alcance la ciudad mañana para el mediodía.

—Perfecto. Entonces, mañana 10 de mayo le consignarás estos periódicos a alguien de tu confianza para que los entregue a quien te he indicado. Yo llegaré en dos o tres días para atestiguar las reacciones.

—Entendido.

—Somar —dijo Blackraven—, dile a tu señora que comience a empacar. Mañana por la mañana regresamos a Buenos Aires.

CAPÍTULO XV
Una cáscara vacía

*E*ntre las dispensas que obtuvo Rafaela por sobrevivir a la muerte se encontraba el permiso de su padre para que Corina Bonmer la visitara en la quinta de la calle Larga. Por supuesto que "la imprentera", como la apodaba Rómulo, no tenía acceso al estrado de Clotilde, una tarima elevada en el suelo de la sala principal, con una balaustrada perimetral de madera, cubierta por una alfombra cordobesa llamada chusé, que contenía almohadones y mesas y asientos bajos, donde las señoras se echaban a coser, bordar o tejer, mientras conversaban y bebían chocolate o cascarilla; en invierno, quemaban en los braseros pebetes aromatizados que Rafaela fabricaba con benjuí, estoraque, ámbar, azahar o lavanda. No importaba que las sillas se hubieran impuesto desde hacía algunos años y que las mujeres se integrasen a los hombres en las tertulias; la casa de los Palafox conservaba el estrado como rasgo de nobleza española, herencia de los árabes.

Dado que Rafaela nunca participaba del estrado de su tía Clotilde, poco le importaba la prohibición que pesaba sobre Corina. La recibía en su recámara o en el laboratorio, y, si bien a Rafaela le habría gustado mostrarle su jardín, aún le prohibían salir.

Corina encontraba a su amiga desmoralizada. Costaba arrancarle una sonrisa; imposible escucharla reír. Lucía como en los tiempos después de la muerte de Juan de Dios.

Rafaela ansiaba contarle su traumática experiencia amorosa y lo hizo una tarde en que se sentía especialmente apesadumbrada. Corina la escuchó con un gesto apacible y la confortó. Nada la escandalizaba, ni que Furia perteneciera a una condición tan baja, ni que hablara mal, ni que hubieran hecho el amor. Corina juzgaba fascinante la experiencia.

—¿Qué harás ahora?

—Nada —contestó Rafaela—. Seguiré con mis antiguos planes. Nunca me casaré, criaré a Mimita y cuidaré de mi padre en la ancianidad.

—¿Ya no piensas en él?

Habituada a fingir y a ocultarse y esclava de su orgullo, Rafaela estuvo a punto de contestar que no. Al levantar la vista y encontrar la expresión sincera de Corina, comprendió que su amiga no la condenaría. Con Corina, sería la verdadera Rafaela.

—Todo el tiempo —admitió.

A veces, Rafaela caía en la cuenta de que acababan de pasar unos minutos sin que su mente recreara las imágenes de Artemio Furia. El resto del tiempo se acordaba de los momentos compartidos, de los besos, de las caricias, de las palabras que, aunque falsas, la habían conmovido. La huella de Furia en su corazón parecía indeleble. ¿Para qué empeñarse en borrarla si él la había marcado a fuego, lo mismo que al ganado? Le pertenecía, era de su propiedad. Ni siquiera su cuerpo respondía a ella, porque desde que había comenzado a sanar, desde que no desfallecía a causa de la debilidad, la necesidad de sentir la carne de él fusionarse con la de ella se tornaba insoportable y se llenaba de palpitaciones, de inquietud, se le hinchaban los pezones y sus manos vagaban para acariciarlos como los labios de Artemio Furia cuando los chupaban.

Las conversaciones con Corina y con Ñuque la ayudaban a sacar fuera la angustia, y les formulaba las preguntas de las que no obtenía respuesta en soledad. ¿Cuánto tiempo duraría la tristeza? ¿Olvidaría a Artemio Furia? ¿Sonreiría de nuevo? Caía fácilmente en la desesperación. Pesimista por naturaleza, avizoraba un futuro negro y triste. Le costaba empezar una jornada porque la idea de terminarla la agotaba. Mimita era la alegría de su corazón. Si se aferraba a su cuerpito poco simétrico y pequeño, le parecía que su vida estaba en orden.

Los miembros de la familia Palafox jamás habrían adivinado las penosas horas que vivía Rafaela. A ellos les mostraba su mejor cara. La veían ocuparse del laboratorio, de la educación de la niña, interesarse por las cuestiones domésticas y reír con Aarón. En cuanto a su prima Cristiana, la enfermedad de Rafaela no había servido para unirlas; por el contrario, se mostraban más antagónicas que de costumbre.

—Tu familia está ciega si no ve tu dolor —aseguró Corina una tarde en que acompañaba a Rafaela en su primera salida. Babila conducía el coche que se dirigía al Convento de las Clarisas.

—Ellos ven lo que desean ver. En mi familia, Corina, no se admiten los problemas ni las faltas. Todo está bien y en orden, siempre.

—Deberías casarte y largarte de esa casa. El ambiente me asfixia, con tu tía Clotilde tan encopetada y tu padre que me mira desde arriba.

A veces le molestaba la franqueza de Corina. Juan de Dios habría empleado palabras sutiles para expresar la verdad. De igual manera, su amiga tenía razón.

—No me casaré, ya te lo he dicho.

—¿Por qué no te casarás?

—¿Y con quién lo haría? Nadie se fijaría en mí. No soy bonita ni tengo grandes talentos. Además, no soy virgen. ¿Cómo ocultaría esa realidad en la noche de bodas?

—Acabas de expresar la mayor retahíla de sandeces que he oído en mi vida. —Rafaela no pudo contener la risa—. Eres bonita —prosiguió Corina— y lo sabes.

—Me sentí bonita en brazos de Furia, pero nunca fui consciente, ni lo soy, de mi supuesta belleza.

—Pues eres bonita. Y varios se interesan en ti. ¡No te hagas la sorprendida! Bien sabes que Manuel —hablaba de Belgrano— te mira con afecto, lo mismo que Mariano.

—¿Qué Mariano?

—Mariano Orma. Y mi jefe —se refería a Agustín Donado, encargado de la Imprenta de los Niños Expósitos— siempre pregunta por ti. Ah, también pregunta por ti, aunque con otras intenciones, la señorita de Lezica. Ha vendido tus perfumes y afeites como rosquillas y quiere saber si seguirás fabricándolos para ella.

—No lo haré. Mi padre me lo ha prohibido. No es decente.

—¡Bobadas! ¿Qué tiene de indecente trabajar? ¿Acaso me juzgas indecente?

—No, por supuesto que no —vaciló Rafaela.

—Gracias a tu *indecencia*, todos estos meses en que tu padre estuvo exiliado, tu familia no murió de hambre. Sigue vendiendo tus productos a la Lezica, Rafaela, sin que nadie lo sepa. Yo haré de intermediaria. Unos reales en el bolsillo no te vendrán mal.

La halagaba que sus productos hubiesen volado de los escaparates de la tienda de la señorita Bernarda. La posibilidad de hacerse de unos ahorros la tranquilizaba. El dinero le daba seguridad. Además, producir perfumes y afeites era su gran pasión. Mantenerse ocupada le ayudaría a olvidar.

—Está bien. Dile a Bernarda de Lezica que tú serás nuestra intermediaria.

—¿Qué te ocurre? —se alarmó Corina—. De pronto, te has puesto del color de la cera.

—Nada, un ligero mareo. Me he sentido lánguida el día entero y no he comido. Sólo he bebido una infusión de cilantro e hinojo.

* * *

Para el natalicio de Rafaela, el 7 de mayo, Rómulo sorprendió a su hija con un regalo que le arrancó una exclamación de alegría: un libro sobre los secretos del arte de fabricar perfumes. Enseguida pensó en las nuevas fórmulas que colmarían los anaqueles de la tienda de la señorita Bernarda.

—Gracias, padre. Esto es un tesoro para mí.

Su padre la desconcertó al abrazarla. Rafaela permaneció rígida contra su pecho. El contacto físico no sólo era infrecuente sino mal visto.

—Estás tan delgada —se lamentó Rómulo—. Debes comer más.

La idea de la comida le provocó una punzada en el estómago. Se apartó de su padre y le pidió autorización para retirarse.

Como el libro estaba escrito en francés, idioma que no manejaba con la solvencia del latín o del griego, se decidió a visitar a fray Cayetano Rodríguez para pedirle un diccionario. Al regresar a su casa, escuchó desde la entrada la interpretación en el armonio de *Musica notturna delle strade di Madrid*, de Boccherini. Sin duda, admitió, Cristiana era una eximia concertista. Decidida a pasar de largo, como si aquel despliegue de talento filarmónico no la afectase, se detuvo en la galería al entrever a su tía Clotilde en compañía de León Pruna, su asiduo visitante, de quien se murmuraba que practicaba la usura. Se hallaban en silencio, disfrutando de la música. En realidad, Pruna lo hacía, con los ojos cerrados; seguía el compás con un ligero golpeteo de dedos en la rodilla. Clotilde, en cambio, lo observaba a él, absorta. Un semblante de complacencia que le suavizaba la rigurosidad de las facciones llamó la atención de Rafaela. ¿Qué observaría Clotilde en Pruna que le ocasionaba ese cambio de actitud? El rictus había mudado en una expresión a la cual casi podía definirse como una sonrisa. Resultaba extraordinario pillar a su tía relajada y contenta.

—Buenas tardes, señor Pruna. —Rafaela se plantó frente a él y lo sobresaltó.

—¡Oh, señorita Rafaela! —El hombre se puso de pie con un movimiento torpe.

—Buenas tardes, tía. —Obtuvo como respuesta un vistazo fulminante—. Veo que disfruta de la música.

—Sí, sí, muchísimo. Su prima de usted es una gran concertista. —Rafaela se limitó a asentir—. ¡Cuánto me alegro de verla tan repuesta! Clo… La señora Romano me comentó que anduvo usted mala.

—Sí, pero, a Dios gracias, ya me encuentro repuesta.

Aunque sonrió y agitó la cabeza, Juvenal se dijo que la neumonía había marcado duramente a la señorita Palafox. La encontró enflaquecida, con las mejillas enjutas y el cuello delgado y esbelto; círculos oscuros le orlaban los bonitos ojos verdes, que carecían del brillo que solía chispear en el pasado.

Se sobresaltaron cuando Cristiana azotó el teclado produciendo notas disonantes.

—¡Rafaela! —la increpó—. Entras en la sala y te dedicas a hablar con el invitado de mi madre como si yo no estuviera tocando el armonio. ¡Siéntate y escucha o vete!

Rafaela sonrió con picardía al señor Pruna, agitó los hombros y se despidió. Al rato, ensimismada en el análisis del libro de los perfumes, había olvidado la escena con Cristiana. Resultaba agotador interrumpir la lectura en francés para buscar palabras desconocidas en el diccionario de fray Cayetano y, a un mismo tiempo, estimulante. Le gustaba realizar investigaciones. Ñuque entró con una parva de ropa limpia. Rafaela levantó la vista de los libros y le sonrió.

—Escuché a Cristiana quejándose —comentó la india—. ¿A qué se debía?

Rafaela desestimó el altercado. En cambio, preguntó:

—Ñuque, ¿quién es el señor Pruna?

—Es el esposo de tu tía Clotilde —respondió la mujer, mientras acomodaba las sábanas en un arcón.

Rafaela se puso de pie de un brinco.

—¿Qué has dicho?

—Que es el esposo de tu tía Clotilde.

—Tía Clotilde es viuda.

—No lo es.

Rafaela se aproximó a la anciana, le quitó las sábanas de las manos y la obligó a sentarse en un confidente.

—Explícate, Ñuque, o creeré que has perdido la razón. Nunca mencionaste que ese hombre fuera esposo de tía Clotilde.

—Porque nunca lo preguntaste.

—¡Ñuque, por favor! ¡Explícate!

—El señor Pruna es, en realidad, el señor Juvenal Romano.

—¿Padre de Aarón y de Cristiana?

—De Aarón no. Sólo de Cristiana.

—¿Cómo? —Rafaela se dejó caer a los pies de Ñuque—. Dios bendito, estás desvariando —afirmó.

—No lo estoy. Tú has preguntado y yo te he respondido.

Como siempre que acertaba con la pregunta, meditó Rafaela, Ñuque le decía la verdad.

—Lo que estás diciendo es un galimatías para mí. Por favor, explícame.

—Tu tía Clotilde casó con el señor Romano en Córdoba, donde vivíamos en aquel entonces, y partió hacia Lima, de donde es oriundo Romano. Eso lo sabes. Cuando tu prima era pequeña, tu tía descubrió a Juvenal leyendo un libro en hebreo y practicando ritos judíos. —Rafaela abrió grandes los ojos—. De ese modo Clotilde supo que la había desposado un cristiano nuevo, que, para peor, era marrano, porque seguía practicando su religión anterior, la judía. No soportó la idea de estar casada con un judío y lo abandonó. Al llegar a Buenos Aires, le pidió asilo a tu padre.

—¡Qué engaño tan vil!

Ñuque sacudió los hombros para desestimar la afirmación de Rafaela.

—Juvenal es un buen hombre, Rafaela. Tu padre y él eran amigos. Se conocieron en la Universidad de Córdoba, donde ambos estudiaban leyes. A él jamás lo habrían admitido si se hubiese presentado como judío. Visitaba a menudo la casa de tu abuelo, en Córdoba, por la amistad que tenía con tu padre, y así conoció a Clotilde. Se enamoró perdidamente de ella.

—¿Y ella de él?

—No, no. Ella le había entregado el corazón y algo más a otro, al padre de Aarón.

—¡Esto es inverosímil! Tía Clotilde, dispuesta a caer sobre mí como lo hará Dios el día del Juicio Final, tiene un pasado tan negro como el de una mujer de la mala vida.

—Todos tenemos secretos oscuros, ¿verdad, Rafaela? —dijo la mujer, y levantó los párpados rugosos para horadarla con una mirada que desmentía la vejez de la india.

—Todos, Ñuque, es cierto. Sin embargo, no todos acostumbramos juzgar a media humanidad por sus actos. Y eso es lo que hace tía Clotilde. —Percibía cómo el resentimiento se apoderaba de su corazón y lo llenaba de oscuridad.

—Tú también eres una gran prejuiciosa, Rafaela, y juzgas a tus semejantes sin compasión. Lo haces con tu padre y con tu prima Cristiana. Y ahora con tu tía Clotilde.

Rafaela la miró con dureza. No le sabía a mieles que le marcaran los defectos; si se los marcaba Ñuque, de las pocas personas que respetaba, le dolía profundamente.

—¿Quién es el padre de mi primo Aarón? —preguntó con frío acento para ocultar su orgullo lastimado.

—Un militar español, también amigo de tu padre. Aunque pensaba desposar a tu tía Clotilde, ella rompió el compromiso cuando se enteró de que su prometido cohabitaba con una mujer. Tu padre lo retó a duelo.

—¡De veras! —A Rafaela le costaba imaginar a su padre con un arma en la mano.

—El duelo no llegó a tener lugar. Habría sido un escándalo. Tu tía ya estaba embarazada...

—Y había que salvar su honra —acotó Rafaela, con ironía.

—Clotilde aceptó a Juvenal como esposo y se marchó a Lima. Llevaba cinco meses de embarazo, los cuales, aunque bien ocultos bajo una apretada faja, pronto la sociedad cordobesa descubriría. Tu primo nació en Salta.

—¿Sabe mi padre que Aarón no es hijo de Juvenal?

—Por supuesto. Fue él quien hizo los arreglos de la boda.

—¿Aarón sabe que no es hijo de Juvenal Romano?

—Lo sabe. Debes ser prudente puesto que tu prima Cristiana piensa que su padre murió cuando ella era muy niña. No sabe quién es, en realidad, León Pruna.

—¿Qué fue del padre de Aarón?

—No lo sé. Al poco tiempo del casamiento de Clotilde, tu padre fue nombrado Director General de la Real Renta de Tabacos aquí, en Buenos Aires, y dejamos Córdoba para siempre.

—¿Nunca volvieron a saber del padre de Aarón?

—Rómulo tuvo noticias de él tiempo atrás.

—¿Cómo se llamaba, Ñuque?

—Deberías preguntar "cómo se llama" pues, hasta lo que sé, no ha muerto. Su nombre es Martín Avendaño.

—¿Cómo era él, Ñuque?

La anciana no dudó en contestar:

—Endiabladamente atractivo. —Guardó silencio, como si meditara las palabras—: Y galante, cuando se lo proponía. Su mirada, de un gris como el del acero, transmitía un dominio que me asustaba. A veces, Artemio Furia me lo recordaba.

Rafaela palideció y bajó la vista. Hacía tiempo que su nodriza no lo mencionaba, y a ella le gustaba pensar que Furia formaba parte del pasado. No obstante, la mención de su nombre desató fuertes palpitaciones en su pecho.

—Existía algo oscuro y siniestro en Avendaño, algo que creí ver en los ojos de Furia. —Ñuque posó la mano en la mejilla de Rafaela para decirle—: Tesoro —la afectó que la llamara con ese apelativo, al que echaba mano en contadas ocasiones—, ha sido para mejor que ese hombre saliera de tu vida.

—¿Porque era un gaucho? —se mosqueó Rafaela, y enseguida se arrepintió.

—Bien sabes que no. Los hombres como Avendaño y Furia son superiores a nosotros, simples mortales. Poseen un espíritu de hierro y, sobre todo, no conocen el miedo. Esto los convierte en criaturas especiales, indestructibles. Al igual que Avendaño más de veinte años atrás, Furia habría traído la desgracia a esta familia

—¡Esta familia! —exclamó Rafaela, en tanto se quitaba las lágrimas con el dorso de la mano—. ¡Qué familia la mía, Ñuque! Un cáscara vacía, eso es lo que somos. Sólo una cáscara. ¡Cuánta mentira e hipocresía! ¡Cuánta desfachatez! Me avergüenzo de que la sangre Palafox corra por estas venas —exclamó, con el brazo extendido.

Rafaela perdió interés en la traducción del libro de perfumes y pasó el resto de la tarde tirada en la cama, mirando la seda blanca del baldaquín, saltando de un pensamiento a otro. Al anochecer, Créola trajo a Mimita, que se acostó a su lado y le pidió en su media lengua que le contara una historia de princesas y dragones. Rafaela le dio gusto y, mientras le relataba el cuento de Perrault, *Riquete, el del copete*, y le acariciaba los bucles, la observaba y reflexionaba: "Tú eres la víctima de esta malhadada familia. Tú eres lo único bueno que ha surgido de los Palafox", porque ella, Rafaela Palafox y Binda, también formaba parte de la red de mentiras e hipocresía que se había entretejido con los años y, por lo tanto, se reputaba una escoria como los demás.

—¿Te ha gustado el cuento? —preguntó a la niña, y la vio asentir.

En ocasiones, Mimita la contemplaba con la fijeza e intensidad de un adulto. De pronto, no parecía retardada, todo lo contrario. Le pasó la mano por la mejilla para suavizar el rigor del gesto.

—¿Qué ocurre, tesoro?

—¿Atiemo? ¿Atiemo?

La sonrisa se congeló en los labios de Rafaela. Mimita no lo había mencionado desde el regreso de *Laguna Larga* y tanto Créola como ella creían que lo había olvidado. ¡Ilusas! Mimita también lo amaba del modo desmesurado en que Artemio Furia sabía hacerse amar. "Maldito sea por destruir el corazón de una criatura inocente."

—El señor Furia se ha ido, tesoro, y no regresará jamás.

Una honda tristeza le llenó de lágrimas los ojos. Mimita había bajado la cabeza y aferraba en su puño el tiento con dijes de hueso que nadie podía quitarle. Esa noche, después de cenar en silencio, de acuerdo con la costumbre de las buenas familias españolas, Rómulo habló sobre los avances del trámite para obtener la Carta Ejecutoria de Nobleza, documento que les devolvería la dignidad nobiliaria a los primogénitos Palafox. Su entusiasmo contagió al resto de los miembros, que hacían planes para el día en que llegase el diploma, atochado de sellos y con la firma del rey Fernando VII. Rafaela, que simulaba leer *Sentido común*, de Thomas Paine, se esforzaba por sujetar su carácter irascible porque si le hubiese dado rienda suelta, habría arrojado el libro a la cara de su padre y se habría lanzado a enumerar los arcanos pecados de los Palafox.

—Ha sido indispensable —escuchó comentar a su tía Clotilde— haber conseguido ese documento que certifica la pureza de nuestra sangre.

—Habría sido horroroso que la Real Audiencia se negase a extender tan valioso documento, ¿verdad? —expresó Rafaela.

—Sí —admitió Rómulo—, habría sido vergonzante.

—¿Por qué?

—¡Qué pregunta innecesaria, hija! Habría sido vergonzante puesto que habría significado que nuestra familia no puede proclamarse libre de malas razas, como la de los negros, moros, mulatos…

—Y judíos —soltó Rafaela.

—Y judíos, ¡por supuesto! Era menester demostrar que somos cristianos viejos.

Rafaela observó a Clotilde de soslayo y advirtió que, si bien mantenía la vista baja, había detenido el bordado y se concentraba en el diálogo entre ella y su padre.

—Me pregunto qué habrían hecho la Virgen María, San Pedro, San Pablo y el resto de los Apóstoles si se les hubiese exigido un certificado de pureza de sangre. Ellos no habrían sido capaces de demostrar ser cristianos viejos. ¡De hecho, son los cristianos más nuevos que alguna vez existieron! —exclamó, con voz cargada de una risa que poco tenía de alegre.

Aarón soltó una carcajada.

—¡Cállate, Aarón! —lo amonestó Clotilde, y giró el rostro hacia su sobrina—. Eres desvergonzada como tu tía Pola. Ella también solía blasfemar. Lamento que Rosalba le encargase tu educación.

—En cambio, yo le estoy muy agradecida. Prefiero la desvergüenza de mi tía Pola a su hipocresía, tía Clotilde.

Varias exclamaciones inundaron la sala.

—¡Tío Rómulo! —se quejó Cristiana—. ¿Permitirá que insulte a mi madre?

—Rafaela —habló Palafox—, discúlpate con tu tía y vete a tu recámara.

Rafaela se puso de pie con la mayor dignidad que consiguió reunir y se marchó sin abrir la boca. Aun después de haber cruzado el primer patio, escuchaba despotricar a Clotilde. Cerró la puerta de su dormitorio evitando hacer ruido, aunque la habría sacado de sus goznes. Arrojó el libro sobre el tocador y se echó boca abajo en la cama a llorar. El rencor la ahogaba y no sabía a quién dirigirlo. A su padre, a Cristiana, a Clotilde, a Pola, por haberla abandonado. No, a Furia, el único culpable de su miseria, por haberla endulzado con la libertad para después arrojarla en la oscuridad y en un tormento sin fin. Quería arrancarlo de su cabeza.

Se incorporó porque le faltó el aire. Se sentó en el borde, con las piernas fuera de la cuja, apoyó las manos a los costados del cuerpo y echó la cabeza hacia delante, buscando llenar sus pulmones entre los espasmos y el llanto. No deseaba vivir. La vida se había vuelto trabajosa. Aunque fingía desde hacía años, no toleraba seguir adelante con la farsa. No era feliz y quería expresarlo. Sin embargo, el orgullo la salvaba de humillarse ante Clotilde y Cristiana. Tragó el nudo que le estrangulaba la garganta y se pasó las manos por el rostro bruscamente. Superaría el abandono y el engaño de Furia. Él, después de todo, era sólo un gaucho.

Apenas Rafaela se retiró de la sala, Rómulo indicó a Aarón que lo acompañase a una pequeña habitación, más bien retirada, a la que sólo accedía el dueño de casa. Allí, el más joven sirvió unas copas con brandy de dudosa calidad y tomó asiento frente a su tío, cuyo semblante había adoptado una expresión rigurosa.

—Tío, ¿realmente cree que recuperará el título de marqués de Montalbán?

—Tengo todas mis esperanzas puestas en eso, Aarón. Nuestra familia ha mantenido una trayectoria intachable. Tu abuelo Ambrosio realizó grandes servicios a los Borbones y por eso obtuvo la licencia para explotar las minas del Potosí. Ningún escándalo rodea el nombre de Palafox. Nuestros antecedentes son impecables.

—Si llegase a saberse lo de Juvenal Romano…

—¡Ni lo menciones! Juvenal ha prometido a tu madre que no abrirá la boca.

—¿Hasta cuándo y a qué costo?

—Por el momento, nada ha pedido. Lo importante es evitar escándalos asociados a nuestro nombre. Nada debe empañar el apellido Palafox. —Después de una pausa, en la que bebió un largo trago, Rómulo cambió el tono para expresar—: Sabes que miro con buenos ojos la propuesta que me hiciste en Montevideo. Tenerte como yerno sería una alegría para mí.

—La propuesta sigue en pie, tío.

—Aunque me duela admitirlo, he dado alas a Rafaela y perdido el control sobre ella. Lo sé, lo sé, he sido blando y condescendiente al educarla, pero es mi única hija y lo más importante que tengo en la vida.

Cristiana, que oía detrás de la puerta, apretó la mano en la falleba y cerró los ojos para evitar que lágrimas de rabia le bañaran las mejillas. Ella le había entregado su vida a Rómulo; no obstante, ocupaba un segundo lugar en sus prioridades afectivas. Rafaela, siempre Rafaela. La odiaba y no sabía cómo quitarla de en medio.

—Quiero que la boda se realice antes de que termine este año —siguió parrafeando Rómulo—. Por supuesto, viviréis aquí, puesto que no consentiría que te la llevases lejos. —A este punto, Cristiana habría irrumpido en el despacho y golpeado a su tío—. Sin embargo, ella se convertirá en tu responsabilidad y tú la guiarás con mano férrea, aunque con respeto. Si bien no intervendré en vuestro matrimonio, no toleraré la violencia.

—¡Tío, por favor!

—Aarón, fijaremos ahora la dote. Mañana le comunicaremos nuestra decisión a Rafaela y comenzaremos con los preparativos. Como sabes, después de mi exilio y del saqueo del que fui víctima, mis finanzas sufrieron un duro golpe. Sin embargo, ya estoy en gestiones con el señor virrey para que me restituyan aquello que las tropas me robaron. No podré entregarte el total hasta que me devuelvan ese dinero. De igual modo, mañana concurriré a lo del notario para labrar el acta donde estipulo los bienes que conformarán el patrimonio que te entregaré junto con Rafaela. Tuyas serán *Laguna Larga* y una suma de doce mil pesos de moneda fuerte, a más del ajuar que Ñuque ha preparado para Rafaela desde que era una niña y de la platería que perteneció a mi esposa Rosalba, que es muy valiosa.

Aarón habría desposado a su prima al día siguiente para hacerse de la pequeña fortuna que lo salvaría de tantos problemas y le permitiría montar su negocio. Se esforzó por mantenerse impertérrito, como si el anuncio nada significase para él.

—Es usted muy generoso, tío.

"¡Doce mil pesos de moneda fuerte!", se horrorizó Cristiana. "Sobre mi cadáver Aarón recibirá esa suma."

—Aarón —dijo Rómulo, y se puso de pie para remarcar la solemnidad de su discurso—: te entrego a mi hija, mi tesoro más grande, lo que más amo en este mundo. Espero que estés a la altura para recibirlo y cuidarlo.

Cristiana reflexionó que bastaría una palabra de Rafaela para que Rómulo y ella contrajesen matrimonio. Su prima, sin embargo, le había declarado la guerra.

Un rato más tarde, Aarón se embozó en su abrigo de barragán y se calzó los guantes de cuero antes de montar su picazo y enfilar para el centro. Su portamonedas iba lleno gracias a un adelanto de dote concedido por su tío. "He vendido el ganado que el tal Furia recuperó", le había informado Rómulo, "a muy buen precio. Podré darte lo que me pides". Al final, la intervención de Furia lo había favorecido pues de seguro habría obtenido menos de los abigeos.

Detuvo el caballo frente al negocio de la señorita de Lezica y llamó a la puerta con golpes insistentes, despreocupado de la hora. Bernarda apareció detrás del cristal con el cabello suelto y envuelta en un salto de cama. Aarón la encontró irresistible y se pasó la lengua por el labio inferior al imaginar la noche que pasarían juntos.

Bernarda lo increpó sin abrirle:

—¿Qué hace aquí, señor Romano?

—Necesito hablar con usted.

—Vuelva a una hora decente.

—Traigo parte del dinero que le debo. Acabo de conseguirlo y no quería demorar un minuto más el pago.

—Lo he esperado semanas, señor Romano. Unas horas más no serán problema.

—Ábrame, por favor. Necesito hablar con usted —insistió.

La cortina que separaba la tienda del interior de la casa se corrió para dar paso a Juvenal Romano, con el cabello desgreñado y envuelto en una bata de fina seda púrpura. Aunque sospechaba que existía un amorío entre ellos, la visión turbó a Aarón y, al recobrarse de la sorpresa, la ira se apoderó de él. Deseaba a Bernarda de Lezica más de lo que se había permitido admitir. La cuestión superaba la deuda. Pensaba de continuo en ella y en retozar entre sus piernas. Los fulminó de un vistazo antes de girar sobre sí y caminar aprisa hacia su caballo.

Rumbeó para el Bajo y se metió en un tugurio de mala muerte donde solía desfogar sus apetitos sexuales y sus ansias por echarse una partidita de naipes. Bebía ginebra en silencio y sin compañía cuando una sombra se proyectó sobre él. Elevó el rostro. Un hombre —un tape a juzgar por sus toscas y oscuras facciones—, no muy alto y bien robusto, lo miró a los ojos con una insolencia que lo fastidió.

—Retírese y no me moleste.

—Señor Romano —habló el tape empleando un modo que desmentía su mirada torva—, me presento. Mi gracia é Tarcisio Gabino, má conocío como "el domador".

—¿Y qué tiene que ver eso conmigo?

Gabino sonrió, paciente, y volvió a tomar la palabra.

—Se dis por ai que suecelencia anda buscando taitas como yo pa'un negocio que piensa abrir cerca del Hueco de las Cabecitas. —Se trataba de un área desolada en el norte de la ciudad, cerca del Retiro.

—Podría ser que lo que se dice sea cierto —contestó Aarón, de pronto interesado. Abrir un burdel y un garito para gentes de la peor ralea podía convertirse en un negocio tan lucrativo como riesgoso. De allí que contar con un pequeño ejército de hombres recios y sin escrúpulos resultara indispensable para subsistir.

Aarón estudió al postulante. No lucía mejor ni peor que los demás parroquianos.

—¿Para qué eres bueno?

—Naides me gana con el facón.

—¿Nadie? —Aarón alzó una ceja, incrédulo, y advirtió que el hombre perdía la seguridad.

Gabino estaba pensando en Artemio Furia y en la humillación a la que lo había sometido en *La Larga* frente a sus compañeros, ganándole la pelea y quedándose con su facón.

—Naides, patrón. Por ésta —dijo, y ejecutó el símbolo de la cruz sobre sus labios.

Rómulo analizó su imagen en el espejo de caballete y le gustó lo que vio. A pesar de sus cuarenta y cinco años, tenía pocas canas y sus rasgos no habían sufrido grandes alteraciones. Inspiró para expandir los pectorales y admiró sus hombros cuadrados y su vientre chato. El año de exilio, primero en Patagones, en Montevideo después, durante el cual en más de una ocasión se fue a dormir con el estómago vacío, había servido para acabar con una panza incipiente. Todavía conservaba un físico delgado y juvenil. Se miró a los ojos y sonrió. *Cuando sus ojos verdes me contemplan en el escenario me hacen vibrar.* Se sabía de memoria la nota de Albana Bouquet. La había juzgado espléndida en su rol de Veturia en *Las armas de la hermosura*, la obra de Calderón de la Barca. Lo dominaba la ansiedad por volver a verla sobre el escenario, anhelaba recibir sus miradas solapadas y sus sonrisas sugestivas y compartir la complicidad que cientos de pares de ojos ignoraban mientras la admiraban y deseaban. Lo había pasmado la nota que un niño le entregó a la salida del teatro y en la cual la señorita Bouquet le confesaba su interés por conocerlo. En un par de días, volvería al teatro para disfrutar de su actuación y, terminada la obra, la visitaría en su camerino para iniciar una relación. Como nunca, deseó contar con su Ejecutoria de Nobleza para impresionarla. Además, necesitaba la renta asociada al título de marqués. Una amante como la señorita Bouquet sería cualquier cosa menos barata.

Cristiana se deslizó dentro de la habitación de su tío sin llamar y lo descubrió contemplándose frente al espejo, con una sutil sonrisa en los labios que le sentaba muy bien. Lo deseó.

—Rómulo —dijo, como lo llamaba en la intimidad.

Sin darse vuelta, Palafox la miró a través del espejo. Su belleza siempre lo afectaba. Bajó la vista y la fijó en sus pechos, que, redondos, enhiestos y delicados, asomaban bajo el merino de la bata. La deseaba, como siempre, con la pasión abrasadora que lo había conducido a su habitación años atrás para convertirla en mujer cuando aún era una niña. No obstante, le preguntó con frialdad:

—¿Qué haces aquí?

—Te echo de menos —admitió Cristiana—. Desde que regresaste de Montevideo, nunca has ido a visitarme a mi recámara.

Aunque le costase, Rómulo había trazado otros planes. Conseguiría un marido para Cristiana y la alejaría de la casa de la calle Larga. Taparía su falta de virginidad con una buena dote y el prestigio que significaba ser la hermana del futuro marqués de Montalbán, puesto que Aarón Romano se haría del título a la muerte de Rómulo. No debía caer de nuevo en tentación si ya no estaba dispuesto a desposarla, y no lo haría por varias razones, el pánico a engendrar nuevamente una criatura como Mimita contaba entre las principales; sin embargo, la posibilidad de perder el cariño de Rafaela pesaba más que las otras.

—Regresa a tu habitación, Cristiana. No quiero que te encuentren aquí.

—¿Quién podría venir a tu recámara a estas horas?

—Tu prima Rafaela suele traerme la medicina.

—¡Rafaela! —se fastidió—. Siempre Rafaela.

—Ella es mi hija, Cristiana. Mi única hija.

—Y yo soy tu mujer, tu amor, según me decías antes de marchar al exilio.

—No quiero escándalos en este momento, entiéndeme. El nombre de los Palafox no puede estar en boca de nadie mientras se tramita la Carta Ejecutoria de Nobleza.

—¿Desposarme sería un escándalo?

—Sabes que sí.

—Te niegas a desposarme por Rafaela, no por temor al escándalo.

—Cristiana, estoy muy cansado. Necesito dormir. Mañana hablaremos.

—Rafaela sabe de lo nuestro. Sabe que tú eres el padre de Milagros.

Palafox tardó unos segundos en absorber la trascendencia de la información. Con dos pasos largos, se abalanzó sobre su sobrina y la aferró por los hombros.

—¿Qué estás diciendo?

—Yo misma se lo dije —expresó Cristiana, con acento firme.

Palafox se quedó mudo, con la boca entreabierta. Su aliento a brandy golpeaba el rostro de la joven, que lo contemplaba con fijeza y denuedo.

—¿Cómo fuiste capaz de lastimarla de ese modo? Ahora comprendo la actitud de mi hija. Ahora comprendo su comportamiento extraño, su frialdad. Vete antes de que pierda los estribos.

—Rómulo...

—¡Vete! ¡Abandona mi recámara!

CAPÍTULO XVI
Son éstos tiempos radicales

El viernes 18 de mayo, Corina Bonmer se presentó en la casa de la calle Larga con noticias que, en su opinión, cambiarían el curso de la historia del Río de la Plata. Rafaela, inmersa en sus miserias y tristes memorias, la escuchó con actitud abúlica, tendida en el diván de su dormitorio, junto al brasero. Corina, que prefirió permanecer de pie y que recorría la habitación en tanto arengaba más que comentar las novedades, le explicó que cinco días atrás, el domingo 13 de mayo, había anclado cerca de la costa de Buenos Aires una fragata inglesa perteneciente a la flota del conde de Blackraven, que traía periódicos de principios de año con noticias de la España. Dichos periódicos londinenses habían llegado, en menos de lo que cantaba un gallo, a manos del representante de los comerciantes británicos en el Río de la Plata, Alexander Mackinnon, y de la Sociedad de los Siete.

—Agustín —Corina hablaba de su jefe de la Imprenta de los Niños Expósitos, Agustín Donado— tradujo el artículo del periódico de inmediato y me ordenó imprimir cientos de copias. Los muchachos empapelaron Buenos Aires con este impreso. Mira —y le tendió uno, al cual Rafaela le echó un vistazo—. Por su parte, Manuel —se refería a Belgrano— lo publicó en el *Correo de Comercio de Buenos Aires*. ¿Acaso tu padre no lo leyó?

—No he visto a mi padre. Anda, Corina —dijo Rafaela, y le devolvió el libelo—, no me hagas leerlo. Dime qué dice.

—¡Que la Junta de Sevilla ha caído! Sus miembros huyeron despavoridos cuando el ejército francés entró en la ciudad. Y ahora un grupejo de comerciantes gaditanos ha formado Junta en Cádiz, y pretende gobernarnos a nosotros. ¡Ja! Pretensiones vanas —aseguró—. Esta mañana, asediado por los pasquines y los reclamos de nuestros patriotas, el Sordo publicó una proclama vergonzante. ¡Dice que con él estamos seguros! Y que su autoridad sigue vigente. ¡Que vigente ni ocho cuartos! Si cayó la Junta de Sevilla, Cisneros perdió legitimidad. Él asegura que no se realizará ningún cambio hasta que no sean consultados, entre otros, el virrey del Perú. ¡Figúrate!

Rafaela le habría preguntado qué diantre tenía que ver eso con ella. No obstante, calló para no desencantar a Corina. Envidió su vitalidad y pasión.

—La ciudad está que arde, Rafi, y la mina, al reventar. ¿No deseas venir conmigo? Verás a Pancho Planes y a su primo Vicente López predicar en la Fonda de las Naciones, y a Orma y a Donado en el Café de Marcos. ¡Hablan de formar Junta aquí!

—Sí, mi niña —se aunó Créola, que por comentarios de su novio, el aguatero Paolino, sabía acerca de lo convulsionados que se hallaban los alrededores de la Plaza de la Victoria—, vamos a la ciudad. Le hará bien salir un poco de este encierro.

—Tengo que terminar unos rosarios de pétalos de rosas para las Clarisas y unos jabones para la señorita de Lezica.

—¡Me hablas de rosarios y jabones en este momento histórico, Rafaela! Vamos, no seas badulaque. —La tiró de la mano para obligarla a incorporarse—. ¡Créola, trae el rebozo de tu ama, sus guantes y los botines!

Créola se apresuró a cumplir la orden. Necesitaba alejarse de la calle Larga. Una opresión la angustiaba desde muy temprano cuando, al ver a Peregrina enjuagar los apósitos de la señorita Cristiana, cayó en la cuenta de que hacía tiempo que no lavaba los de su ama. Esa mañana, al despertarla, había tenido que acercarle la bacinilla para que vomitase. Su ama estaba esperando un hijo del gaucho Furia y parecía no haberse dado cuenta. "Me cayó mal el pescado que comimos en la cena", había asegurado. Créola no se atrevía a decírselo.

La apatía de Rafaela cambió por interés al llegar a la Plaza de la Victoria, donde un movimiento inusual de tropas y civiles alteraba el paisaje del centro de la ciudad. Corina sacó medio cuerpo por la ventanilla y gritó:

—¡Ey, Babila, negro lindo! ¡Llévanos al cuartel de los Patricios!

—¿Iremos a los cuarteles? —se escandalizó Rafaela.

—¡Sí, iremos al corazón de la revolución!

—¿Qué revolución?

—¡La revolución que hemos estado esperando, Rafi! La revolución que nos sacudirá de encima el yugo de los pelucones. —Así llamaban a los peninsulares por usar pelucas empolvadas.

—El señor Rómulo es español —señaló Créola, con aire ofendido.

—Pues lo siento por él.

A ese punto, Rafaela entendió que las noticias de Corina, las que en un principio le habían resultado ajenas, afectarían su vida quizá del modo irrevocable en que lo había hecho la asonada del 1° de enero de 1809.

Rafaela y Créola no desplegaron nada de la seguridad de Corina al trasponer el umbral del cuartel de los Patricios, y caminaron muy juntas, con las cabezas pegadas y tomadas del brazo. La milicia se veía exaltada. Cruzaban el patio a la carrera, vociferando y soltando risotadas, se agrupaban para conversar o leer algún pasquín. En sus semblantes se reflejaba el ánimo confabulador que los dominaba.

—¡Rafaela!

Rafaela, Corina y Créola giraron y enseguida descubrieron que no había motivo de alarma: se trataba de Isabel de Pueyrredón de Albarellos, que, rodeada por un séquito de mujeres, se aproximaba para saludarlas.

—¡Qué agradable sorpresa! —dijo a modo de saludo.

—Lo mismo digo, Isabel.

Isabel la presentó a sus amigas.

—Éste es el ángel que me ayudó a traer al mundo a mi pequeño Nicanor.

A pesar de la mirada de apreciación con que la honraban, Rafaela no lograba despojarse de la sensación de incomodidad que le causaba socializar con las amigas de Cristiana. Esas mujeres creían que Mimita era su hija.

Rafaela y Corina acababan de advertir que las muchachas iban cubiertas de rebozos de frisa celeste ribeteados con cintas blancas de gro, cuando Marica Thompson, una de las del séquito, señaló la mantilla oscura de Rafaela.

—Deberíais llevar nuestros colores, el celeste y el blanco, si es que estáis con la causa de los patriotas.

—No sabía que ésos fueran los colores de los patriotas —apuntó Rafaela, intimidada—. ¿A qué se debe que sean celeste y blanco?

—Son los colores de la Caballería —explicó Corina—. El sargento Arzac me explicó que los gauchos de Pueyrredón llevaban dos cintas, una celeste y otra blanca, prendidas al poncho cuando expulsaron a los ingleses. Tomaron los colores del manto y de la túnica de la Virgen del Luján. Lo hicieron para que Ella los protegiera en la batalla.

—Estamos tan felices con las nuevas noticias —expresó Isabel de Pueyrredón—. La caída de Sevilla en manos de los franceses ha sellado un destino de libertad para esta tierra. Nuestros guapos patriotas se aprestan para lo que sea.

—Mi padre —terció Ángela, y se refería al doctor Castelli— sostiene que podremos formar gobierno sin necesidad de las armas. Lo que se busca es convocar a un Cabildo Abierto para discutir y votar la suerte del virreinato.

—De todos modos, la presencia del coronel Saavedra es imperiosa —aclaró Remedios de Escalada, hija del locador de Corina—, aunque más no sea para amedrentar al Sordo. Pronto saldrá una comitiva hacia San Isidro para traerlo.

—¡A la rastra, si es necesario! —acotó Ángela.

—¿Quiénes irán a buscarlo? Tiene que tratarse de hombres de temple y respetables para convencer al coronel.

—Oh, no te inquietes por eso, Marica —expresó Isabel—. Mi hermano acaba de decirme que irán algunos de la Infernal, con sus comandantes al frente.

—De seguro lo traen, pues. Ya sabemos que a French y a Beruti nada los intimida.

—A más si van escoltados por el gaucho Furia —acotó Remedios, con un brillo peculiar en la mirada.

Créola percibió el estremecimiento de su ama y Corina sintió cómo le apretaba el antebrazo.

—Tranquila —le susurró.

—Hablando del rey de Roma... —sentenció Remedios, y sus amigas se dieron vuelta para mirar en dirección al portón principal del cuartel.

Artemio Furia acababa de trasponerlo. Descollaba entre los milicianos por su cabello rubio y su altura, y por la compañía de una mujer deslumbrante. Rafaela los miró con ojos como platos, y Corina y Créola vieron cómo se le separaban los labios lentamente y sus pómulos quedaban sin color.

—¡Ah! —se sorprendió Ángela—. Esa que viene junto a él debe de ser Albana Bouquet, la actriz.

—¡Sí, sí, lo es! —ratificó Remedios—. Alquila unas habitaciones en los Altos de Escalada. ¿No es magnífica?

Toda la milicia se movilizó para saludar a la mujer. Rafaela se dedicó a estudiar su atuendo mientras permitía que un sentimiento de inquina y de rabia fuera apoderándose de ella; no tenía intenciones de sofrenarlo. La belleza y la prestancia de la Bouquet le resultaban insultantes. Se sintió fea y vestida con harapos. Un demonio se erguía dentro de ella y la tentaba con ideas macabras.

—Tranquila —volvió a susurrar Corina y, en voz alta, expresó—: Nosotras os dejamos, señoras y señoritas. Debemos encontrar al sargento Arzac. Buenas tardes.

Corina, asidua visitante del cuartel, lo conocía bien, por lo que se movió como si se hallase en su casa. Pronto se refugiaron en un cuarto vacío.

—Siéntate.

—No —se opuso Rafaela—, quiero verlo. —Lo contempló por el resquicio de una ventana. Se pavoneaba con la tal Albana Bouquet, repartiendo sonrisas a las amigas de Isabel, flirteando con Remedios de Escalada, que desplegaba un comportamiento indecente—. Lo odio —musitó.

—No, mi niña —terció Créola—. No lo odie.

—¿Y por qué no debería hacerlo? —se enojó Rafaela.

—Pues... Pues... Porque usté... Él... Usté y él deberíais hablar, mi niña.

—¿De qué? Furia fue muy en claro al decirme que yo sería un *estorbo* en su vida.

—Pues tenéis que hablar. Usté no se ha dado cuenta, mi niña, pero... Usté va a tener un niño. El hijo de Furia.

—¡Cállate! —Rafaela pareció rugir la palabra. Bajó la cabeza, apretó los ojos y cerró los puños. Lucía perturbada, no sorprendida.

—¿Usted ya lo sabe, mi niña?

—Lo sospechaba —admitió, casi sin aliento—. Dios mío, ¿qué haré?

Las risotadas que explotaron en el patio del cuartel contrastaron con el ambiente lúgubre del cuartucho y los semblantes pesarosos de las tres muchachas.

Esa noche, en la casa de la calle Larga, ocurrió algo inusual: su padre y Aarón hablaron durante la cena, y lo hicieron para referirse a los acontecimientos políticos de ese viernes 18 de mayo. Ambos se mostraban acalorados con las novedades y realizaban conjeturas y emitían juicios. Por primera vez, Rafaela oyó mentar a los "chisperos" y a los "manolos".

—¿Quiénes son ésos? —se animó a preguntar Cristiana.

—Unos tipos al mando de French —explicó Aarón— que nada tienen de soldados, más bien son paisanos, gauchos y peones con intenciones de amedrentar al virrey.

—¿Por qué los llaman de ese modo tan peculiar?

—Tu abuelo Ambrosio —tomó la palabra Rómulo— solía contarnos que existían en Madrid dos barrios donde habitaba la gentuza. Éstos eran el Lavapiés y el Barquillo. Dado que el primero estaba dominado por judíos, llamaban a sus habitantes "manolos", ya sabéis, por eso de que los primogénitos de los conversos deben llamarse Manuel. En el

Barquillo eran mayoría los herreros, de allí que los llamaran "chisperos". De modo que, cuando oigáis mentar a "chisperos" y "manolos", no tengáis duda de que se está hablando de gente de la peor ralea.

No era el discurso que Rafaela deseaba escuchar en ese momento. Estaba cansada, le dolía la cabeza y le latían los pies. La ira que había experimentado al ver a Furia en compañía de esa pelandusca fue convirtiéndose en angustia y depresión. Tenía el ánimo por el piso.

—Padre, ¿podríamos ir a su salita, por favor? Necesito hablar con usted.

Rómulo temió que quisiera abordar el tema de su relación con Cristiana, así que pensó en negarse. Al final, asintió. Aprovecharía para comunicarle su decisión de entregarla en matrimonio a Aarón. La conversación no empezó como él esperaba.

—Padre, necesito retirarme un tiempo al Convento de las Clarisas.

—¿De qué estás hablando?

—Mi alma necesita paz. Los últimos tiempos han sido difíciles. Con su exilio, todo se precipitó, y vivimos situaciones de mucha angustia. —Palafox bajó la vista, avergonzado—. Ahora que usted ha regresado y que todo comienza a solucionarse, deseo retirarme a meditar.

—¿De qué diantre estás hablando, Rafaela? ¿Quieres convertirte en monja? ¡No lo permitiré!

—No, padre. No se trata de eso. Sólo busco serenarme. Desde hace un tiempo, sufro un permanente desasosiego, no duermo bien, no como bien, nada me conforma. Sólo necesito silencio y paz.

—Lo que necesitas es un esposo.

—He decidido que jamás me casaré —objetó Rafaela—. Permaneceré a su lado, cuidándolo, y criando a Mimita.

—¡Sandeces! Te casarás. No permitiré que malgastes tu vida. Y ya he decidido con quién lo harás. Casarás con tu primo Aarón —disparó, sin pausa.

—¿Qué?

—Él es de mi confianza. Lo conozco desde pequeño. Es como un hijo para mí.

—Pero yo no lo amo —balbuceó Rafaela.

—¿Qué importa eso? El matrimonio no es una cuestión de amor. ¡No me vengas con esos desatinos! De seguro, tengo que agradecerle a tu tía Pola por ellos. —Suavizó el gesto y el tono para expresar—: Rafaela, no te apenes por nada. Con el tiempo, llegará el cariño. Aarón te respeta y se hará cargo de ti del modo en que yo lo haría.

—Padre, no lo haré. No desposaré a Aarón. No puedo hacerlo.

Rómulo se movió con impaciencia y se restregó la cara hasta arrancarle un color encarnado.

—Rafaela, no estoy solicitando tu opinión. El deber de un padre es bregar por el bienestar de su hija. Y yo juzgo que una alianza con Aarón es lo mejor para ti.

—No lo haré —se empacó Rafaela.

—Lo harás. Me debes respeto y obediencia.

—Lo he obedecido en todo, padre. En esto, no.

—¡Lo harás! No se hable más del asunto.

—¡No lo haré! —gritó, e hizo el ademán de marcharse.

Palafox la sujetó por la muñeca y, de un tirón, la acercó para decirle:

—Estoy cansado de tus desplantes y caprichos, Rafaela. He sido blando contigo y aquí tienes los resultados. Te has convertido en una joven díscola e irreverente. Te casarás con Aarón. Esta conversación ha terminado.

En el silencio que se cernió sobre ellos, sus ojos parecían hablar a gritos. Rafaela consideró espetarle su asunto con Cristiana, aunque ya sabía que no lo haría; se trataba de un tema demasiado vergonzante y delicado. En cambio, manifestó con aplomo:

—No podré casarme con Aarón porque espero el hijo de otro hombre.

Tiempo después, Rafaela se preguntaría de dónde había surgido el coraje para decirle la verdad a su padre, cuando disgustarlo y desagradarle constituían su peor pesadilla.

Rómulo no comprendió de inmediato. Tardó unos segundos en reaccionar.

—¿Qué has dicho? —Rafaela no contestó—. ¿Acaso has perdido el juicio? ¡Tú no puedes estar...! Dime que no es cierto.

Rafaela dejó caer los párpados y exhaló un suspiro. Palafox, de condición fatalista, presagió los peores desenlaces, entre ellos, perder la Carta Ejecutoria de Nobleza. La confusión, la angustia y el miedo asediaban la determinación de Rafaela. Ella habría deseado que su padre los acogiera, a ella y al niño, y les permitiera vivir en la casa de la calle Larga bajo su protección. A medida que el discurso de Rómulo avanzaba, sus anhelos se desmoronaban.

—¿Quién es el mal nacido que te ha hecho esto? ¡Tendrá que responder!

—Está muerto.

—¿Qué estás diciendo?

—Padre, olvídese de él.

—¡Exijo saber quién te hizo esto, Rafaela! ¡Ese desgraciado pagará!

—Ni bajo tortura le diré quién es el padre de mi hijo. —Escondió bajo un simulado ímpetu la vergüenza de confesarle que se había acostado con el hombre al que él había echado de su sala como a un perro, al que había llamado palurdo.

Rómulo Palafox se echó en su butaca y se cubrió el rostro con las manos. Rafaela temió que se echara a llorar. Lo había decepcionado y le dolía. Su padre no lloró, la rabia lo salvaba de humillarse.

—Te casarás con tu primo Aarón.

—Padre, por amor de Dios. Espero el hijo de otro hombre.

—¡Basta! —explotó, y se puso de pie—. Cállate, Rafaela, o no sé de lo soy capaz. Has puesto en peligro el buen nombre de esta familia. Harás lo que digo o tendrás que abandonar esta casa.

Artemio se echó sobre la cama de Albana y cerró los ojos. Su estado de ánimo era deplorable. El cansancio también jugaba en su contra —ese día, sábado 19 de mayo, había resultado especialmente duro—, y tenía un humor de los mil demonios, como le había reprochado Albana un momento atrás. En realidad, su amante estaba enojada con él porque el día anterior, en el cuartel de los Patricios, había adivinado el nerviosismo que lo dominó cuando Isabel de Pueyrredón comentó que minutos antes había conversado con Rafaela Palafox en ese mismo patio del cuartel.

—Estaba aquí hace un instante. Debió de dirigirse hacia los interiores. Su amiga, Corina Bonmer, buscaba a Arzac.

—Artemio, por amor de Dios —le había susurrado Albana—, guarda compostura y cambia esa cara de desquiciado. Te leerán como un libro.

Furia siguió girando sobre sí en el centro del patio para registrar el entorno. La vio por fin; en realidad, dedujo que se trataba de ella pues iba embozada por completo hacia la calle, del brazo de Créola, acompañada por Corina y escoltada por Buenaventura Arzac. Caminaba deprisa, como si alguien la persiguiera, apretando el rebozo a la altura del mentón. "Me ha visto", dedujo Furia. "Escapa de mí." Recordó las noches en que a ella le había costado separarse de él. Deseó ver su rostro, pero sobre todo, deseó oler su perfume y probar el sabor a menta de su boca.

Con un peso en el corazón, abandonó el cuartel para aprestar a Cajetilla y a su parejero. En breve, iniciarían la marcha hacia San Isidro en busca del coronel Cornelio Saavedra.

Viajaron en silencio. No sabían si se encontrarían con la resistencia del coronel o con su predisposición. El segundo en el mando de los Patricios, Esteban Romero, había asegurado que Saavedra, con la noticia de la caída de la Junta Suprema Central, apoyaría la revolución.

Los acontecimientos se precipitaban y los patriotas debían actuar con diligencia. En los mentideros se decía que Cisneros había mandado llamar a Liniers de Córdoba y que un grupo de milicianos de Montevideo desembarcaría pronto en Las Conchas para sofocar los aires sediciosos. Además, corría el rumor de que en el Hueco de las Cabecitas y en el de los Sauces se reunían los españoles para armarse y resistir a los criollos que pretendían hacerse del Fuerte, de la Real Audiencia y del Cabildo. Furia había enviado a Billy, "el rengo", y a Modesto, "el entrerriano", para comprobar la veracidad del cotilleo. Ambos verificaron que esos parajes seguían desolados y tenebrosos, como de costumbre.

Llegaron a la quinta de Saavedra bien avanzada la noche del viernes y, al informarle que, a consecuencia de la noticia de la caída de la Junta de Sevilla, se había armado un alboroto con ribetes de sublevación, Saavedra se enojó.

—Es imperioso contener al populacho, para lo cual hay que pedirle a los desaforados de siempre, en especial a Pancho Planes y a esa caterva de exaltados, que detengan sus arengas en lo de Marcos.

—No se engañe, coronel —habló un oficial de los Húsares—, la cosa no se puede atajar y estoy seguro de que si su merced se empeña en contenerlos, a su merced misma lo han de hacer a un lado. Reflexione bien lo que va a hacer.

Saavedra desvió la mirada y tropezó con la de Furia, que se había mantenido silencioso y ecuánime, lo que no ayudaba a redimirlo de la traza de sayón letal. Lo conocía de la época en que expulsaron a los herejes británicos y sabía que Juan Martín de Pueyrredón le debía la vida. Pocos hombres lo intimidaban; Furia era uno de ellos. Le temía más a ese paisano analfabeto, el cual, con un chasquido de dedos, sublevaría a toda la campaña, que a los oficiales armados con fusiles que lo invitaban —buen eufemismo, meditó— a acompañarlos a Buenos Aires para ponerse al frente de la asonada.

—Joaquín —Saavedra se dirigió a su secretario privado, Joaquín Campana—, manda alistar caballos y remuda. Saldremos para Buenos Aires en este instante.

Emprendieron el regreso. Entraron en la ciudad muy temprano por la mañana del sábado 19. A pesar de la hora, se palpaba la ebullición. El paisanaje y la soldadesca, con semblantes trasnochados, inundaban las calles; jóvenes civiles, que exhibían sus armas calzadas en la cintura, se apiñaban a las puertas de los cafés más concurridos, el de Catalanes, el de Marcos y el de la Fonda de las Naciones, del cual emergían las voces de conspicuos oradores. Cada tanto, de la lejanía, llegaba el sonido de un disparo seguido del grito: "¡Viva la Patria! ¡Abajo el virrey!". Varias pandillas, de las bajas esferas sociales a juzgar por la vestimenta, a los que se apodaba "chisperos" o "manolos", circundaban el Fuerte, arrojaban piedras y vociferaban insolencias.

Una multitud recibió a Cornelio Saavedra en la puerta de su casa y, sin permitirle apearse, lo condujeron al cuartel de los Patricios, donde se vio rodeado por la mayoría de los oficiales patriotas, entre ellos Esteban Romero y el comandante de la Caballería, más conocida como Húsares, el teniente coronel Martín Rodríguez, de modos vehementes —algunos habrían juzgado que carentes de fineza— y con un vozarrón que se imponía. Arengó por largos minutos. Saavedra, con aire imperturbable, escuchaba, consciente de su poder y valía. Él tendría la última palabra.

—Señores —pronunció Saavedra—, esto es cosa seria y no puede decidirse en medio de la exaltación. Necesito consultar con los hombres de peso de la ciudad.

El concurrido grupo, con Saavedra a la cabeza, partió hacia la quinta donde, desde hacía años, confabulaba la llamada Sociedad de los Siete. Ya en lo de Rodríguez Peña, Artemio descubrió al primo de Rafaela, Aarón Romano, cuya sonrisa de aire obsecuente le causó un sentimiento de desprecio. Cansado después de una noche sin dormir y famélico, se alejó en dirección a la cocina. Sabía de memoria lo que Belgrano, Castelli, Paso, Moreno, Vieytes y Rodríguez Peña le exigirían al jefe de los Patricios. Comenzaba a fastidiarlo la misma cantilena.

Una mole oscura le impidió el paso. Medía algunas pulgadas más que él, tenía el cabello suelto y largo, y llevaba un gabán de cuero negro hasta el piso y un estoque en la mano. Lo contemplaba fijamente, aunque sin animosidad.

A Roger Blackraven lo sorprendió que Artemio Furia mantuviera el terreno y que le devolviera la mirada sin turbarse. Lo respetó por eso. Pocos conservaban la compostura cuando él se decidía a echar mano de su figura ciclópea y de sus duros rasgos para intimidar.

—Me dicen que es usted Artemio Furia —expresó Blackraven.

—Ansina me llaman.

—Mi nombre es Roger Blackraven. —El anuncio no pareció hacer mella en el gaucho—. El señor Diogo Coutinho, administrador de mi curtiduría, *La Cruz del Sur*, quedó muy conforme con la punta de ganado que usted le entregó días atrás.

—Güeno.

—Coutinho asegura que los animales están entrados en carnes y saludables y que su cuero es reluciente. —El gaucho se quedó mirándolo con sobriedad, y Blackraven le devolvió la mirada. Se dio cuenta de que, con un hombre como ése, no servirían los rodeos—. Mi cuñado lo conoce a usted. Trabajó hace años en una de sus caravanas de carretas. Fue uno de sus troperos.

—He tenío hartos troperos. ¿Cuál é la gracia de su cuñao de usté?

—Tomás Maguire. —Blackraven advirtió que los párpados pesados del gaucho se elevaban apenas—. Tenía un amigo, Pablo se llamaba.

—No mi acuerdo d'ellos.

—Usted también conoció a mi esposa hace unos meses, en la estancia de los Palafox. Isaura Blackraven, condesa de Stoneville.

—La ricuerdo —admitió Furia.

—Mi esposa y Tomás Maguire son hermanos.

"Isaura Maguire", se dijo Artemio. "¡Dios bendito! La que luce tan parecida a mi madre, lleva su apellido." ¿Por qué el conde de Stoneville se mostraba elocuente y le brindaba esa información cuando, en opinión de Eddie O'Maley, era un tipo duro, desconfiado y artero, no de los que andan compartiendo datos acerca de su familia?

—Quizá lo considere una impertinencia de mi parte, pero me gustaría hacerle una pregunta.

—'Ta bien.

—¿Cuál es su origen? —Ante el silencio de su interlocutor, Roger explicó—: No es común ver a un hombre de la campaña rubio y de ojos celestes. Usted parece sajón, si me permite que lo señale.

—Y usté que lo é, don, no lo parece.

Blackraven echó la cabeza hacia atrás en una carcajada. Volvió a admirar a ese paisano mal hablado que lo había puesto en su sitio sin alterarse.

Alexander Mackinnon los interrumpió y habló en inglés con Blackraven. Artemio conocía a Mackinnon, lo había visto en la pensión de doña Clara, donde solía reunirse con sus colegas y los comandantes navales apostados frente al puerto de San Felipe de Montevideo y de Buenos Aires. Se dedicaban a confabular para obtener un nuevo aplazamiento de la licencia para vender sus productos en el virreinato. Furia simuló distanciarse y prestó atención a lo que decían.

—Excelencia —dijo el comerciante—, le suplico que me acompañe. Quisiera presentarle al capitán Charles Montagu Fabian. Él intercedió ante el virrey la última vez que conseguimos una prórroga para comerciar.

—¿La que venció ayer?

—Así es, excelencia.

—No creo que esta vez necesite prorrogarla, Mackinnon.

—Así lo esperamos nosotros, excelencia. ¿Me acompaña?

Blackraven asintió y se dirigió a Artemio para decirle:

—Si me disculpa, Furia, debo retirarme. Me gustaría volver a hacer negocios con usted. Si es de su conveniencia, lo espero mañana en mi casa, a las diez de la mañana. Se encuentra en el número 59 de la calle de San José.

—Güeno.

Después de robar algo en la cocina y beber unos tragos de vino, Artemio volvió a la alborotada sala de Rodríguez Peña. A pesar de la insistencia de los oficiales de zanjar la cuestión con los sables, Saavedra sugirió evitar el derramamiento de sangre, por lo que un Cabildo Abierto se presentaba como la mejor opción. Se trataría de una reunión en la cual las autoridades civiles, militares y eclesiásticas y los vecinos más destacados decidirían el destino del virreinato.

—¡Ni Lezica ni Leiva son de los nuestros! —se quejó French, en referencia a los hombres más importantes del Ayuntamiento—. Juzgo muy riesgoso convocar a un Cabildo Abierto.

—Teniente —habló Saavedra—, actuemos con responsabilidad. Debemos agotar las vías pacíficas antes de recurrir a las armas.

—Lo que debemos hacer, mi coronel, es actuar con presteza antes de que se vuelvan las tornas —retrucó Beruti— y dialogar con Leiva o con Lezica resulta una pérdida de tiempo. Nada conseguiremos. En el Cabildo tenemos a casi todos en contra.

Tras un largo debate, Saavedra y Manuel Belgrano se pusieron en marcha para concurrir al Ayuntamiento y hablar con el alcalde de primer voto, Juan José de Lezica, y presionarlo a que convocase el Cabildo Abierto. Blackraven ofreció acompañar a Castelli, que, por su parte, mantendría una conversación con Julián de Leiva, el síndico procurador.

Artemio abandonó la quinta de Rodríguez Peña hastiado de tanta palabrería. Se dirigió hacia los Altos de Escalada. Llegó de noche. Encontró a Albana todavía ofendida y celosa.

—¡Si hubieses visto tu cara ayer en el cuartel! Parecías un pelele buscándola por doquier. ¡Así no eres tú, Artemio! ¿Qué tiene esa mujer para ponerte en ese estado de ánimo? Supongo que algunos revolcones con ella mientras hacías de capataz en su estancia ni siquiera serán dignos de recordar.

La mirada de Furia la obligó a cerrar la boca.

—'Toy cansao, Albana. Hace dos días que no duermo.

—¡Pues duerme!

Artemio se echó en la cama de su amante y cerró los ojos. Desde esa posición, le preguntó:

—¿Le mandaste la invitación a Palafox como te dije?

—Sí, amo —se burló la mujer—. ¿Qué asuntos te traes con ese hombre?

Al no obtener respuesta, Albana se volvió. Furia se había quedado dormido.

Cristiana percibía un ambiente enrarecido en la casa de la calle Larga. No sólo se trataba de Rómulo, con su rechazo y malhumor; Rafaela se comportaba de modo extraño, lo mismo que su hermano Aarón. Todos lucían apesadumbrados. La sombra, que se cernía sobre la familia Palafox desde hacía más de un año, seguía sobre ellos, oscureciendo el horizonte. Porque, a más de los problemas que tenían, el malestar de los criollos con el virrey, desatado días atrás, resultaba preocupante. Rómulo había manifestado que si "esa horda de sediciosos y descastados" se hacía con el poder, los españoles sufrirían humillaciones. Cristiana se estremeció ante la posibilidad de que lo exiliaran de nuevo.

Sus amigas, Isabel y Juanita de Pueyrredón, acababan de irse. El entusiasmo que desplegaban mientras le relataban los acontecimientos políticos la fastidiaba. ¿Acaso no comprendían que su tío Rómulo, su tía Justa y su madre eran españoles? Además, mencionaron un encuentro con Rafaela en el cuartel de los Patricios y la coronaron de elogios. Un comentario llamó su atención.

—Después nos topamos con el gaucho Furia —dijo Juanita—. Iba en compañía de Albana Bouquet, que entró en el cuartel dándose aires. Debo decir que Furia, a pesar de ser paisano, es gallardo y apuesto como un diablo. Salvó la vida de mi hermano Juan Martín cuando lo de Perdriel y lo ayudó a escapar de prisión el año pasado.

—Le comentamos a Furia que acabábamos de ver a tu prima Rafaela —prosiguió Isabel—, y su gesto, siempre impertérrito, se conmocionó y empezó a buscarla por todas partes. Extraño, ¿verdad?

—Ellos se conocen —informó Juanita.

—Lo sé —aseguró Cristiana—. De *Laguna Larga.*

A la luz de las palabras de Isabel de Pueyrredón, Cristiana analizó la actitud de Rafaela la tarde en que Rómulo pilló a Furia en la sala de la estancia. El comportamiento de su prima y el afán con que defendió al hombre en aquella ocasión habían resultado excesivos, por lo que no le costó arribar a una conclusión, que ratificaría con su esclava.

—Mírame a los ojos, Peregrina. —La cuarterona, habituada a bajar la cabeza en presencia de los amos, elevó la barbilla con desconfianza—. ¿Qué hubo entre mi prima Rafaela y ese gaucho, el tal Artemio Furia? —El gesto de Peregrina bastaba para confirmar su presunción; de igual modo, exigió una respuesta—. ¡Habla, negra, o te venderé mañana mismo! Y me encargaré personalmente de buscarte un amo cruel y vicioso.

—¡No, por amor de Dios, no! —La esclava cayó de rodillas—. ¡No me separe de usted, amita! Yo la he servido siempre como a una reina.

—Habla, pues.

Peregrina no sólo confesó que habían existido amores entre la señorita Rafaela y el gaucho Furia sino que sospechaba que la señorita se encontraba en estado de buena esperanza. Los ojos celestes de Cristiana brillaron con codicia y sus labios se sesgaron en una sonrisa de complacencia. No dudó en marchar a la salita de Rómulo.

—¿Qué deseas?

—Deseo que sepas qué clase de hija tienes. —El vistazo de Rómulo no la intimidaría—. Tu Rafaela, ese ser magnífico y perfecto, tuvo amores con el gaucho Artemio Furia y está esperando un hijo de él.

Palafox, todavía joven y ágil, saltó de su butaca y aferró a Cristiana por el cuello.

—Cristiana, vuelves a repetir esa calumnia y te mato.

—Suéltame —rogó, sofocada—. No puedo respirar.

—¿Quién te ha dicho esto?

—Escuché a Rafaela y a su amiga, la Bonmer, hablando —mintió.

—Por tu propio bien, Cristiana, cierra la boca. Ahora, sal de aquí. Déjame solo.

Esa noche, Palafox presidió la mesa, como de costumbre, pero no tocó la comida. Cada tanto, levantaba la vista y la paseaba por los miembros de su familia. Al finalizar la cena, Rafaela le pidió:

—Padre, ¿me excusa, por favor? Estoy muy cansada y tengo jaqueca.

—Vendrás a la sala con nosotros. Realizaré un anuncio de capital importancia.

No se inmutó ante la mirada suplicante que le lanzó su hija. Ella lo había traicionado, había deshonrado el apellido Palafox, ahora debía pagar. Aguardó a que todos se acomodaran para decir:

—Aarón ha pedido la mano de Rafaela y yo he aceptado. —Justa y Clotilde exclamaron de alegría—. La boda se celebrará cuanto antes. A fin de mes, si es posible.

—Rómulo —se quejó Clotilde—, no habrá tiempo para organizar la ceremonia y el festejo.

—Me importa un rábano, Clotilde. Contraerán matrimonio en la iglesia de San Francisco y no habrá festejo, sólo un almuerzo compartido en familia.

Aarón se puso de pie y caminó hacia Rafaela, que deseó no ser objeto de esa mirada ni de esa sonrisa; a ella le resultaba imposible corresponderle. Aarón tomó su mano y la miró con una dulzura que ella nunca le había visto emplear. Su aroma a albaricoque le revoloteó bajo la nariz cuando se inclinó para besarla.

—Espero que estés contenta, querida Rafaela. —Ella asintió de manera imperceptible—. Te haré feliz, ya lo verás.

La hora que transcurrió junto a su familia, soportando los comentarios y la alegría de sus tías y de Aarón, se convirtió en un martirio. Cristiana lucía tan acongojada como ella. Su padre guardaba silencio y se dedicaba a contemplarla con fijeza. Padecía esa mirada porque la condenaba. La condena de su padre era de las cosas a la que Rafaela más temía.

Terminó por excusarse y abandonar la sala. Apenas salió del campo visual de su familia, cruzó el patio a la carrera y se encerró en su dormitorio. Se acurrucó en la cama y se largó a llorar, mientras apretaba el dije de piedra turca de Ñuque, el que le recordaba los ojos del señor Furia.

El domingo 20 de mayo, Rafaela amaneció con dolor de cabeza. Había dormido mal y de a ratos y, cuando Créola corrió las cortinas y la instó a levantarse, se negó a salir de la cama. Ñuque se presentó en el dormitorio con una bandeja y la obligó a incorporarse en las almohadas para desayunar.

—Debes alimentarte, por el bien de tu hijo.

A Rafaela no la sorprendió que la supiera embarazada.

—¿Quién te lo dijo?

—Rómulo.

Rafaela siempre había sospechado que, entre su padre y Ñuque, existía una relación que ellos cultivaban cuando nadie los veía, porque no tenía memoria de ellos encerrados en la salita, conversando; no obstante, la mujer conocía a Palafox del derecho y del revés.

—Estoy tan confundida, Ñuque. No sé qué hacer. Mi padre me obligará a desposar a Aarón cuando yo amo a otro hombre, del cual espero un hijo. Porque aún lo amo, Ñuque, no puedo evitarlo. También lo odio, y todo es un gran lío en mi cabeza.

—Tranquila. —Ñuque le pasó la mano por la frente—. No desesperes. Todo pasa.

—Me gustaría morir.

—¡No hables así! Piensa en tu hijo, en Mimita, en todos los que te amamos.

Rafaela se cubrió el rostro y empezó a sollozar. Estaba cansada de tanta lágrima. Necesitaba las certezas de su vida anterior. Quizás el matrimonio con su primo Aarón trajese la calma y la seguridad que anhelaba.

—No quiero engañar a Aarón. No quiero que piense que este hijo es suyo.

—Tendrás que decírselo, entonces.

—No me animo.

—¿No te animas? ¿A qué temes?

—¡Sabes que le temo a todo! He sido una cobarde, siempre.

—No lo fuiste cuando te entregaste a un hombre como Furia.

Rafaela se dio cuenta de que el color trepaba por sus mejillas; de pronto las sintió calientes.

—No —admitió—, a su lado me sentí poderosa y fuerte y hermosa y deseada. No temía a nada, ni siquiera a Quinto, su puma, cuando tú sabes que hasta el perro más insignificante me espanta. ¡Cuánto echo de menos a Quinto! Su amistad me hacía sentir valiente. ¡Oh, Ñuque, qué desgraciada soy!

—No has respondido a mi pregunta. ¿A qué temes? ¿A qué Aarón retire su oferta de matrimonio?

—Sí, y siento repulsión de mí misma. No lo amo. Le tengo cariño, pero no lo amo. No obstante, medito la posibilidad de casar con él para salvarme del escarnio público. En el fondo, no soy muy diferente de mi padre ni de mi tía Clotilde, siempre preocupados por lo que dirá la gente. Soy cobarde e hipócrita. Me doy asco.

—No seas tan dura contigo —la instó la india.

—¿Sabes qué, Ñuque? Cuando mi padre me preguntó quién era el padre de mi hijo, le aseguré que había muerto y me negué a dar su nombre. Y lo hice por vergüenza. Me avergoncé de él, me avergoncé porque es un paisano a quien mi padre despreció.

Ñuque la convenció de que abandonara la cama y se vistiera. En tanto Créola la peinaba, Peregrina llamó a la puerta y anunció la presencia de Corina Bonmer, que encontró la mirada de Rafaela en el espejo del tocador.

—¿Por qué traes ese aire conspirativo?

—Tengo un presente para ti —expresó Corina, y sacó de su escarcela una pequeña botella cuyo tapón estaba sellado con lacre—. Aceite esencial de rosas.

El semblante de Rafaela se iluminó.

—¡No deberías haberlo comprado, Corina! Debió de costarte una fortuna.

—No lo he comprado yo. —Rafaela levantó las cejas en señal de confusión—. Ha sido Furia. Él te lo envía.

—¡Mi niña! —exclamó Créola.

Rafaela se quedó contemplando la botella que sostenía en la mano, incapaz de coordinar la maraña de pensamientos que la asaltaban. En una primera reacción, se sintió feliz; un momento después, atinó a preguntar:

—¿Él mismo te lo entregó?

—Sí. ¡Es guapo cuando sonríe! Ahora comprendo que te hayas enamorado de él.

—Dime cómo fueron las cosas —la instó Rafaela.

—Bueno, tú sabes que él y Albana Bouquet son amigos.

—Amantes, deberías decir.

—Lo que sea. Y Albana es mi vecina en los Altos de Escalada. Pues él la visita a menudo. ¡Aunque no pasa la noche ahí! —aclaró, deprisa.

"Como si hacer el amor fuera una cuestión nocturna", meditó Rafaela, y pensó en la infinidad de veces en que Furia la había poseído cuando el sol se ubicaba en su cenit.

—Pues esta mañana, Furia me interceptó en las escaleras de los Altos de Escalada y me pidió que te entregara esto.

—Devuélveselo —dijo Rafaela, y extendió el frasco a su amiga—. No quiero nada que venga de ese señor.

—No seas tonta. Consérvalo. Me has dicho que es costoso y que te has quedado sin él para preparar tu perfume.

La tentaba quedarse con el aceite esencial no porque fuera costoso sino porque se lo regalaba él. Sus manos habían rodeado la pequeña botella y, quizás, al comprarlo, había rememorado el perfume que solía enloquecerlo en *La Larga*.

—No entiendo qué pretende este hombre de mí.

—Cortejarte, es obvio.

—¿Por qué querría cortejarme cuando me llamó "estorbo"?

—De seguro, está arrepentido y te echa de menos.

—Así ha de ser, niña —intervino Créola—. Quizá Furia la acepte de nuevo y se la lleve ahora que van a tener un hijo.

—¡No quiero que me acepte de nuevo por el niño! Créola, no abrirás la boca para hablar de mi hijo o te la coseré. Ni siquiera se lo mencionarás a Paolino. ¿Has entendido? —La esclava asintió—. Devuélveselo, Corina. El señor Furia ha muerto para mí.

Peregrina llamó a la puerta. Traía una nota para Rafaela.

—Acaba de llegar, amita.

—¿Para mí? —se extrañó, porque, al contar con pocas amistades, rara vez recibía correspondencia.

—Sí, pa'usté —aseguró la esclava.

No reconoció el sello, un águila bicéfala. Lo quebró y leyó: *Señorita Rafaela, sería un honor y una alegría para mí contar con vuestra presencia y la de Mimita en casa esta tarde. También asistirán Lupe y Pilarita. La espero a las 16 horas en el 59 de la calle de San José. Quedo a vuestro servicio. Melody Blackraven.*

—¿El mensajero aguarda respuesta?

—Sí, amita.

—Dile que sí, que iré esta tarde a lo de la condesa de Stoneville.

Artemio se despidió del padre Ciriaco y cruzó la calle de San Martín. La charla con el mercedario se había extendido y él estaba llegando tarde a la función en el Teatro Argentino. Poco le importaba la obra que se pondría en escena, *Roma salvada*. En realidad, comparecía para ver a su enemigo, Rómulo Palafox, a quien Albana le había enviado una invitación especial el día anterior de acuerdo con el plan.

Al ver el gentío arremolinado a las puertas del teatro, a Furia le dieron ganas de hallarse en las quimbambas, con el silencio de la noche como único compañero. Desde que había descubierto a Palafox, a veces deseaba haber perdido la memoria la noche del 5 de junio de 1790. Ante ese pensamiento indigno, se obligaba a repetir el *moto* de los de Lacy: *Quis tu ipse sis memento* (Recuerda quién eres). "Yo soy Sebastian de Lacy", se decía. "Vengaré la muerte de mis padres y recuperaré a mi hermana."

Los criollos comentaban acerca de los sucesos de los últimos días, se mostraban eufóricos y vociferaban sus esperanzas de libertad, mientras que los españoles se alineaban en silencio y mantenían la vista baja. "Tienen miedo", dedujo Furia. Resultaba asombroso que se hubiesen animado a asistir esa noche al teatro, con la tensión reinante en las calles. Si la revolución se salía de cauce, correría la sangre de los peninsulares, y sus bienes se convertirían en botín de guerra. Pensó en Palafox. Él era español y estaba muy orgulloso de su origen.

Artemio captó la conversación entre dos criollos.

—Hoy, por la mañana, se reunieron todos los cabildantes para analizar el pedido que ayer les hicieron Saavedra y Belgrano.

—Lo sé. De resultas de esa reunión, dicen que de Lezica —hablaban del alcalde de primer voto— fue hoy al mediodía al Fuerte para conferenciar con el Sordo. Éste, al recibir las nuevas, fingió sorpresa, como si no estuviese al tanto de nada. ¿A quién quiere hacer creer que no sabe que esto está que arde si los muchachos andan cantando cuchufletas y arrojando piedras a las ventanas desde hace dos días?

Las conversaciones fueron perdiéndose en tanto la multitud comenzaba a ingresar en el teatro. Artemio sabía además que Cisneros había calificado a los revoltosos de "turba de sediciosos" y asegurado que no movería un dedo sin consultar a los altos rangos de los cuerpos del ejército, por lo que invitó a los comandantes a personarse en el Fuerte a las siete de la tarde de ese mismo día, domingo 20 de mayo. A las cuatro, los comandantes y sus subalternos improvisaron una junta en el cuartel de Patricios, donde Artemio les informó acerca de un complot para apresarlos apenas pusieran pie en el patio central del Fuerte. Les advirtió además que se planeaba tomar por asalto los cuarteles. Un tenso silencio cayó en la sala. Los militares intercambiaron vistazos recelosos, que el gaucho Furia devolvió con flema. No les diría su fuente, si eso esperaban, ni cómo había llegado a hacerse de la información.

Artemio no sabía por qué Blackraven lo había elegido para confiarle un dato de esa relevancia cuando era amigo de personalidades de gran valía. Menos aún lo entendía después de cómo se había desarrollado la reunión esa mañana en la casa de San José.

Él había comparecido pocos minutos después de las diez, de acuerdo con lo convenido con Blackraven el día anterior en lo de Rodríguez Peña. El aristócrata inglés lo había recibido en su despacho y ofrecido café, a lo que Artemio se había negado. Hablaron de negocios, de futuras compras de ganado, de distribución de productos en las provincias a través de las caravanas de Artemio, de contrabandear sebo al Brasil usando las vías fluviales y de la adquisición de sal en Patagones, en la boca del Río Negro. En plena polémica acerca de la conveniencia de viajar a Patagones por mar y no por tierra, la puerta del despacho de Blackraven se abrió y la señora condesa se precipitó dentro. Artemio se puso de pie.

—¡Oh, lo siento! —se disculpó—. No sabía que estabas ocupado, Roger.

Blackraven, con el ceño oscuro y fruncido, le pidió que se retirara, molesto por la manera en que Furia la contemplaba.

—Con permiso —balbuceó Melody, antes de dar media vuelta y salir.

Artemio no podía apartar sus ojos de la condesa. Ese día, dado que llevaba la cabellera recogida en un rodete a la altura de la nuca, le recordaba especialmente a su madre. Volvió a sentarse cuando escuchó el carraspeo de Blackraven. Al descubrir su semblante, se dio cuenta de que lo había disgustado y de que le debía una disculpa. Si alguien hubiese mirado con esa impertinencia a Rafaela, él habría sacado el facón. Se preguntaba qué detenía a Blackraven; lo sabía un hombre de armas tomar y que celaba lo suyo como un león.

Con un abrecartas en la mano, Roger dijo:

—Si vuelve a mirar a mi esposa de ese modo, le arrancaré los ojos.

—Blackraven, le pido disculpas si lo he ofendido. Pero no he mirado a su esposa con irreverencia. Sucede que ella me recuerda a alguien y no he podido evitarlo.

Roger no se sorprendió por la declaración sino por la manera culta que Furia empleó para expresarse.

—Usted no es quien dice ser.

Artemio se puso de pie y se calzó el sombrero.

—Soy el que soy —dijo—. Y aura me marcho.

—Furia, tengo algo que confiarle antes de que se vaya. —Artemio se detuvo junto a la puerta—. Déle aviso a sus amigos de que se cuiden las espaldas. Hay voces que aseguran que planean tenderles una emboscada y tomar por asalto los cuarteles. Si yo fuera Saavedra, no me mostraría tan ansioso por presentarme en el Fuerte hoy a las siete. —Artemio se quitó apenas el sombrero e inclinó la cabeza en señal de agradecimiento—. Furia, una cosa más. ¿A quién le recuerda mi esposa?

—A mi madre —respondió, y salió al pasillo.

Un empujón mientras accedía a la sala del teatro lo obligó a volver al presente. Siguió caminado hacia su butaca, estudiando el entorno bajo el ala del sombrero. Distinguió entre la concurrencia al capitán José Antonio Melián, que había participado en el conciliábulo de esa tarde en el cuartel, de los primeros en dar crédito a sus palabras junto con French, Beruti y Esteban Romero. Pasado el momento de incredulidad, el resto de los militares aceptó la posibilidad de que estuviese gestándose un golpe por parte de Cisneros y de las tropas leales a él, y se empeñaron en el trazado de un plan para neutralizarlo.

—Lo más sensato sería —sugirió Eustaquio Díaz Vélez, de los Patricios— tomar el mando de los guardias del Fuerte.

—Podemos ir con Terrada y con usted, Díaz Vélez —sugirió Juan Ramón Balcarce, de los Húsares—, y ocuparnos de eso ahora mismo. Para las siete, no quedará un guardia que no responda a nuestras órdenes.

—¡Flor de chasco se llevarán! —exclamó Martín Rodríguez.

—Debemos controlar los accesos al Fuerte —apuntó Beruti— y hacernos de las llaves. Nuestra gente no admitirá el acceso de ninguno que esté en contra de la causa.

—¿Cómo los distinguirán? Entre regimientos, se conocen poco —apuntó con criterio Manuel Ruiz, a cargo de los Naturales, el batallón formado por los negros libres, indios y pardos.

—Que todos usen nuestro distintivo, el de los Húsares, las cintas azules y blancas —propuso Lucas Vivas.

—Las medidas de la Virgen —señaló French.

Se mostraron de acuerdo y enviaron a Joaquín Campana, el secretario privado de Saavedra, a la Recova por varios metros de cinta azul y blanca que, en menos de tres horas, debían convertirse en el salvoconducto que los soldados patriotas lucirían en sus chaquetas. Finalmente, la reunión en la sala del virrey en el Fuerte transcurrió sin sobresaltos.

—Este mediodía —habló Cisneros— vino a verme el alcalde mayor del Cabildo y me ha referido que hay cierta intranquilidad en la población con motivo de las noticias arribadas de la España. —Sonrió con ironía—. No he prestado importancia al asunto porque se trata de un grupo de perdularios y sediciosos, como le apunté a de Lezica. En caso de que estos desaforados se desmadren, sé que cuento con mis comandantes para ponerlos en su sitio y conservar la fidelidad que todos le debemos a nuestro augusto y amado monarca, el señor don Fernando VII.

—Excúseme, excelencia —intervino Martín Rodríguez—, pero considero que vuesa merced está muy engañado. Ni son perdularios ni son sediciosos los que afirman que la Junta formada en Cádiz no tiene ninguna soberanía sobre los pueblos americanos. ¿Acaso un puñado de comerciantes gaditanos puede erigirse como gobierno de todo el Imperio español? Lo mejor de la sociedad porteña clama por un Cabildo Abierto para designar nuevas autoridades hasta tanto don Fernando sea restablecido en el trono.

—Coronel Saavedra —pronunció Cisneros, sin dignarse a contestar a Rodríguez—, ¿qué opina vuestra merced de esta situación? ¿Acaso no cuento con vuestro apoyo como sí se lo brindó a Liniers en la asonada del año pasado?

Todos notaron el nerviosismo de Saavedra en el modo en que hacía dar vueltas el sombrero entre sus manos. Cuando por fin habló, lo hizo con voz trémula.

—Su excelencia, la situación es muy distinta de la del 1º de enero de 1809. El mismo pueblo que en aquel momento amparaba a Liniers, ahora clama por un cambio. Lo que sí puedo aseverar a su excelencia es que me ocuparé de contener los desmanes y los desacatos contra vuestra persona.

—Ya veo —dijo el virrey, molesto.

—Quizá —insistió Saavedra— si se nombrasen personalidades destacadas del pueblo para acompañarlo en el gobierno...

No pudo terminar. Cisneros explotó en una diatriba.

—¿De qué está hablando, Saavedra? ¿Nombrarme acompañantes? ¿A mí, que siempre me he desempeñado con honor? ¡Renunciaré antes de admitir esa humillación! —Cisneros calló, abrumado por su exabrupto. Más compuesto, disparó—: Señores, saquémonos las caretas. ¿Cuento o no con vuestro apoyo?

—Son estos tiempos radicales, su excelencia —afirmó Martín Rodríguez— y los militares estamos dispuestos a acatar lo que disponga el Cabildo Abierto.

—¡Cabildo Abierto! —exclamó Cisneros—. ¡Pues adelante! ¡Convocad el malhadado Cabildo Abierto! Y que la suerte de esta tierra sea decidida por los vecinos.

Furia, que aguardaba en el Café de Marcos los resultados de la reunión en el Fuerte, conoció los detalles de boca de French.

—Artemio —dijo éste al terminar su relato—, vete para la campaña y apresta a tu gente. No sabemos cuándo te necesitaremos, pero puede ser de un momento a otro.

—Ya lo he hecho —aseguró—. Calvú Manque estará mañana por la mañana con un grupo de piones y paisanos, pa'ponerse a las órdenes de la Patria.

—¡Bien! —prorrumpió French, y le palmeó el hombro.

Artemio se despidió y salió del Café de Marcos en dirección a lo de doña Clara. Debía cambiarse para la función en el teatro, aunque antes visitaría al padre Ciriaco y a Serapio.

Por fin en su butaca, no le costó ubicar a Rómulo Palafox; por Albana sabía qué sitio le había indicado en la esquela. A unos palmos de él, se dedicó a estudiarlo con detenimiento. Para pasar inadvertido, no llevaba chiripá ni calzones sino un pantalón que le había conseguido doña Clara, y el poncho de vicuña, muy elegante y costosísimo; incluso se dejó puesto el chambergo con el ala caída sobre la frente; los zapatos de cordobán estaban matándolo.

No había nada de Rómulo Palafox en Rafaela; tal vez la altura y ese porte aristocrático de hombros cuadrados y derechos. Albana aseguraba que tenía ojos verdes, pero él no se había acercado lo suficiente para saberlo, ni lo recordaba de la tarde en *Laguna Larga*. El hombre había cambiado poco a lo largo de esos veinte años, y resultaba doloroso contemplarlo porque, sin remedio, las escenas de la noche del 5 de junio acudían a su mente. Hacía tiempo que lo investigaba y conocía bastante acerca de él, de sus negocios y de sus inclinaciones políticas. Sabía que idolatraba a su única hija. Y con ella, Artemio Furia iniciaría su plan de venganza.

Aarón Romano se aproximó a su tío Rómulo, lo saludó y se acomodó en la butaca contigua. Artemio lo observó con fijeza, al tiempo que le venían a la mente las palabras de Juan Andrés de Pueyrredón: "Su hermana Cristiana, que es ahora nuestra huésped, insinuó que Aarón pretende desposar a su prima Rafaela. Dios la libre y la guarde". Artemio apretó los puños bajo el poncho en el ademán de ahorcarlo. Le parecía que Romano tenía buen porte y, al verlo sonreír, no dudó de que su sonrisa seducía a Rafaela, siempre atenta a esos detalles. Tiempo atrás, ella le había confesado que la de él le quitaba el aliento. El teatro y los ruidos se esfumaron cuando la imagen de Rafaela desnuda, erguida sobre su cuerpo, con las piernas a horcajadas de él, haciéndole cosquillas para verlo reír, se coló en su mente. *Ría, señor Furia. Cuanto más ríe, más lo amo. Es en la sonrisa donde su hermosura se despliega.* "¡Mierda!", jadeó. Tenía que odiarla, como ella lo odiaba a él. "Furia, Rafaela se ha negado a recibir su presente", le comunicó la Bonmer, y le entregó el frasquito con el aceite esencial de rosas. "Me ha dicho que, para ella, usted ha muerto."

Unos gritos invadieron su concentración. El teatro lucía convulsionado. Advirtió que Palafox y Romano se ponían de pie e intentaban descubrir a qué se debía la trapisonda.

—¡Queremos *Roma salvada*! —exigían los criollos, mientras el dueño de la compañía anunciaba a gritos que no se presentaría *Roma salvada* sino *Misantropía*. La excusa —el actor principal se había indispuesto— sonaba inverosímil.

Para Artemio resultaba claro que el Sordo juzgaba la obra de Voltaire, en la cual se exaltaban la libertad y el patriotismo, imprudente para un tiempo radical como el que transitaban, razón por la cual el jefe de la Policía acababa de levantarla. El bullicio y el descontento crecían, y terminaría corriendo sangre si no se daba gusto al público.

Aarón Romano tomó por el codo a su tío y lo sacó del recinto. Artemio los siguió hasta la calle, donde los vio trepar a un coche que se dirigió al sur. Masculló un insulto. Albana no llevaría a Palafox a su casa esa noche para sonsacarle información. De igual modo, pensó, en el momento oportuno, él le sonsacaría la información que más necesitaba.

Después de dejar a Rómulo en la casa de la calle Larga, Aarón montó su caballo y se dirigió hacia la fábrica de jabones de Vieytes, donde se encontraban reunidos los de la Sociedad de los Siete. Al cruzar el centro, advirtió gran desasosiego y mucho movimiento para la hora. Divisó un grupo de parroquianos de mal aspecto que subían desde el Bajo; iban emponchados y con las caras cubiertas y, entonados con bebidas espiritosas, vociferaban: "¡Muera el virrey! ¡Queremos Cabildo Abierto!". Lamentó no contar con la escolta de Gabino, su nuevo sirviente, a quien había encargado el manejo de los alarifes que remozaban la casa donde instalaría el garito y el burdel. El gaucho contaba con un talento para amedrentar a la gente y hacerla trabajar.

Agitó las riendas y se movió en dirección contraria al piquete. Si la revolución se hallaba en manos de esas gentes, las horas de Cisneros estaban contadas, y él, por su parte, se pavonearía entre los vencedores. Su tío, como español, quedaría a merced de la protección que sus conexiones con la Sociedad de los Siete le brindarían. Podría resultar muy ventajoso y rentable.

Encontró los ánimos caldeados en la jabonería de Vieytes. Mariano Moreno no se molestaba en ocultar el desagrado que le había producido enterarse del desempeño del coronel Saavedra durante la reunión en el Fuerte. "¡Nosotros jugándonos las cabezas y este pusilánime entregándolas en charola de plata!". Belgrano y Rodríguez Peña intentaban calmarlo, tomándose el episodio en broma.

No le gustaba Moreno, por su aire soberbio y prepotente. Habría sido una estupidez negar que poseía una mente brillante. Su *Representación de los Hacendados y Labradores*, elaborada el año anterior en defensa del libre comercio y de las clases trabajadoras de la tierra, daba muestra de la claridad y rapidez de su discernimiento.

Artemio Furia apareció de la nada y se puso a conversar con Moreno. Lo pasmó el buen trato que el joven abogado le concedía al gaucho. Este asunto de la "patria" juntaba en una misma bolsa a tipos de todas las castas. Sin motivo, detestaba a ese paisano, tal vez porque le infundía temor. A pesar de la mala iluminación, distinguía la ristra de argollas que le perfilaba la oreja derecha, el enorme facón que llevaba cruzado en el tirador y las boleadoras que colgaban cerca de sus rodillas. En las últimas jornadas, lo había oído mentar frecuentemente ya que en las pulperías se hablaba de él con respeto y se lo asociaba al movimiento que propugnaba voltear al virrey y formar Junta sólo con criollos. Se decía que su ascendencia entre las gentes de la campaña no conocía límites, que era un centauro sobre la montura y rápido con las armas. A Aarón lo inquietaba que un hombre como ése hubiera pasado tanto tiempo con Rafaela en *Laguna Larga*. No se trataba de celos sino de una cuestión de territorialidad. Celos había sentido al pillar a Juvenal Romano en bata en la tienda de Bernarda de Lezica. No quería pensar en eso. No había vuelto a verla desde entonces, consumido por la ira, la humillación y los celos, aunque pronto lo haría para levantar el pagaré. Nunca había deseado a una mujer como a ésa, que le llevaba casi diez años y que lo miraba como una madre lo haría con un hijo travieso.

Cerca de la medianoche, llegaron los que habían concurrido al Teatro Argentino y, a porfía, relataban los detalles de la trifulca desatada ante el anuncio de la suspensión de *Roma salvada*. Juan José Paso, de los más enfervorizados, explicó que finalmente se puso en escena la obra de Voltaire y, con el bastón en alto, declamó la parte de Cicerón: *Entre regir al mundo o ser esclavos, ¡elegid, vencedores de la Tierra!*, a lo que los congregados en la jabonería respondieron: "¡Viva Buenos Aires libre!".

A pesar de que a Aarón ese despliegue le resultaba grotesco y empalagoso, reía y aplaudía, se unía a las exclamaciones y cánticos. Apostaba por ese grupo de exaltados y pensaba recoger los frutos de hallarse del lado de los vencedores. En caso de perder, el exilio se convertiría en la pena menos gravosa.

—¡Escuchad, compañeros! —vociferó Paso—. Mañana concurriremos a primera hora al Cabildo, donde exigiremos la convocatoria al Cabildo Abierto. Cisneros ya lo ha consentido. ¡Mañana será el comienzo del fin de varios siglos de esclavitud!

Aarón buscó con la mirada al gaucho Furia y le extrañó descubrirlo impertérrito, aunque atento a la alocución de Paso. Experimentó un sentimiento inusual: envidió a ese paisano sin origen y mal hablado, le envidió la seguridad con que se movía entre personas encumbradas sin necesidad de obsecuencias para demostrar su adhesión a la causa.

Con la excusa de oír misa en San Francisco, Rafaela había intentado evadirse de su casa donde el ambiente la oprimía y angustiaba. Su padre, sin embargo, le había prohibido salir. Tanto Paolino, el aguatero, como Babila, que acababa de llegar del centro, aseguraban que, desde hora temprana de ese lunes 21 de mayo, la Plaza de la Victoria se había convertido en un caos. Ñuque, por su parte, le señaló la imprudencia de aventurarse con un tiempo frío y lluvioso cuando aún convalecía de su enfermedad.

Pasó la mañana con Mimita, narrándole historias y cantándole tonadas para enseñarle a hablar, y también para olvidar el altercado de esa mañana entre su padre y Aarón. Habían discutido durante el desayuno a causa de sus irreconciliables posturas políticas. Mientras Rómulo, que profesaba ideas monárquicas, defendía la continuidad del virrey, Aarón hablaba de una Junta formada por los verdaderos dueños de la tierra. La disputa llegó a su fin cuando Clotilde, elevando el tono, les recordó que durante las comidas no se hablaba. En el silencio que continuó, Rafaela estudió el perfil de su primo, admirada de la pasión con que había defendido su causa, él, que nunca desvelaba las emociones. De pronto, tuvo la sensación de hallarse sentada junto a un hombre nuevo, bien parecido, que, cuando giró y le sonrió, la dejó boquiabierta. "¿Cómo es que nunca reparé en la belleza de su sonrisa?", se preguntó.

Esperaba que la pelea entre su padre y Aarón no diera al traste con la boda. La avergonzaba haber rechazado la idea dos días atrás cuando en ese momento comenzaba a habituarse. Detestaba la veleidad y la inconstancia. La boda, en verdad, se planteaba como la única salida digna para evitar que su hijo fuera tachado de bastardo. Le dolía engañar a Aarón, él no lo merecía, pero su padre le había prohibido abrir la boca. De igual modo, ella no se habría atrevido a confesárselo. A veces deseaba haber muerto de neumonía.

Para alejar los malos pensamientos y mientras complacía a su tía Clotilde y se ocupaba del ruedo de un mantel para el ajuar, se dedicó a rememorar la tarde del día anterior transcurrida en casa de la condesa de Stoneville. Adrede, había esperado a que la familia se hallase reunida a la hora del almuerzo para pedirle permiso a su padre. Su tía Justa la felicitó por "una amistad tan conveniente" y "por relacionarse con una dama de la aristocracia inglesa", en tanto Clotilde y Cristiana boqueaban como peces fuera del agua. Su padre, por supuesto, la autorizó a concurrir a lo de Blackraven, a pesar de seguir furioso con ella; Justa la acompañaría.

Melody Blackraven la recibió con dulzura y le demostró que valoraba su amistad. Mimita, retraída en un principio, enseguida hizo migas con Rosie, la menor de los Blackraven. Lupe, la más informada acerca de los acontecimientos políticos, contó detalles que ni Corina imaginaba.

Rafaela estaba pasándolo muy bien hasta que la condesa mencionó que el gaucho Furia se había reunido esa mañana con su esposo. "Artemio", pensó Rafaela, "ha estado en este mismo sitio horas atrás, respirando este mismo aire". No quería seguir encontrándoselo, no deseaba saber de él ni de sus andanzas. El destino, sin embargo, se empecinaba en cruzarlos. ¿Por qué le había enviado el frasco con aceite esencial de rosas?

—¡Rafaela! —exclamó su tía, y la trajo a la realidad—. ¿En qué estás pensando, criatura? —la amonestó—. Mira qué torcido has cosido el ruedo.

—Hija —acotó Justa—, pon más atención. No podemos perder tiempo. Esta decisión absurda de tu padre de que cases a fin de mes no nos da tiempo para remediar errores.

—Yo lo corregiré —terció Ñuque—. Deja el mantel sobre la mesa, Rafaela, y ve a descansar.

Se disponía a retirarse cuando Peregrina, que había marchado a atender un llamado a la puerta, entró en la sala y dijo que acababa de llegar una esquela del Cabildo para el amo Rómulo. Las mujeres se miraron con preocupación, pensando que la notificación tenía que ver con la participación de Palafox en la asonada de 1809.

—¡Rómulo! ¡Rómulo! —lo llamó Clotilde.

El hombre, que trabajaba en su salita, se personó ante sus hermanas y su hija.

—Abre esta esquela —le rogó Justa—. Acaba de llegar.

Palafox rompió el sello de lacre.

—Es una invitación del Cabildo. —Leyó en voz alta para satisfacer la curiosidad de las mujeres—: "El excelentísimo Cabildo convoca a usted para que se sirva asistir precisamente mañana, 22 del corriente a las 9, sin etiqueta alguna y en clase de vecino, al Cabildo abierto, que con avenencia del excelentísimo Señor Virrey, se ha acordado celebrar, debiendo manifestar esta esquela a las tropas que guarnezcan las avenidas de esta plaza, para que se le permita pasar libremente".

—¿Irás?

—Por supuesto, Clotilde.

Más tarde, casi a la hora de la cena, Rafaela recibió una nota de Corina.

Querida amiga, me ha resultado imposible ir a visitarte hoy como te prometí. Hemos trabajado arduamente todo el día imprimiendo las esquelas de invitación para el Cabildo Abierto que se celebrará mañana por la mañana. Si bien el Sordo exigió que sólo se invitase "a la parte sana y principal del pueblo", nos hemos hecho de varias invitaciones para repartirlas entre la juventud patriota. Además, se ha dispuesto que Eustaquio Díaz Vélez, un gran patriota, sea quien comande las tropas que controlarán las calles circundantes a la plaza, por lo que el ingreso de los nuestros está garantizado. Mañana será un gran día, Rafi. Tu amiga de siempre. Corina.

Faltaba poco para las nueve de la mañana. Artemio Furia, de guardia en la esquina de la calle del Cabildo y de la Santísima Trinidad, con el edificio del Ayuntamiento detrás de él, observaba a sus hombres y a los de la Infernal, cubiertos por largos ponchos y capas, los fulares casi a medio rostro para protegerlos del frío y los chambergos caídos sobre las frentes; no resultaba difícil deducir que portaban armas entre sus prendas. Por cierto que esos hombres, apodados "chisperos" o "manolos", intimidaban, por no decir que aterraban. Conformaban una tropa de alrededor de seiscientos hombres que, desde el día anterior, ocupaban la Plaza de la Victoria para convencer al virrey y a los regidores de que el Cabildo Abierto se llevaría a cabo o la sangre correría por las calles de Buenos Aires. Después de muchas idas y venidas y dares y tomares, el paisaje que conformaban resultó disuasivo y el virrey emitió el bando que convocó a la reunión del vecindario.

Desde las primeras horas de ese día martes 22, cuando aún reinaba la noche, varios esclavos desfilaban desde casas vecinas acarreando sillas y banquetas para ubicarlos en la sala y en la galería superior del Ayuntamiento que no contaba con mobiliario para albergar a tanta gente. Asimismo, en las cocinas se preparaba chocolate caliente y vino tibio con especias, y dado que la jornada se presagiaba sombría, se ordenó traer del sótano gran acopio de bujías de sebo que se irían reemplazando a lo largo de la reunión.

Alrededor de las ocho y treinta de la mañana, comenzó a llegar la gente, los que participarían de la reunión en el Cabildo y los curiosos. Furia observó que algunos se detenían, estudiaban el despliegue de hombres encapotados, daban la media vuelta y regresaban a sus hogares. Otros, que no se arredraban, extendían la invitación ante los soldados. La noche anterior, durante el conciliábulo en la jabonería de Vieytes, se habían repartido las cintas características de los Húsares para que los revolucionarios las lucieran en el poncho o en el barragán y se les franqueara el paso con diligencia. Las mujeres, por su parte, habían comprado varios metros de cintas azules y blancas en una tienda de la Recova con el dinero entregado por French y confeccionado distintivos para repartirlas en la plaza a los simpatizantes de la causa. En cuanto al grupo que apoyaba a Cisneros, se les permitía el acceso si se trataba de personajes muy importantes y conocidos; en los otros casos, se inventaban excusas para mandarlos a sus casas.

—Artemio.

Calvú Manque se presentó a sus espaldas. Había llegado de la campaña el día anterior, escoltado por un numeroso grupo de paisanos y gauchos, quienes, ante la convocatoria de Furia, se unían a los patriotas para componer la fuerza de choque que French y Beruti consideraban clave para disuadir a las autoridades.

—¿Les dieron de comer en el cuartel? —se interesó el gaucho.

—Sí. Mate, guiso de carne y pan de centeno.

Artemio asintió, mientras escudriñaba a sus hombres, apostados en sitios estratégicos de la plaza.

—Esta noche no acamparemos en el Alto. —Artemio se refería al barrio de la periferia, en el sur de la ciudad, donde se hallaba la iglesia de San Pedro Telmo y donde se concentraba la pobrería que los jefes de la Infernal habían convocado a la plaza—. Nos quedaremos aquí, en el centro. Nos acomodaremos en los cuarteles y donde mejor se pueda.

—Güeno —respondió Manque—. ¿Cómo va tuito por aquí?

—Bien —contestó Artemio.

—En llegando, vide al dotor Moreno. Anda muy inquieto.

—Es que dis que 'tá jugándose el mate.

—Será. —Tras un silencio, el indio preguntó—: ¿Qué ganamos nosotros con esto?

—Poder.

—¿Poder? ¿Cómo ansina?

—Triunfaremos, Calvú, y los que se conviertan en autoridá nos deberán un favor que yo les sabré cobrar.

—¿Y qué les vas a cobrar?

—Primero, la libertá de mi padrino. No quiero que ande juyendo como si juese un matrero.

—Soldados, buenos días —saludó una voz masculina al retén apostado a unos palmos.

Furia y Manque voltearon. Frente a ellos se encontraban Rafaela Palafox y Binda y su primo, Aarón Romano. Los acompañaba la señorita Cristiana Romano, y detrás de ellos se apostaban los esclavos Babila, Créola, con Mimita en brazos, y Peregrina. Por un momento, los sobrecogió la incomodidad.

Lo primero que Furia se preguntó fue qué hacía Rafaela fuera de su casa con ese clima frío e inestable. Deseó envolverla en la mantilla que le colgaba con descuido de la cabeza y llevarla en brazos hasta el coche.

Con un rápido vistazo, comprobó la ausencia de Rómulo Palafox. ¿Dónde se encontraría? Él había visto su invitación el día anterior en la imprenta. Dedujo que había decidido no presentarse por temor a los chisperos y manolos que lo sabían un sarraceno.

De espaldas y tan cubierto, Rafaela no lo había reconocido. Se limitó a sostenerle la mirada; no se trató de un acto deliberado sino del efecto que le ocasionaban sus ojos. Bajó la cara y apretó las manos dentro del manguito hasta provocarse dolor, no por nervios, más bien por rabia. Él lucía tan compuesto, tenía tanta confianza en sí, tanta seguridad y calma, que sintió envidia. Durante ese tiempo, el señor Furia había proseguido con el ritmo de su vida como si ella jamás hubiera existido. Lo odió con una fuerza renovada. Levantó el rostro y sonrió al indio Manque.

—Misia —dijo éste, y se quitó el sombrero—, ¿cómo está su mercé?

—¿Cómo se atreve a...?

—Aarón, querido —intervino Rafaela, y extrajo una mano del manguito para apoyarla en el antebrazo del joven—. Conozco a Calvú Manque. Él trabajó en *Laguna Larga* este verano. Buenos días, Calvú. Me encuentro bien. Gracias.

Furia observaba la mano de Rafaela en contacto con Romano, mientras ese "Aarón, querido" repicaba en su mente. Nada de incredulidad dominaba su ánimo sino celos; fieros, violentos y negros celos. Bajo el poncho, percibió la rugosidad del mango de hueso de su guampudo. Lo habría clavado en el vientre de Romano con placer. Elevó el rostro hasta encontrar la mirada de Rafaela. Sus ojos verdes fulguraban y daban una nota de color a la mañana gris.

—¡Atiemo! ¡Atiemo!

Mimita se rebullía en brazos de Créola.

—¡Mimita, quédate quieta! —la amonestó Rafaela.

Furia se abrió paso y tomó a la niña en brazos ante los gestos atónitos de Aarón y de Cristiana. Rafaela habló al oído de su primo, con bastante ecuanimidad:

—Se encariñó con el señor Furia durante su estadía en *La Larga*.

—No has debido traerla. Sabes que mi tío Rómulo te lo ha prohibido. ¡Está avergonzándonos!

—Déjala en paz, Aarón. Una vez que alguien le demuestra sincero cariño, ¡déjala en paz!

El color trepó por las mejillas de Aarón; incluso las orejas se le pusieron como la grana.

Mimita le enseñaba el collar con dijes de hueso a Artemio y sonreía ante las palabras murmuradas del hombre que nadie alcanzaba a oír.

Después de un momento de debilidad, en el cual Rafaela luchó contra las ganas de llorar, se hizo de nuevo con la ira al recordar que Furia no había destinado un pensamiento a Mimita cuando decidió abandonarlas en *La Larga*.

—Ven, tesoro. —Apoyó las manos en la cintura de la niña, que se aferró al cuello de Furia y comenzó a chillar su nombre.

En el forcejeo, Artemio aprovechó para acercar la nariz a Rafaela, y si bien captó un aroma exquisito, no reconoció la fragancia que anhelaba inspirar.

—¿Por qué no acetó el aceite de rosas?

Los párpados de Rafaela bailotearon antes de abrirse por completo y desvelar la conmoción que le causaba la voz enronquecida del gaucho, que, al bajar varios decibeles, se había convertido en un susurro áspero y ominoso. Era la primera vez desde la separación que le dirigía la palabra y que se le acercaba. No prestó atención a la pregunta y, como de costumbre, el efecto de la sorpresa le jugó en contra. Se quedó mirándolo, muda, ni siquiera respiraba. La intervención de Aarón le devolvió el aliento.

—¡Soldado! Acabemos con esto y reciba mi invitación. Me urge ingresar en el Ayuntamiento. La reunión está por comenzar.

Artemio puso a Mimita en brazos de Rafaela y se volvió con aire flemático para lanzar un vistazo irónico a Romano, como si la sonrisa despectiva que sus labios no esbozaban se plasmara en sus ojos. Rafaela se avergonzó de Aarón. Sufría en su comparación con Furia, no tanto por su juventud o su físico de citadino como por la falta de rasgos de dignidad.

—Adelante, señor —indicó el soldado.

—Babila —dijo Aarón, y señaló a Cristiana y a Rafaela—, llévalas de regreso a casa.

—¡Aarón! —se quejó su hermana—. Pensaba ir de compras.

—No es un día para compras. Hay demasiada gentuza dando vuelta.

Rafaela miró de inmediato a Furia y no encontró rastro de enojo, como si el comentario de Aarón no hubiese estado dirigido a él. En silencio, levantó el ruedo de su vestido y se alejó con Mimita en brazos y los esclavos por detrás.

Artemio Furia la contempló marcharse. Caminaba con actitud vencida. El vestido, que caía pegado a su cuerpo, no delineaba las curvas del verano; estaba muy delgada. El efecto de las ojeras de Rafaela en contraste con la palidez de su semblante impresionaba. Temió por su salud.

—Artemio. —Calvú le puso una mano sobre el hombro—. No la mires ansina, *peñi*.

Furia asintió. Al volverse, descubrió al padre Ciriaco que cruzaba la plaza. Al igual que gran parte del clero porteño, participaría del Cabildo Abierto. Al verlo levantar la mano y saludar con una sonrisa, deseó correr hacia él y cobijarse en su regazo como lo había hecho tantas veces de niño.

Después de asegurarse de que sus hombres recibieran una ración de carne y una buena medida de alcohol para combatir el frío, Furia montó a Cajetilla y cruzó la Plaza de la Victoria en dirección a la jabonería de Vieytes. La excitación de los revolucionarios se percibía desde la puerta, donde lo recibió un barullo alterado por una risotada o una exclamación. Hablaban sobre la jornada en el Cabildo.

Artemio, muerto de cansancio y de hambre, se sentó en una silla y separó las piernas para comer la empanada de carne que le sirvió Remedios de Escalada.

—Agarre otra, Furia —lo instó—. Con semejante corpacho, no hará nada con una empanada.

—Si agradece, señorita.

Se dedicó a comer, a sorber el excelente vino —obsequio del conde de Stoneville— y a seguir con la vista a Corina Bonmer, que acompañaba a su amante, el Gigante Arzac, en esa noche de vigilia. La joven lo evitaba.

Pensó en Rafaela, fría y distante esa mañana frente al Cabildo, y apretó la mano en torno al vaso de azófar hasta sentirlo ceder. Levantó los párpados con lentitud, y el bullicio de los revolucionarios, sus gestos exagerados y voces destempladas reemplazaron la imagen de Rafaela y de Mimita. Se acomodó en la silla y se dispuso a oír las anécdotas para engañar a su pensamiento e impedirle tomar caminos dolorosos. Él, que se había pasado el día fuera, en la plaza, desconocía los detalles de la reunión en el Cabildo e hizo un esfuerzo por interesarse en ellos. De ese modo, supo que el obispo Lué y Riega, primer orador, exacerbó los ánimos con un discurso que demostraba su falta de tacto al manifestar que "mientras existiese en España un pedazo de tierra mandado por españoles, ese pedazo de tierra debía mandar a los americanos, y que mientras existiese un solo español en las Américas, ese español debía mandar a los americanos pudiendo sólo venir el mando a los hijos del país cuando ya no hubiese un solo español en él". Aunque Castelli inició su réplica con voz vacilante, casi de inmediato se impuso su talento para la oratoria y desacreditó las palabras del obispo al asegurar que las colonias no pertenecían al pueblo español sino a la Corona, a la dinastía borbónica, y dado que el infante don Antonio (se refería al tío de Fernando VII, a quien éste había nombrado presidente de la Junta Suprema de Gobierno en su ausencia) había abandonado Madrid por causa de los franceses, el gobierno se encontraba caduco, más aún cuando la Junta de Sevilla se había desbaratado después de la rendición de Gerona. Los gaditanos que conformaban el Consejo de Regencia desde enero de ese año, no tenían, sobre las Américas, poder alguno. Todos, criollos y peninsulares, eran súbditos de la misma Corona.

A la brillante disertación de Castelli, Manuel Villota, fiscal de la Real Audiencia, opuso una razón fundamental: Buenos Aires no podía, en nombre del virreinato, formar Junta sin la participación de las provincias. Los revolucionarios se volvieron hacia Castelli, quien, desprovisto de argumentos, contempló a sus compañeros con una palidez que denunciaba su desconcierto. El doctor Juan José Paso salvó la situación al expresar que no era momento para perder tiempo; debía formarse con prontitud una Junta transitoria para resguardar los territorios del Río de la Plata en nombre de don Fernando y protegerlos de la ambición francesa y portuguesa. Luego, se convocaría a las provincias para conformar un gobierno permanente.

Pancho Planes, muy exaltado y con algunas copas de más, se sentó a su lado, lo palmeó en la espalda y le vociferó:

—¡Qué jornada, Artemio! ¡Histórica, amigo! ¡Histórica!

—Ansina dicen.

—Pensé que, pasado el día de hoy, quedarían aclaradas muchas cuestiones, pero todavía veo todo muy oscuro. Nuestra causa aún no está salvada. Verás, con el voto de Pascual Ruiz Huidobro, se han dividido las opiniones aquí.

—Para sorpresa de todos —se les unió el doctor Madero—, el general Ruiz Huidobro votó por la destitución de Cisneros y expresó que el Cabildo debe asumir la autoridad en nombre del pueblo hasta tanto se forme un gobierno provisorio. Algunos quieren poner al mismo Ruiz Huidobro al frente de dicho gobierno dado que es el militar de mayor rango y un hombre cabal.

—Pero él es un maturrango —opuso Artemio— y a más un currutaco —añadió; la coquetería de Ruiz Huidobro era bien conocida. Pancho lanzó una risotada.

—¡Eso mismo digo yo! ¿Cómo diantre se les ocurre que nos desharemos de un pelucón para echarnos encima a otro? —Soltó un suspiro y expresó, pasado un silencio—: La cuestión es que hoy todos votamos y mañana se realizará el recuento.

Artemio lo sabía. De hecho, tres de sus hombres vigilaban los accesos al Cabildo para evitar que, durante la noche, alguien se deslizara dentro y alterara los listados de la votación. En honor de la verdad, pocos dudaban del fracaso de Cisneros. La votación no había sido secreta sino cantada a viva voz, y a aquellos que se inclinaban por la continuación del virrey se los insultaba, escupía y amenazaba. Algunos se escabulleron del recinto para no votar y otros, conocidos por monárquicos, lo hicieron en contra de sus ideas. Un grupo de jóvenes revolucionarios había pregonado desde el balcón del Cabildo la marcha de la votación a chisperos y a manolos y a los de la Infernal, apostados en las escalinatas y en el pórtico. Su algazara, cargada de vítores cuando se votaba por la destitución de Cisneros y de insultos en caso contrario, terminó por amedrentar a los indecisos.

Mariano Moreno se echó en una silla junto a Pancho Planes y cerró los ojos al tiempo que exhalaba un resoplido que hablaba de su agotamiento. Artemio se dijo que presentaba un semblante enfermizo.

—Pensé que hoy en el Ayuntamiento —dijo Pancho al joven abogado— les endilgarías una de tus buenas arengas. No has abierto boca. —Furia entrevió una nota de reproche en la voz de Planes—. Y sabe Dios que eres tan bueno como Castelli y Paso. Después de tu *Representación de los Hacendados y Labradores*, ¿quién lo pondría en duda?

—En cambio tú, Pancho —dijo Moreno—, te has excedido al solicitar el juicio de residencia a Cisneros por los abusos cometidos el año pasado en La Paz y Chuquisaca.

—El doctor Moreno tiene razón, Pancho —acordó Madero.

—¡Bah! —desdeñó Planes.

—Te aseguro —continuó Moreno— que he votado por la destitución del virrey sólo porque, en caso contrario, el majadero de Martín Rodríguez me habría zurrado. De otro modo, no me habría expuesto porque temo una traición por parte del Cabildo. No me fío de Julián de Leiva —se refería al síndico procurador—. Si el Cabildo asume la autoridad, tu cabeza, Pancho, será la primera en rodar. Sospechaba, y no me he equivocado, que, tanto el alcalde de primer voto como el síndico Leiva, apoyarían al Sordo. Para colmo de males, yo vi a Leiva el otro día parlamentando con Saavedra, tratando de volcarlo para su bando. —Moreno se puso de pie con un quejido—. Estoy cansado y muy desilusionado. Me voy a mi casa de donde no pienso salir en varios días. Buenas noches, Furia —dijo, y lo honró al levantarse la galera e inclinar la cabeza al pasar delante de él.

—Güenas noches, dotor.

Artemio bebió el último sorbo de vino y se puso de pie, tambaleándose a causa del agotamiento y del alcohol. No volvería a la pensión de doña Clara ni a las habitaciones de Albana sino que compartiría la suerte de sus hombres y dormiría en los cuarteles, sobre un jergón o sobre un almiar en las caballerizas. Se despidió de Planes y de Madero y regresó al centro.

Rafaela vomitó en el bacín que Créola acercó al borde la cama. Se enjuagó la boca y volvió a tenderse con un quejido.

—¿Cuánto durará esta maldición? No lo soportaré por mucho tiempo.

—No lo sé, mi niña. ¿Y si le da por vomitar en la ceremonia de la boda en San Francisco? —se asustó Créola.

Ñuque levantó los párpados y le lanzó un vistazo a la esclava, que se disculpó y salió de la habitación. Rafaela recogió las rodillas y las pegó al pecho. El menor de sus problemas lo constituía la posibilidad de un vómito sobre la chaqueta de su prometido. En realidad, le quitaba el sueño imaginar lo que sucedería después de la ceremonia y del almuerzo, cuando ella y Aarón se encontrasen a solas en la alcoba nupcial. No conseguía borrar la sensación de ahogo y repugnancia que experimentó con el primer beso de su prometido.

La noche anterior, Aarón había llegado tarde, al término de la votación en el Cabildo Abierto. Lo aguardaban despiertos, en ansias mortales, sobre todo Rómulo, quien, a último momento, había desistido de comparecer después de atender a los consejos de su sobrino y futuro yerno. "No será seguro para usted, tío. Hay mucha animosidad contra los peninsulares." Palafox, a pesar de seguir enojado con su sobrino por unirse a la causa de esos jóvenes desfachatados, comprendió la sensatez del consejo y decidió no presentarse en el Cabildo.

Con el cansancio impreso en el rostro, Aarón se sentó en la sala y, mientras Rafaela revoloteaba ofreciéndole comida, café y bebidas espiritosas, el joven se detuvo en los pormenores de una jornada larga, tediosa de a ratos y, por momentos, peligrosa.

—Padre —intervino Rafaela—, Aarón luce cansado. Su merced lo ha mantenido aquí por más de una hora. Permítale retirarse a descansar. Mañana le referirá los detalles.

—Sí, sí, muchacho, retírate a descansar.

Aarón se marchó arrastrando los pies y estirando los brazos. Poco después, Rafaela se excusó y marchó hacia los interiores. Al pasar frente a la habitación de su primo, la puerta se abrió de súbito y una mano la arrastró dentro. Antes de comprender que se hallaba en brazos de Aarón, escuchó el chasquido de la puerta al cerrarse.

—¿Qué haces?

—Paso un momento a solas con mi futura esposa. No hemos tenido ni uno de estos momentos desde que nos comprometimos. Y no es porque yo no lo desee sino porque tú te muestras esquiva.

Sin aguardar respuesta, Aarón le cubrió los labios con los suyos, y ella jadeó a causa de la sorpresa.

—Eres apasionada, ¿verdad? ¿No lo sabes? ¿Demasiado inocente para conocer tu naturaleza de fémina? Yo te enseñaré y tú no me defraudarás, lo sé.

—¡Aarón, déjame! —La acalló aplastando su boca contra la de ella otra vez.

—¿Por qué habría de dejarte? ¿Acaso en pocos días no será éste mi derecho?

El aroma a albaricoque de Aarón ya no le resultó agradable. Su dulzura y una nota punzante le provocaron un pinchazo en el entrecejo que terminó por anidar en su estómago. Apartó los labios con un movimiento brusco de cabeza, atrapó una gran porción de aire y sujetó el vómito cuando amenazaba con escapar.

—¿Qué ocurre? —le preguntó, irritado, y enseguida relajó la expresión y la besó con delicadeza—: Te he asustado. Perdona mi fervor. Me volviste loco en la sala, afanándote para servirme, mostrándome tus encantos. —Le pasó la mano por la espalda hasta acariciar sus glúteos.

—¡No! Por favor, déjame ir.

La soltó a regañadientes y la contempló irse, mientras se preocupaba por la palidez de sus mejillas y por el tinte violáceo de sus labios. Sabía que Rafaela era asustadiza, aunque también le conocía un matiz osado que emergía en los momentos difíciles y que la transformaba en una mujer fuerte y admirable. La respetaba como a pocas personas. Y acababa de descubrir que la deseaba. Después de todo, meditó, su matrimonio no sólo le brindaría beneficios económicos. Tuvo una erección al imaginar a Rafaela desnuda bajo su cuerpo. La imagen de Bernarda de Lezica se coló en su pensamiento y le agrió el humor. Odiaba a esa usurera y ansiaba poseerla, todo al mismo tiempo.

Rafaela alcanzó su habitación y atrancó la puerta. Temía una visita nocturna por parte de su primo. No concilió el sueño hasta el amanecer. Alrededor de las nueve, la despertaron los golpes que Créola propinaba a la puerta. Poco después, apareció Ñuque para atestiguar su vómito matutino, y en ese instante la estudiaba con la expresión que empleaba para leer la mente de las personas.

—¿Qué te ha sucedido? Tus ojeras hablan de la falta de buen dormir.

No le referiría el episodio con Aarón pues la anciana, con su lógica incontestable, le diría que cancelara la boda, algo que ella no podía permitirse.

—Ayer me topé con Furia en la Plaza Mayor.

—¿Hablaron?

—Él me preguntó por qué no acepté el aceite esencial de rosas, y yo, como de costumbre, permanecí como una zopenca, mirándolo, adorándolo, admirándolo. ¡Qué estúpida soy! ¡Ni siquiera me queda orgullo para enfrentarlo! ¡Lo odio! Lo odio —dijo, sin tanto ímpetu—. Lo odio por convertirme en esta idiota.

—Vamos —la animó Ñuque—, olvídate de ese hombre. Llamaré a Créola para que te lave y te vista. Saldrás a dar un paseo. Un poco de aire te sentará bien.

—Sabes que mi padre me ha prohibido asomar la nariz. Está furioso conmigo. Me permitió salir ayer porque iba con Aarón y Cristiana.

—Hablaré con él.

Su padre la autorizó a visitar a su prima Federica, la hija de Justa, y a consultar libros en la biblioteca de fray Cayetano Rodríguez. Debía regresar para el almuerzo que se serviría a las dos de la tarde. Alentada por Ñuque, Rafaela realizó un cambio de planes: concurriría al negocio de la señorita Bernarda y visitaría a Corina en la Imprenta de los Niños Expósitos.

A poco de entrar en la tienda de la Lezica, ésta se marchó a los interiores para buscar la paga de Rafaela y la dejó sola, con Créola a sus espaldas. El chirrido de los goznes de la puerta principal las llevó a voltear. León Pruna se quitó el sombrero y entró.

—Buenos días, señorita Palafox.

Rafaela le sonrió e inclinó la cabeza. Le gustaba León Pruna, o mejor dicho, Juvenal Romano. Lo encontraba atractivo, de una mirada suave e invitante y de modos que transmitían una seguridad cautivadora. Pensó en su tía Clotilde y, como de costumbre, la juzgó una idiota.

—Buenos días, señor Romano.

Le tomó unos segundos advertir que la joven lo saludaba con su verdadero apellido. Ante la expresión desolada del hombre, Rafaela se apresuró a explicar:

—Lo sé todo, señor Romano. Ñuque me lo ha referido días atrás.

—Ah, la buena de Ñuque —dijo, en un susurro, notablemente afectado.

—Le pido que no se apene. Mis labios y los de mi esclava están sellados.

—Gracias, señorita Palafox.

—Lo que más lamento de este asunto es que mi prima Cristiana no sepa que su merced, un hombre tan cabal y honorable, es su padre. La haría feliz saberlo.

Para sorpresa de Rafaela y de Créola, los ojos de Romano se tornaron brillantes. El nudo que le agarrotó la garganta le impidió contestar.

—Cuente conmigo para lo que necesite, señor Romano.

Juvenal carraspeó antes de expresar:

—Yo soy judío. ¿Le refirió eso Ñuque?

Rafaela asintió, muy compuesta.

—Jesucristo y su Madre también lo eran. Insisto, señor Romano, cuente conmigo.

Juvenal Romano apoyó la chistera sobre el mostrador y tomó las manos enguantadas de Rafaela entre las suyas.

—Y usted, señorita Palafox, cuente conmigo siempre que lo necesite. Me encuentro a su entera disposición. —Le deslizó una tarjeta personal en la bolsita de tafetán que colgaba de su muñeca—. Para cualquier servicio. Cualquiera —recalcó.

En casa de su amigo Martín de Álzaga, Rómulo Palafox y otros partidarios del catalán prestaban atención al síndico procurador, Julián de Leiva, quien les relataba las idas y vueltas del recuento de votos y la designación de la Junta de Gobierno, ambos hechos ocurridos a lo largo de esa jornada del miércoles 23, tan fatigosa y compleja como la anterior.

—El triunfo de la facción que deseaba la destitución del virrey fue abrumador —expresó el síndico—. Al ganar dicha facción, que a su vez puso en manos del Cabildo la conducción del virreinato, es decir, en mí —agregó, con aire suficiente—, resultó fácil asegurar que la presidencia de la tan mentada y deseada Junta recayera en Cisneros. Éste aceptó, aunque manifestó que deseaba consultar a los comandantes.

—¿Qué dijeron éstos? —se interesó Álzaga.

—Martín Rodríguez dijo que de ninguna manera aceptarían a Cisneros, que el pueblo quería su destitución. —Leiva sonrió con una mueca de astucia—. Pero Saavedra ha sabido ver la prudencia de formar una Junta de conciliación hasta tanto lleguen los representantes de las provincias. Españoles y criollos gobernando juntos, con Cisneros a la cabeza.

—¿Y qué hay de French y Beruti? Ellos cuentan con los de la Infernal y con la gentuza del gaucho Furia. Bien podrían prescindir de las fuerzas de Saavedra para imponer su voluntad.

—Entonces —admitió Leiva—, esto se convertiría en un baño de sangre.

—Esperemos que no —intervino Rómulo Palafox.

—Lo sabremos mañana —manifestó Leiva—, cuando publiquemos el bando con la conformación de la Junta.

—Además de Cisneros —se interesó Palafox—, ¿quiénes integrarán esta bendita Junta?

—Hemos pensando en el párroco de Monserrat, Juan Nepomuceno Solá, como representante del clero; en Saavedra, como militar; y en el secretario del Consulado, Manuel Belgrano, como abogado. O quizá el doctor Castelli.

—¿Y quién representará a los comerciantes? —se mosqueó Álzaga, lo que abrió un debate que terminó arrojando varios nombres.

Rómulo Palafox abandonó la casa de su amigo Martín de Álzaga bastante conforme y más tranquilo. Si el gobierno seguía en manos de Cisneros, no tenía por qué preocuparse. Otro habría sido su ánimo en caso contrario. Lo aterraban el exilio, la cárcel y la confiscación. Aborrecía a esos jóvenes jacobinos que, en nombre de la revolución, habrían cometido desmanes e injusticias, como, por ejemplo, frenar el trámite de su Carta Ejecutoria de Nobleza, estaba seguro de eso, porque no se dejaría engañar: la Sociedad de los Siete disfrazaba en una supuesta lealtad a don Fernando un deseo irrefrenable de independizar el Río de la Plata del imperio de los Borbones y convertirlo en una república.

Subió al coche y le indicó a Babila que lo condujera al teatro. Después del encuentro frustrado del domingo anterior, ansiaba volver a ver a Albana Bouquet. Lo había invitado a compartir una copita de ajenjo en su camerino, después de la obra. Se excitó en anticipación. No pasaría mucho tiempo antes de tenderla en una cama.

El jueves 24 de mayo, por la mañana, los cabildantes, ubicados a lo largo de la mesa con mantel de damasco rojo, en la sala capitular, se disponían a tomar juramento a la nueva Junta de Gobierno, cuyos integrantes, bien engalanados, se mostraban nerviosos y vacilantes. Cisneros, en su uniforme de teniente coronel de la Marina española, con gran profusión de galones y medallas, aunque sin la banda ni el bastón que lo habían distinguido como virrey, aguardaba con gesto tenso a que el alcalde de primer voto, Juan José de Lezica, terminase de leer el documento en el cual se enumeraban las obligaciones de los nuevos gobernantes. Los restantes miembros de la Junta, el presbítero Juan Nepomuceno Solá, el coronel Saavedra, el doctor Castelli y el comerciante José Santos de Inchaurregui, se alineaban a sus espaldas. La severidad de los gestos no se relacionaba con la solemnidad del acto sino con la preocupación que los asolaba. "Nos pasarán a degüello", le había advertido Castelli a Saavedra minutos antes de ingresar en el recinto. "French nos echará encima a sus chisperos y nos convertirá en papilla por haber aceptado formar gobierno con el Sordo", añadió, a lo que Saavedra nada contestó.

Una hora más tarde, la puerta principal del Cabildo se abrió para dar paso a la nueva Junta. La plaza se acalló. Artemio vio salir a los cinco miembros, que descendieron los escalones del pórtico y cruzaron la calle de la Santísima Trinidad en dirección al Fuerte. Los escoltaban miembros de la Real Audiencia, el comandante de Dragones, José Ignacio de la Quintana, y algunos edecanes. Echó un vistazo a sus hombres para comprobar que se mantuvieran en sus sitios y con las armas enfundadas.

Algún grito ocasional de "¡Fuera Cisneros!" profundizaba el silencio que, de modo antinatural, dominaba ese espacio del centro de Buenos Aires, usualmente bullicioso. La destemplanza del clima y el color plomizo del cielo iban de acuerdo con los ánimos.

—Bamba —susurró Artemio—, ve al cuartel y refiérele los hechos a Domingo. —Se refería a su amigo French, que se había acuartelado con los soldados de la Infernal.

A últimas horas de la tarde del jueves 24, los integrantes de la flamante Junta de Gobierno se hallaban en el salón principal del Fuerte, donde Cisneros mantenía su despacho y habitaciones privadas. Castelli, con la vista fija en un pisapapeles de bronce, revivía las circunstancias del tenso conciliábulo llevado a cabo pocas horas antes, en la quinta de Nicolás Rodríguez Peña. Martín Rodríguez y los demás militares revolucionarios no se habían molestado en ocultar su furia por lo que consideraban una defección de los cabildantes al nombrar a Cisneros como presidente del nuevo gobierno. A los gritos, Beruti había expresado que una Junta con Cisneros a la cabeza era lo mismo que Cisneros virrey, y había conminado a Castelli y a Saavedra a presentar sus renuncias en la primera asamblea del nuevo gobierno.

—Señor Presidente —habló Castelli—, pido la palabra. —Cisneros asintió e hizo un ademán de mano—. El coronel Saavedra y yo hemos venido a presentar nuestra renuncia.

El antiguo virrey puso cara de desagrado, aunque no se mostró sorprendido.

—Los conmino a aguardar hasta mañana —dijo, con acento medido.

—Resulta imposible —se plantó Castelli—. La borrasca se nos viene encima. Ya hay grupos de chisperos y manolos arrancando los bandos donde se anuncia el nombramiento de esta Junta, y un malestar se apodera de las fuerzas militares, que están acuarteladas y en compás de espera. No podemos apartarnos de nuestros sentimientos y nuestros deberes para con la tierra en la que nacimos.

Cisneros movió los ojos y los posó en Saavedra.

—Las tropas se encuentran sublevadas —advirtió el militar— y nada podemos hacer.

—Entonces —decidió Cisneros—, renunciemos todos.

CAPÍTULO XVII
Una jornada memorable

primeras horas de la mañana del viernes 25 de mayo, la mayoría de los miembros de la Sociedad de los Siete se congregó en casa de Miguel de Azcuénaga, ubicada en la esquina de la calle de las Torres y de San Martín, en diagonal con el Cabildo. Martín Rodríguez, que acababa de llegar del Ayuntamiento, irrumpió con su modo poco cuidado y los puso en autos: los cabildantes se negaban a aceptar las renuncias de Cisneros y del resto de los miembros de la Junta.

La declaración del comandante de los Húsares provocó gran alboroto, y los revolucionarios hablaron a porfía y en voz alta. Al final, Belgrano los mandó callar. Rodríguez Peña tomó la palabra y manifestó que resultaba imperioso enfrentar a las autoridades del Ayuntamiento y exigirles la inmediata deposición de Cisneros.

—Les entregaremos el listado que confeccionamos anoche —anunció French, y se refería a un documento con los nombres de los miembros de la nueva Junta.

Decidieron que Chiclana, French, el padre Grela, el padre Ciriaco Aparicio y Pancho Planes, entre otros, encabezaran el grupo que conduciría el mensaje. Al grito de "¡Al Cabildo!", abandonaron la casa de Azcuénaga y cruzaron la plaza, donde una pequeña multitud, que no se acobardaba a causa de la lluvia, del frío, ni de los rostros siniestros de los chisperos y manolos, aguardaba noticias.

Artemio Furia, que hablaba con Billy, "el rengo", Modesto, "el entrerriano", y con Eddie O'Maley, se apartó para interceptar al padre Ciriaco.

—¿Adónde se dirige? —quiso saber.

—Nos han encomendado concurrir al Ayuntamiento para exigir a Lezica y a Leiva que acepten la renuncia de Cisneros y del resto de los miembros de la Junta. Dios ilumine a esos dos. De otro modo, correrá sangre.

Al oír esas palabras, Eddie O'Maley le susurró a Furia:

—Me marcho. Tengo que llevar esta noticia al capitán Black.

—¿El capitán Black? —preguntó Furia.

—Así llaman sus marineros al conde de Stoneville. Estaré en lo de doña Clara —le anunció—. El capitán está reunido ahí desde temprano con Mackinnon y los otros comerciantes ingleses, a la espera del desenlace. Envíame mensaje con Bamba ante cualquier novedad.

—Güeno.

El tropel ingresó en el Cabildo y, en desconcierto, ocupó las galerías superiores del edificio. Leiva salió de la sala, furioso.

—¡Orden, señores! ¿Qué es lo que deseáis?

—¡La deposición inmediata de Cisneros! —vociferó Pancho Planes—. ¡Ahora mismo!

El alcalde de primer voto, Juan José de Lezica, se asomó y dijo:

—Está bien, pero lo haremos en orden, como gentes decentes y civilizadas. Elegid a un pequeño grupo de entre vosotros y pasad al recinto para conferenciar con el resto de los cabildantes. Los demás se dirigirán a la planta baja y conservarán la calma.

En unos minutos eligieron a los que comparecerían. Al tratar de ingresar, Pancho Planes fue detenido por Leiva.

—No, señor mío, usted no. Es vuesa merced muy loco para este negocio.

El padre Ciriaco apretó el brazo de Pancho cuando éste se disponía a armar un jaleo.

—Pancho, espera aquí, muchacho. No saldremos del recinto sin lo que hemos venido a buscar. Te lo prometo.

Los patriotas no se anduvieron con chiquitas y, evitando preámbulos y formalidades, expresaron su deseo.

—Aceptad de inmediato la renuncia de los miembros de esa infame Junta que habéis formado ayer contra los deseos del pueblo que decís representar —exigió French— y nombrad una nueva de acuerdo con el listado que aquí os entrego.

Lezica recibió el papel y le echó un vistazo.

—No podemos hacerlo sin el consentimiento de las demás provincias —apuntó Lezica.

—Eso no es óbice para formar Junta —explicó Chiclana—. Como ve, al pie del documento se establece la inmediata convocatoria a las provincias del interior para que concurran a Buenos Aires y decidan el destino del virreinato.

—Esto es un atropello —exclamó Gregorio Yaniz, alcalde de segundo voto—. ¿Qué autoridad invocáis para ingresar en este Ayuntamiento a presentar vuestras exigencias?

—¡La del pueblo! —prorrumpió Planes, que acababa de deslizarse dentro.

—¡Ésta no es una democracia como la Norteamericana, señor Planes! —le recordó Leiva.

—¡Aquí gobierna el pueblo! —se empecinó Pancho—. Desde que Fernando VII está imposibilitado de gobernar, la soberanía le pertenece a su pueblo.

—Señores —terció Tomás de Anchorena, el único cabildante que apoyaba la causa de la Sociedad de los Siete—, esta disputa carece de sentido. Lo que debemos hacer es convocar a los comandantes de las fuerzas militares para que nos den su parecer.

Como se hallaban en casa de Azcuénaga, los jefes de las tropas no tardaron en aparecer en la sala capitular. Se decidió que tomase la palabra Esteban Romero, jefe del segundo regimiento de Patricios, para evitar que Martín Rodríguez cometiera un exabrupto.

Leiva expuso la situación. Al cabo de su perorata, paseó la mirada por los militares y dijo:

—Por tanto, señores, espero que vosotros no vaciléis en sostener lo resuelto el día 23 y la autoridad instalada y jurada ayer. Espero que digáis si se puede contar con las armas a su mando para sostener el gobierno establecido.

—Señores cabildantes —se apresuró a decir Romero—, las tropas y el pueblo están indignados y nosotros no tenemos autoridad para darle apoyo al Cabildo porque estamos seguros de que no seremos obedecidos debido a la efervescencia en la que se encuentran las tropas y los hijos del país. Si el Cabildo se obstina, será imposible evitar que la tropa se venga hoy a la plaza y cometa toda clase de excesos contra el Cabildo y la persona del señor Cisneros hasta formar por sí sola un gobierno a su gusto. No os engañéis, esto ya se ha desatado, ya está hecho. El pueblo ha consignado lo que quiere por escrito. Ésos son los sujetos que quiere ver en el gobierno —expresó, al tiempo que señalaba la lista en manos de Lezica.

Pancho Planes, que había salido del edificio del Cabildo para conferenciar con Furia, regresó a la sala capitular con una sonrisa macabra al tiempo que la turba invadía los pasillos, las galerías, aporreaba las puertas y exclamaba improperios, dando cuenta del carácter salvaje que había adquirido el conflicto político.

—¡Por favor! —imploró Leiva a Martín Rodríguez—. ¡Contened a esa sarta de bestias!

—Lo haré —aseguró Rodríguez, levantando el tono de voz sobre la bullanga— si prometéis aceptar la renuncia de Cisneros.

Leiva echó un vistazo a sus colegas y los vio asentir, con muecas de terror.

—Sea —dijo, con gran desánimo. Su plan perfecto se había derrumbado—. Hágalo, pronto, antes de que ésos nos pasen por las armas.

Martín Rodríguez abrió de par en par las contraventanas que daban hacia la galería superior y se mostró al gentío. Al verlo, Artemio Furia levantó el brazo y acalló a la turba.

—Paisanos —exclamó Rodríguez—, queda separado el virrey Cisneros. Tengan un rato de paciencia que se va a tratar lo demás.

La multitud prorrumpió en vivas y vítores que inundaron la sala, arrancando sonrisas y aplausos a algunos de sus ocupantes, y sombrías miradas a otros.

La noticia de que el Cabildo aceptaba la renuncia de Cisneros voló a casa de Miguel de Azcuénaga. Había llegado el momento de obligar a los cabildantes a que aprobasen la nueva Junta. Rodríguez Peña se dirigió a French:

—Volved al recinto del Ayuntamiento y amenazadlos con las armas si es preciso.

El grupo que ingresó en la sala capitular resultó más numeroso y decidido que el de esa mañana. Se alinearon frente a los cabildantes, quienes permanecían sentados a la larga mesa. Se habían encendido varias bujías a pesar de la hora temprana. Las llamas danzaban sobre los semblantes taciturnos de las autoridades.

Beruti les habló con dureza:

—Señores, venimos en nombre del pueblo a retirar nuestra confianza de vuestras manos. El pueblo cree que el Ayuntamiento ha faltado a sus deberes y que ha traicionado el encargo que se le hizo al nombrar al antiguo virrey como presidente de la Junta. El Cabildo ya no tiene facultad para sustituir a los miembros de dicha Junta con otros porque la autoridad ha regresado a manos del pueblo. Es voluntad del pueblo soberano que el nuevo gobierno se componga de los sujetos que él quiere nombrar con la precisa e indispensable condición de que en el término de quince días salga una expedición de quinientos hombres para las provincias interiores para que el pueblo de cada una de ellas pueda votar libremente por los diputados que han de venir a resolver la nueva forma de gobierno que el país debe darse. Si esto no es aceptado en el acto, señores vocales, podéis vosotros ateneros a los resultados fatales que se van a producir porque de aquí vamos a marchar a los cuarteles para traer a la plaza las tropas que están reunidas en ellos, y que ya no podemos ni queremos contener.

—Debo recordarles —expresó Yaniz— que en la votación del pasado 22 de mayo, el pueblo reunido en Cabildo Abierto decidió que fuese este Ayuntamiento el que eligiese a las nuevas autoridades.

—El Cabildo —interpuso Hipólito Vieytes— ha excedido escandalosamente las facultades que le dimos el 22, y ha intrigado para perdernos.

—Si creéis que el Cabildo se excede en sus facultades —dijo Leiva—, ¿por qué venís aquí a pedirnos que legitimemos un gobierno que vosotros queréis imponeros por la fuerza? Es porque bien sabéis que si no contáis con nuestro apoyo, vuestra mentada Junta no valdrá nada, no tendrá legitimidad.

—Contamos con el apoyo del pueblo y de las armas —le recordó French— y si venimos aquí a solicitar vuestro apoyo legal y jurídico es para evitar lo que podría terminar con un derramamiento de sangre. Pero sabed, señores, que nosotros estamos dispuestos a todo.

Pancho agregó:

—El Cabildo Abierto que obró como soberano el 22, resolvió separar del gobierno al señor Cisneros y retirarle el mando de las armas. Y si bien es verdad que ese mismo Cabildo Abierto decidió que fuese el Ayuntamiento quien eligiese a las nuevas autoridades, lo que las autoridades de dicho Ayuntamiento han hecho ha sido burlarse de la voluntad del pueblo al nombrar como presidente de la Junta a quien pocas horas antes el pueblo había decidido separar del mando.

—Vosotros —tomó la palabra Leiva y se puso de pie— habláis del pueblo. El pueblo esto, el pueblo aquello. —Rodeó la mesa y se acercó al grupo que se hallaba cerca del balcón que miraba hacia la plaza—. Me pregunto, ¿dónde está ese pueblo al que, se supone, mis colegas y yo debemos dar gusto por soberano?

—En el documento que os hemos entregado —manifestó el padre Ciriaco— están las firmas de todas las personas en nombre de quienes actuamos.

—Vosotros comprenderéis que la formalidad del acto que nos exigís requiere que los cabildantes veamos a ese pueblo tan numeroso del que habláis. ¿Dónde está el pueblo? —insistió, mientras se inclinaba sobre la barandilla y contemplaba la plaza—. ¿A ese grupejo de malvivientes llamáis pueblo? ¿A ese número reducido de individuos?

—¡Señores del Cabildo! —explotó Beruti—. Esto ya pasa de juguete. No estáis en posición de burlarse de nosotros con sandeces. Si hasta ahora hemos procedido con moderación ha sido para evitar desastres y efusión de sangre. El pueblo, en cuyo nombre hablamos, está armado en los cuarteles y una gran parte del vecindario espera en otras partes la voz de alarma para venir aquí. Quieren vosotros verlo, pues tocad las campanas a rebato. —Pero como recordó que Liniers les había mandado quitar los badajos después de la asonada del 1° de enero de 1809, agregó—: O bien nosotros tocaremos generala. ¡Y ya veréis vosotros la cara de ese pueblo cuya presencia echan de menos ahora! ¡Vamos, decidid, señores! No estamos dispuestos a sufrir demoras y engaños, pero si volvemos con las armas en la mano, no respondemos de nada.

Desde la plaza, se levantó una gritería.

—¡Ábranse los cuarteles! ¡No esperemos más!

—¡Señores! —gritó Leiva, y el bullicio menguó—. El Cabildo se considera conminado por la fuerza y por las calamidades con que nos amenazáis. Los carteles del bando que habíamos mandado fijar en las esquinas donde anunciábamos a la nueva Junta han sido arrancados y tirados al lodo de las calles, y los empleados de este Ayuntamiento que los llevaban han sido despojados y también estropeados. Ésta es una rebelión abierta.

—¿Recién se dan cuenta? —les preguntó Pancho Planes, a lo que siguió una risotada general.

—¡Sí, señor, lo es! —gritó Beruti.

—Por desgracia —admitió Leiva—, no nos queda duda de eso. Y cedemos. Pero tened calma para oír las condiciones con que el Cabildo dará por anulados los actos del día 23 y 24. Después, proclamaremos a las nuevas autoridades.

Artemio Furia tomó del brazo a Bamba y le indicó al oído:

—Te me vas primero a lo de doña Clara y le dis a Eddie que ya 'tá, que la revolución ha triunfao. De ai, ligerito te me vas a buscar al dotor Moreno a las casas y le dis que yo digo que se venga pa'lo de Azcuénaga. Qu'é miembro de la nueva Junta de Gobierno.

—Repite los nombres de los miembros de la nueva Junta —le pidió Cristiana a su hermano Aarón.

Se encontraban en el interior del cabriolé, camino a la quinta de Nicolás Rodríguez Peña, donde los patriotas celebraban el triunfo con una fiesta. En el asiento, junto a Aarón, se hallaba Rafaela, que permanecía en silencio.

—Como presidente y comandante general de armas se ha elegido al coronel Cornelio Saavedra. —Eso parecía agradar a Aarón por el acento que empleaba para pronunciar el nombre del militar—. Los vocales son: Juan José Castelli, Manuel Belgrano, Miguel de Azcuénaga, el presbítero Manuel Alberti, Domingo Matheu y Juan Larrea.

—¿Acaso Larrea y Matheu no son europeos? —lo interrumpió Rafaela—. Creí que se trataría de un gobierno conformado sólo por hijos de la tierra.

—Son europeos, pero fieles a la causa —explicó Aarón, y prosiguió—: Juan José Paso y el doctor Moreno son los secretarios. Ahí tienes a todos los miembros, Cristiana.

—¡Oh, Aarón! —dijo la muchacha—. ¡Qué alegría que tú seas parte de este grupo de patriotas! Gracias a tu influencia, tío Rómulo no pasará penurias por su condición de peninsular.

—Se avecinan tiempos duros para los españoles —profetizó Aarón, y apretó la mano de Rafaela antes de manifestar—: Pero nuestro querido tío no tiene de qué preocuparse. Conmigo formando parte del gobierno, ninguno de nosotros corre peligro.

—¿Formarás parte del gobierno? —se sorprendió Rafaela.

—Sí, querida —contestó, y le besó la mano—. Esta tarde, en medio del jolgorio por el triunfo, mi amigo Grigera, el alcalde de Lomas de Zamora, y Joaquín Campana, el secretario del coronel Saavedra, me apartaron para decirme que propondrían mi nombre para el cargo de intendente de Policía.

Descendieron del coche y se encaminaron hacia el ingreso de la casa de los Rodríguez Peña.

—No tengo gran entusiasmo por participar de este sarao —admitió Cristiana.

—Ésta sí que es una novedad —apuntó Aarón—. Tú, la amante de las tertulias.

—Isabel de Pueyrredón dice que será un festejo en el cual las gentes decentes departiremos con lo más bajo. ¡Si hasta asistirán el gaucho Furia y sus hombres! —Cristiana estudió por el rabillo del ojo el semblante de Rafaela, que se mantuvo sereno.

Artemio Furia la descubrió cuando ingresaba del brazo de su primo Aarón Romano. Lo vio inclinarse y arrancarle una sonrisa con un comentario susurrado al oído. Ella levantó el rostro, y su sonrisa se congeló primero para esfumarse de inmediato al detener la mirada en él. Un destello de rabia iluminó sus ojos verdes, que lucían realzados gracias al magnífico gorgorán azul turquí de la basquiña y del ceñido corpiño, adornado con flores bordadas en hilos de oro y botones de lapislázuli. Se había peinado de un modo peculiar que le sentaba a su rostro ovalado, en dos bandas recogidas con peinetas de madreperla, que se fundían a la altura de la nuca en una trenza echada sobre el hombro, que le llegaba al vientre.

La visión de Rafaela lo aturdió, y no apartó la mirada de ella, sus ojos la recorrieron de la cabeza a los pies, y siguió contemplándola de aquella forma descomedida aunque ella lo ignorara mientras se mezclaba entre los invitados para departir, sonreír y bailar con la frivolidad de su prima Cristiana. Los que la solicitaban para un minué o una contradanza en alguna instancia de la pieza demoraban la mirada en su profundo escote. Algunos la olfateaban en los giros del baile como él había hecho en *La Larga*. Con el transcurrir de las horas, notó que las mejillas de Rafaela se coloreaban, otorgándole una tonalidad insalubre, ya que contrastaba con el contorno de los ojos y de los labios, de una intensa palidez. Estaba exigiéndose demasiado; después de todo, acababa de sobrevivir a una neumonía, aún convalecía. No la había visto probar bocado, sólo sorber un poco de hipocrás, cuando no estaba habituada al vino. El salón, lleno de corrientes frías, resultaba un pésimo sitio para ella, en especial, por ese vestido tan escandaloso. Albana se plantó frente a él cuando se disponía a sacarla a la rastra.

—¿Adónde crees que vas? —lo increpó.

—Sal de mi camino, Albana.

—No te permitiré hacer el ridículo.

—*Peñi* —se sumó Manque—, por favor.

—Déjenme solo —les exigió, y se movió en dirección a Rafaela, pero Albana lo detuvo por el antebrazo—. ¡Suéltame!

—¡Artemio, ella no te pertenece! ¡Rafaela Palafox y Binda está prometida en matrimonio a su primo!

Furia recibió la declaración como una coz en el estómago. Soltó el aliento unos segundos después con la fuerza de una maldición.

—Lo siento —susurró la actriz—, acabo de saberlo.

Furia insultó entre dientes, dio media vuelta y salió al patio. Agradeció el impacto que significó el frío de la noche en su rostro afiebrado. Apoyó los antebrazos sobre la pared y descansó la frente sobre el dorso de sus manos. ¿Por qué Paolino no le había comunicado esa información trascendental? ¿La familia lo habría ocultado hasta ese día? ¡Bah! Que se casara con ese pusilánime. Mejor, de ese modo facilitaba su plan de venganza; que se entregara a ese imbécil, que se entregara nomás.

Rafaela bailaba, reía y conversaba, y todo el tiempo se preguntaba: "¿Alguna vez pensará en mí como yo pienso en él a cada minuto, a cada segundo del día?". Había avistado a Furia apenas puso pie en el salón. Las muchachas decentes revoloteaban en torno a él como si fuese un héroe, arrancándole sonrisas y comentarios. Después de todo, Cristiana estaba en lo cierto: por esos días, las castas sociales habían desaparecido y la sociedad de Buenos Aires se dividía en patriotas y españolistas.

Fantaseaba con que Furia estuviera observándola, deseándola, celándola, acechándola, por eso coqueteaba con descaro, bailaba aunque no conociera bien los pasos del *Minueto* de Boccherini, departía aunque no se sintiera parte de ese grupo, sonreía y reía aunque llevara la tristeza como un peso en el corazón. Su parodia terminó por descomponerla. Se sintió mareada. Un ahogo le impedía tomar grandes inspiraciones. Caminó sujetándose de los respaldos de las sillas y de las paredes hasta hallar una puerta que la condujo al exterior. El aire helado le golpeó el pecho y le arrancó un quejido.

Furia despegó la frente y giró la cabeza al escuchar el chirrido de los goznes. Alguien se escabullía hacia el patio. Enseguida supo que se trataba de ella. La vio recostarse contra la pared, levantar el mentón e inspirar con dificultad. La habría zurrado por exponerse en una noche gélida sin rebozo.

Al notar que la opresión en el pecho cedía, Rafaela se tranquilizó y poco a poco levantó los párpados. Gritó al descubrir a Furia delante de ella. El gaucho le tapó la boca con una mano; con la otra, la sujetó por la cintura para arrastrarla al interior de la casa. Sus escarpines de tafetán apenas rozaban el piso. Terminaron en una habitación oscura, alejada del bullicio del salón. Rafaela escuchó el chasquido de la traba al cerrar la puerta y, a continuación, el de un yesquero, con el cual Furia encendió una palmatoria que halló en una cómoda. Pasmada, carente de habla, Rafaela lo vio quitarse el poncho. Reaccionó cuando entendió que se proponía cubrirla con la prenda de abrigo.

—¿Cómo se atreve? Déjeme pasar.

En la penumbra de la habitación, Rafaela se estremeció ante la mirada del gaucho, que se había vuelto rojiza y líquida por efecto de la llama de la bujía. Percibió que él estaba lleno de una energía violenta, y le tuvo miedo. Un escalofrío le surcó el cuerpo e intentó darse calor cerrando los brazos sobre su pecho.

—¡No me toque! —se indignó ante el nuevo intento de Furia por cubrirla.

—¡Cállese! Usté 'tá congeláa por su propia necedá. Este enfriamiento podría matarla.

—¡Y a usted qué le importa!

—¡Me importa! —exclamó, al tiempo que la envolvía con el poncho y la pegaba a su cuerpo—. Mucho —susurró, y le humedeció los labios con su aliento—. Mucho —lo escuchó repetir.

Rafaela tomó conciencia del frío de la noche al verse envuelta por el calor que irradiaba Furia. Su cuerpo se estremeció y de nuevo se le erizó la piel. Con un gemido, echó la cabeza hacia atrás y se relajó en sus brazos. Casi de inmediato sintió los labios de él sobre los suyos, y la delicadeza con que la besaba —apenas unos roces— la aplacaron como por ensalmo. La boca de Furia, sin embargo, se tornó exigente, y su beso, atrevido. Como si la sacudieran de un sueño, los párpados de Rafaela se dispararon y se puso erecta en el abrazo del gaucho. Una respiración superficial, que más la ahogaba que oxigenarla, le impedía insultarlo. Le sujetó el rostro con las manos y lo apartó unos centímetros. Se miraron con intensidad. Él parecía molesto por la interrupción y jadeaba como si hubiese permanecido mucho rato bajo el agua.

—Usted es un hombre sin principios.

—Y usté, una tilinga por andar por ai con estas prendas.

—Una tilinga, señor, fui el día en que me entregué a un descastado como usted.

La contempló con inescrutable seriedad hasta que sus comisuras, las que encontraba tan varoniles, comenzaron a elevarse para formar una sonrisa que le provocó un aflojamiento en las piernas.

—Le he enviao un regalo y usté no ha querío acetarlo.

—No acepto regalos de extraños.

—¿Soy un extraño pa'usté?

—La verdad es que no sé quién es usted.

—A ver si con esto le refresco un poco la memoria.

La aprisionó contra la pared y dio un jalón al corpiño del escotado vestido. Los pechos de Rafaela saltaron fuera y se derramaron sobre el azul turquí del gorgorán; su blancura refulgió. El gaucho, que los observaba con expresión hambrienta, los ojos como platos y los labios entreabiertos, no reparó en el grito de Rafaela y le aferró ambas muñecas con una mano cuando ella trató de cubrirse. A pesar del enflaquecimiento general de su cuerpo, encontró sus senos excesivamente grandes, como hinchados, y los pezones, erectos y duros. Se inclinó sobre ellos.

—¡No! ¡No lo haga, maldito! ¡Suélteme!

Antes de que la lengua de Furia le tocara la piel, Rafaela percibió la calidez de su aliento en el pezón. Eso bastó para excitarla. El primer contacto de los labios del gaucho le arrancó un gemido largo y ahogado. No había sabido cuánto necesitaba a ese hombre en su cuerpo.

—¡Ah, mi Rafaela! Tan fría por juera, tan caliente por dentro.

A pesar de mantener los ojos cerrados, Rafaela podía imaginar cómo la punta de la lengua de Artemio le dibujaba circunferencias en la areola y cómo, un instante después, le lamía el pezón. "Mañana me arrepentiré de esto. Ahora no puedo detenerlo." Había vuelto a la vida. Vibraba. Respiraba. Se abría a él como una flor al sol.

—Quiero hacerle el amor —lo oyó decir sobre la piel de su pecho.

—¿Por qué? ¿Por qué me hace esto? Déjeme ir. Debo volver a la fiesta.

—No lo hará. ¿Pa'qué quiere ir a la fiesta? ¿Pa'coquetiar y mostrar a esos lobos lo qu'é mío?

—¿Suyo? —dijo, y lo apartó de un empujón—. No sea necio. —Se acomodó los senos dentro del vestido con modos impacientes.

—Usté é mía, Rafaela.

—Ya no me siento suya, señor Furia. Me sentí su mujer en *La Larga* y no podía pensar en otras manos para que recorrieran mi cuerpo. Ahora, no. Usted me abandonó como un cobarde y me perdió.

—¡Usté é mía! ¡Aura y pa'sempre! Yo no me olvido de sus palabras de usté, Rafaela. Usté me dijo que yo 'taba grabao a fuego en su corazón y que naides podría borrarme de allí. ¿Si acuerda de esas palabras de usté? ¿Si acuerda de que me las dijo en nuestra carreta? ¿Si acuerda de nuestra carreta, Rafaela?

Furia siempre decía la verdad y ella se preguntó cómo sería no tener necesidad de ocultar ni fingir. Él no conocía el miedo ni amos ni principios ni prejuicios.

—¡No, nunca me acuerdo! Déjeme regresar a la fiesta.

Artemio sujetó el escote del vestido y, como si se hubiese tratado de papel, lo rasgó hasta la cintura. Con una sonrisa ladeada, expresó:

—Aura no güelve al maldito sarao.

Sin darle tiempo a oponerse, tomó el poncho de vicuña del suelo y la envolvió en él. Conocía la casa de memoria, resultaba claro por el modo en que la conducía hacia el exterior evitando la zona principal. Ella correteaba a su lado, sostenida por su brazo, incapaz de rebelarse; se movía como en un sueño, embargada por un sentido de irrealidad y turbación.

—¡Babila! —llamó Furia, y el cochero bajó del pescante y corrió hacia ellos—. Vas a llevar a tu ama pa'las casas aura mesmo.

—¿Y el amo Aarón y la ama Cristiana?

—Más tarde güelves por ellos.

Furia abrió la portezuela y, de un empellón, obligó a Rafaela a subir. Apartó a Babila y le entregó dos doblones de oro mientras le daba instrucciones en voz baja.

—¡Hombre del demonio! ¿Qué le ha dicho a Babila?

—Mañana por la noche él la llevará ande le he indicao. Pa'hablar. Usté y yo.

—La última vez que hablamos, señor Furia, usted me hizo llorar. No permitiré que eso ocurra de nuevo. —Ante la sonrisa sardónica del hombre, Rafaela montó en cólera—. ¡La verdad es que no tenemos nada de que hablar! ¡Jamás le perdonaré...!

—¡Babila! ¡En marcha!

El coche echó a andar y Rafaela se quedó con la palabra en la boca.

CAPÍTULO XVIII
La venganza es un plato que se come frío

El coche se hundió en un bache y Rafaela se sacudió dentro. El movimiento acentuó el malestar estomacal, consecuencia de una noche en vela y un pésimo día, que había comenzado temprano, cuando Aarón se presentó en su dormitorio y, haciendo caso omiso de que ella se encontraba en camisón, la increpó por haber abandonado la fiesta sin avisarle. Se trataba de la primera vez en que Aarón lucía enfadado y apasionado. Le puso un dedo bajo el mentón y le levantó la cara.

—En unos días serás mi mujer. Tu cuerpo y tu alma me pertenecerán. —Sus ojos vagaron por el escote abierto de Rafaela—. Nunca vuelvas a actuar por tu cuenta.

El humor de Rómulo tampoco conocía su mejor momento. La noticia del triunfo de la causa criolla lo había sumido en la amargura, y ni siquiera lo animaba que su sobrino y futuro yerno contara entre los dilectos del coronel Saavedra. Su consabida índole fatalista lo llevaba a presagiar toda clase de calamidades, entre las cuales el exilio y la confiscación de sus bienes resultaban las menos perniciosas.

El ánimo de Rafaela fluctuaba entre picos de éxtasis y de depresión, sobre todo cuando pasaba de revivir los momentos con Furia en la fiesta a conminarse a no ceder al impulso de acudir a la cita de esa noche. No sabía qué hacer, aunque sabía lo que deseaba: volver a verlo. Al comentarlo con Ñuque, ésta le dijo: "No hagas lo que quieres ni lo que debes; haz lo que te convenga". Al preguntarle qué le convenía, la anciana le contestó: "Te conviene aquello que te hace feliz". Esa respuesta la llevó a una nueva disquisición: ¿Furia la hacía feliz? A pesar de que había decidido que no, allí estaba, en el coche de su padre, huyendo en medio de la noche para encontrarse con el hombre al que amaba, el padre de su hijo. Cada tanto, se llevaba el poncho de Furia a la nariz y lo olía.

Le había costado unos reales extras hacerse con el lujo de una cuba en su pieza. Sumergido en el agua caliente, sonrió al rememorar la mueca de doña Clara, la propietaria de la pensión, cuando le solicitó ese lujo. "¡Qué paisano más raro es usted, Furia!", proclamó, con su pesado acento inglés. "Pensé que todos los de su casta eran bien escabiosos." Lo cierto era que antes había prestado poca atención al aseo. Sus hábitos habían cambiado cuando Rafaela Palafox irrumpió en su vida, desde que llevaba sus aromas impresos en las fosas nasales, desde que había tocado su piel tersa y fragante, desde que había saboreado sus zonas recónditas con gusto a fruta dulce, desde que percibía en el fondo de la garganta un dejo a menta.

Soltó el aire lentamente. Faltaba poco más de una hora para que Babila la condujese hasta la pensión. Había enviado a tres de sus hombres, entre los que se hallaba Calvú Manque, para que, de incógnito, escoltaran el cabriolé de Palafox. El pueblo se encontraba exaltado y, no obstante haber pasado la noche anterior y ese día festejando el triunfo de la causa criolla, lanzando cohetes, fuegos de artificio y globos aerostáticos y libando como en una bacanal, aún persistían en las calles y en las pulperías demostrando una resistencia digna de un espartano.

Ese primer día de la Junta Provisional de Gobierno había sido intenso. Bamba lo despertó muy temprano para comunicarle que el doctor Moreno le ordenaba comparecer en el Fuerte. En el patio central de la fortaleza, se topó con su amigo Domingo French.

—El virrey y los oidores de la Real Audiencia han jurado lealtad a la Junta —le informó—. Pero creemos que es una farsa. Por lo pronto, hemos comenzado a aprestar a quinientos soldados que marcharán a Córdoba para comunicar la noticia al gobernador y para ordenar la elección de los diputados que formarán parte del congreso que elegirá las autoridades definitivas.

—¿Y Liniers? ¿No 'tá en Córdoba, acaso? —preguntó Furia.

—En especial por él enviamos las fuerzas a Córdoba. Se dice que ese franchute traidor y Cisneros mantienen comunicaciones secretas para perdernos.

Ante las puertas del despacho del antiguo virrey, un soldado de la Infernal le franqueó el paso con una respetuosa inclinación. El amplio recinto bullía. A más de los nueve miembros de la Junta, varios presbíteros, entre los que contaba el padre Ciriaco, militares y civiles conversaban dispersos en grupos. Amanuenses y secretarios trabajaban con diligencia en los bandos del nuevo gobierno.

—¡Hijo! —lo saludó Ciriaco—. ¡Es éste un momento sublime! —Pocas veces Artemio lo había visto tan emocionado—. Estoy orgulloso de ti, hijo mío. Todos hablan de tu valía y de tu lealtad. Sin tus hombres, esta gesta no habría llegado a buen puerto. Eso declaró Domingo a viva voz, un momento atrás.

—El dotor Moreno mi ha mandado llamar —dijo Furia, para frenar los halagos del mercedario, no porque lo incomodasen sino porque los juzgaba exagerados.

—Sí, sí, Mariano quiere hablar contigo. —Ciriaco se inclinó en actitud intimista—. Conozco a Mariano desde que era pequeño. Es un hombre de un genio peculiar y un discernimiento fuera de lo común. Ya verás que se pondrá a esta Junta por montera en un santiamén. —Miró hacia el sector donde se hallaba Saavedra—. No sé cuánto pasará antes de que las cosas estallen entre Moreno y el coronel. Son el agua y el aceite.

Furia recordó la ceremonia del día anterior en la cual los cabildantes habían tomado juramento a los miembros de la Junta. El discurso que Saavedra pronunció a continuación con acento trémulo había molestado a varios patriotas. "Los pueblos fuertes son generosos. El de Buenos Aires ha demostrado ya que era lo uno y lo otro cuando tuvo que poner su pecho a los rifles y bayonetas del inglés. Esas virtudes que entonces mostró son de mayor valor y de mayor deber para los magistrados que representan ahora a un amado soberano que todos lloramos en el cautiverio, rogando al cielo que lo vuelva a su trono." Nadie quería recordar que don Fernando seguía siendo el dueño de todo cuando, en verdad, se trataba de una reverenda mentira. Artemio no comprendía por qué seguían con la farsa de la fidelidad a una dinastía europea que los había abandonado a su suerte años atrás. Lo juzgaba hipócrita y cobarde y se avergonzaba, aunque coligió que la tibieza de Saavedra tenía que ver con que su corazón era más monárquico que patriota.

Al verlo con el padre Ciriaco, Moreno se acercó a paso rápido.

—Furia, gracias por venir. —El gaucho se limitó a saludar con un movimiento de cabeza—. Antes que nada, urge agradecerle en nombre de esta Junta los servicios que ha prestado para salvaguardar el buen nombre de nuestro soberano don Fernando…

—No lo hice en nombre de don Fernando, dotor, sino de mi pueblo. —Escuchó que Ciriaco carraspeaba—. Yo soy parte del pueblo y sólo a él me debo. A don Fernando no lo conozco y nunca he recibío náa de él.

Moreno lo contempló sin tapujos y en silencio hasta que inclinó la cabeza en un gesto de tácita aquiescencia. Retomaron la conversación para hablar de cuestiones menos filosóficas. Moreno sorprendió a Furia ofreciéndole la alcaldía de Morón, el mismo cargo que ostentaba Tomás de Grigera en las Lomas de Zamora y por el cual había acumulado autoridad y poder.

—Entiendo que usted es propietario de unas tierras en Morón.

—Ansina é —admitió Furia—. Pero lo de ser alcalde, dotor —agitó la cabeza—, en verdá, no va a poder ser. Lo mío son las vacas y los caballos, no los asuntos de gobierno. Igualmente, mis hombres y yo quedamos al servicio de la Patria, pa'lo que vuesa mercé guste ordenar.

Moreno le concedió una de sus escasas sonrisas y le tendió la mano en la actitud de quien sella un pacto. Artemio, que no había tomado de los ingleses la costumbre de dar la mano, se demoró en aceptarla.

—Usted sabe donde vivo, Furia. Me gustaría que me visitara de tanto en tanto, cuando sus actividades se lo permitan. Es en el pueblo donde radica la fuerza de todo gobierno y usted, mi amigo —Ciriaco levantó las cejas ante la expresión "mi amigo"—, representa a la parte más digna y fuerte de este pueblo.

—Moreno —le susurró el padre Ciriaco una vez que el secretario de la Junta se hubo alejado— te teme y te respeta.

Artemio sacudió los hombros y ensayó un gesto ambiguo. Se despidieron. Al llegar a la pensión de doña Clara, se encontró con la pequeña salita atestada de elegantes hombres que hablaban en inglés. Se trataba de los comerciantes británicos que festejaban la formación de la nueva Junta con más entusiasmo que los criollos. Roger Blackraven contaba entre ellos y, al divisarlo bajo el umbral, se aproximó para saludarlo. A decir verdad, lo inquietaba el buen trato que le brindaba el noble inglés, que no sólo lo saludó con cortesía sino que lo presentó a los comerciantes y al capitán Charles Montagu Fabian, comandante al mando de la flota inglesa apostada en el Río de la Plata. Dado el padrinazgo de Blackraven, los comerciantes se mostraron interesados en las actividades de Furia y, antes de que terminara la tarde, había sellado varios tratos para transportar sus mercancías al interior. Dos de sus caravanas apostadas en el Alto de Miserere ya contaban con trabajo para el resto del año. Cerca de las ocho, se despidió de los ingleses y marchó a su pieza para bañarse y cambiarse. Rafaela llegaría alrededor de las diez.

Lo hizo un poco más tarde. Llamó a la puerta, y Furia se apresuró a abrir. Doña Clara la escoltaba, aunque la mujer no habría podido decir de quién se trataba por el modo en que Rafaela se había ocultado bajo el rebozo confeccionado con un género propio de las negras, jamás de las señoritas bien. Furia echó llave a la puerta y aguardó a que los pasos de la propietaria se alejasen para hablarle.

—Le agradezco que haiga venío.

Rafaela giró sobre sí para enfrentarlo, y el rebozo cayó sobre su espalda con la inercia del movimiento.

—Sólo me demoraré un instante, señor Furia. —A Rafaela la envanecieron la seguridad que evidenció su voz y el gesto entre dolido y sorprendido del gaucho—. Me encuentro aquí por dos razones: para devolverle su poncho de vicuña, que es una prenda costosísima y lujosa, y para pedirle que no vuelva a importunarme. Lo que sucedió entre nosotros en *La Larga* fue un error y ha quedado en el pasado. —Colocó el poncho en el respaldo de una silla con estudiada delicadeza—. Adiós, señor Furia. —Él se mantuvo delante de la puerta—. Por favor, permítame pasar. Todo ha terminado.

Furia se acercó tanto que Rafaela debió levantar la cara para mirarlo. Sus ojos se habían vuelto oscuros y, como de costumbre, la mantenían encadenada. Las manos de él se metieron bajo la mantilla y reptaron por su cintura en un movimiento lento y deliberado para darle tiempo a oponerse. Se odió por no apartarlo ni resistirlo, por ser débil, por perder la voluntad con una mirada y un roce. Bajó el rostro y se mordió el labio para frenar la emoción y las lágrimas. A causa del esfuerzo, le temblaron los hombros y, segundos después, su cuerpo se sacudía en un llanto sin sonidos.

Furia sintió un vuelco en el pecho. La tristeza de Rafaela se le enredó en el cuello y, como una mano, le oprimió la garganta, provocándole escozor y humedad en los ojos. "¿Qué estoy haciendo?", se preguntó, horrorizado, mientras la abrazaba y la apretaba. Quería detener esa locura, volver el tiempo atrás, olvidar lo que sabía, borrar su promesa de venganza. La quería a ella, a su adorada Rafaela de las flores.

Aferrada a la cintura de Artemio, Rafaela no se contenía, lloraba abiertamente y empapaba de saliva y lágrimas la camisa del hombre.

—¿Por qué rompió mi corazón? —le preguntó entre espasmos—. ¿Por qué rompió el corazón de Mimita? —Ese nombre lo golpeó como una cuchillada—. Mimita lo ama más que a nadie. Usted no debería haberse ensañado con ella. No con ella. Mi pobre ángel.

Una voz le susurró con tenacidad: *Quis tu ipse sis memento*, y, a pesar de la intensa emoción que lo dominaba, la opresión en la garganta fue cediendo y el control, retornando a su cuerpo y a su mente. Conjuró las escenas de la noche del 5 de junio de 1790, siempre funcionaba para que las garras del odio se clavaran en sus entrañas. Escuchó de nuevo los gritos de su madre, observó la mirada orgullosa y cargada de desprecio de su padre y siguió con la vista el camisón de Edwina antes de que lo devorase la oscuridad de la noche. Vio sangre y llamas, y el frío se apoderó de él como un momento atrás lo había hecho la tristeza de la hija de Rómulo Palafox y Binda. La locura debía continuar para terminar.

No habló, no respondió a las preguntas ni dio explicaciones. Buscó los labios de Rafaela y la besó de un modo salvaje, consciente de que la lastimaba. La escuchó quejarse y la sintió rebullirse en su abrazo, pero no se detuvo. La sangre le rugía en los oídos con la violencia del odio. Sin apartarse de Rafaela, obligándola a caminar hacia atrás, la condujo a la cama.

La nota de Albana Bouquet indicaba que se encontrarían alrededor de las once de la noche en la puerta trasera del teatro, al finalizar la función. Rómulo consultó su reloj. Las once menos veinte. Se levantó del sillón que ocupaba en la sala de su amigo Martín de Álzaga y anunció que se marchaba. La expectación por el encuentro con la hermosa actriz lo tenía inquieto; quería irse. Además, estaba cansado de oír las lamentaciones de sus amigos peninsulares que avizoraban un negro horizonte para los sarracenos, si se consideraba que su gran enemigo, Cornelio Saavedra, que había desbaratado sus sueños el 1° de enero de 1809, desde el día anterior se erigía en gran señor del Río de la Plata. Mañana se detendría a pensar en el futuro. En ese momento sólo podía pensar en una placentera noche entre las ancas de esa maravillosa hembra. Montó su caballo y se encaminó hacia la zona de la Merced, donde se situaba el teatro.

Se emocionó al encontrarla esperándolo, bien embozada, en la puerta por donde ingresaban actores y empleados. Se apeó de un salto y le besó la mano.

—He alquilado una estancia muy acogedora en una buena pensión —le informó Albana—, donde podremos conversar tranquilos y beber un exquisito burdeos.

—¿No iremos a vuestra casa, señorita Bouquet?

—Oh, no. Allí mismo habita la señorita Bernarda de Lezica, y su lengua es tan filosa y larga como la de una sierpe. Si nos viera llegar juntos (lo cual es probable puesto que siempre está espiándome), mañana la ciudad entera lo sabría. ¿Su merced no querría eso, verdad?

—No, claro que no. Su reputación es de capital importancia para mí.

—Y la de su merced, para mí. Especialmente ahora que su merced tramita la Carta Ejecutoria de Nobleza. —Albana notó que los carrillos del hombre se encendían—. ¿Vamos, señor Palafox?

—Vamos, señorita Bouquet.

El señor Furia estaba haciéndole el amor. Le parecía un sueño. Tanto había anhelado encontrarse bajo el dominio de su cuerpo y sentir su carne hundirse en la de ella que casi no disfrutaba el momento debido a la pasmosa incredulidad en la que se hallaba. Por otra parte, lo notaba extraño. Buscaba sus labios, y estaba casi segura de que él evitaba besarla. Con la cabeza caída hacia delante, el mentón sobre el pecho y los brazos extendidos, la penetraba con una violencia que no había empleado en sus encuentros más febriles en *La Larga*. Temió que dañara al niño. A punto de detenerlo y confesarle que estaba encinta, escuchó unas voces en el corredor, una risa femenina después. Furia parecía no percatarse de nada y se concentraba en impulsarse dentro de ella. Pensó que no debía preocuparse, ese sitio era una pensión y muchas personas habitaban en él. Entró en pánico al escuchar que introducían una llave en la puerta y la hacían girar.

—¡Señor Furia, no permita que entren!

Artemio se detuvo y, en aquella posición, el cuerpo tenso, las manos hundidas en la almohada y los brazos extendidos, giró la cabeza sobre el hombro y sonrió a la pareja que se hallaba bajo el umbral. Rafaela profirió una exclamación y escondió la cara en el pecho de su amante, a la espera de que los intrusos se marchasen.

—Artemio —dijo Albana—. Disculpa la interrupción.

Furia saltó de la cama con la gracia de un felino y dejó a Rafaela desnuda a la vista de su padre. La muchacha soltó un alarido y agitó los brazos para cubrirse con la sábana.

—Señor Palafox y Binda, pase, por favor —lo invitó Artemio—. Estaba esperándolo.

—¡Señor Furia! ¡Por amor de Dios!

Hizo caso omiso a la súplica de Rafaela, incapaz de encontrar su mirada en esa situación. Mientras se cubría con los calzones, escuchó que Rafaela salía de la cama a trompicones y se atrincheraba en un rincón. La respiración agitada y llorosa de la muchacha acentuaba la tensión, la violencia y el silencio.

Palafox avanzó y se detuvo un instante después. El color abandonaba su rostro hasta tornarlo de un color ceniciento. Furia pensó que se desvanecería. El hombre, sin embargo, se mantuvo de pie, con la vista fija en Rafaela, que sujetaba la sábana contra su cuerpo y lloraba con poca fuerza, apenas parecían suspiros cortos.

—Hija mía, ¿qué haces aquí? —La voz de su padre le resultó desconocida, y la congoja que se filtró en su pregunta la apuñaló.

—Su hija y yo somos amantes, señor Palafox.

—¡Cállese! —le ordenó Rafaela, sin levantar la vista.

No la perturbó que hubiera dicho que eran amantes sino el tono de burla y desprecio que había empleado, como si tomase a menos el amor que ella le profesaba. Quería cerrar los ojos y simular que aquello no estaba sucediendo. La confusión y el dolor la habían despojado de sentido común, discernimiento y cordura, y no sabía qué hacer. No se atrevía a despegar el mentón del pecho, la aterraba la idea de contemplar otra vez la imagen lastimosa de su padre o la macabra de Furia, en especial la de Furia, a quien los mechones oscurecidos por el sudor y adheridos a la frente, la dentadura que destacaba en una mueca diabólica y los ojos que resplandecían con la frialdad del hielo, lo investían de un aspecto inhumano. Allí de pie, con las manos sobre la cintura, mostrando su cuerpo semidesnudo y su erección como si de un trofeo se tratase, Artemio Furia se convirtió en un extraño para ella.

Rómulo se encaminó hacia su hija, que se llevó el brazo a la cabeza para protegerse del golpe. Su padre no tenía intenciones de golpearla. Se quitó el redingote y se lo extendió.

—Póntelo sobre los hombros y salgamos de aquí.

Artemio Furia frenó a Palafox sujetándolo por el hombro, le jaló el abrigo y lo arrojó al suelo. Lo empujó hasta interponerse entre Rafaela y él.

—No se atreva a dar órdenes. Usted y su hija harán lo que yo diga. Albana, sácala de aquí.

—¡Que su ramera no ose tocarme! ¡Y usted menos, señor! —le advirtió, cuando Artemio, con un siseo de impaciencia, intentó sacarla del rincón donde se escudaba.

Con la dignidad que logró reunir, sin mirar a su padre, aun tratando de olvidar que él atestiguaba su peor humillación, se ajustó la sábana y caminó hacia la puerta, lentamente pues le temblaban las pantorrillas. Adónde iría y qué haría luego de cruzar el umbral, no tenía idea. Sólo sabía que debía huir de ese sitio.

—Albana, recoge su ropa y acompáñala a la primera pieza de la derecha.

Las mujeres salieron al corredor, y Artemio Furia cerró la puerta con llave. Recogió la camisa del suelo y se la puso.

—Lo retaría a duelo por esta afrenta si usted fuese un caballero —declaró Rómulo, y, en el tremor de su voz, se evidenció la indignación que le había borrado el gesto pasmoso y vuelto las mejillas como granadas.

Furia rió mientras escanciaba una bebida ambarina en dos jarros de latón.

—Palafox, usted no me retaría a duelo así yo fuese el duque de Alba. Y no lo haría porque es usted muy poco diestro con cualquier tipo de arma, a más de un cobarde. —Le pasó el jarro, que Palafox no tomó. Acababa de darse cuenta de que Furia se dirigía a él en perfecto castellano, con un leve rastro del acento campestre.

—¿Quién diantre es usted? —atinó a preguntar. De pronto, ya no parecía el gaucho zafio de *La Larga*, más bien alguien poderoso y temible.

—Será mejor que tome asiento y beba. Es un excelente coñac, de los que contrabandea su laudable amigo de usted, Martín de Álzaga. —Ante la inobservancia de la sugerencia, Artemio gritó—: ¡Siéntese! —y acompañó la orden con un empujón.

Palafox cayó en una silla y aferró el jarro, vertiendo algo del contenido dado el temblequeo de su mano.

—Beba. —Palafox así lo hizo.

—¿Quién es usted? ¿Por qué nos ha tendido esta trampa a mi hija y a mí? Porque imagino que esto es una trampa, ¿verdad? ¿Qué es lo que desea? ¿Que me disculpe por mi comportamiento ruin en *La Larga*? ¿Por despedir a su gente sin pagarle?

Furia lo observó por sobre el filo del jarro, estudiando las facciones de ese hombre, que, veinte años atrás, había profanado su casa a orillas del río Ctalamochita y colaborado en la destrucción de su familia. Lo observó con fijeza, sin agitar los párpados, mientras la bebida se deslizaba por su garganta y le calentaba el pecho. ¿Cuántas veces había anhelado tenerlo enfrente y en actitud vencida? La situación se tornaba irreal, inverosímil. Olfateaba el miedo de Palafox y la inquietud que segundo a segundo ganaba su ánimo. Había visto cómo sus ojos se dirigían hacia el facón que descansaba en una mesa, esos ojos verdes, grandes y ligeramente aguzados, tan similares a los de Rafaela.

—Me pregunta qué deseo. Varias cosas. Venganza, la primera. En parte, ésta ha sido saciada porque ha debido de ser un duro y desagradable golpe ver a su hija encamada con un gaucho. Sepa que ha sido mía de todas las formas posibles en que un hombre puede tomar a una mujer. —Ensayó una sonrisa, más bien una mueca fría, como una máscara siniestra, antes de volver a hablar—: Su sufrimiento, su decepción y su repugnancia, Palafox, saben a gloria para mí. La dulce Rafaela, la luz de sus ojos, envileciéndose con un gaucho sucio y grosero.

—Usted no es un gaucho.

—¡Ah, pero lo soy, Palafox! Lo soy, de pies a cabeza.

—¿Quién es usted? ¡Exijo saber!

Furia rió por lo bajo y se sacudió de hombros.

—¿*Exige* saber? En fin, lo complaceré. Me llaman Artemio Furia cuando en realidad yo soy Sebastian de Lacy, hijo de Horatio de Lacy, a quien usted ayudó a asesinar una noche de invierno de 1790.

—¡Dios misericordioso! —Palafox saltó de la silla. La palidez que volvió a ganar sus facciones reveló que no había olvidado aquellas circunstancias. El terror que trasuntaban sus ojos verdes afectó a Artemio, que giró sobre sí para ocultar las emociones. Estaba tan sobrecogido como su víctima. Era la primera vez en veinte años que pronunciaba su nombre en voz alta. Compartir la memoria macabra de aquella noche con alguien que la había vivido resultaba una experiencia turbadora, fascinante, aterradora.

¿Cómo continuar? ¿Qué decir? Furia llenó su jarro e hizo fondo blanco. Que la bebida lo aturdiese para no sentir, sobre todo para no sentir compasión por Rómulo Palafox, que se había dejado caer en la silla y, encorvado, se sujetaba el rostro. Parecía un ave herida y asustada. Sí, que la bebida lo aturdiese para que esa voz cesase de repetir: "Es el padre de Rafaela. Es el padre de Rafaela".

—¿Qué quiere de mí? —suplicó Palafox.

—Arruinarlo.

—Es lo justo. Pero imploro piedad por mi hija. Ella es inocente. Ella no es culpable de nada.

Furia apretó los ojos y cerró los puños en torno al jarro para ahogar el temblor que le subía por las extremidades. Al levantar los párpados, se topó con la cara brillante de lágrimas de Palafox y una mirada que suplicaba a gritos. Carraspeó y volvió a servirse una medida de coñac.

—La reputación de su hija está en mis manos. De usted dependerá su ruina o su salvación.

—¿Qué tengo que hacer? ¡Dígame qué desea!

—Quiero saber por qué.

La pregunta sorprendió a Palafox y precisó de unos segundos para ordenar sus pensamientos.

—Horatio de Lacy constituía el tipo de víctima a la que mi socio llamaba "fácil". Era extranjero, estaba solo en estas tierras y desconocía los contubernios y la corrupción del gobierno virreinal. Como supusimos, el título de propiedad de la estancia que su padre había adquirido a orillas del río Tercero no se hallaba perfeccionado, adolecía de varios vicios. Para eso me precisaba mi socio, para la cuestión legal. Él se ocupaba de echarlos de las tierras y de apropiarse de sus casas, de sus tierras y de sus animales. Me daba una parte de lo que obtenía con la venta.

—¿Lo habían hecho en otras oportunidades?

Rómulo levantó la vista. Hasta ese momento, no había reparado en la nota oscura y cavernosa de la voz de ese hombre. Se limitó a asentir.

—Éramos jóvenes, ambiciosos e inmorales —admitió—. Sin embargo, en el caso de su padre, sucedió algo imprevisible. Mi socio enloqueció por su hermana. Yo no lo supe hasta después. Esa noche, mi socio se presentó en casa de su padre como un lobo con piel de cordero. Ya habíamos visitado la propiedad en dos ocasiones, y su padre había comenzado a sospechar de nuestras preguntas e intenciones. Horatio de Lacy no era como las víctimas anteriores sino un hombre culto y muy listo. Había consultado a un notario en Córdoba y estaba solucionando los vicios formales del título de propiedad. Esa noche —retomó Palafox—, mi socio le ofreció corregir dichos vicios sin dilaciones ni complicaciones y sin costo a cambio de que le concediera la mano de su hija. Fue así que supe acerca de las verdaderas intenciones de... de mi socio. Por supuesto, su padre y su madre se negaron de manera rotunda. Lo que siguió sucedió de modo rápido y horrendo. Su hermana apareció en la sala acarreada por ese demonio de Antenor Ávila y pude ver la codicia en los ojos de mi socio. La deseaba como nunca había deseado a una mujer. Parecía un demente. En realidad, creo que lo era —añadió, en un susurro.

Las imágenes que por años Palafox había intentado enterrar en el olvido emergieron a la superficie. Artemio lo vio contorsionar el rostro en una mueca de sufrimiento.

—Está recordando, ¿verdad? Está recordando los gritos de mi hermana, la desesperación de mi padre, el chisguete que saltó de su cuello cuando su socio lo degolló. ¿O quizás está pensando en la mancha roja que se esparció en la blusa blanca de mi madre cuándo él la apuñaló? ¿O en el sonido que produjo el cuchillo al hundirse en su vientre? ¡Ah, ese sonido! Es difícil de describir, también de olvidar.

—Basta, por piedad —gimoteó Rómulo, cubriéndose los oídos, sacudiendo la cabeza.

—No dejaré de mencionar cuando prendió fuego a mi casa, con mis padres dentro.

Rómulo cayó de rodillas y tocó el suelo con la frente. Artemio se irguió delante de él y atestiguó su derrumbamiento desde sus seis pies y tres pulgadas.

—¡Perdón! ¡Perdóneme! ¡Por piedad!

—Jamás.

—Por años he llevado esta culpa como una pesada carga. Oh, Dios mío, sabía que algún día volvería para atormentarme. Mil veces he pensado en aquel niño solo...

—¡Levántese! ¡Le digo que se levante! —Artemio lo instó propinándole un ligero puntapié en las costillas. La situación comenzaba a asquearlo. No estaba obteniendo el placer y la satisfacción que había creído. Deseaba que ese gusano desapareciera.

—Me dirá quién es el asesino de mis padres y dónde puedo hallarlo.

—Yo... Yo no lo sé.

Rómulo profirió un alarido de terror cuando Artemio Furia, con un rugido de bestia, se abalanzó sobre él, lo aferró por la chaqueta y lo levantó en el aire. Se escucharon gritos en el corredor y golpes frenéticos en la puerta.

—¡Padre! ¡Padre! —chilló Rafaela—. ¡Maldito, no le haga daño!

—¡Albana! ¡Llévatela de aquí!

—¡Hija mía! ¡Rafaela! ¡Estoy bien, tesoro! ¡Estoy bien! Vete, vete tranquila.

Al volver la calma, Furia arrastró a Palafox, lo propulsó contra la pared y lo mantuvo aprisionado por el pecho.

—Palafox —dijo, mostrándole los dientes—, no hace falta que le explique que está en mis manos. Puedo destruirlos, a usted, a su hija y a su familia, de varias maneras. Si le pregunto quién era su socio y dónde se encuentra no me dará una respuesta negativa sino que asentirá y me lo dirá.

—De veras que no lo sé.

—Peor para usted pues me dedicaré a arruinarlo antes de abrirle el cuello de lado a lado como hicieron con mi padre. Sabe que soy capaz de lo uno y de lo otro, de matarlo y de arruinarlo, puesto que, ¿quién es Rómulo Palafox? Un sarraceno, un peninsular sospechado de conjura. Sepa que la nueva Junta lo mantendrá vigilado, día y noche. Violarán su correspondencia, le confiscarán los bienes, rechazarán su Carta Ejecutoria de Nobleza y no le devolverán un cuartillo de lo que le quitaron el año pasado.

—Dios bendito —se horrorizó Palafox. Ese gaucho sabía de él más que nadie.

—Ahora bien. Si colabora con el gaucho Furia, quien se ha ganado el favor de los miembros de la nueva Junta, su vida en el Río de la Plata de la Revolución no se convertirá en el infierno que, de otro modo, no tardaría en caer sobre usted y los suyos. Sepa que yo me haría cargo de eso, de que le cayese un infierno, quiero decir.

—Su nombre es Martín Avendaño. Era militar, coronel —añadió—, en la época del asesinato de sus padres. Poco después, dejó la milicia. Y nuestros caminos se separaron. Yo obtuve un nombramiento...

—¿Dónde vive?

—No lo sé con exactitud. Hace años que… —En un abrir y cerrar de ojos, Furia se hizo del cuchillo gigante y apoyó la hoja en la nuez de Adán de Palafox—. ¡Puedo averiguarlo! —vociferó éste—. Puedo averiguarlo. Lo haré. Lo juro.

—Mi hermana —pronunció, con ferocidad—. ¿Qué sabe de ella?

—Sé que la conservó. La hizo su mujer. —Rómulo soltó un quejido cuando el facón le dibujó un corte superficial.

—Su mujer —repitió Furia, casi sin aliento, y aflojó la presión del cuchillo.

—Al encontrarlo a él, la encontrará a ella, si aún vive.

Los brazos de Artemio cayeron a los costados de su cuerpo; la punta del cuchillo casi rozaba el suelo. Rómulo lo siguió con la vista. Pese a que lucía abatido, no se atrevía a moverse. Aún lo asombraba la facilidad con que lo había levantado en el aire, como si fuera un niño, y la rapidez con que se desplazaba.

—Lo ayudaré, Furia. —Se detuvo, dudó; no sabía si llamarlo "señor de Lacy"—. Lo ayudaré —insistió, pues Artemio parecía no escuchar—. Pero usted debe prometerme que no me denunciará por lo ocurrido en aquella infame noche del 90. —El silencio y el desánimo de Furia lo fortalecieron—. A más, usted no cuenta con ninguna prueba para inculparme. Se trata de los recuerdos de un niño… ¡Ah, por Dios, piedad!

En un giro fulminante, Artemio había apoyado el facón en la barbilla de Rómulo.

—¡Silencio, malhaya! —Lo obligó a regresar contra la pared, donde lo retuvo a punta de cuchillo—. ¿De nuevo tengo que explicarle que usted y su familia se encuentran en mis manos? Señor mío, no está en posición de esgrimir una palabra en su defensa. Me pregunto qué dirían los integrantes de la Junta si yo les relatase los malhadados sucesos de aquella noche del 90, cuando usted, joven, ambicioso e inmoral, fue cómplice del más ruin de los crímenes. Algunos, que lo tienen por un maturrango traidor, no dudarían en encontrar esas pruebas que usted se empeña en decir que no existen. Simplemente, aparecerían, por malas artes, eso es seguro. —Cambió la inflexión burlona para agregar—: No me provoque, Palafox. Si usted sale con vida esta noche es porque me resulta útil. En caso contrario, ya estaría cenando con Satanás.

—Haga usted de mí lo que quiera. Vive Dios, merezco su odio y su venganza. Pero Rafaela, mi pequeña Rafaela… —Se le quebró la voz—. A ella no la perjudique. Ella es inocente. No le haga daño. No la arrastre en mi ruina.

—¡Váyase, Palafox! Ya no soporto su presencia. ¡Márchese! ¡Lleve su odiosa persona lejos de mí! Si llega a traicionarme previniendo a su socio, lo pagará caro. He vivido por años entre indios infieles y conozco métodos de tortura que usted ni siquiera podría imaginar.

—¡Lo juro, no lo traicionaré!

—Váyase y cumpla su promesa, que pronto sabrá de mí. Cuando eso ocurra, querré saber dónde se encuentra su socio, y juro por lo más sagrado que no desplegaré la paciencia y la benevolencia con que lo he tratado esta noche. —Sacudió la mano e hizo un gesto de desprecio para indicarle que saliera de la habitación. Lo vio inclinarse para recoger el abrigo. Antes de que Palafox abriese la puerta, lo previno—: De hoy en adelante, no vuelva a caminar con ligereza por las calles, ni siquiera por las habitaciones de su casa, puesto que siempre habrá una sombra detrás de usted, un aliento acezante en su nuca, acechándolo, espiándolo. No lo olvide. Usted ya no es un hombre libre sino un esclavo de mi propiedad.

CAPÍTULO XIX
Al pie del altar

*L*as horas transcurrían con lentitud. Rafaela languidecía en su dormitorio, a veces echada en la cama, otras en el diván, en ocasiones sentada frente al tocador, abstraída en el reflejo de su propia imagen. Había pronunciado pocas palabras desde la noche en que su padre la sorprendió con Artemio Furia; de hecho, no había hablado durante el viaje de regreso. Se había mantenido callada en un extremo, incrédula y pasmada ante la actitud de Rómulo, quien no parecía enojado, más bien triste y abrumado.

Por mucho que repasara los acontecimientos de esa noche, Rafaela no acertaba con la verdad. Su padre no había querido verla ni hablar con ella. Se lo pasaba en su salita, la cual sólo abandonaba para ir a dormir; no compartía las comidas y sólo admitía la presencia de Ñuque. Dada la actitud de anacoreta de Rómulo, la sorprendió enterarse de que León Pruna, mejor dicho, Juvenal Romano, se hallaba reunido con él. Ella tampoco deseaba ver a nadie, excepto a la anciana. Por compasión, admitía a Créola que una vez por día le llevaba a Mimita. No visitaba el jardín ni el laboratorio; los pedidos de la señorita Bernarda se acumulaban y de nada servían las notas desesperadas que le enviaba su amiga Corina Bonmer. Clotilde había solicitado verla para discutir los últimos detalles del ajuar, a lo que Rafaela se negó. Finalmente, tuvo que admitir a Aarón por temor a que echase la puerta abajo. La cara de congoja de su primo la llenó de culpas y aprensiones. Se abrazó a él y lloró sobre su hombro.

—Estás asustada. Es normal. Un paso tan solemne y definitivo asusta a cualquiera.

—Tú no luces para nada asustado.

—¿El flamante intendente de Policía asustado? ¿Qué clase de ejemplo daría?

La hizo reír entre lágrimas y, como recompensa, le permitió besarla. Se trató de un beso amargo porque, aunque trató de cerrar sus memorias, añoró la fiereza de los labios de Furia.

Las preguntas, que giraban en su mente como un torbellino, la agotaban, quizá por esa razón permanecía abúlica, o porque no tenía ganas de vivir con el corazón mortalmente herido; la pena se volvía difícil de soportar.

¿Con qué fin el señor Furia y la señorita Bouquet les habían tendido esa celada? ¿Qué había ocurrido entre el gaucho y su padre? ¿Éste le habría confesado que ella estaba embarazada? A veces la falta de respuestas, de buen dormir, las náuseas y los vómitos le agriaban el humor, y mandaba callar a las esclavas que reían o cantaban mientras realizaban las labores, o amenazaba con decapitar a Poupée si seguía ladrando. Pasaba de la inquietud a la apatía con una rapidez que la llevaba a pensar que estaba volviéndose loca. De qué manera reuniría fuerzas para enfundarse en el vestido de novia y concurrir con su padre a San Francisco para desposar a Aarón en dos días era la pregunta que más la angustiaba.

Rómulo no estaba ebrio gracias a Ñuque, que había tenido el buen juicio de quitar de la salita las botellas con brandy y carlón. De otro modo, habría bebido sin tino para sumirse en un sopor que lo alejara de los problemas. No deseaba ver a nadie, a excepción de la vieja india, su único lazo con el mundo exterior. En sus brazos había llorado después del encuentro con Sebastian de Lacy. Ella conocía la historia, por lo que había resultado fácil referirle los hechos; incluso la vieja india le había formulado una pregunta que él, aún conmocionado, no había tenido en cuenta.

—¿Cómo sabes que es el verdadero hijo de Horatio de Lacy y no un impostor? Aunque —se contestó la propia Ñuque—, da igual si es o no el verdadero Sebastian de Lacy. Por lo que me has dicho, conoce los detalles de aquella noche tan bien como tú. Y eso bastaría para perjudicarte. En especial en este momento, en que tus enemigos se han hecho con el poder. He sabido que el nombre de Artemio Furia se menta con admiración en los cuarteles, incluso entre la oficialidad.

Rómulo la miró a los ojos, preguntándose cómo una mujer anciana, de poca educación y escasos recursos, se hallaba mejor informada que muchos de sus amigos.

—Nosotros contamos con Aarón —expresó, en un arranque de enojo—. De algo servirá su defección. Él es ahora el intendente de Policía de ese grupo de tunantes.

—Rómulo —pronunció Ñuque—, con Aarón nunca se cuenta, y tú lo sabes.

Faltando dos días para el casamiento de su hija, mandó comparecer a su cuñado, Juvenal Romano, quien, junto con Martín Avendaño, había sido su gran amigo de la juventud.

—Eres un hombre cabal —le dijo cuando lo tuvo enfrente— y quiero que me perdones por mis desprecios del pasado.

Juvenal levantó las cejas y enseguida soltó una corta risotada.

—Tu declaración, querido Rómulo, me ha servido para descubrir que no he perdido la capacidad de asombro. ¡Y yo que me juzgaba un cínico de primera laya! —Pasado unos segundos, dedujo—: Vas a pedirme un favor. Vas a pedirme dinero.

—Sí, te pediré dos favores, pero no dinero. De igual modo, aunque te cueste creerlo, pienso que eres cabal y deseo tu perdón. Nunca debí permitir que la cabeza hueca de Clotilde te abandonara. Debí haberla regresado a Lima cuando se apareció aquí con eso de que tú eras un marrano. —Se pasó la mano por la frente con impaciencia y se abandonó en la butaca—. ¡Sí que he sido un necio! Y tú lo has soportado todo con dignidad y paciencia encomiables. Te pido perdón, Juvenal. Si algo queda del afecto que nos tuvimos cuando jóvenes, te pido perdón.

Romano carraspeó, incómodo, y se sentó frente a su cuñado.

—Olvídalo, Rómulo. Mi matrimonio es responsabilidad mía y de nadie más. Ve al grano. Sabes que nunca he sido afecto a los sentimentalismos. Pídeme los dos favores. Veré qué puedo hacer por ti.

—El primero es que me ayudes a dar con Martín. —No lo sorprendió el gesto desconcertado de Juvenal—. Necesito dar con él pero sin que él sepa que estoy buscándolo. Me dijiste que, tiempo atrás, estuvieron en contacto. Tú eres mi única esperanza de hallarlo.

—No te garantizo nada, Rómulo, pero trataré de averiguar dónde se encuentra. Se ha movido mucho desde la última vez en que lo vi, en el 90.

—Necesito saber dónde se encuentra lo antes posible. ¡Por favor!

—Está bien, está bien. ¿Qué ha ocurrido?

—Nada, nada. Sólo quiero saber dónde está. Lo segundo más que un favor es pedirte que hagas un juramento solemne. —Juvenal asintió—. Me he enterado de que tu compañía de coches de alquiler está funcionando bien y de que eres un hombre adinerado, por eso sé que lo que te pediré no significará una gran carga para ti. Debes jurarme por lo más sagrado que, en caso de que algo me sucediera, tú te harías cargo del bienestar de mi hija Rafaela. ¿Lo juras?

—Rómulo, me toma por sorpresa este pedido. ¿Acaso ella no se convertirá pronto en la esposa de Aarón? ¿No correspondería que le solicitases este juramento a él?

—Estoy pidiéndotelo a ti, Juvenal, puesto que eres, junto con Ñuque, el único en quien confío. Aarón es ambicioso y carece de principios, ésa es la verdad, ¿para qué ocultarla? ¡Digno hijo de su padre! —agregó, con una sonrisa amarga—. Sólo si me jurases que, en caso de que algo me ocurriese, tú te harías cargo de mi hija, me quedaría tranquilo.

—Lo juro.

Peregrina entró en la habitación de su ama y se aproximó al tocador donde Cristiana se recogía los bucles. Cruzaron las miradas en el espejo.

—¿Lo averiguaste?

—Sí, amita. Está en la pensión de doña Clara, la de la calle de Santo Cristo.

—Sé dónde queda. Apréstate, Peregrina, y dile a Babila que prepare el coche. Saldremos en este instante. A quien te pregunte dirás que visitaré a mi amiga Marcelina Valdez e Inclán.

De hecho, Babila estacionó el cabriolé frente a la puerta de la casa de Valdez e Inclán, en la calle de Santiago, y desde allí caminaron, bien embozadas, hasta la de Santo Cristo. La jugada que se encontraba a punto de llevar a cabo constituía la última oportunidad para acabar con la influencia de Rafaela sobre su padre.

La noche del 25 de mayo, en la fiesta de los Rodríguez Peña, se había ocupado de que Furia se enterase del compromiso de su prima con Aarón, segura de que la reacción no tardaría en llegar. Pasaban los días, la boda se acercaba y Furia seguía inactivo, como si de veras no le importase con quién se desposaba su antigua amante.

Cristiana necesitaba deshacerse de Rafaela para recuperar a Rómulo y anular la preponderancia que su hermano estaba obteniendo en la casa de la calle Larga desde el triunfo del partido de los patriotas; el muy descarado hasta le había insinuado que la casaría con el hijo mayor de Tomás de Grigera, lo que le proporcionaría una alianza inmejorable y a ella la confinaría en las lejanas Lomas de Zamora. "Tío Rómulo me ha dicho que está de acuerdo." Cristiana habría podido arrancar los ojos de "tío" Rómulo de haberlo oído pronunciar su consentimiento.

La misma doña Clara les abrió la puerta.

—Pasad, gentil señora —dijo, y se hizo a un lado—. ¿De qué modo puedo ayudaros?

—Necesito ver a Artemio Furia.

—Qué pena con vuesa merced. Don Artemio ha dado orden de no ser molestado.

Doña Clara razonó que, si en tantos días no había deseado ver a la señorita Bouquet ni a su amigo, el indio Manque, menos atendería a una desconocida.

—Señora —dijo Cristiana, en tanto deslizaba unos cuartillos en el bolsillo del mandil de la mujer—, le aseguro que si usted le refiere a Furia que Cristiana, la prima de Rafaela, está aquí para darle información de capital importancia, él me recibirá.

—¡He dicho que no 'toy pa'naides! —clamó Artemio cuando llamaron a su puerta.

—Lo sé, don Furia, pero aquí está la señorita Cristiana, la prima de la señorita Rafaela. Dice que tiene información de capital importancia para vuesa merced.

El anuncio de doña Clara tardó en colar a través del vaho de alcohol que embotaba su lucidez. Una agitación se apoderó de él. Rafaela. ¿Qué le había sucedido para que su prima solicitase verlo? Después se acordó de que eran enemigas. ¿Qué diantre quería esa muchacha? No tenía ganas de recibir a nadie. Hacía días que no abandonaba la habitación, tampoco se bañaba ni mudaba de ropa. Desde la noche en que se enfrentó a Rómulo Palafox, había permanecido encerrado, ahogándose en alcohol. El primer paso en su plan de venganza sabía a diablos, nada de la exultación anticipada. Nada de nada, sólo un vacío que él pretendía llenar con ginebra, y un dolor que se volvía físico cuando el rostro de Rafaela se presentaba delante de él, lo cual sucedía a cada maldito minuto. Estaba a punto de perder la razón, lo sabía.

—¡Que pase! —dijo, y no se movió del rincón que ocupaba en el suelo, el mismo donde Rafaela se había resguardado, envuelta en la sábana.

Cristiana y Peregrina abrieron la puerta y, al ubicarlo sentado en el suelo, con la cara hundida en las rodillas, se quedaron quietas y calladas. Cristiana carraspeó. Furia no se movió.

—Qué ilusa pretender —declaró la muchacha— que un bergante, un sotreta como usted despliegue las maneras de un caballero de rancia cuna. ¡Póngase de pie! Una dama acaba de entrar.

Furia levantó el rostro, y Peregrina ahogó un grito de pánico. Tenía los ojos inyectados de sangre, lo que resaltaba el turquesa del iris, confiriéndoles un aspecto maligno. La barba crecida y enredada embrutecía sus facciones, y el cabello tieso de sudor y sebo acentuaba la traza de alguien en el límite de la cordura. Cuando se decidió a hablar, su voz aguardentosa no ayudó a mejorar la estampa de orate peligroso.

—Si ha venío pa'que la adulen y la traten con galanteos, ya mesmo da la güelta y sale por ande ha entrao. La alvierto, hoy justamente no ando con pacencia. No 'toy pa'que me vengan con quisquillas.

Cristiana avanzó y Peregrina cerró la puerta. Las golpeó un olor a sudor humano, alcohol y orines (por lo visto nadie se había ocupado del bacín), que se tornó insoportable. Cristiana se llevó un pañuelo perfumado a la nariz. Con la voz amortiguada por el lino, expresó:

—A fe que no comprendo cómo una mujer como Rafaela, tan sensible a los aromas y a los perfumes, pudo enamorarse de un gaucho hediondo como usted.

La declaración despabiló a Furia. Cristiana se echó hacia atrás y Peregrina profirió un alarido cuando el hombre se puso de pie hecho un basilisco y arrojó el jarro de latón sobre sus cabezas, salpicándolas con ginebra. En tanto recuperaba el aliento y las contemplaba con ira, cayó en la cuenta de que Cristiana sabía de su amorío con Rafaela.

—¡A qué mierda ha venío! ¡Hable de una güena vé o márchese! La alvierto que si sigue calladita y mirándome con cara de pescao, la sacaré de las crenchas, por muy *señorita bien* que vuesa mercé sea.

—Rafaela casará mañana con mi hermano Aarón —farfulló Cristiana.

—¡Qué carajo me importa! —exclamó, para ocultar la sorpresa que significaba que la boda se realizara tan pronto, como también el pánico que esa inminencia le provocaba—. ¡Que se case con quien mierda quiera! ¡Que se entregue al necio de su hermano!

—¡Rafaela está encinta! —lo interrumpió Cristiana—. ¡Ella está esperando un hijo suyo! Furia, ella está esperando a su hijo de usted.

Artemio separó los labios y relajó el ceño. Abrió los puños, y los brazos le colgaron a los costados del cuerpo. Resultaba casi chocante atestiguar el estupor y el miedo que se evidenciaban en el gesto de ese hombre enorme y bravío.

Furia posó la mirada en Peregrina y la inquirió sin necesidad de palabras. La cuarterona asintió para confirmar la revelación de su ama.

—Entonces —se animó a hablar Cristiana—, ¿permitirá que mi hermano no sólo le robe la mujer sino también el hijo?

Rafaela pensó que la deteriorada fachada de la iglesia de San Francisco —se había derrumbado en el año siete— reflejaba a pie juntillas el estado de su ánimo, lo mismo que el clima, inestable y frío, y el cielo gris. Se sentía fea, cansada, sin fuerzas. Con artimañas y lisonjas, Ñuque y Créola habían conseguido levantarla de la cama, bañarla y ponerle el vestido de novia, de color blanco con listones rosados. Caminar al altar del brazo de su padre, a quien veía por primera vez desde el encuentro con Furia, dependía de ella, y no estaba segura de lograrlo.

Tembló cuando las puertas de la iglesia se abrieron. Rómulo le apretó la mano para reconfortarla; así y todo, Rafaela no se animó a encontrarlo con la mirada. El chasquido de las puertas al cerrarse los impulsó por la nave casi vacía, sólo ocupada por la familia y unos amigos de Aarón. Rafaela reconoció a Tomás de Grigera, el alcalde de Lomas de Zamora, y a Joaquín Campana, el secretario del coronel Saavedra.

Aarón la esperaba al pie del altar, y la calidez de su sonrisa la reconfortó. Dejó caer los párpados e inspiró con ganas cuando él le quitó el velo. Pronto pasaría, se animó. Todo quedaría en el pasado y ella lo olvidaría. Aarón sería un esposo considerado, su hijo se apellidaría Romano y nadie lo tacharía de bastardo.

Fray Cayetano Rodríguez inició la ceremonia. No prestaba atención a sus palabras y, aunque intentaba concentrarse, no podía seguir el hilo de su parrafada. En realidad, no escuchaba. Tenía la impresión de hallarse bajo el agua y que le hablaban desde la superficie. Una conocida molestia en el estómago la llevó a pensar que quizá la profecía de Créola se cumpliría, y la elegante chaqueta de terciopelo púrpura de Aarón terminaría con vómito. Se mordió el labio para sofrenar la risa que le provocaba aquella imagen. Sí, estaba volviéndose loca. Se reía cuando un minuto antes se habría echado a llorar.

En un primer momento creyó que se trataba de un trueno, un fragor seco que hacía estremecer los vitrales y que le destapó los oídos. Los alaridos a continuación la llevaron a darse vuelta. Todo ocurría con rapidez pasmosa y, al mismo tiempo, con la lentitud de los movimientos acuáticos. La silueta del magnífico corcel que con sus cuartos delanteros había abierto las puertas de la iglesia se recortaba en la media luz del exterior. Supo que se trataba de Cajetilla y que Artemio Furia se hallaba sobre la montura, sujetando las riendas del encabritado animal, al cual sojuzgó sin esfuerzo y guió por la nave, a paso lento; iba escoltado por un grupo de jinetes. Estaban todos: el indio Manque, Bamba, "el marucho", Isidoro, "el rastreador", Torquil, "el marinero", Billy, "el rengo", Juan, "el peludo", Modesto, "el entrerriano", y Buenaventura Buena. El corazón le saltó de alegría ante aquellos rostros familiares. Al tropezar con la mirada de Artemio Furia, su alegría se convirtió en una furia negra.

Llevaba la barba muy crecida, y el cabello largo y suelto le cubría los hombros. Avanzaba con aire fanfarrón, el sombrero caído en la espalda, sostenido por el barboquejo. Echaba vistazos a los invitados, desafiándolos a abrir la boca, a moverse. Su belleza resultaba profana en el contexto, como la de un ángel caído que desdeñaba la autoridad divina. Rafaela notó que, si bien Furia no empuñaba un arma de fuego, sus hombres sí.

—¡Qué significa esta afrenta! —estalló fray Cayetano, al vencer el estupor—. ¡Qué clase de herejía estáis cometiendo! ¡Entrar con vuestras bestias a la casa del Señor! ¡Marchaos de aquí, blasfemos!

Artemio Furia sonrió, y Rafaela contuvo el aliento. No se trataba de la sonrisa que ella adoraba sino de un gesto carente de humor, macabro, como la acción instintiva de una fiera cuando descubre los colmillos para amedrentar a su víctima.

Pasado el estallido del sacerdote, nadie se atrevió a hablar. Los cascos inquietos de los caballos retumbaban sobre los mazaríes y cada tanto un relincho provocaba un eco que rebotaba en el ábside. Aarón obligó a Rafaela a colocarse tras de él cuando Artemio acercó tanto a Cajetilla que los belfos del caballo casi rozaron su chaqueta. El gaucho lo contempló fijamente durante unos segundos. Aarón le sostuvo la mirada con denuedo, aunque lo recorrió un estremecimiento cuando lo oyó decir con voz ronca y profunda:

—Esta mujer y el hijo que lleva en sus entrañas me pertenecen.

—¡No! —gritó Rafaela, y, en una confusión de tules y ruedos, se escabulló hacia la sacristía.

Aarón observó, hechizado, cómo el gaucho, sin apartar la vista de Rafaela, realizaba un movimiento preciso y rápido con los dedos de su mano derecha y desanudaba el lazo adujado al recado antes de hacerlo girar sobre su cabeza y lanzarlo en dirección de la joven, que soltó un quejido al verse detenida bruscamente en su escapatoria. Un clamor se levantó entre la concurrencia.

—¡Déjela ir, maldito hijo de puta! —exigió Aarón.

—¡Le ordeno que la suelte! —prorrumpió fray Cayetano.

Buenaventura Buena se inclinó sobre la montura y apoyó la punta de su pistola en la coronilla del novio.

—Mejor cierre el pico, don —le aconsejó—. Artemio Juria anda de malas, y, cuando anda de malas, hace honor a su apellío. Lo mesmo pa'usté, padrecito, con tuito rispeto.

Artemio tiraba del lazo, obligando a avanzar a pasos involuntarios y torpes a Rafaela, quien, con los brazos sujetos a los costados del cuerpo, luchaba para conservar el equilibrio. Cuando la tuvo junto a Cajetilla, le puso un dedo bajo el mentón y le levantó el rostro. La joven, al sacudir la cabeza para librarse del contacto, despidió un aroma exquisito, cálido, penetrante, para nada sutil.

—Mi Rafaela de las flores —susurró Furia, y, sin darle tiempo a actuar, inclinó el torso, le rodeó la cintura con el brazo libre, la levantó en el aire y la ubicó en la montura delante de él, a mujeriegas.

Aarón trató de abalanzarse, pero Calvú Manque le cruzó el caballo y Buenaventura Buena le recordó la amenaza de su pistola al clavársela en la quijada. Los insultos de Aarón, las amenazas de fray Cayetano, los lamentos de Créola y de Peregrina y los murmullos de los invitados se mezclaban con los gritos de Rafaela, que se agitaba en la montura como pez fuera del agua. Rómulo, paralizado, pensaba que Artemio Furia debía de poseer una fortaleza extrema para sojuzgar a su hija con un solo brazo y controlar a un caballo brioso con la presión de las rodillas.

—¡Mierda, Rafaela! —El aliento caliente de Furia le quemó la oreja. Se quedó quieta y acezante, con la vista baja, humillada, en tanto Cajetilla galopaba por la nave en dirección a la puerta principal. Le molestó la luz al salir al atrio y ocultó el rostro en el poncho de Furia, también por vergüenza. Lo oyó azuzar al caballo en el idioma gutural de los indios, y sintió la respuesta de Cajetilla cuando éste, al lanzarse por la calle de San Martín a galope tendido, le provocó un sacudón que casi la arroja a la calle. El brazo de Furia le impidió caer.

Cerca de la esquina con la calle de las Torres, Artemio obligó al caballo a aminorar la velocidad y doblar hacia la derecha, en dirección oeste. Enseguida reanudaron la marcha a toda prisa. Atrás iban quedando el bullicio de la Recova, el pregón de los buhoneros y de los bandoleros, los campanazos de las iglesias y los rebuznos de las mulas. Rafaela sabía que Furia la sacaría de la ciudad. No estaba asustada, sólo tenía curiosidad. ¿Adónde la llevaría? ¿Qué destino le esperaba? A pesar de que él se había convertido en un extraño para ella, no le temía, y, a pesar de que él la había arruinado públicamente, se avergonzaba de una emoción que mantenía aceleradas sus pulsaciones y que en nada se parecía a la indignación que debería estar sintiendo.

Ya lejos de la ciudad, en medio de un descampado solitario, Artemio Furia tiró de las riendas, y Cajetilla cambió a un paso ligero.

—¡Quíteme este lazo! Tengo los brazos ateridos.

—¡Quédese quieta o la arrojo del caballo!

—¿Y matar al hijo suyo que llevo en el vientre?

—Si sigue culebriando ansina se caerá igualmente y usté solita echará a perder a nuestro hijo. —Transcurrida una pausa, conjeturó—: Por ai, é lo que anda queriendo. Deshacerse de m'hijo.

Aquellas palabras enfriaron el enojo de Rafaela. Se aferró al arzón, bajó la cabeza y permaneció quieta. Artemio le quitó el lazo, lo adujó y anudó al recado. Se quitó el poncho y lo pasó por la cabeza de Rafaela. A ella se le erizó la piel del cuello cuando Furia le ordenó al oído:

—Aflójese. 'Tá má tiesa que un palenque.

—Quiero volver a mi casa —dijo, sin desearlo de veras.

—Cállese. Sabe que no la degüelvo a ese badulaque de su primo ansina me l'ordene el mesmo Dios. Y no fastidie, que 'toy de un humor endemoniao. Ando jurioso con usté, mi Rafaela.

—¡Soy yo la que está enfurecida con usted, señor Furia!

—Má vale que se le vaya pasando porque tengo poca pacencia pa'los caprichos.

—¡Desgraciado, me ha arruinado socialmente!

—Di aura en má, en l'único que tiene que priocuparse é en no arruinarse ante mis ojos, porque yo y sólo yo soy su dueño. —Como Rafaela hizo ademán de contestar, la aferró por la nuca y le habló cerca de los labios—: Y aura me cierra esa boca porque, en verdá, Rafaela, la pacencia me pende de un hilo finito, finito.

No obstante la dureza de sus palabras, Furia pasó la mano bajo el poncho y se la colocó sobre el vientre. Comenzó a masajeárselo con movimientos circulares, abarcándolo por completo. La calidez de su palma atravesó el género del vestido y la embargó de una placentera sensación. Soltó un suspiro. Al cabo, el gaucho detuvo el masaje y realizó una ligera presión, sin causarle molestia. Con un chasquido, soliviantó al overo que de nuevo reanudó la marcha a gran velocidad. La mano de Artemio siguió apoyada sobre el hijo de ambos en celosa actitud.

La había robado al pie del altar no por ella sino porque estaba encinta.

La noche en que su padre los descubrió haciendo el amor, Albana le confesó con dañada intención que Furia sabía de su compromiso con Aarón y que nada le importaba. Resultaba obvio que la mujer no había mencionado el embarazo porque no estaba informada. ¿Cómo se había enterado Furia de que esperaba un hijo? ¿Quién la había traicionado? Rómulo, Créola, Corina y Ñuque conocían su secreto, y no podía imaginar a ninguno contándoselo a Furia.

Le dolían las nalgas y los riñones. Llevaba horas arriba de la montura y, si bien Furia había aminorado la marcha, seguro de que nadie los perseguía, el zarandeo la tenía a maltraer. Además, estaba deprimida, con el orgullo mancillado. No la quería a ella sino al bebé. Habría permitido que casara con Aarón de no haberse enterado de que estaba embarazada. De pronto, le tuvo miedo. Furia le haría pagar caro que hubiese estado dispuesta a entregar su hijo a otro.

Levantó los párpados con disimulo y lo observó, severo y reconcentrado en el camino que iba quedando en penumbra; apuesto y hermoso a pesar de la rigurosidad de su gesto; sano y fuerte, exudaba virilidad. Le dio por pensar en Pan, el dios griego de la sexualidad desenfrenada, temido por sus arranques de ira. De allí la palabra "pánico", le había explicado su tía Pola. Apartó los ojos, no soportaba imaginar la inclemencia que caería sobre ella. Lo odiaba porque le temía. Lo odiaba porque lo amaba, y él no.

Estaba incómoda, le molestaba el borrén, y el arzón se le clavaba entre las piernas, pues ya no montaba a mujeriegas. Había reparado en que ésa no era la montura habitual de Furia. Para beneficio del espectáculo montado en la iglesia, la había cambiado por una más sencilla y liviana, sin arzón en la parte posterior, con el delantero muy bajo y el asiento mullido, que demostraba servir de poco para la comodidad de sus nalgas. Le habría suplicado que se detuvieran si el orgullo no la hubiese ayudado a tolerar la aflicción.

Furia apretó los labios para disimular una sonrisa. ¿Cuánto más soportaría Rafaela esa postura? Para no tocarlo, se mantenía erecta y alejada, volcada sobre el arzón. Era presuntuosa y obstinada. La admiró por eso, y algo de la cólera que había despertado todos sus demonios se disipó. Echó el cuerpo hacia atrás y la obligó a posicionarse contra su torso. Ella se resistió, pero un sacudón terminó por ubicarla donde él la quería. Supo cuándo claudicó, la sintió rendirse, aflojar el cuerpo y amoldarlo contra su pecho. Seguro de que dormía, la besó en la sien y en el punto que ella perfumaba, detrás de la oreja, donde nacía el cuello, y ahí se demoró, recordando el primer beso bajo el albaricoquero. Su Rafaela. Su Rafaela de las flores. Su adorada Rafaela que había sobrevivido a la muerte y que llevaba vida en sus entrañas. Los ojos se le anegaron de lágrimas. ¡Qué locura estaban viviendo! Él, atrapado en una pesadilla de odio y venganza, ella, convertida en su víctima. Jamás lo perdonaría. La había insultado de todas las maneras posibles, la había tratado con la vileza que, tal vez, Martín Avendaño habría empleado con Edwina. El miedo se manifestó en un temblor que lo obligó a aflojar las riendas. Cajetilla lo notó de inmediato y cambió la marcha. Ya no razonaba bien ni dominaba su montura. Se detendría y haría noche lejos del camino.

Rafaela despertó, confundida, preguntándose dónde se hallaría, mientras Furia la bajaba del caballo. Se apartó de él como si su contacto la quemase. Él se quedó quieto, viéndola, no con abatimiento sino con enojo, la rabia impresa en su mirada.

—¡Quiero volver a mi casa!

—'Tamo yendo a *nuestra* casa.

—No existe *nuestra* casa. Usted y yo no somos nosotros. No somos nada.

—Usté lleva a m'hijo en su vientre.

—¡Llevo a *mi* hijo en *mi* vientre! Y su padre será Aarón Romano.

—¿Qué dice? —La aferró por los hombros y la zarandeó.

—¡No quiero que usted sea el padre de mi hijo!

—¡Pero lo soy! ¡Lo soy! No güelva a mentar a ese mal nacío o...

—¿O qué? ¿Me golpeará? —Artemio resollaba, ebrio de furia—. ¡Qué fácil habría sido, señor Furia, que me hubiese pedido en *La Larga* que lo siguiera! Lo habría seguido hasta el fin del mundo con tanta alegría. Ahora ya no. No lo amo, señor Furia. Usted se ocupó de matar un amor que yo creí infinito. Yo... Yo ya no sé quién es usted.

El tono de amargura de Rafaela lo alcanzó como un puñetazo en el estómago. Habría preferido una riña e insultos, no esa calma llena de tristeza. La había perdido. No lo toleraba, no lo consentía. No sabía de qué manera luchar con esa mezcla de dolor y desesperación. Él podía sentir, como si de bilis se tratase, que la ira subía desde las profundidades hasta la superficie. La veía venir, sabía que lo lamentaría y, sin embargo, no podía detenerla.

—¿No sabe quién soy? Yo soy el que la desvirgó, allá, en *La Larga*. Yo soy el que la montó de tuitas las formas posibles y la hizo aullar de placer. Yo soy el que le hizo un hijo. Yo soy su hombre, Rafaela, y usté é mía.

—Ya no, ya no —susurró—. Pertenezco a Aarón. Estoy prometida a él.

—¡Cállese! ¡Usté é mía! —Había enloquecido. El nudo que mantenía sujeta su parte diabólica se había desatado y quizá la vida de Rafaela dependiese de la respuesta a la pregunta que temía formular. Le temblaron la voz y el cuerpo cuando habló.

—¿Acaso ese hijoputa la hizo su mujer?

Rafaela bajó la vista y negó con la cabeza. Lo escuchó insultar y alejarse. La hierba reseca crujió bajo el peso de sus botas de potro hasta que el sonido se desvaneció. Cayó de rodillas sobre el terreno y, con la cabeza vencida, se puso a llorar. La asqueaba la hipocresía, un mal de familia que llevaba consigo. Por orgullo, pero sobre todo para lastimar a Furia, había dicho una sarta de mentiras. En realidad, no deseaba volver a su casa, no quería a Aarón y no había dejado de amar al señor Furia, aunque, en verdad, ya no sabía quién era él.

Un cosquilleo le atravesó la nuca. Se giró de modo brusco y soltó un alarido al distinguir la silueta de un animal cuyos ojos relumbraban en el crepúsculo.

—¡Quinto! —El animal se aproximó, y Rafaela le pasó la mano por la cabeza con resquemor—. Quinto. Te he echado de menos, querido amigo.

El puma le lamió la mano, y Rafaela sonrió y se echó a su cuello como si de Ñuque o de Rómulo se tratase. Furia llegó corriendo, con un hato de ramas.

—¿Qué pasa? ¿Por qué ha gritao? —preguntó, sin resuello—. Ah, eres tú —se tranquilizó al ver a Quinto.

Rafaela siguió abrazada al animal, con la cabeza apoyada sobre su lomo, inspirando el aroma salvaje del pelaje amarillo, y, desde esa postura, observó a Furia encender una fogata y aprestar los avíos para preparar mate y algo de comer. Luchó contra el peso de sus párpados. No quería perder de vista al señor Furia. Le gustaba verlo actuar en su ambiente. Al rato, se quedó dormida sobre el cuello del puma.

Se despertó con suavidad, y descubrió la hierba cerca del rostro. Quinto, echado a unos palmos, la cabeza sobre las patas delanteras, la observaba con mirada serena. Le sonrió, y el animal emitió un maullido sin abrir la boca. Amanecía con tonalidades rosáceas y naranjas. Había silencio y, al mismo tiempo, mucha bulla, la de los pájaros e insectos. Rafaela se halló acostada sobre el recado, con el cojinillo como jergón y el arzón como almohada, envuelta en el poncho y, sobre éste, varias caronas. No deseaba abandonar ese nido confortable y caliente. Tenía vagas imágenes de cómo había acabado allí. "Mi Rafaela", había susurrado Furia, mientras le besaba la frente varias veces antes de arroparla sobre la montura. No, lo había soñado.

El señor Furia apareció con leña. Había encontrado una laguna o una acequia puesto que llevaba el pelo y la barba mojados. Lo vio acuclillarse frente al hoyo del fogón, con las rodillas cerca de la cara. Iba a prender el fuego. Sabía lo que hacía, se notaba que lo había realizado infinidad de veces. Saltaron chispas a la fricción del pedernal y el eslabón, y Furia sopló para avivar las llamas. Dispuso la trébedes con un calderito lleno de agua para el mate. Sacó de su tirador la bolsita de cuero con los utensilios para liar un cigarrillo, lo que hizo con admirable destreza. Le robó una ramita encendida al fogón y la acercó al cigarrito que pendía entre sus labios. Rafaela sintió un escozor en el estómago cuando él apretó el ceño y entornó los ojos para encenderlo. La primera pitada fue larga, y le relajó las facciones. Rafaela lo estudiaba desde su lecho y apenas separaba los párpados para que Artemio no supiese que estaba espiándolo.

Aunque no comiera carne, el olor del asado le despertó el apetito. Apartó el pellón y la carona y se incorporó, de espaldas a Furia. Sabía que estaba observándola. Se pasó las manos por el cabello, convertido en un nido de víboras. ¿Cómo luciría? De seguro, tendría los ojos hinchados y con derrames, y marcas de recado surcarían sus mejillas. ¿Y las ojeras? Profundas y azules, por supuesto. Se puso de pie con cuidado para evitar el mareo y las náuseas, y se aproximó al fogón, con Quinto a la zaga, que atrapó en el aire un pedazo de carne que Furia le arrojó. Sin mirarla ni dirigirle la palabra, el gaucho cambió la yerba del mate y vertió agua caliente con gesto grave. Dio las primeras chupadas para eliminar el sabor amargo. Se lo ofreció. Los dedos de Rafaela rozaron los de Artemio, y sus miradas se cruzaron por un momento. Rafaela apartó la vista y sorbió el tónico con fruición, mientras él cortaba otro pedazo de carne asada y, con el mismo cuchillo, se lo llevaba a la boca.

Rafaela se sentó frente al fuego, sobre una manta, a cierta distancia de Furia y con Quinto a sus pies. Al devolverle el mate, descubrió galletas y un trozo de queso sobre un retazo de género blanco.

—Pa'usté —lo oyó decir—. Como no come carne...

—Lo cual es un gran estorbo para usted.

—Y, sí.

—Entonces, devuélvame a mi familia. A ellos no les importa si...

—Basta, Rafaela. —No se trató de un grito, ni siquiera de una orden subida de tono sino expresada en un susurro entre dientes que la dejó muda.

CAPÍTULO XX
Pichín-Ülleún

erca del mediodía, Rafaela avistó un caserío. Un cuarto de hora más tarde, Cajetilla se detuvo a las puertas de una casona vieja y derruida, aunque de sólida edificación, con un amplio pórtico de columnas blancas y piso de ladrillo, y el entorno prolijo y desmalezado.

—Ésta é su casa —escuchó decir a Furia a sus espaldas.

No se dio vuelta, no lo enfrentaría atrapada en esa tormenta de emociones e ideas contradictorias. Siguió contemplando los detalles de las ventanas enrejadas y de la pintura deteriorada. Furia pasó a su lado y abrió la puerta, que estaba sin llave. Entraron en un vestíbulo amplio que comunicaba a tres estancias, dos se desplegaban hacia los costados y la tercera, hacia el fondo. Éstas, a su vez, comunicaban con más habitaciones, y así la casa parecía no tener fin, como si la misma imagen se reflejara en infinitos espejos. Permanecía en mitad del vestíbulo, mirando las alas que se abrían hacia su derecha e izquierda. Por lo que atisbaba, no había mucho mobiliario ni adornos; de hecho, el vestíbulo estaba pelado, salvo por un quinqué de sebo de potro que colgaba de los tirantes del techo.

Un bullicio la obligó a volverse. Los hombres de Furia, dos muchachas y varios niños se arracimaban en el pórtico.

—¡*Pichín-Ülleún*! —pronunció una de las jóvenes, y se lanzó al cuello de Furia.

Rafaela se movió deprisa para evitar ser arrollada. La otra muchacha también lo llamó Pichín-Ülleún y recibió un abrazo.

—Rafaela —la llamó Furia, sonriente.

Resultaba tan inusual verlo en esa disposición, que se quedó quieta, mirándolo como tonta. Furia la tomó de la mano.

—Ellas son mis *lamúenes*, mis hermanas —aclaró.

—¿Hermanas? —dijo, sin desprecio, sólo confundida.

—Sus hermanas del corazón —explicó una de ellas—. Somos las *lamúenes* de Calvú. Mi gracia es Alihuen. *Mari-mari*, Rafaela. Te doy la bienvenida.

—Ella es Millao —expresó Furia.

—*Mari-mari*, Rafaela. Pichín-Ülleún nos ha hablado harto de ti.

—¿Pichín-Ülleún?

—Pequeña Furia —intervino Calvú Manque—. Ese nombre le dimos a Artemio hace veinte años, cuando llegó a nuestra toldería, en el desierto. Ahora sólo le queda el Furia.

—Iré a saludar a mi *ñuqué* —anunció Artemio, de vuelta en su talante hosco.

Aunque había acentuado la última sílaba, Rafaela reconoció la palabra con que ella y su familia llamaban a la nodriza india, "madre". Lo vio saltar sobre Cajetilla y dirigirse hacia un rancho, alejado de la casa principal.

Bamba se aproximó con las mejillas y las orejas coloradas y, restregando la boina, le confesó:

—'Toy feliz de que se haiga venío pa'acá.

—Gracias —dijo, y le apartó un mechón rebelde de los ojos. ¿Qué podía contestar? ¿"Yo también", cuando Furia la había arrastrado a la fuerza? El marucho lo sabía y, sin embargo, le expresaba su satisfacción. La situación se tornaba grotesca por lo irreal. No sabía qué sentir ni tenía ganas de pensar en el embrollo en que estaba metida. Le dolía desde la coronilla hasta los pies, y sólo anhelaba tomar un baño y meterse en la cama. ¿Encontraría una cama? Furia la había abandonado con personas a las que apenas conocía, en una casa que no le pertenecía, sin ropa ni efectos personales, sólo con el vestido de boda, los incómodos chapines de seda bordada y su elegante poncho de vicuña.

—Millao —dijo Calvú—, la señorita Rafaela ha de 'tar muy cansáa. Acompáñala a su pieza pa'que descanse.

No volvió a ver a Artemio Furia en varios días. Al caer la noche de ese primer día en la Cañada de Morón —ya se había enterado de que allí se encontraba—, Anuillán, la madre de Calvú Manque, de Millao y de Alihuen, se presentó en la casa con ropa, comida y otros utensilios y le informó que Pichín-Ülleún había regresado a Buenos Aires. El impacto de la novedad le borró el color de las mejillas. Se sentó en el borde de la cama y clavó la vista en el zócalo de ladrillos. Anuillán se sentó junto a ella y le tomó las manos. Intentó tragar el nudo que se le formó en la garganta, sin éxito. La india le pasó un brazo por la espalda y la empujó sobre su pecho.

—¿Por qué se ha ido sin despedirse? —le preguntó, entre hipos y sollozos.

—Él me pidió que la cuidase mucho —le aseguró, en un castellano duro y mal pronunciado.

—Yo no le importo, sólo el niño. —Pese a darse cuenta de que actuaba con esa extraña como si de Ñuque se tratase, siguió relatándole sus desventuras. La mujer la escuchaba en silencio y le acariciaba el pelo, y Rafaela se preguntaba si la creería loca porque le refería hechos y personas como si los conociese; quizá, ni siquiera sabía que ella estaba encinta.

Como fuera, se hicieron amigas. A veces Anuillán le recordaba a Ñuque, por su sabiduría y noción fatalista de la vida, aunque sonreía más y le gustaba abrazar y besar a la gente, en especial a sus nietos. Resultó una alegría para Rafaela enterarse de que la mujer era curandera, o *machi*, como la llamaban por ahí. En tanto mateaban en el rancho de Anuillán, pasaban horas conversando acerca de las propiedades y peligros de las plantas, las flores y las raíces. La *machi* parecía tener cura para todos los males. Rafaela notó que Anuillán comenzó a mirarla con otros ojos el día en que le enseñó a elaborar un ungüento con grasa de cerdo y la pulpa de la sábila que cicatrizó en varios días las paspaduras de su nieto más pequeño. También le explicó cómo elaborar jabón de sosa y otros más delicados para la piel femenina, y lejía, con las cenizas de la barrilla. Como se enteró de que varios de los niños padecían diarrea, le sugirió purificar el agua que sacaban de la acequia con alumbre o con pastillas de quinina.

—Se venden en cualquier botica. ¿Hay una botica en el pueblo de Morón? Puedo pedirle a Bamba que me lleve a comprarlas.

Anuillán bajó la vista y se afanó con nerviosismo en el pan de centeno que amasaba, en tanto musitaba excusas. Rafaela tardó en advertir que el cambio de talante de la india se debía a que Furia había prohibido que ella saliese de su propiedad.

—Él no quiere que vaya al pueblo, ¿verdad? —Aún sin mirarla, la mujer negó con la cabeza—. ¿Piensa que me escaparé? ¿O que lo denunciaré por haberme raptado?

—No sé por qué lo prohibió, Rafaela. Él nunca explica náa. Él sólo dis lo que se hace y lo que no, y ahí se acaba la cosa.

—No me escaparía ni lo denunciaría.

La asombraba que Furia creyese que contaría con el valor para huir y vagar sola por esos parajes.

—Además —dijo, con sarcasmo—, ¿cómo podría escapar si me mantiene vigilada con su gente? De noche, hacen guardia en torno a la casa como si yo fuese una criminal.

—¡Ah, no, querida, no pienses eso! Calvú dis que los muchachos hacen guardia porque Pichín-Ülleún anda con miedo de que los tuyos te aparten de él.

Rafaela sonrió con desánimo. Durante las noches en vela, con la única compañía de Quinto, que dormía en el suelo junto a su cama, había llegado a la conclusión de que su familia no la querría de regreso; harían de cuenta que se había desvanecido en el aire, que nunca había existido. El chisme de que un gaucho, por muy patriota que fuese, la había raptado, debía de estar recorriendo la ciudad como la peste negra. Su nombre se asociaría al escándalo para siempre y Rómulo no obtendría la ansiada Carta Ejecutoria de Nobleza. La repudiaría y la culparía por el baldón que había mancillando el buen nombre de los Palafox y Binda. Por fin, prohibiría nombrarla. ¿Qué opinarían la condesa de Stoneville, Pilar Montes y Lupe Moreno? En verdad, estaba sola. La atormentaba la idea de que Furia le quitase el niño al nacer y la echase de sus tierras. ¿Qué haría? ¿Adónde iría? En esos instantes de angustia, recordaba las palabras de Juvenal Romano: "Y usted, señorita Palafox, cuente conmigo siempre que lo necesite. Me encuentro a su entera disposición".

Con el amanecer, llegaba el cambio de disposición, y el ánimo lúgubre que la asolaba de noche mudaba a uno más entusiasta. Le gustaba la vida que llevaba en Morón, a pesar de que echaba de menos a Créola, a Ñuque y a Mimita, de que no contaba con sus alambiques y redomas y de que vivía con ropa ajena. Se sentía a gusto en la simpleza de esas gentes, en la naturalidad con que expresaban sus pensamientos. Carecían de artificios o poses. Simplemente, eran, y esa cualidad atraía a Rafaela, la sorprendía primero, la pacificaba después. A través de conversaciones con Anuillán o con sus hijas, se hacía de retazos de la vida de Artemio Furia. Por Millao supo que un mercedario, el padre Ciriaco Aparicio, lo había llamado Artemio por haberlo encontrado un 6 de junio, día de San Artemio, mártir.

—Entonces —razonó—, si el padre Ciriaco lo llamó Artemio y por vosotros es conocido como Ülleún, o Furia, ¿cuál es su verdadero nombre?

—Naides lo sabe. Capá, a mi *peñi* se lo haiga dicho, pero si no es voluntá de Pichín-Ülleún que se sepa, jamá saldrá de boca de Calvú. Son uno esos dos.

Más tarde, el mismo día, Rafaela golpeó las manos en la enramada del puesto de Anuillán y la india la invitó a entrar. La encontró emborrizando unas lonjas de carne.

—¿Te llevó Millao el ajiaco de liebre? —Por Artemio, la india sabía que Rafaela no comía carne de vaca y le preparaba platos especiales.

—Sí, gracias, Anuillán. No es necesario que se moleste. Yo puedo preparar mis alimentos. He limpiado y acondicionado la cocina de la casa grande. Sólo necesito que me provean de utensilios e ingredientes. ¿Puedo ir al huerto a recoger hortalizas?

—¡Pues claro! Bamba te va a llevar carnes pa'tus guisaos.

La mujer recorría el rancho juntando ollas de azófar, cucharas de madera y demás avíos, lo mismo que una bolsita de cuero con sal, un tarro de azúcar parda, una botella de gres con aceite, ajíes, mazorcas, una horma de sebo y otros ingredientes.

—Dime, Rafaela —habló Anuillán—, ¿cuántos días llevas entre nosotros? ¿Van seis? —Rafaela asintió—. ¿Cómo te sientes? ¿'Tás bien en la casa?

—Sí, lo estoy.

Rafaela se dedicó a estudiar el rancho, una habitación grande, compartimentada en dos por un divisorio de cueros, con las paredes de totora y adobe, el suelo de tierra apisonada y el techo de junco y paja. Además de una mesa y dos sillas, había un camastro construido con cuatro tocones de los que nacían lazos entretejidos que sostenían un jergón de guata. Si bien el lugar estaba limpio, resultaba pobrísimo.

—¿Por qué no vive usted en la casa, Anuillán? ¡Es tan grande! Está muy venida a menos, pero hay sitio para todos, aun para sus hijas y sus familias.

La india sacudió los hombros antes de hablar.

—No 'toy acostumbráa a la casa grande, ni siquiera el mesmo Pichín-Ülleún la usa. Cuando güelve de sus viajes, se echa ahí —dijo, y señaló el catre—. La abrimos y la limpiamos en cuantito supimos que tú vendrías.

Rafaela se mordió el labio, intrigada. ¿Cuándo había decidido el señor Furia llevarla al campo de Morón, antes o después de haberse enterado de que llevaba a su hijo en el vientre?

Calvú Manque entró en el rancho de Anuillán, se quitó el pañuelo de la cabeza y le sonrió, y Rafaela le devolvió el gesto. Si bien el indio había participado del rapto, nunca había podido achacársele y terminó por aficionarse a su compañía en esos días turbulentos, alejada de su familia, preocupada por Mimita y con un futuro oscuro por delante. A diferencia de Furia, Calvú Manque era expansivo y risueño y le había ofrecido su amistad. La visitaba a la caída del sol, y Rafaela descubrió que le resultaba fácil contarle en qué había ocupado su tiempo. La atraía la compañía del ranquel, en especial porque nadie conocía a Artemio Furia como él.

A una orden de Anuillán, Calvú Manque juntó los utensilios de cocina y ayudó a Rafaela a transportarlos a la casa grande.

—Hoy no he visto a Pichín-Calvú y a Hueyqué. —Rafaela preguntaba por los hijos de Calvú Manque, de diez y ocho años, cuya madre había muerto tiempo atrás dando a luz a el tercer niño, que no sobrevivió.

—'Tuvieron conmigo, acollarando los potros a la yegua madrina.

—Los eché de menos. Son una gran compañía para mí.

Advirtieron desde lejos que don Belisario se hallaba en la galería de la casa, sentado sobre un tocón, tallando. De las personas que habitaban esas tierras, a nadie Rafaela quería tanto como a ese hombre. Se apareció un día después de su llegada, con la boina en la mano, y, mirándole el vientre, se presentó como el padrino de Artemio. Rafaela amaba cómo se iluminaban sus ojos desteñidos cuando mencionaba a su ahijado, la cadencia que adoptaba su voz, la manera en que sus comisuras amenazaban con alzarse en una sonrisa que jamás llegaba porque don Beli, como lo apodaban, era tan parco como su ahijado.

—Buenas tardes, Belisario.

—¡*Mari-mari*, don Beli! —dijo Manque.

—Güenas. 'Toy terminando esta talla pa'usté, Rafaela. Un peine.

—¡Gracias, Belisario! No sabe usted cuánto lo necesito.

Las mejillas del hombre se colorearon. Bajó la vista y siguió trabajando. "Tuito lo que sé se lo he dao a mi ahijao", le confesó en una de sus primeras charlas. "Dende voliar avestruces y peludiar a tallar la guampa. También a teñirla con *aqua regis* pa'darle ese color bonito. ¿Le gusta ese color, Rafaela?" A veces, en sus maneras y en el modo en que inclinaba la cabeza y la miraba esperando una contestación, descubría en Belisario las mismas chispas de inocencia de Furia.

Pasó el resto de la tarde bajo el pórtico de la casa grande, envuelta en una manta y en compañía de Calvú Manque y de don Belisario, bebiendo hordiate tibio y conversando de a ratos. Por momentos, un armonioso silencio caía sobre ellos, y Rafaela suspiraba y perdía la vista en el paisaje. Había muchos animales en los alrededores, perros, gallinas, gansos, chanchos, ovejas, por supuesto vacas y caballos, encerrados en amplios potreros de palo a pique ubicados a unas cien yardas de la propiedad. Había también dos ñandúes con sus crías al pie. Rafaela les temía; eran descaradas y comían cuanto veían, desde pedazos de galleta a botones, monedas y presillas.

Se dijo que podría vivir para siempre con esas gentes y ser feliz si Mimita estuviese con ella. Esa cualidad de su espíritu que tanto desilusionaba a su padre y exasperaba a tía Clotilde, por la cual se hallaba a gusto entre personas de baja condición, nunca se había manifestado de manera tan clara como durante esos primeros días en Morón.

A la mañana siguiente, Rafaela se extrañó al no hallar a Quinto junto a su cama. Lo comentó con don Belisario.

—Artemio debe de estar al llegar —conjeturó el hombre, y los latidos de Rafaela echaron a correr—. Quinto debió de olisquiarlo y salió a recibirlo. En unas horas, los tendremos de güelta.

Con la ayuda de Millao y de Alihuen, Rafaela preparó la comida favorita de Furia de acuerdo con la información de Anuillán, ajiaco de peludo, que Isidoro había cazado el día anterior, y, como postre, api con leche y miel, torta de patay y guirlache, una delicia hecha con pasta de almendra y caramelo. Cuando todo estuvo pronto, calentó agua para darse un baño de palangana en su dormitorio.

La avidez con que estudiaba a Rafaela acabó cuando posó la mirada en la curva pronunciada de su vientre. El aroma del jabón que flotaba en el aire penetró en sus fosas nasales y le agitó las pulsaciones junto con las visiones del pasado. El sonido del agua, que lamía ese cuerpo desnudo antes de gotear sobre la palangana, lo mantuvo callado. El leve roce de la esponja sobre esa piel le provocaba escalofríos. No deseaba irrumpir en el paraíso que Rafaela había creado, y prefería observarla a través del resquicio de la puerta. La paz de ese sitio servía para recordarle su desasosiego durante los días en que había permanecido lejos de ella, en Buenos Aires.

Al llegar a la ciudad, ansioso por conocer cuál era su situación después de haber raptado a una señorita de familia, Artemio había visitado a su amigo Domingo French.

—Flor de enemigo te has echado encima —le había dicho el sargento mayor de La Infernal—. Nada más y nada menos que al nuevo intendente de Policía, Aarón Romano. Creo que Moreno, quien se ha convertido en el corazón de la Junta, te teme o te admira, no sé cuál de las dos, porque le ha pedido a Romano que arregle los asuntos de faldas fuera de las instituciones de gobierno. Cuando Romano interpuso que te apresaría ya que tú habías cometido un delito al secuestrarla, Moreno le recordó que tú y ella esperabais un hijo y que habíais vivido un amorío. Porque debes saber, querido Artemio, que la noticia de tu asunto con la hija de Palafox ha corrido por la ciudad como reguero de pólvora.

Incluso había llegado a oídos del padre Ciriaco, que lo recibió con una bofetada.

—¡Has arruinado a esa pobre muchacha! —le espetó con una cólera que Artemio no le conocía—. Las has arruinado para siempre. Me he avergonzado de ti al saber lo que has hecho en San Francisco. ¿En qué he fallado al educarte? ¿Por qué has actuado así?

Albana tampoco le dio la bienvenida.

—¡Te la has llevado porque aún la amas!

—'Tá preñáa. ¿Qué querías que hiciera?

—¡No me tomes por estúpida, Artemio! Te enteraste de lo de su embarazo el día antes de la boda con Romano, y sé bien que enviaste a Bamba a la Cañada de Morón con la orden de que Anuillán aprestase la casa grande para recibirla al día siguiente de la fiesta en lo de Rodríguez Peña. No me mientas. Siempre fue tu intención llevártela. Y no te atrevas a justificarte diciéndome que lo haces para castigar a su padre porque bien podrías utilizar otros medios para eso. ¿Acaso Palafox no es un maturrango a quien podrías enviar a la cárcel acusándolo de contrarrevolucionario?

Albana tenía razón, los patriotas se mostraban implacables con los españoles, y se vivían días de gran tensión. Habían exiliado al tesorero de la Real Audiencia, Pedro de Viguera; negado el permiso al obispo Lué y Riega para viajar a Montevideo, todavía realista; y confinado a Martín de Álzaga y a sus amigos, Neyra, Villanueva y Santa Coloma, en las Islas de la Magdalena, un asentamiento cercano a la Ensenada de Barragán. Si Rómulo Palafox seguía en Buenos Aires y en poder de su patrimonio se debía a la acción del gaucho Furia, que así se lo había pedido a Mariano Moreno. "Dotor, yo doy fe de la fidelidá de Palafox", había asegurado. Sabía que algún día tendría que devolver el favor.

Visitó la casa de la calle Larga apenas llegado a Buenos Aires. Esperó la noche para moverse con libertad. Saltó la cerca de tunas, y Créola, alertada por su novio, Paolino, le franqueó la puerta que conducía a los patios internos y le indicó cuál era la habitación de Rómulo. Al llegar, éste encendió una palmatoria y se encontró con Furia apoltronado en su sillón.

—¡Dios bendito! —se sobresaltó.

Furia se puso de pie y avanzó con lentitud deliberada, el facón moviéndose contra su pierna derecha.

—¡Devuélvame a mi hija, maldito truhán!

—Yo nunca miento, Palafox. Por lo tanto, lo que declaré en San Francisco es verdad. Su hija de usted es mía. Y no se la devolveré. Jamás. Ahora bien, si volverá a verla algún día es lo que está en juego en este momento.

—¡Usted prometió no perjudicar la reputación de Rafaela!

—Yo no prometí nada.

—¡Mi sobrino está buscándolo! Lo hallará y le hará pagar el daño que usted, maldito salvaje, le ha infligido a mi hija.

—Por su bien, Palafox, que Romano deje de buscar a Rafaela o tendré que despacharlo al otro mundo. Lo juro —pronunció, con una fiereza que perturbó al español.

—Por favor, Furia, por favor, no haga daño a mi hija. Piedad, señor.

—Su hija me dará un hijo. Jamás le haría daño.

El hombre se desmoronó en el borde de la cama y se cubrió la cara.

—¿Qué clase de sino le espera al lado de uno como usted? Ella ha vivido como una princesa. —Levantó la vista, abrumado por el silencio. Ni siquiera sabía si el gaucho seguía en el dormitorio. Ahí estaba, sin embargo, contemplándolo de una manera imposible de descifrar—. ¿A qué ha venido? ¿A verme sufrir? ¡Adelante! Por ahora, es lo que puedo ofrecerle, mi dolor, porque aún no he dado con el paradero de Avendaño.

—He venido por Mimita, Créola y las pertenencias de Rafaela. Partiré en unos días y quiero que apronte todo. Me llevaré hasta el último de sus efectos. Libros, ropa, afeites y lo que utiliza para fabricar perfumes. Además, quiero los papeles de propiedad de Créola.

Abandonó la habitación de Rómulo sin aguardar una respuesta. Créola lo guió fuera. Se toparon con Ñuque en el último patio. Por la actitud de la india, Artemio dedujo que no se trataba de un encuentro casual. La mujer dio un paso adelante y elevó el mentón para mirarlo a los ojos.

—Créola, vete a tu pieza —ordenó, y la esclava se perdió en la oscuridad.

Artemio vio cómo la mano pequeña, sarmentosa y arrugada de Ñuque se aproximaba a su rostro, y se mantuvo en vilo, sujetando el aliento. La anciana le acarició la frente, deslizó la punta de los dedos por su sien y los alejó antes de alcanzar el filo de su mandíbula. En la oscuridad, sus ojos desleídos y casi perdidos en los pliegues de los párpados adquirieron un brillo inusual al colmarse de lágrimas. Parecieron eternizarse los segundos en silencio. Cuando Ñuque al fin habló, lo hizo en la lengua de sus antepasados.

—Sé lo que Rómulo le hizo a los tuyos. Lo sé todo, Artemio. Y sólo el Señor conoce la profundidad de mi dolor. Sufro por ti, por tu familia y por mi Rómulo, puesto que él también ha padecido y vivido agobiado por la culpa durante veinte años.

La figura de Ñuque se tornó borrosa, y una opresión en el cuello obligó a Furia a tragar repetidas veces.

—Sé que clamas por venganza. Y es justo. Pero Rafaela, mi Rafaela... Devuélvemela, Artemio.

—No puedo, Quelupén —replicó Furia, en la misma lengua de Ñuque.

—¿La amas?

—Más que a mi vida.

—Júrame que no le harás daño.

—Lo juro —dijo, deprisa.

—Eres todo para ella.

—Rafaela me odia, Quelupén.

—No, m'hijo, no te odia. Te ama como pocas veces he visto a una mujer amar a un hombre. —Ñuque advirtió el efecto de su declaración en la expresión del gaucho—. Aunque la has hecho enojar, y mucho. Le rompiste el corazón cuando la abandonaste en *La Larga* y casi se dejó morir de tristeza, porque el matasanos podrá decir que se trató de una infección a los pulmones, pero yo sé que casi muere por tu causa.

—Mierda —susurró, con voz quebrada, y se presionó los ojos con la punta de los dedos.

—Rafaela es orgullosa y terca —admitió Ñuque—, y también rencorosa. Pero sé que te perdonará porque, cansada de la hipocresía de esta familia, ha decidido ser fiel a su corazón, y ahí sólo hay amor para ti. Artemio, m'hijo, yo ando de más en este mundo. Soy vieja como Matusalén y ya estoy cansada de vivir. Por eso, prométeme que me traerás a Rafaela uno de estos días para que me despida de ella.

—Lo prometo, Quelupén.

En ese momento, a palmos de Rafaela, mientras la observaba bañarse dentro de la palangana, Artemio Furia se arrepintió de la promesa. No quería llevarla de nuevo a la ciudad. La quería sólo para él. Temía compartirla, que se la arrebatasen. Necesitaban tiempo a solas para recuperar el amor vivido en *Laguna Larga*. Artemio la reconquistaría, Ñuque le había dado esperanzas. Lo complació encontrarla tan compuesta. Había temido hallarla atrincherada en una habitación, con aspecto sucio, demacrado, en actitud desquiciada, vociferando improperios. En cambio, lucía tranquila, y su feminidad parecía haber contagiado a la casa, la cual había sido limpiada y ordenada a conciencia.

—Es muy hacendosa tu Rafaela, Pichín-Ülleún —le había informado Anuillán minutos antes—. Se lo ha pasao limpiando y acomodando el desquicio de la casa grande.

Sonrió, satisfecho de su mujer. La decisión de marcharse y dejarla sola en el campito de Morón había resultado sensata. Rafaela precisaba tiempo para calmarse y adaptarse a la nueva situación. Su presencia la habría irritado, porque, por orgullo, no habría demostrado que, en realidad, le agradaba vivir allí.

Rafaela levantó la cabeza cuando una corriente fría le erizó la piel de las piernas. Artemio Furia se hallaba bajo el dintel. Lo miró sin parpadear, como si hubiese caído en un encantamiento, y no se dio cuenta de que soltó la esponja, que desapareció bajo el agua. Pensó que, con la barba crecida y el cabello suelto sobre los hombros, el señor Furia se parecía a Jesucristo. En la paleta de dorados y marrones que componían su rostro, los ojos resaltaban como gemas turquesa y despedían una energía poderosa, lo mismo que su figura. El hombre casi rozaba el larguero de madera con la coronilla y sus hombros ocupaban el ancho de la puerta. Lo vio trasponer el umbral y cerrar tras de sí. Saltó fuera de la palangana y arrebató la toalla de una silla.

—¡Salga! —articuló a duras penas, mientras se envolvía—. ¡Váyase!

El gaucho avanzaba en su dirección, en tanto ella, sujetando la toalla con manos temblorosas, caminaba hacia atrás. De pronto, el aire de la habitación se había tornado gélido, y no podía detener el castañeteo de sus dientes para hablar e insultar. El silencio en que Furia se movía la aterraba; la maldad de su mirada y la dureza de su gesto le drenaban el vigor. Al chocar contra el vidrio de la ventana, soltó un gemido; estaba helado.

Furia la envolvió en sus brazos, y el calor que despidió su prenda de lana operó como un narcótico en ella. Se apretó contra su pecho, cerró los ojos y suspiró.

—La pucha, 'tá heláa —lo escuchó quejarse, y le permitió que la condujera cerca del brasero.

Rafaela, que mantenía los ojos cerrados, adivinaba, por los movimientos torpes de Furia, que atizaba los carbones y que luego se quitaba el poncho con una mano para colocarlo sobre sus espaldas. Se decía: "Debo enojarme con él. Debo mostrarme ultrajada", y permanecía inactiva, absorbiendo la vitalidad del cuerpo del gaucho, esperando recuperar la compostura. Hundió la nariz en su chaleco de paño, y la familiaridad del olor —a sudor, a humo, a caballo, a cigarrillo— la llevó a pensar en los momentos compartidos en *La Larga*.

Al notar que Furia se apartaba y el frío volvía, levantó los párpados con fastidio —estaba tan a gusto así—. Se despabiló cuando lo vio arrodillarse frente a ella. El hombre apartó el poncho, luego la toalla, hasta llegar a su vientre desnudo. Rafaela lo observaba sin soltar el aliento, absorbida por la intensidad de la mirada fija en su barriga apenas abultada. Él se había congelado en esa posición. Un escozor la recorrió, completa, cuando las manos callosas de él le contuvieron la curva del vientre y sus labios resquebrajados le besaron el ombligo.

Esa veneración no estaba dirigida a ella sino al hijo de ambos. Recordó que la había raptado al pie del altar porque estaba encinta, no porque la amase. Se acordó también de la vergüenza a la que la había sometido en lo de doña Clara, cuando la expuso a su padre para vengarse de la humillación sufrida en *La Larga*, y se arrepintió de haberse alegrado ante su llegada inminente, y de haberle preparado sus comidas favoritas, y de haberse bañado para recibirlo envuelta en los aromas que a él lo fascinaban. Se arrepintió también de haber pensado que podría vivir para siempre en esas tierras. No sentía rabia ni rencor sino tristeza. Furia seguía arrodillado, con el oído sobre su vientre, y una ligera sonrisa en los labios, y ella no reunía la voluntad para apartarlo.

Alguien llamó a la puerta. Artemio masculló un insulto y se puso de pie.

—¿Qué pasa? —preguntó de mal modo, y su voz tronó en la paz de la habitación.

—*Peñi* —habló Alihuen—, tengo que hablarte.

—Güeno. Ai voy. —A Rafaela, le ordenó—: Vístase. La espero en la sala.

Se vistió deprisa, confundida por emociones contradictorias y por las ganas de llorar. Dobló el poncho de Furia con esmero y ensayó los movimientos y la mueca indolente a los que echaría mano para devolvérselo. En la sala se olvidó del poncho, que terminó en manos de Alihuen, al toparse con Créola y Mimita y una gran cantidad de canastos y arcones. Se puso a llorar, mientras las abrazaba y las besaba. Atraída por el ímpetu de la mirada de Furia, giró la cabeza y lo descubrió contemplándola con el gesto de quien ha realizado una buena acción y aguarda su premio. ¡Cómo la embrollaba ese gaucho! ¿Qué pretendía de ella? Le devolvió la mirada sin desvelar sus sentimientos. Deseaba lastimarlo, confundirlo, humillarlo, pero no contaba con ese poder. El gaucho Furia era inalcanzable.

Después de ubicar a Créola y a Mimita en sus habitaciones, Rafaela salió de la casa y marchó a la cocina para aprestar la cena. Millao y Alihuen la ayudarían a poner la mesa. No había mantel, casi nada de vajilla, no obstante, ella y las muchachas compusieron un hermoso cuadro con unos pequeños tapetes tejidos por Anuillán, unas servilletas blancas y un arreglo de flores silvestres. Rafaela estudió por el rabillo del ojo la reacción de Furia ante la visión de la mesa. El hombre se quedó quieto, con la mano en el respaldo de la silla, mientras estudiaba los detalles. Tomó asiento en la cabecera. Parecía incómodo y fuera de sitio; de igual modo, cuando Créola le puso un cuenco lleno de ajiaco, aspiró profundamente, sonrió y se lanzó a comer a dos carrillos.

—'Ta muy güeno, Alihuen —dijo, con la boca llena, mientras señalaba el guiso con la cuchara de hueso tallada por Belisario.

—Sí, muy güeno —coincidieron los hombres de Furia.

—Lo preparó Rafaela, *peñi* —informó Alihuen—. Como *ñuqué* le dijo que era tu comida favorita...

A Rafaela le dio la impresión de que los comensales cesaban de masticar. En el mutismo que sobrevino temió que escucharan los latidos de su corazón. Mantuvo la vista sobre el plato para ocultar las mejillas coloradas.

—¿Usté no come, Rafaela? —escuchó preguntar a Furia, y, sin responderle, hundió la cuchara en el guiso de peludo y ajíes y se la llevó a la boca. Podría haber sabido a rayos o a ambrosía, ella no habría podido decir. Masticó y tragó de modo mecánico. Pasados unos segundos, la normalidad se restableció en la mesa.

Los hombres de Furia y las hermanas de Calvú Manque hablaban todos juntos, y a Rafaela le chocaba. Las normas de educación dictaban que las comidas se hacían en silencio. Tampoco habían rezado antes de iniciar la cena, y los modales de esos paisanos dejaban mucho que desear. No usaban las servilletas y bebían con comida en la boca. A pesar de que cada uno contaba con una cuchara, la mayoría la había desechado; en cambio, cargaban de guiso el filo del facón y, al introducirlo en la boca, hacían toda clase de ruidos porque estaba caliente.

—¿Qué le pasa, Rafaela? —se interesó Artemio, con una nota irónica—. ¿No le gusta comer con paisanos mal educaos?

—Es que vosotros —terció Créola— habláis mientras coméis. Y eso está mal, amo Furia.

—Yo no soy tu amo, Créola, ni el de naides. Y no quiero que bajo mi techo haiga esclavos. Ansina que mañana mesmo iré al juez de paz de Morón y le pediré la papeleta pa'tu liberación.

Rafaela levantó la vista y lo miró, boquiabierta.

—¡Yo soy de mi ama Rafaela! —se quejó la esclava—. ¡No quiero apartarme de ella!

—Quédate con ella o vete. Pero libre. Náa d'esclavos en mis tierras.

—¿Cómo se atreve? —farfulló Rafaela, mientras se ponía de pie.

Arrojó la servilleta al costado del cuenco y corrió a su habitación. Furia se llevó las manos a la cara y exhaló con fastidio. Movió la silla hacia atrás, y las patas chirriaron contra el piso de ladrillos, una nota discordante en el silencio sepulcral. Se puso de pie y, después de limpiar el filo del facón en la servilleta, se lo calzó en el tirador.

—Coman nomá —dijo—. Ya güelvo.

Salió del comedor sin apuro y se adentró en la zona de las habitaciones. Entreabrió la puerta del dormitorio de Rafaela y la encontró echada boca abajo en la cama, llorando. Se quitó el facón, las boleadoras y el tirador, y se recostó junto a ella.

—¡Váyase! —la oyó decir con voz gangosa.

—No me muevo di'acá —replicó, con paciencia, y la envolvió en sus brazos y hundió la cara en su cabello—. No me llore, Rafaela.

—Hombre cruel. ¿Por qué me odia tanto?

—¿Qué dice? No la odio. —A Furia lo conmovió la pena de Rafaela y entendió que no estaba enojada sino triste—. No la odio —repitió, y ajustó el abrazo.

—Sí, me odia. Me humilló frente a mi padre y a su amante de usted.

—¿Amante?

—¡La señorita Bouquet!

—Albana no é mi amante. É mi amiga. Y usté mejor no ande injuriando, Rafaela, porque 'tonce mi ricuerdo que se iba a matrimoniar con ese zopenco de su primo y…

—¡Porque es un hombre de valía! En cambio usted… Usted… —Rompió a llorar de nuevo y ocultó la cara en la almohada—. ¡Quiero volver con los míos! ¡Quiero volver a mi casa! ¡No quiero que me quite a Créola!

—No le quito a Créola. Pero no la quiero como esclava en mi casa.

—¡Entonces, déjenos regresar a Buenos Aires! ¿Para qué me quiere aquí? Ya destruyó mi buen nombre y el de mi familia. Ya se vengó por lo que mi padre le hizo en *La Larga*. ¿Qué más pretende? ¿Verme muerta?

La obligó a volverse con un giro brusco y la mantuvo inmóvil contra el colchón.

—No güelva a decir que la quiero vé muerta. No lo güelva a hacé porque 'tonce sabrá por qué me llaman Juria.

Rafaela había interrumpido el llanto, y sólo se oía su respiración congestionada. En la oscuridad del dormitorio, los ojos de Artemio habían adoptado matices metálicos y brillantes. Él también estaba agitado. La rabia lo agitaba. Sus pechos se entrechocaban.

—No güelva a decir que la quiero ver muerta —repitió, y se quedó mirándola y pensando en que sólo Dios sabía cuánto la había echado de menos todos esos meses, cuánto había padecido al saberla enferma, cuánto había fantaseado con hacerla suya, cuánto la había deseado en medio de la nube de odio y sed de venganza que no resultaba suficiente para matar el amor que ella le inspiraba. Inclinó la cabeza y la besó en el cuello, dichoso de tenerla en sus dominios y bajo su peso.

—No quiero que me toque. ¡Váyase con la señorita Bouquet!

—No he tocao a nenguna dende l'última vé que le hice el amor a usté, mi Rafaela. ¿Ricuerda l'última vé que nos amamos en *La Larga*?

—¡Cállese! —le exigió en un susurro.

—¿Lo ricuerda?

—¡No! —mintió.

—Yo, sí. Usté estaba juriosa, como aura, porque yo me había quedao mirando a misia Melody con ojos de besugo. Dispués se le pasó la rabieta y me anduvo pidiendo que le hiciera esas cosas que a usté le gustan.

—¡Cállese, desgraciado!

Artemio se echó a reír. Llamaron a la puerta, y la risa se esfumó.

—Mierda.

—¡Artemio! Soy yo, *peñi*. —Calvú Manque habló del otro lado de la puerta—. El rodeo está inquieto y Quinto anda arañando la puerta pa'salir. Tal vé haiga un jaguar jodiendo al ganao.

—Ai voy —rugió Furia—. Güelvo más tarde —dijo, y, sin darle tiempo a replicar, se quitó de encima de Rafaela.

Lo observó desde la cama colocarse el tirador, el facón y las boleadoras, y salir de la habitación sin echar un vistazo atrás. El vacío que siguió le provocó miedo porque le reveló una verdad a la que ella se cerraba: su vida carecía de sentido sin Artemio Furia.

Artemio mató a los dos jaguares, que habían malherido a una vaca y destrozado a su ternero. Los desollarían al día siguiente, y las mujeres se ocuparían de secar sus pieles para confeccionar dos tapetes que entregaría a Rafaela. Vibraba de anticipación ya que sabía que la sorprendería con el costoso obsequio.

Estaba sucio y olía mal. Se dijo que debería dormir en el rancho de su *ñuqué* y no molestarla por esa noche. Ya la había hecho rabiar demasiado. Su naturaleza egoísta se impuso y no volvió a pensar en el bienestar de Rafaela mientras se dirigía hacia su habitación. La encontró dormida. Se desvistió sin hacer ruido y se lavó la cara, el cuello, las axilas y el pecho con una pastilla de jabón de vetiver y el agua de la jofaina, que ya estaba fría y le erizó la piel. Se deslizó desnudo bajo las mantas y exhaló largamente cuando lo recibió la tibieza del lecho y el perfume de Rafaela. A pesar de estar exhausto, la excitación lo mantenía despierto. Le costaba creer que Rafaela yaciera a su lado, como su esposa. Una parte sensata lo instó a no despertarla; otra lujuriosa lo obligó a pasarle los brazos por la cintura y acomodarla para que quedase de costado, frente a él, sus labios muy próximos. La vio quejarse en sueños y agitarse en su abrazo. Esperó con ansias a que levantara los párpados. Ella pestañeó varias veces hasta que sus ojos se fijaron en los de él.

Los brazos de Furia se ajustaban a su cuerpo como cinchas. Quedó suspendida, perpleja bajo el conjuro de su mirada. Estaba cansada de especular y de preguntarse qué significaba para él. Trató de retener las lágrimas, sin remedio. Resbalaron por sus mejillas hasta caer en la sábana.

—¿Otra vé me va llorar?

—Usted es muy cruel conmigo. Destruyó el amor que le tenía.

—No me diga eso. Me mata cuando llora. Me mata cuando me dice que ya no me quiere.

—¡No lo quiero! Usted me ha lastimado demasiado. Ya no lo quiero.

Artemio la abrazó con pasión, obligándola a ocultar la cara en su torso velludo. La besó en la cabeza, en la oreja, en la mejilla.

—¡Rafaela!

—No —musitó apenas—. Váyase. No confío en usted.

—En *La Larga* se entregaba a mí y se dejaba amar por este gaucho bruto, usté, mi Rafaela de las flores, mi señorita decente y refináa, y éramos felices.

—Pero después, todo cambió. Por su culpa. —Apretó los ojos, como si deseara ahuyentar una imagen—. No consigo olvidar aquella noche en la pensión de…

—¡Olvídelo! Fui un necio, 'taba como loco. Usté é mi vida, Rafaela.

Se quedó mirándolo, suspirosa como una niña a causa del sollozo, con ganas de preguntarle por qué la había despreciado en *La Larga* para reclamarla meses después. ¿Sólo por el niño? Le dolía la verdad, le temía a la respuesta.

—Rafaela, Rafaela mía. Mi Rafaela —pronunció él, con una voz que presagiaba una mudanza en su comportamiento.

¿Y qué más daba si la conservaba a su lado por el niño cuando ella lo añoraba pese a todo? No quería imaginar lo que ocurriría una vez que diera a luz.

—Señor Furia… —dijo, y él, al besarla en el cuello de modo salvaje, le cortó el habla.

Rafaela reconoció el instante en que él abandonó las cortesías y se dispuso a tomarla. Sintió el cambio en sus manos, que se movieron por su espalda, hacia abajo.

—Dígame que entuavía me quiere —le suplicó al oído, temblando de deseo—. Dígame que no ha dejao de desiarme como en *La Larga*.

—No —murmuró, y cerró los ojos y apretó los labios para atrapar un gemido cuando percibió que los dedos de Furia vagaban por sus nalgas, y que aparecían un momento después sobre sus senos para acariciarlos a través de la frisa del camisón.

No era justo, él usaba el poder que sus manos ejercían sobre ella. Cansada, triste y sedienta de ese hombre, se quedó mansa y no ofreció resistencia cuando la desvistió. Que él se desmadrara y comenzara a gemir sólo con el contacto de sus pieles desnudas, venció la última barrera. Le echó los brazos al cuello y comenzó a friccionar su vientre contra la erección de él y a repetirle su nombre al oído. Ella también contaba con poder sobre él. Lo sintió contorsionarse y lo oyó jadear como si padeciera un dolor agudo cuando le manoseó el pene para luego contenerle los testículos con caricias hasta volvérselos pesados y duros. La boca de Furia no hallaba paz, quería devorarla toda, pasaba de su rostro a sus pezones, a su vientre, a su ombligo, a sus partes pudendas y ahí se quedaba, saboreándola y chupándola con la misma fruición con que había comido el ajiaco a la hora de la cena. Estaba volviéndola loca. Las mantas habían caído al suelo, y sus cuerpos desnudos, ajenos al frío de la habitación, se movían en libertad.

—Señor Furia, por favor. —La espera estaba trastornándola, el latido entre sus piernas clamaba por alivio—. Por favor.

—¿Qué, mi Rafaela? —le exigió—. ¡Dígamelo!

Rafaela se mojó los labios con la lengua, y él se la atrapó para succionársela. Ella apartó el rostro, en busca de aire.

—Por favor, Artemio —suplicó, desesperada—. Lo necesito.

—¡Dígame que quiere mi verga dentro de usté!

Rafaela, con la boca entreabierta y los ojos cerrados, incapaz de hablar, asintió sobre la almohada y lo invitó hundiéndole las uñas en los glúteos, presionándolo contra su sexo. Artemio lanzó un gemido ronco y la penetró.

Resultó paradójico que en un momento donde la unión de sus cuerpos parecía producir chispas, Rafaela hallara la paz. "Pertenezco a este hombre hasta la muerte. Para bien o para mal. Y que Dios me asista."

CAPÍTULO XXI
El juramento

Aarón Romano masculló un insulto al ver a Gabino entrar en su despacho ubicado en la planta alta del Cabildo. Apenas obtenido su nombramiento como intendente de Policía, le había mandado decir que no se apareciera por la ciudad, que él iría a verlo al Hueco de las Cabecitas de tanto en tanto. No podía permitirse que se asociara el nombre del intendente de Policía con Gabino, un paisano de pésima traza, malos antecedentes, que se ocupaba de regentear un burdel y un garito. Varios en la Junta deseaban su cabeza, en especial Moreno, a quien le había declarado la guerra después de éste le había impedido librar orden de captura contra el gaucho Furia.

—¿Qué haces aquí, Gabino? Te ordené no moverte del burdel.

—Es que supe lo que le pasó a su mercé, el día de su boda, en la iglesia de San Francisco.

La ira estalló dentro de Aarón. Había padecido suficiente humillación para que un paisano de mierda se presentara en su despacho y removiera la herida.

—¡Y para eso viniste hasta aquí, hijoputa! —Gabino se echó hacia atrás—. ¿A darme tus condolencias, paisano pulgoso?

—No, patrón, náa d'eso. Supe que ha sío ese diablo de Juria el que le ha quitao a su novia de usté. He venío porque yo sé ande se escuende Juria. Yo sé ande 'tá su prometía.

Aarón apartó la vista de Gabino. "¡Dios bendito!", exclamó para sí. "¿Será verdad que este don Nadie me guiará hasta Rafaela?" Por más que ofrecía recompensas, no había conseguido una pista certera. Los hombres de la campaña se habían cerrado como armadillos; nadie soltaba prenda. "Nenguno abrirá el pico, don Aarón", le había advertido un parroquiano de la pulpería que frecuentaba en el Bajo. "Se cortarán la lengua antes de traicionar al gaucho Juria." Aunque en un principio, enloquecido de rabia, pensó en apresar a alguno y torturarlo en las mazmorras del Cabildo hasta arrancarle dónde se hallaba Furia, al meditarlo, desistió. Las ideas de justicia y de igualdad nacidas de la Revolución de la Francia se hallaban presentes en los discursos de varios de los integrantes de la Junta, y la prisión sin causa justificada y la tortura ya no eran bien vistas.

—¿Adónde se esconde ese bastardo?

—Él tiene unas tierras en la Cañada de Morón. Yo sé ande queda porque he ido un par de veces arriando hacienda.

—¿Por qué piensas que mi prima Rafaela está allí?

Gabino, estrujando la boina, se sacudió de hombros.

—Mi anda pareciendo nomá —admitió.

Aarón meditó que no tenía nada que perder.

—Muy bien —expresó—. Irás a ese lugar en Morón y merodearás la zona hasta confirmar si mi prima está allí. Una vez que confirmes su presencia, idearemos un plan para rescatarla. Pero no te atrevas a mover un dedo sin mi autorización. ¿He sido claro?

—Sí, patrón.

La vida al lado de un hombre como Artemio Furia no resultaba fácil. Por ejemplo, a Rafaela le fastidiaba que se mostrara hospitalario con cuanto extraño llegara a sus tierras y pidiera asilo. El gaucho alegaba que, así como él brindaba un techo y comida por una o dos noches, también se lo brindaban a él y a sus hombres cuando vagaban por la campaña. "É costumbre entre mi gente", y con ese argumento selló la cuestión, haciéndola sentir ajena, marginada y egoísta. De todas formas, aunque se mostraba gentil y munificente con los forasteros, Rafaela notaba que colocaba el facón bajo la almohada y se dormía aferrado a ella como si temiera que se la quitaran durante la noche. Además, obligaba a Créola a trabar la puerta del dormitorio que compartía con Mimita en el otro extremo de la galería.

A Rafaela tampoco le gustaban los visitantes porque traían noticias del mundo exterior y alteraban la calidad de intemporalidad de la vida que llevaban y la falta de referencia geográfica de esas tierras. Tenía la impresión de que el tiempo se había detenido y de que Buenos Aires, con su familia y sus problemas, pertenecían a otro mundo. Ese campito en la Cañada de Morón se hallaba suspendido en una dimensión donde a ella la embargaba la paz y el contento, que los forasteros destruían cuando mencionaban que Cisneros había enviado aviso a Córdoba solicitando el apoyo militar a Santiago de Liniers para combatir a la nueva Junta; que se preparaba un ejército de quinientos soldados al mando del coronel Ortiz de Ocampo para marchar a las provincias; que el 15 de junio, en secreto, los miembros de la Real Audiencia habían jurado fidelidad al Consejo de Regencia en la España, lo cual, al salir a la luz, provocó la reacción de la Junta, que envió a Castelli y a French a detener a dichos funcionarios y también a Cisneros y a embarcarlos en un buque inglés que los conduciría a las Islas Canarias. Furia mostraba interés y realizaba preguntas.

A Rafaela la sacaba de quicio que los hombres de Furia no respetaran su intimidad y entraran y salieran de la casa grande como si se tratase de una pulpería. Sus buenos modales se limitaban a quitarse el sombrero o el pañuelo e inclinar la cabeza en señal de saludo y, aquellos que las usaran, a sacarse las nazarenas antes de poner pie dentro; se juzgaba una gran falta de urbanidad ingresar con las espuelas ya que la rodaja dañaba los pisos. Rafaela le decía a Furia que estaba dispuesta a tolerar las malas maneras de sus hombres cuando compartían una comida ocasional, pero que no se acostumbraba a la presencia súbita e inesperada de esos paisanos en la sala, la cocina, el comedor o en los interiores. Artemio desestimaba su queja. "Ellos son mi gente y mi casa é su casa", esgrimía. Una mañana, sin embargo, al experimentar en carne propia lo que Rafaela intentaba explicarle, cambió de opinión.

Como de costumbre, apareció alrededor de las once de la mañana en la cocina para reclamar su desayuno. Se trataba de una jornada especialmente gélida, con un viento sur que cortaba la piel. Rafaela le vio las manos estropeadas y los labios agrietados, con finas líneas de sangre.

—Vaya al comedor. Enseguida le serviré el desayuno y le curaré esas heridas.

Lo encontró sentado a la cabecera, tan fuera de sitio como un caballo dentro de un salón de baile. Se miraba las palmas de las manos y se levantaba la piel de las ampollas reventadas. Lo distrajo la vista de la comida. Como de costumbre, estaba famélico.

Rafaela sorbió un té de menta en tanto Furia comía mazamorra y carne asada y bebía mate cebado por Créola. Le agradaban esos ratos que compartían por la mañana. Él desertaba a su gente, que desayunaba cerca de los corrales, y volvía a la casa para estar con ella. Mayormente, Furia comía en silencio, la mirada perdida, absorbido en sus cuestiones. A veces, se interesaba por sus cosas, le contaba una anécdota o jugaba con Mimita.

Terminado el desayuno, el gaucho adoptó una actitud sumisa cuando Rafaela se dispuso a curarlo. "Deben de estar doliéndole mucho las manos para mostrarse tan dócil", dedujo, y no se atrevió a mencionárselo pues había aprendido que a Furia no le gustaba recibir órdenes ni que se le descubrieran debilidades. Se guardó de comentar acerca de la insensatez de enlazar toros con la fortaleza de veinte hombres sin guantes de cuero. Se acercó a la cabecera y le pidió que girase sobre la silla y extendiera las manos. Las desinfectó con aceite de tomillo, las cubrió con savia de aloe y las vendó con retazos limpios de sábanas, dejándole libres los dedos. Lo pilló observándola con una sonrisa que la hizo acordar de la pasión con que la había poseído por la madrugada. Se sintió incómoda, pues, si bien se amaban en la oscuridad de la noche y dentro de los límites de la habitación, a la luz del día desplegaban un trato distante, respetuoso y frío, como si Rafaela aún no le perdonase el rapto al pie del altar.

Por el bien de Mimita, que jugaba junto a Furia, Rafaela tomó con naturalidad que el gaucho la ubicase entre sus piernas y le apretase las caderas con las rodillas hasta encimarle los pies. Habría perdido el equilibrio de no sujetarse a sus hombros. Prosiguió las curaciones con aire indiferente, mientras Furia le olisqueaba el cuello. Había terminado por aceptar el aceite esencial de rosas y fabricar el perfume que a él seducía, el que ella había bautizado Amor.

Le limpió la piel muerta de los labios y los restos de sangre con un género embebido en agua de hamamelis. Se cargó el índice con la pomada que sabía a vainilla y la untó en los labios del gaucho. Sintió su erección contra las piernas. Levantó la vista de inmediato y descubrió que los ojos turquesa se habían tornado negros y exigentes.

—¿Ricuerda nuestro primer beso bajo ese árbol en La Larga? —le susurró.

—No sonría —lo amonestó Rafaela—. Volverá a partirse los labios.

—Créola —pronunció Furia—, vete pa'la cocina. Y llévate a Mimita.

—Sí, don Furia.

Al quedar solos, le ordenó:

—Ábrase el justillo pa'verle los pechos.

—Ni lo sueñe, señor Furia.

—Ábralo o lo hago con el guampudo —dijo, y cabeceó en dirección a la mesa, donde descansaba el facón.

Rafaela desató las cintas y las hizo deslizar por sus hombros. Aún la cubría la combinación, de un liencillo delgado que se adhería a sus pezones. No era a causa del frío que los tuviese erectos, dado que un brasero bien alimentado mantenía cálida la estancia.

Furia le pasó las manos por los hombros y arrastró las tiras de la combinación hasta desnudarle los pechos. Los contempló con la seriedad que ella le había visto emplear cuando estudiaba las heridas de un animal o los dientes de un caballo.

—Cada vé 'tán má grandes, como las ubres de una vaca sin ordeñar.

—Eso no es muy halagador, señor Furia.

—'Tán llenos de leche pa'm'hijo.

Le masajeó los pechos con las mejillas sin rasurar. Las pasaba una y otra vez, incluso a veces rozaba los pezones con el mentón, donde la barba era más espesa y dura. La excitación de Rafaela no le impedía escuchar cómo se trastornaba la respiración de Furia. Percibía el calor y la humedad de sus manos abiertas, que le ocupaban la espalda y la sujetaban. Con la brusquedad creciente de sus caricias, los pechos de Rafaela rebotaban, y el tirón doloroso se diluía en el placer que le proporcionaba esa piel rasposa sobre la de ella. Observó a su amante y observó sus pechos, enrojecidos e hinchados. De modo instintivo, subió las manos por la nuca de Furia y enredó los dedos en su cabello rubio. Él gruñó al sentir la presión. Rafaela necesitaba que los labios de ese hombre se cerrasen en torno a sus pezones y calmasen la ansiedad.

—Chúpeme —se escuchó susurrar.

Furia manoteó la latita con el ungüento, se pringó los dedos y le untó la punta de los pechos. Rafaela gimió y se arqueó para ofrecérselos. La lengua de Artemio envolvió y succionó el pezón de su seno derecho, y, cuando pasó al otro, como presa de una convulsión, Rafaela se cerró sobre él y le envolvió la cabeza.

—¡Oye, *peñi*! Acaba de llegar la punta… —Calvú Manque se congeló en el ingreso de la sala—. ¡Epa!

—¡Mierda! —masculló Furia, al tiempo que se ponía en pie de un salto y se colocaba de espaldas a su amigo para ocultar la desnudez de Rafaela—. ¡Juera de aquí!

Calvú Manque salió disparado. Furia la mantuvo abrazada y pegada a su cuerpo para no afrontar la condena de sus ojos ni escuchar las recriminaciones que le soltaría. Fue ella la que rompió el abrazo. Él se apresuró a prometer:

—Le diré a mi gente que no güelva a entrar sin dar aviso. Lo juro, Rafaela, pero aura no se me enjurezca.

—¡Qué vergüenza, Artemio! —exclamó, mortificada.

—No, no, nenguna vergüenza, mi Rafaela. Nenguna vergüenza.

La promesa de Furia se cumplió. Sus hombres no volvieron a poner pie siquiera en la cocina, que se hallaba separada de la casa, sin aplaudir, llamar a la puerta o vociferar "Ave María purísima".

A veces Furia parecía inquieto, su humor mudaba de modo súbito, y Rafaela se preguntaba cuánto tiempo toleraría esa vida sedentaria. Trataba de prepararse para el momento en que desplegase las alas y se fuera a vagabundear por la campaña.

Como no quería atormentarse cavilando acerca del futuro, ocupaba su día con toda clase de actividades. Anuillán y sus hijas se habían convertido en buenas amigas, y así como ella les enseñaba a preparar potingues, tónicos y afeites, las indias la introdujeron en el arte de trabajar el cuero y el telar. Aprendió a confeccionar una petaca estirando un cuero mojado sobre un molde provisto por Anuillán y sujetado con tientos a estacas clavadas en la tierra, de lo que obtuvo un pequeño y primoroso cofre de cuero, que regaló a Mimita para que guardara sus juguetes —aumentaban a diario gracias a la habilidad de Belisario en la talla del hueso—; aprendió a teñir lana con polvo de cochinilla y a fijar el color rojo con alumbre o bórax; también a tejerla, y la primera prenda fue un chaleco para Furia, bastante mal confeccionado. Lo sorprendió al entregárselo una noche, después de amarse, y él, conmovido, se limitó a abrazarla y a besarla en la sien. Como Anuillán le explicó que se acostumbraba entre las mujeres de los gauchos a confeccionarles la *guayaca*, la bolsita de cuero con divisiones internas donde guardaban los avíos para fumar, Rafaela se empecinó en fabricar una para Artemio, para lo cual mandó comprar a la abacería de Morón un pedazo de cabritilla que le costó gran parte de lo ahorrado por la venta de sus perfumes en lo de Bernarda de Lezica, aunque el gasto valió la pena, pues el semblante de Furia se iluminó el día en que se la entregó. "¡Qué cuero tan suavecito!", exclamó, entusiasmado, pero cuando ella le ofreció perfumarle el tabaco, él declaró: "Eso é cosa de poco hombre", y Rafaela pensó en Aarón.

Disfrutaba especialmente de las tardes no muy frías en que Furia mandaba ensillarle una yegua mansa y, con Mimita sobre el lomo de Cajetilla, salían los tres a recorrer la propiedad; si Artemio terminaba temprano sus tareas, iban hasta el pueblo y compraban provisiones. En una oportunidad, Rafaela le pidió permiso para entrar en la iglesia de Morón, conocida como de Nuestra Señora del Buen Viaje. Hacía semanas que no oía misa ni realizaba ninguna oración.

Había poca gente en el interior, sólo algunas beatas rezando una novena, las cuales, al verla dirigirse hacia el altar, se santiguaron y comentaron en voz alta: "Es la manceba del gaucho Furia". A Rafaela se le dispararon las pulsaciones y quedó paralizada por la vergüenza. "La manceba del gaucho Furia", repitió. "La manceba del gaucho Furia." Quizá se debió al respeto con que las mujeres pronunciaron el nombre de Artemio, que la vergüenza cedió para dar paso a un sentimiento de orgullo que colocó una sonrisa en sus labios. Se persignó, pero no rezó. Paseó la mirada por el templo hasta fijarla en la imagen de la Virgen María. No experimentaba paz sino unas ganas locas de salir corriendo y arrojarse a los brazos de su amado. Apareció en el atrio sonriendo, y el gaucho, al verla, levantó las cejas, ensayando un gesto aniñado de confusión. Entonces, Rafaela estalló en una carcajada.

—José Luis —dijo Gabino, y hablaba de uno de sus hombres— pidió hacer noche en el campito que Juria tiene en Morón, y se quedó dos días, patrón, pa'ver si misia Rafaela andaba por ai.

—¿Y? —se interesó Aarón.

—Por ai anda nomá, patrón. La vide poco, porque el gaucho Juria no la deja mostrarse a los forasteros, pero ai 'taba.

Tenía que recuperar a Rafaela, el único medio para hacerse con la fortuna de su tío. Lo frustraba encontrarlo tan tranquilo a pesar de que los españoles estaban pasándolo mal desde el nombramiento de la Junta. A la propuesta de poner los bienes a su nombre para evitar la confiscación, Rómulo desestimó la posibilidad de que el nuevo gobierno lo perjudicase y aun declaró que resultaba probable que le devolvieran los cuarenta y cinco mil pesos de moneda fuerte y las ciento veinte onzas de oro incautados después de la asonada del año anterior. Aunque la noticia lo inquietó —¿con quién mantendría tratos su tío en el nuevo gobierno para mostrarse tan orondo?—, su codicia creció.

—Ve con un grupo de hombres —ordenó a Gabino— y trae a mi prometida. Responderás con tu vida si algo malo llega a ocurrirle.

—Patrón, hay dos indias, muy güenas mozas, hermanas del indio Calvú Manque, amigo de Juria. Andarían bien en su burdel de usté.

—Tráelas si eso no compromete tu propósito principal: recuperar a mi prometida.

Dos días más tarde, Gabino y cuatro jinetes aguardaban, ocultos, el momento en que Rafaela, Créola, Millao y Alihuen marchasen al jardín ubicado en la zona trasera de la casa grande para raptarlas. A la esclava, Gabino la quería para él. Lo había vuelto loco el meneo de sus caderas durante los días en *La Larga*.

Habían planeado el golpe con minuciosidad; Gabino se haría cargo de la prometida de don Aarón, en tanto tres de los jinetes se ocuparían de las otras mujeres; el cuarto, el único con arma de fuego, cubriría la retaguardia. Les cayeron encima de la nada y, después de un momento de estupor, las cuatro mujeres se pusieron a gritar a coro hasta que sus cuellos adoptaron el color del vino tinto. No contaban con la presencia de la niña tonta, que, de modo desmañado, salió corriendo en dirección a la casa.

—¡Déjala ir! —ordenó Gabino al hombre que amagó con seguirla.

Unos a otros se ayudaron a maniatar a las mujeres y a subirlas a las grupas de los caballos. A punto de partir, Gabino vociferó:

—¡Cuidado, Roque! ¡Tras de ti!

La advertencia resultó en vano. El puma, emergido de la hierba, saltó encima del jinete y lo arrojó de la montura junto con una de las indias, que luego de rodar, se alejó pidiendo socorro. Gabino y los demás jinetes se horrorizaron ante la saña con que el felino destrozaba el cuello del hombre. El que sujetaba la pistola no se atrevía a accionarla por temor a herir a su compañero. El arma le temblaba en la mano y balbuceaba incoherencias.

—¡Vamos! ¡Rajemos de aquí! —vociferó Gabino, al descubrir a Furia y a varios de sus hombres galopar hacia ellos—. ¡Dispáralos! —le ordenó al de la pistola, en tanto luchaba por someter a Rafaela, que se sacudía y chillaba sobre la montura. La habría atontado de un golpe, pero la condenada se movía demasiado y él no tenía un buen ángulo ni las manos libres. Hincó las espuelas en los ijares de su caballo, que emprendió la marcha a toda velocidad.

Artemio Furia podía sentir cómo el pánico iba dominándolo. Se trataba de una corriente gélida que lo paralizaba. Parecían fogonazos de fusil los destellos que explotaban en su mente y lo hacían revivir las escenas de la noche en que había visto morir a sus padres. Se acordó de su actitud pasiva frente a la tragedia, hasta se había hecho encima. No permitiría que le arrebatasen la vida otra vez. Nadie se llevaría a su Rafaela.

—¡Yo me ocupo de Gabino! —advirtió a los demás.

Se trataba de su antiguo trabajador; lo había reconocido por Cachafaz, su montura. Desde esa distancia, habría utilizado las boleadoras para trabar las patas del picazo si Rafaela no se hubiese encontrado sobre su lomo. Una caída desde esa altura y a esa velocidad habría resultado letal.

—¡Rafaela, quédese quieta! —le ordenó, pero, al ver que seguía moviéndose, supuso que no lo escuchaba.

Él tampoco oía los gritos, ni el estruendo de los cascos, ni los disparos que irrumpían en la paz de sus tierras. El corazón, que le latía dolorosamente en el cuello, lo ensordecía. No lo alcanzaban los alaridos de Millao ni de Créola, aunque las veía con sus bocas abiertas y sublevadas intentando zafar de los captores. La impotencia y la ira desplazaban al miedo original. Furia cabalgaba con el torso pegado a la cruz de Cajetilla, que parecía sobrevolar el terreno. Alcanzaría a Cachafaz y arrebataría a Rafaela de brazos de Gabino. Después, se ocuparía de ese tape mal parido.

El corazón se le detuvo y la respiración se le trabó en el pecho al ver que Rafaela caía del caballo y arrastraba a Gabino con ella. En un acto mecánico, estiró el brazo para sostenerla. Cerró el puño vacío y una flojedad lo acometió en las piernas cuando la cabeza de su mujer rebotó al dar con el suelo. Se arrojó de Cajetilla antes de que se detuviese y se abalanzó sobre Gabino, que, ya de pie, lo veía venir con talante fatalista. No hubo lucha. Artemio lo embistió como un ariete, lo sostuvo por el cuello contra el terreno y, antes de hundirle el guampudo en el pecho, le susurró, mostrándole los dientes:

—Auro finiquito lo que no finiquité en *La Larga*.

Jadeaba como un animal herido. Soltó el cuchillo ensangrentado y se arrastró hasta Rafaela. Su palidez le causó espanto. La llamó a gritos por su nombre, tantas veces que la voz se le afinó de modo antinatural hasta que la perdió. No lograba volverla en sí. La tomó en brazos y, con ayuda de Buenaventura Buena, la subió al lomo de Cajetilla. Montó de un salto y la condujo al rancho de su *ñuqué*. La depositó en el catre con delicadeza.

—¡Dios bendito! —exclamó Anuillán.

—¡Por favor, *ñuqué*, sálvala! Se ha caído de un caballo. ¡Parece muerta!

—¡Está perdiendo al niño! —dijo la mujer, y le indicó la sangre que comenzaba a empapar la saya celeste de Rafaela—. ¡Ve al pueblo y trae al dotor! —Como Artemio se quedó inmóvil, como hechizado por la mancha roja, Anuillán le propinó un golpe en el brazo—. ¡Deprisa, Pichín!

Sus hombres y las muchachas lo rodeaban en silencio bajo la enramada del puesto de Anuillán. Furia, sentado en la osamenta de una vaca, con los codos sobre las rodillas, se sostenía la cabeza con ambas manos. No pensaba. Su mente se hallaba atascada en una misma imagen: el momento de la caída de Rafaela. No podía deshacerse de la escena, como si de una musiquilla fastidiosa se tratase. Apretó los dedos contra la frente y exhaló con rabia.

—M'hijo —escuchó susurrar a su padrino—, tenga fe.

Levantó la vista y se topó con varios pares de ojos que trasuntaban ansiedad.

—¿'Tan bien? —preguntó a las muchachas.

—Sí, Pichín-Ülleún, 'tamos bien —contestó Millao.

—¿Y la niña?

—Ella está bien, don Furia —aseguró Créola, con voz quebrada.

—Hijo de la gran puta, ese Gabino —masculló Juan, al que apodaban "el peludo".

—Ése no güelve a joder a naides —agregó Isidoro.

—¿Qué pasó con los demá? —quiso saber Furia.

—Eran cinco —informó Manque—. Quinto despachó a uno, el que quería llevarse a Millao. Modesto y yo nos hicimos cargo de otros dos. El que andaba armao se fugó.

—No los entierren. Los arrojan al monte pa'que se los coman los zorros y los caranchos.

—'Ta bien —dijo Manque.

—El que me agarró a mí —expresó Créola— es el mismo que pidió pasar la noche aquí, el día de Nuestra Señora del Carmen, el que tocó la guitarra en el fogón. ¿Se acuerda, don Furia?

Sí, se acordaba, pero no abrió la boca ni miró a la cuarterona. Había ocurrido la semana anterior, el lunes 16 de julio. Habían discutido porque Rafaela insistía en que el hombre no le inspiraba confianza. "Pa'los de su clase, si un paisano anda sucio y mal vestío, é un vago y un mal entretenío", la acusó, con intención de pelearla e imponerse. "Entonces, a usted tendría que juzgarlo como vago y mal entretenido todos los días", le replicó ella.

Una mano apartó el cuero de la entrada del rancho de Anuillán y apareció el médico, seguido de la india. Furia detestaba a los matasanos, no confiaba en ellos. Se puso de pie, con su gente arracimada detrás de él, y lo miró con fijeza. El médico no se anduvo con rodeos.

—El niño se malogró y la hemorragia es profusa y preocupante.

Créola se echó a llorar sin contención.

—¡Torquil, llévate a Créola pa'las casas! —ordenó Furia, sin voltear.

—Con todo —prosiguió el médico—, lo que más me preocupa es que no haya vuelto en sí. Aunque no presenta quebraduras, ha recibido un duro golpe en la cabeza. Tiene una contusión importante en la zona posterior y podría existir daño cerebral.

—Hable con palabras comunes, dotor —exigió Furia, de mal modo—. ¿Qué me anda queriendo decir con tanta perorata de matasanos?

—Que su mujer, Furia, podría no despertar jamás.

El médico se arrepintió de su crudeza ante la conmoción del gaucho. Se había puesto blanco como el papel y, en un santiamén, se le cuartearon los labios. Resultaba insólito ver flaquear a un hombre de esa talla, una leyenda entre la gente del campo.

—Siéntese —le ordenó— y coloque la cabeza entre las rodillas.

—¡Déjese de pavadas! Y dígame qué puedo hacé por mi mujer.

—He dado a Anuillán las indicaciones. Ella sabrá qué hacer.

—¿Qué quiere decir con eso de que podría no despertar jamá?

—También podría despertar —suavizó el médico— en cualquier momento. El tiempo lo dirá. Y si despierta, es probable que no sea ella misma, que haya perdido la memoria, o algo peor. Volveré mañana para ver cómo sigue. Entre tanto, sería sensato darle los Santos Óleos.

La propuesta encolerizó a Furia.

—Calvú —dijo—, págale y despídelo.

—Sí, Artemio.

Las horas siguientes se tornaron una dura prueba para Furia. La impotencia lo abrumaba y la culpa lo desolaba. Gabino lo había golpeado donde más le dolía para vengar la afrenta, lo mismo que él con Rómulo Palafox. En ambos casos, Rafaela se había convertido en el cordero del sacrificio.

Sentado junto al catre, le sostenía la mano y no apartaba la vista de su rostro, apenas se permitía parpadear. Temía perderla si la sacaba de su campo visual.

Por la noche, Anuillán declaró que Rafaela tenía fiebre. Artemio mandó por agua helada de la acequia y él mismo se ocupó de colocarle paños fríos sobre la frente y otros embebidos en alcohol en las axilas. Dado que la calentura aumentaba, él y Anuillán la desnudaron y la cubrieron con una sábana empapada en agua helada. Créola, por su parte, le entreabría los labios resecos y le vertía una infusión de milenrama prescripta por el médico. La hemorragia no cedía, la palidez de Rafaela resultaba alarmante. Como se mantenía estática, Artemio se inclinaba para escucharla respirar, apenas un hilillo de aire que entraba y salía sin fuerza. Alrededor de las cinco de la mañana, Anuillán lo tomó por el brazo, lo alejó del catre y le habló en su lengua.

—Pichín-Ülleún, hijo mío, ella es huinca. Ve y busca al padre Ramón para que haga lo que tenga que hacer. —Anuillán no se amilanó ante la ira ahogada en los ojos del gaucho—. Acéptalo, hijo. Rafaela está muy mal y podría…

—¡No, ñuqué! ¡No lo acepto!

—Está muy débil, Pichín. Tú mismo me has referido que estuvo a la muerte poco tiempo atrás.

—¡Mi Rafaela es corajuda! No se rendirá. Ella va a vivir, lo hará por mí, porque sabe que es mi vida. Y yo, sin ella… —Se detuvo e, incómodo por el desplante, abandonó el rancho sin prestar atención a los que velaban bajo la enramada. Saltó sobre el lomo desnudo de Cajetilla y galopó como alma que lleva el diablo, aferrado a las crines del overo. Sabía bien adónde se dirigía.

Cajetilla disminuyó la velocidad hasta detenerse por completo frente a la iglesia de Nuestra Señora del Buen Viaje. A través del pórtico con columnas, vio que la puerta de dos hojas se hallaba abierta. Bajó del caballo y caminó como ebrio hasta la escalinata que lo guió al interior del templo vacío. Faltaban unos minutos para las seis, y la primera misa no comenzaría sino en media hora.

Lo sobrecogieron la soledad y la imponencia de la construcción y, embargado de angustia, se impulsó hacia el altar. ¿Cuántos años habían transcurrido desde su última oración? Se conmovió ante el Santísimo expuesto en una ornamentada custodia de oro y plata. Cayó de rodillas y tocó la frente con el piso. Creía en Dios, siempre había creído. Estaba enojado con Él; en realidad, furioso, pero nunca había dudado de su existencia ni de su poder. En muchas ocasiones, lo había acometido el deseo de golpearlo por haberle arrebatado a su familia de esa manera tan cruel. Sí, lo había odiado. En ese momento, agobiado por el pánico de perder a Rafaela, se rindió ante la grandeza del Creador y rompió a llorar como un niño perdido y asustado, con la boca abierta y el cuerpo convulsionado. No tenía nada que ofrecer a cambio de la vida de su mujer. Él era un pecador, indigno de la misericordia divina. Levantó la mirada y, tras el velo de lágrimas, vislumbró el perfil de un gran crucifijo. Se quitó el fular del cuello y se limpió la cara. Se quedó quieto, observando al Santo Cristo agonizante, tan vulnerable y abatido como él, y, de algún modo, experimentó consuelo.

—*Have mercy on me, my Lord* —suplicó, sin darse cuenta de que había caído en su lengua madre, el inglés, que siempre utilizaba para pensar—. Ten piedad de mí, Señor —dijo de nuevo—. No te lleves a mi Rafaela. Ella es mi vida, lo único bueno que me ha ocurrido. Sé que Tú la pusiste en mi camino para suavizar el rencor de mi alma pecadora. —Guardó silencio, no sabía qué decir—. No tengo nada que ofrecer a cambio. Dime qué puedo darte. Todo lo que poseo lo pongo a tus pies. —Se estremeció cuando un pensamiento se manifestó de modo súbito—. ¡Renuncio a mi venganza! ¡Te entrego el perdón a los asesinos de mis padres! —exclamó deprisa y sin respiro.

Se inclinó sobre su torso y rompió a llorar de nuevo, una mezcla de alivio por haber acertado con la ofrenda y de profundo dolor al sentir que traicionaba a su familia.

—Es lo que más me cuesta ofrecerte —dijo, en medio del llanto— y Tú lo sabes. Juro no buscar venganza y acabar con el odio que me consume. ¡Lo juro por la memoria de mis padres! ¡Qué difícil! —pensó, en voz alta—. ¡Pero lo haré! Olvidaré mi venganza y perdonaré a mis enemigos. ¡Por ella, Señor! ¡Para que me la devuelvas! ¡Por piedad!

Siguió meciéndose en el suelo y repitiendo "por piedad" hasta caer en una especie de estupor. Se sobresaltó cuando una mano le tocó el hombro. Era el padre Ramón.

—Padre, venga pa'mis tierras. Lo necesito —admitió.

Bamba se ocupó de la mula del sacerdote después de que éste sacó de la alforja una cajita de madera oscura.

—Por aquí, padre —le indicó Artemio.

El mutismo se apoderó del grupo congregado en la enramada. Ante un cabeceo de Furia, se abrieron para permitirles pasar. Anuillán levantó el cuero y salió del rancho con expresión alterada.

—¡Pichín-Ülleún! —exclamó—. ¡Al fin has regresao, m'hijo!

Artemio se detuvo en seco.

—Oh, no, *ñuqué*, no —farfulló, y caminó hacia atrás, pálido y desencajado.

La india se abalanzó y lo tomó por las muñecas.

—¡No, m'hijo! ¡No se me asuste! ¡Su *curé*, su Rafaela, ha despertao! ¡Ha despertao! —insistió, porque Furia parecía no comprenderla.

El gaucho corrió al interior y se arrojó junto al catre. Se colocó la mano de Rafaela en la mejilla y le habló con pasión al oído.

—Rafaela. Mi Rafaela. No me deje. Por amor de Dios, no me deje.

La muchacha pronunció su nombre sin levantar los párpados. Junto con la sangre, se había drenado el vigor de su cuerpo, y jamás había experimentado una somnolencia tan abrumadora.

Anuillán hizo a un lado a Furia y, aprovechando la conciencia de Rafaela, le dio a beber la infusión de milenrama y las medicinas. A Artemio lo mortificaba atestiguar el esfuerzo que significaba para Rafaela el simple acto de tragar. Se desvaneció de nuevo, y el padre Ramón propuso impartirle la Extremaunción. Furia aceptó con una severa inclinación de cabeza, aunque la angustia que casi había acabado con su cordura horas atrás se había desvanecido. Dios había aceptado el juramento y cumpliría su parte del trato. Rafaela no moriría.

Terminado el rito y despedido el sacerdote, Artemio se echó sobre una manta que acomodó en el suelo, junto al catre donde yacía Rafaela, y, con la cabeza elevada en una mano, se dedicó a contemplarla dormir. Hasta que el sueño lo venció.

Se despertó confundido y le costó reconocer dónde estaba. Se irguió de golpe al escuchar el llanto de su mujer. Anuillán le hablaba al oído.

—¿Qué pasa? —se alteró—. ¿Por qué llora? ¿Qué pasa?

—Acabo de decirle lo del niño —le explicó la india, en voz baja—. Me preguntó y no tuve corazón para mentirle.

Anuillán se hizo a un lado y Furia tomó su lugar. Rafaela escondió el rostro y evitó mirarlo. Él apoyó la frente en la sien de la joven y sonrió al notarla fresca.

—Rafaela. Mi Rafaela de las flores —susurró—, ¿por qué me llora? Ya sabe que no mi hace gracia que llore.

—Mi hijo —alcanzó a decir antes de que un sollozo le robara el aliento—. Me caí, y mi hijo…

Furia siseó para acallarla.

—Aura cierre el pico. 'Ta débil. Usté no se priocupe por náa. Tuito va a 'tar bien.

La dulzura de Artemio Furia la sorprendió. Se volvió hacia él y lo encontró con una de esas sonrisas que exaltaban su belleza.

—Perdí a nuestro hijo. Lo siento, lo siento tanto. Nuestro bebé…

Rafaela rompió en un llanto amargo, y Furia, desprovisto de palabras y de fuerza, se cerró sobre ella y lloró en silencio.

CAPÍTULO XXII
Suspicacias y sentimientos

*R*afaela recordaba que en el *Manual de mugeres en el qual se contienen muchas y diversas recetas muy buenas* había una fórmula para detener flujos de sangre. Mandó comprar incienso, almáciga, semillas de balausta, tres nueces moscadas y media docena de clavos de olor. Créola se ocupó de machacar los ingredientes en el almirez y pasarlos por el cedazo. Cada mañana, la cuarterona separaba una medida del polvo, lo mezclaba con dos claras de huevos recién puestos y se lo daba a Rafaela en la boca. La hemorragia cedió al cabo de seis días, lo mismo que los retorcijones. Aunque Anuillán aseguraba que nada la restablecería como un tazón de sangre tibia de vaca recién carneada, Rafaela se negó, y Artemio dijo que no la forzaran. Obligada a comer bien y variado, sobre todo morcilla, hígado, huevo de ñandú y legumbres, y a beber tónicos y leche, pronto recuperó peso y vigor. Su espíritu, en cambio, seguía quebrado.

—Quiero volver a casa —expresó una mañana, y Furia se quedó mirándola, confundido.

—¿A qué casa?

—A la casa grande —contestó Rafaela—. No podemos seguir molestando a Anuillán. Me siento bien. Puedo levantarme y volver a casa. —Aunque no se lo confesaría a Artemio, la deprimía el aspecto misérrimo del rancho y echaba de menos al que ya consideraba su hogar.

Furia sonrió, dichoso por primera vez en varios días, aliviado también pues había supuesto que Rafaela le exigía que la devolviese a su familia. Aunque se recuperaba del golpe en la cabeza y del aborto, la notaba triste, callada, opaca. Le dedicaba sus ratos libres y desplegaba una facundia que a él mismo asombraba. Rafaela, que en el pasado había demostrado gran interés por sus inusitadas muestras de locuacidad, le dispensaba una mirada perdida.

—Sucede que se echa la culpa por la pérdida del niño —le explicó Anuillán.

—¡Ella no tuvo culpa! El culpable soy yo. Gabino la usó pa'vengarse de mí.

—Dis que se arrojó de la montura porque no quería que ese mal parío la apartara de ti. Se reprocha no haber pensao en el niño.

Artemio mandó acondicionar una carreta y, después de emponchar a Rafaela, la cargó en brazos y la acomodó en la parte posterior, entre quillangos. Acostado junto a ella, se dedicó a contemplarla en silencio, mientras Bamba conducía los bueyes hacia la casa grande.

—Míreme, Rafaela —le pidió, y ella lo obedeció luego de vacilar—. ¿Anda triste, mi Rafaela?

Los ojos se le llenaron de lágrimas y apartó la cara de nuevo.

—Vaya a saber por qué Dios se llevó a nuestro hijo —dijo el gaucho.

—No fue Dios. Lo perdimos por mi culpa.

—Usté sabe que no tuvo culpa de náa. Fue por *mi* culpa. El hijoputa del Gabino se la quería llevar pa'joderme por lo de *La Larga*.

—Me arrojé del caballo. A propósito. Me volví loca cuando caí en la cuenta...

—En verdá, no fue ni por su culpa ni por la mía. Ansina é la vida, usté sabe. Sólo Dios manda aquí abajo y arriba.

—¡Oh, Artemio! —Se dio vuelta para cobijarse en el pecho del hombre—. Yo deseaba tanto tener a mi bebé.

—¡Lo sé! Pero yo le voy a hacer otro hijo a usté. Y otro y otro má. Tuitos los que mi Rafaela quiera, pa'que 'té contenta de nuevo, pa'verla sonreír.

Instalada en la casa grande, Rafaela cobró vigor y su ánimo mostró mejorías. Pese a que se cansaba a menudo y pasaba mucho tiempo en cama, todos los días le pedía a Furia que la llevase a la cocina, donde la acomodaba en una silla con almohadones para que, desde allí, ella dirigiese la preparación de las comidas y de los postres favoritos del gaucho. El guirlache había destronado al api con leche y miel y se lo pedía con frecuencia. Le gustaba sentirse útil, y se daba cuenta de que la dominaba una obsesión por volverse indispensable en la vida del gaucho porque, después de perder al niño, el temor a que la devolviera la acechaba de continuo. En su opinión, el motivo que lo había impulsado a raptarla acababa de morir junto con su hijo. ¿O en verdad la amaba? Así como sabía que jamás hablaría con su padre acerca de Cristiana, tampoco le preguntaría a Furia por qué la había robado, si por ella o por el hijo. ¡Qué poderoso era su orgullo! Y qué cobarde su alma.

La misma inseguridad que la angustiaba con dudas y suspicacias, la llevaba a experimentar celos de los hombres de Artemio Furia. Ellos componían un grupo bien avenido, se conocían como si fueran hermanos de sangre, se respetaban y se tenían afecto, nunca peleaban. Furia los consultaba y compartía con ellos la mayor parte de la jornada; de hecho, a Rafaela le parecía que destinaba a esos paisanos más tiempo que antes del asalto de Gabino, y conjeturaba que se debía a que ella, ojerosa, débil y nostálgica, no resultaba buena compañía. No habían reiniciado la intimidad y, aunque Artemio dormía con ella, no la tocaba. "Es porque sabe que usté anda con pérdidas, mi niña", razonaba Créola, y, pese a la lógica del argumento, Rafaela refunfuñaba y seguía pensado que Artemio no la deseaba porque lucía fea y que la conservaba movido por la lástima y la culpa. A veces, segura de que, pasado un tiempo, él la abandonaría, pensaba en fugarse.

Se inquietó la mañana en que le anunció que viajaría a Buenos Aires para ocuparse de sus caravanas de troperos que en breve rumbearían hacia el interior. Furia quería irse, no soportaba permanecer en un mismo sitio durante largo tiempo. La vida sedentaria a la que ella lo reducía estaba en contra de su naturaleza de gaucho errante.

Una mañana a principios de agosto, Paolino, el aguatero de la casa de la calle Larga, se presentó en el campito de Morón para visitar a Créola. Antes mantuvo una conversación en privado con Artemio.

—Le traigo dos mensajes, don Furia.

—Desembucha, Paolino.

—Uno es de don Juan Martín de Pueyrredón. Acaba de llegar de Río de Janeiro y pide verlo. Más bien pronto, don Furia.

La noticia lo alegró. Gracias a la eliminación de los españoles del gobierno, su amigo podía regresar del exilio al que lo habían condenado a causa de sus ideas independentistas.

—El otro mensaje es de Ñuque —prosiguió el aguatero—. No anda bien y hace días que guarda cama. Me mandó decir con Peregrina que quiere ver a Rafaela.

Furia recordó su promesa. Había llegado el día de cumplirla, aunque no quería hacerlo. La ciudad se presentaba como un monstruo que amenazaba el capullo que había construido para él y su mujer. El intento de Gabino de robársela lo había sensibilizado y puesto en alerta. Ese mal parido la había tocado y lastimado y destrozado su ilusión de ser madre. ¡Que ardiera en el infierno! No permitiría que nadie volviese a dañarla. Se daba cuenta, y no podía controlarlo, de que su instinto de posesión estaba alcanzando ribetes demenciales. A veces lo fastidiaba verla conversar con Calvú o que le cebara mates a Isidoro o le cortara el pelo a Bamba. Rafaela Palafox era de él y de nadie más. Sus ojos debían mirarlo sólo a él, sus manos tocarlo sólo a él, sus labios dibujar sonrisas y emitir palabras sólo para él, sus pensamientos sólo debían referirse a él.

Además, le temía a la ciudad porque estaba seguro de que la monotonía y la falta de civilización de ese paraje de Morón la aburrían y fastidiaban. Buenos Aires la tentaría con sus aires de metrópoli, y él la perdería. Sin embargo, tenía que llevársela a Ñuque, su honor le impedía faltar a la promesa. Había fantaseado con mantener oculta a su princesa, salir solo al mundo a batirse con herejes y dragones, y regresar, como un caballero de armadura, a la seguridad de su castillo y al regazo de su dama.

—Don Furia. —La voz de Paolino lo arrancó de las meditaciones—. Quería pedirle un favor, si es posible. —Artemio asintió—. Quisiera llevármela a la Créola, pa'vivir juntos, ahora que usté le ha devuelto la libertá, Dios se lo pague. Ella me ha aceptado. ¿Usté lo permite, don Furia?

—Hablaré con Rafaela.

Dos días más tarde, después de oír la misa del buen viaje, salieron para la ciudad. Rafaela, Créola y Mimita iban en la carreta, envueltas en mantas y quillangos. Furia cabalgaba detrás de ellas, con Quinto a la zaga. Iba armado con una pistola, lo mismo que los hombres que había elegido para que lo escoltasen. Todavía cavilaba acerca de la reacción desconcertante de Rafaela ante el anuncio de que lo acompañaría a Buenos Aires. Se había negado, y Créola necesitó horas para convencerla de que, quizá, Ñuque de veras estuviese gravemente enferma. ¿Por qué no deseaba regresar a la ciudad? ¿A qué le temía? De seguro, al escarnio público, no se le ocurría otra razón.

Rafaela, cada tanto, se inclinaba sobre los adrales cubiertos de cuero y atisbaba por un orificio la silueta gallarda e imponente que cabalgaba al costado del camino; a veces, se adelantaba para dar indicaciones a Bamba, que conducía la carreta; otras, se quedaba en la retaguardia y ella lo perdía de vista. ¡Con qué fervor amaba a Artemio Furia! La apabullaba ese sentimiento. Sabía que no soportaría otro abandono, y esa ida a Buenos Aires acrecentaba sus sospechas.

Se desviaron del camino a la hora del crepúsculo para pasar la noche. Calvú Manque cavó un hoyo que Billy cubrió con hojarasca y leña, y en pocos minutos encendieron una fogata. Créola se ocupó de preparar la cena. Comieron en silencio. Como de costumbre, al terminar, Rafaela esperó con ansiedad el momento en que Furia sacaba la guayaca de cabritilla, la que ella había confeccionado, y liaba un cigarrillo. Después de la primera pitada, le informó, sin mirarla:

—He mandao a decir a doña Clara que nos apronte una pieza en su pensión.

Transcurrió un momento antes de que Rafaela atinara a contestar:

—Señor Furia, no pienso poner pie en ese sitio y usted sabe por qué.

Artemio levantó la cabeza y, por primera vez en el día, la miró a los ojos.

—'Ta bien. 'Tonce iremo a la fonda Los Tres Reyes. ¿Qué dice?

—Me parece bien.

Furia y sus hombres se acostaron sobre los recados en torno a la fogata. Si bien no tenía frío y estaba cómoda en la carreta, Rafaela no conciliaba el sueño. Se envolvió con el quillango y bajó. Manque, de guardia, se aproximó con presteza.

—¿Qué sucede, Rafaela? ¿Por qué te levantas? Entuavía 'tás débil.

—Estoy bien, Calvú. Busco al señor Furia.

—Se ha echao ahí —dijo, y le señaló el sitio.

Se ubicó a su lado con delicadeza, para no despertarlo. Sin embargo, cuando se recostó sobre el borrén, descubrió que Artemio la observaba. No pronunció palabra. La miró largamente, tranquilo y manso, serio aunque no enojado. Rafaela levantó la mano y le tocó la oreja derecha.

—Tiene una nueva argolla de plata —susurró—. ¿Quién le hizo el orificio?

—Anuillán.

—¿Le dolió? —Furia negó con la cabeza—. ¿Por qué lleva otra argolla?

Dudó en responderle. Al final, contestó:

—Porque despaché al Gabino al mesmo infierno.

—¿Dudó en matarlo?

—Ni un segundo. Se quiso robar a mi mujer. Lo hice con gusto. ¿L'espanta que mis manos estén tintas en sangre?

—No. —Se sintió bien con su firmeza al responder y le agradó el asombro en la expresión del gaucho—. Yo haría lo mismo si alguien quisiera dañarlo a usted. ¿Por qué no usa su oreja izquierda para colgar argollas? Veo que tiene tres orificios —apuntó, y le acarició el borde.

—Los tenía reservaos pa'otra cosa.

—¿Qué cosa?

—Ya no importa. Aura la voy a usar pa'colgarme tantas argollas como hijos le haga a usté.

Se instalaron en unas habitaciones en la planta superior de la fonda Los Tres Reyes, en la calle de Santo Cristo, próxima a la Plaza de la Victoria. Después de la agitación de los primeros momentos, mientras Créola acomodaba la ropa y preparaba el baño, Rafaela cayó en la cuenta de que ese sitio se convertiría en su prisión durante el tiempo de estancia en la ciudad, ya que no saldría a la calle ni se expondría; aun le resultaba difícil imaginar cómo enfrentaría a los habitantes de la casa de la calle Larga cuando visitase a Ñuque.

La fastidiaba la serenidad de Furia. Acababa de tomar un baño de tina y se afeitaba y peinaba para salir. Debía de tener alguna comisión importante a juzgar por las prendas de lujo que había pedido que le extendieran sobre la cama. Lo veía moverse por la habitación con las bragas como única vestimenta, y el deseo por volver a sentirlo dentro de ella crecía, la inquietaba y deshacía el fastidio original. Se concentró en los músculos de su espalda, que se movían en tanto el gaucho se ataba un tiento alrededor de la cabeza. Bajó lentamente para fijar la vista en sus glúteos, pequeños y respingados, y no se dio cuenta de que sus labios se separaban y los latidos de su corazón se volvían densos. La aturdía el afán por enredar los dedos en el tupido vello de sus piernas, de esa tonalidad entre rubia y rojiza, y deslizarlos hasta sus nalgas, apretarlas, morderlas, para luego hacerlos vagar hasta sus testículos y acariciarlos, y llegar hasta su miembro, que la esperaría erecto y enorme. Se incorporó en el canapé, avergonzada de sus fantasías, llena de latidos, pinchazos y anhelos.

Él se volvió, con la cara a medio rasurar y el guampudo cargado de espuma de jabón, y Rafaela pensó que se trataba de la criatura más hermosa que existía. Se miraron a través de la habitación, y el tiempo quedó suspendido, lo mismo que sus respiraciones. No le importaba permanecer confinada en ese lugar para complacerlo. No le importaba nada, excepto que él no la abandonase. Tiempo atrás, le había pedido: "Sea libre, Rafaela. Conmigo, sea libre"; sin embargo, el gaucho Artemio Furia se había convertido en su prisión.

—Aura saldré un rato —le anunció— y volveré pa'cenar con usté. Descanse. 'Tá pálida.

—Y fea —acotó ella.

—Tan fea como yo, negro.

A pesar de sí, Rafaela rió, un sonido cristalino y pueril que arrancó una sonrisa a Furia. Terminó de vestirse, la besó en la frente y se marchó.

En la casa paterna de don Juan Martín de Pueyrredón, en la calle de San Bartolomé, le confirieron el trato de un visitante de alcurnia: lo hicieron esperar en la sala principal y le sirvieron malvasía. Don Juan Martín no había cambiado en ese tiempo, se lo veía saludable, rubicundo y de buen talante. A Furia le caía bien porque, si un individuo se ganaba su respeto, Pueyrredón no reparaba en la casta a la cual pertenecía y le brindaba un trato de amigo.

—¡Artemio, hombre, has medrado! —exclamó, después de un abrazo y un palmeo de espaldas—. ¡Mira las pilchas que luces!

—No me iba a venir oliendo a bosta y con prendas pobres, don Juan Martín.

—Yo creí que te habías vuelto un currutaco por obra de la damisela que tiene prendado tu corazón. —Artemio sesgó los labios en una sonrisa artera—. Sí, sí, ya me han referido el escándalo que armaste el día en que te la robaste de San Francisco. ¡Tremendo embrollo armaste!

—É mía, don Juan Martín. Y lo qu'é mío, naides me lo quita.

—Has hecho bien, Artemio —declaró Pueyrredón, y le puso una mano en el hombro—. Mírame a mí. Pensé que a mi regreso me encontraría con una esposa. En verdad, me encontré con una esposa, pero de otro.

Furia se había enterado de que la prometida de don Juan Martín, María Ventura Marcó del Pont, con quien, se suponía, contraería matrimonio por poder, lo había dejado para casarse con Manuel Muñoz Casabal.

—Debí de hacerle caso a mi amigo Roger Blackraven, que me advirtió en el año seis que no delegara estas cuestiones a los escribanos y notarios. En fin, todo será para mejor —expresó, y enseguida se ocupó del tema por el cual había convocado a Furia—: La Junta me ha nombrado gobernador de Córdoba y debo marchar de inmediato a hacerme cargo. Mariano Moreno se ha mostrado insistente en que seas tú y un retén de tus hombres los que me escolten.

"Ha llegado el día de pagar favor con favor", meditó Furia.

—Sé que este pedido de Moreno es inoportuno, pero la causa te precisa, Artemio.

—Jamá me he negao a servir a la Patria, don Juan Martín, y usté lo sabe mejor que naides.

—Por supuesto. Nadie conoce como yo tu valía, Artemio.

—¿Cuándo se parte?

—Lo antes posible. Debes saber que Córdoba es un hervidero de contrarrevolucionarios y que contamos con pocos amigos: el deán de la Catedral, Gregorio Funes, su hermano Ambrosio, el joven Tomás de Allende, y otros de peso, pero nadie más. Iremos a campo enemigo.

—¿Qué ha pasao con Liniers?

—Ése es un triste asunto, amigo mío. Pero Liniers ha sellado su destino al declarar que la conducta de los de Buenos Aires (por nosotros) con la Madre Patria, usurpada por Bonaparte, es igual a la de un hijo que, viendo a su padre enfermo, pero de un mal del que puede recuperarse, lo asesina en la cama para heredarlo. Además ha dicho que actuamos en nombre de los ingleses. —Sacudió la cabeza, afligido—. Lo han capturado junto con otros conspiradores, y la Junta, a excepción de Alberti por ser clérigo, ha determinado que sean arcabuceados.

—Don Juan Martín, déme un par de días pa'arreglar unas cosas. A revienta caballo, estaremos en Córdoba en cuatro días, pa'mediaos de mes.

—De acuerdo.

En su cabalgata de regreso, Artemio Furia planeaba el viaje a Córdoba y confeccionaba un listado mental de las disposiciones a tomar antes de partir. El viaje era inoportuno, sobre todo porque dejaría sola a Rafaela después del traumático suceso con Gabino. Sin embargo, no podía negarse al pedido de Moreno, no después de que el secretario de la Junta hubiese mantenido su palabra, y Palafox, pese a sus antecedentes, siguiese en libertad; incluso le habían llegado rumores de que el sarraceno había recuperado parte de lo confiscado después de la asonada del año anterior.

En lo de Moreno, lo recibió su esposa, Lupe, que, después de dispensarle un largo vistazo, le indicó que aguardase en el vestíbulo. El secretario de la Junta lo recibió en su despacho y lo trató con cortesía. Le ofreció tomar asiento, lo que Furia rechazó.

—En dos días, dotor, parto pa'Córdoba, escoltando a don Juan Martín.

—Bien, bien. Es necesario que lleguéis cuanto antes. No me fío de Ortiz de Ocampo —se refería al militar a cargo del ejército de la Junta, llamado Ejército Auxiliar de las Provincias—. La defección de Liniers me tiene preocupado. Y el deán Funes... —Moreno hablaba deprisa, más bien parecía pensar en voz alta, como si Furia no se hallase frente a él. Al final de su perorata, Moreno le exigió—: Mano dura, Furia. No podemos permitirnos flaquear en esta instancia o nos devorarán.

De camino hacia la puerta, se topó con Lupe en el vestíbulo, que se dirigió a su esposo.

—Moreno, si no te importa, hablaré con este hombre.

—Adelante, mujer.

—Furia, ¿ha traído a Rafaela con usted?

—Sí, señora.

—¿Dónde se alojan? —Artemio le dijo—. ¿Podría visitarla?

—Náa me complacería má, misia Lupe.

Sin despedirse y con aire entre altanero y ofendido, Lupe dio media vuelta y regresó a los interiores de la casa.

Media hora más tarde, Artemio bebía unas ginebras en la Fonda de las Naciones en compañía de French, Pancho Planes y el gigante Buenaventura Arzac, que lo ponían al tanto de los caldos que se cocían en el seno de la Junta. Pancho, siempre vehemente y exaltado, opinaba que el presidente Saavedra no contaba con la inteligencia que su cargo requería, y se atrevió a expresar que, en realidad, el militar no aceptaba la revolución sino que la juzgaba una simple crisis que se solucionaría cuando el rey Fernando recuperase el trono.

—Es con Moreno con quien más desavenencias tiene —comentó French.

—Uno es demasiado viejo y conservador —apuntó Arzac— y el otro, demasiado joven y jacobino. No se entienden. Espero que esto no termine mal.

—Deberíamos dejarnos de joder —se enfadó Planes— y declarar la independencia. "A los tibios los vomitaré", dijo Cristo. Y nosotros, declarándonos leales a Fernandito y, por otra parte, enviando un ejército para *convencer* a las intendencias de aunarse a nuestra causa, estamos siendo ambiguos y tibios. Esto me da asco.

—Pancho —interpuso Arzac—, debes entender que es necesario fingir fidelidad a Fernando para ganar tiempo. Moreno asegura que si nos rebelamos abiertamente, las fuerzas españolas nos caerán encima y nos destruirán. A más, los ingleses, aliados de los maturrangos en este momento, se unirán a ellos y sellarán nuestro destino.

De regreso en la fonda Los Tres Reyes, Créola le informó que Rafaela dormía.

—Créola —dijo Furia—, Paolino dis que quiere llevarte con él. —La cuarterona asintió—. Quiero que te esperes a que yo güelva de Córdoba. Parto pasao mañana. Cuando regrese, te irás con él, si quieres.

—Está bien, don Furia. Mi ama se va a poner triste cuando sepa que usté se va.

—No abras el pico. Yo mesmo se lo diré.

Esa noche, Artemio, con la complicidad de Peregrina, se deslizó dentro de lo de Palafox y lo esperó en su dormitorio, esta vez, con una bujía encendida, de modo que el hombre lo vio apenas traspuso la puerta. Cerró en silencio y corrió la falleba.

—¿Cómo está mi hija? —preguntó, sin animosidad, como desganado.

—Está bien. La he traído conmigo puesto que Ñuque pide verla. Le permitirá hacerlo cuantas veces ella lo desee. Nadie la molestará, ni su sobrino ni sus hermanas, ¿he sido claro? —Palafox asintió—. ¿Qué noticias me tiene de Martín Avendaño?

—He conseguido ubicarlo.

Furia avanzó, con el corazón desbocado en el pecho. Palafox levantó la tapa de su escritorio y revolvió entre unos papeles.

—Aquí tiene —dijo, y le extendió una tarjeta con una anotación—. Vive en Córdoba.

—¿En Córdoba? —Furia no logró ocultar la impresión.

—No debería sorprenderlo. Vivió gran parte de su vida en esa ciudad. Ahí tenía propiedades y parientes.

—¿Mi hermana está con él?

—Mi contacto no supo decírmelo. Eso tendrá que averiguarlo usted mismo.

Rafaela se debatía entre la rabia y la depresión. La noticia del viaje de Furia ratificaba sus sospechas: planeaba abandonarla. Se iría y nunca regresaría, no volvería a verlo. Como no lo confrontaría ni le rogaría, disfrazó el miedo y la tristeza con aires de arrogancia e impaciencia.

—No pienso ir a vivir a los Altos de Escalada. Allí vive su manceba, esa mujerzuela con la que me humilló frente a mi padre aquella noche.

—Albana no é mi manceba —insistió Furia— ni una mujerzuela. Quiero que se vaya pa'los Altos de Escalda con su amiga, Corina Bonmer. Ella 'tá felí de recibirla. Allí la dejo a güen resguardo mientras no 'toy. Ademá, don José Antonio —se refería a José Antonio de Escalada, propietario de los Altos— me rentó una pieza en la planta alta pa'Calvú y pa'Torquil, que se quedarán pa'cuidarla a usté.

Se aproximó, pero Rafaela le dio la espalda. Furia suspiró, cansado de sus caprichos. Aún restaba atender varias cuestiones antes del viaje y no seguiría perdiendo tiempo. Se calzó el sombrero y salió de la habitación sin despedirse. Rafaela escuchó el chasquido de la puerta al cerrarse y se cruzó de brazos, enfadada.

La visita de Corina Bonmer le cambió el humor, y, cuando Furia regresó a la fonda por la noche, Rafaela lo esperaba con la mesa puesta para cenar. "Si quieres que vuelva a ti", le había aconsejado Corina, "no lo despidas con ladridos sino con caricias".

Artemio advirtió su mudanza. Se inclinó y la besó en los labios cuando Rafaela se aproximó con una pastilla de jabón y una toalla para que se lavase. Demoró la nariz en su cuello, mientras se embriagaba de perfume, y la suspendió luego cerca de su boca para confirmar que acababa de tomar té de menta, y se movió después detrás de sus orejas para seguir el rastro de la fragancia hacia el escote, separando las prendas con el mentón, preguntándose qué otras partes de Rafaela estarían impregnadas con la esencia de rosas, bergamota y naranjas dulces.

—¿También se perfumó esa parte —dijo, y comenzó a levantarle el ruedo del guardapiés— de la que yo soy l'único dueño? —Rafaela, sonrojada, esquivando la mirada, asintió—. ¿Si acuerda cuando me dijo en *La Larga* que yo era l'único dueño de esta parte? —Le aflojó la jareta del calzón y le deslizó una mano dentro. Rafaela se sacudió a causa del contacto—. Dígamelo otra vé —le exigió, con los dedos enredados en su vello pubiano, mientras le tiraba un poco, contento al comprobar que ya no sangraba.

—Usted es el único —jadeó, con la frente en el torso de Furia—. El único.

Artemio se dejó caer sobre una silla, que crujió con el peso, y arrastró a Rafaela sobre sus piernas; quedaron con las miradas enfrentadas. El beso fue grandioso, conmovedor. Él la tomó por la nuca y la sujetó por la parte baja de la cintura. Rafaela se aferró a su cuello y se pegó a él, buscándolo, necesitándolo, deseándolo. Esa danza frenética desatada entre sus lenguas reflejaba el tumulto de sentimientos que los dominaba. Artemio succionaba los labios de ella para absorber sus sabores, la menta y la vainilla, y saciarse en su carnosidad. Se separaron el tiempo que les requirió deshacerse del guardapiés y de la ropa interior y liberar el pene del chiripá.

Furia la tomó por la cintura y la acomodó a horcajadas sobre él. La mantuvo suspendida sobre su falo erecto para acariciarle los labios de la vulva y el clítoris con la punta viscosa. Rafaela gemía con los ojos cerrados y la cabeza ligeramente caída hacia un costado. Él la observaba desde esa posición: la blancura de los dientes que apenas se insinuaban, el corte regular de la mandíbula, el pequeño mentón, la medialuna que formaban sus pestañas sobre la piel, el enrojecimiento de los carrillos, la pequeña oreja, la piel perfecta, sin falla. Era de él. Ese tesoro era sólo de él. Se agitó, se conmovió, y la manipuló con brusquedad para que su vagina lo tragara y se deslizara sobre su pene como un guante apretado y caliente. Soltó un gemido ronco que Créola escucharía en la habitación de al lado, y tomó aire con desesperación para controlarse. Le abrió el escote y liberó sus pechos, junto con una estela de perfume. El orgasmo de Rafaela no tardó en llegar. Su cabeza cayó hacia atrás y expuso la piel del cuello, translúcida y surcada por venas celestes. Artemio le apoyó los labios en la garganta y sintió las vibraciones que producían sus gemidos como lamentos, que al final fueron silenciados por los quejidos de él cuando se derramó dentro de ella.

Pasados unos minutos, Furia se puso de pie, con las piernas de Rafaela en torno a sus caderas. La depositó en la cama y se echó sobre ella para mirarla. Lucía extenuada por la pasión y aún respiraba de modo agitado. Había cometido una imprudencia al someterla a ese esfuerzo cuando aún convalecía. Era una bestia.

—Rafaela —susurró—, ¿'ta bien? —Ella asintió, con una sonrisa—. ¿Se siente bien? —insistió, mientras le apartaba unos mechones de la cara.

Rafaela levantó los párpados y sonrió ante el gesto contrito de Furia. Le acarició la mejilla barbuda. Partiría al día siguiente, después de acompañarlas a lo de Corina Bonmer. No necesitaba que él se marchase para saber cómo la atravesaría el dolor de la nostalgia, cómo lo lloraría de noche, cómo ansiaría su cuerpo y sus besos, sus modos bruscos y su conversación poco refinada e interesante. Aunque se había prometido mostrarse entera, la pena la quebró, y sus ojos verdes brillaron en la penumbra de la habitación. Él la abrazó y le pidió que no llorase. Ciego de amor y de tristeza, le buscó la boca y volvió a besarla con fervor. Mientras sus labios seguían unidos, Rafaela le suplicó:

—No me olvide, señor Furia. Por favor, no me olvide.

—Nunca —juró él, y se quitó el tiento del cuello—. Este anillo —dijo, y le mostró el *claddagh*— era de mi madre, Emerald Maguire. Lo he conservao cerca de mi corazón dende el día en que ella se jué. Aura es mi voluntá que usté lo lleve en su mano, sempre, pa'que, cuando lo vide, si acuerde de mí. Asigún la tradición, las que le han entregao su corazón a un hombre, han de usarlo en la mano derecha y con el corazón pa'dentro.

—Entonces, así lo usaré yo.

CAPÍTULO XXIII

Misia Eduarda

En opinión de Rafaela, nada mejor que las rutinas para alejar la melancolía. Había dividido la jornada en actividades que la mantenían ocupada y la ayudaban a olvidar que Furia estaba lejos, que su vida era un caos y su futuro, un misterio. El apoyo y el cariño de Créola, Mimita y, sobre todo, de Corina Bonmer se transformaron en sus grandes pilares. Impulsada por una fuerza de voluntad con tintes de obstinación, se levantaba tempranísimo y se zambullía en un frenesí de tareas y diligencias como si, al final del día, alguien le requiriese cuentas. Créola, con órdenes de Furia de ocuparse de la alimentación de Rafaela y de su descanso, se enfurecía al notarla macilenta y ojerosa. "Cuando don Furia vuelva, la encontrará flaca y fea y se irá con doña Albana", la mortificaba, y así lograba que su ama se echase a descansar o tomase un tónico fabricado con cáscaras de huevo, regalo de Pilar Montes, porque, a pesar de ser una baronesa y una gran dama de la sociedad porteña, y Rafaela, una paria, la señora Montes le había tendido una mano y reiniciado su amistad, lo mismo que Lupe Moreno y Melody Blackraven, de modo que se encontraban con frecuencia en la casa de alguna de ellas o en el hospicio Martín de Porres. La trataban con el cariño de siempre y se cuidaban de mencionar a Furia o a la precaria y pecaminosa relación que la unía a él.

Por Lupe y por Corina, Rafaela estaba informada de los entresijos de la política porteña, plagada de complejidades y contubernios. Resultaba evidente que Moreno no se llevaba bien con el presidente Saavedra puesto que Lupe, al referirse a la esposa del militar, la llamaba "la gata flaca de la Saturnina". A diferencia de Corina, que parecía disfrutar de la política tanto como de su amante, Buenaventura Arzac, Rafaela la detestaba, y declaraba que sólo servía para dividir a los ciudadanos, puesto que se había entablado una batalla entre revolucionarios y contrarrevolucionarios que llenaba la prisión de supuestos traidores y plagaba de denuncias las oficinas de la Junta, muchas basadas en rencores personales. Rafaela oía mentar con frecuencia el nombre de su primo, Aarón Romano, y se daba cuenta del poder que ostentaba. "Tu antiguo prometido", le comentó Corina en una ocasión, "tiene un ejército de espías no sólo en Buenos Aires sino en las intendencias. En la imprenta nos ha obligado a contratar a un negrito que sabe hasta el día de nuestro onomástico. El poder de Romano se expande y, como no es trigo limpio, me asusta".

En opinión de Rafaela, los dos únicos actos de gobierno que valían su admiración eran la fundación de un nuevo periódico, la *Gazeta de Buenos Ayres*, y la creación de una biblioteca pública a cargo de fray Cayetano Rodríguez, ambas obras del secretario Moreno, las cuales la beneficiaban: el periódico, puesto que, a sugerencia del propio Moreno, escribía una columna semanal acerca del cuidado de las plantas y de la tierra que le redituaba tres pesos y seis reales por mes, y que no firmaba ni siquiera con un seudónimo; y la biblioteca, porque concurría a menudo a consultar los libros, aunque evitaba toparse con su director porque temía que la repudiase.

Tampoco se topaba con los miembros de su familia cuando concurría a la casa de la calle Larga para visitar a Ñuque. La primera ocasión la sumió en grandes ansias. Babila fue a buscarla con el coche a los Altos de Escalada cerca del mediodía. Entraron por el portón de la cochera. La casa en la que había vivido desde su nacimiento y que conocía a profundidad le resultó ajena y extraña, y la sofocó, como si, al trasponer el umbral, accediera a entrar en una prisión. La perturbó el infrecuente mutismo, como si esas mismas paredes condenaran su relación con el gaucho Furia.

No se cruzó con nadie, excepto con Peregrina, que la abrazó y le besó las manos y le informó acerca de la condición de Ñuque. "Don Miguel", la esclava llamaba así al doctor O'Gorman, "asegura que su corazón está muy debilitado". La anciana, incorporada sobre unas almohadas, se emocionó al verla, y Rafaela pensó que se trataba de la primera vez en que la veía llorar. A diferencia de sus amigas Lupe, Pilar y Melody, con Ñuque hablaba libremente acerca de Artemio Furia, sin ocultamientos ni falsedades.

Llevaba varias semanas yendo a la casa de la calle Larga, acostumbrada a su silencio y lobreguez, cuando Cristiana se cruzó en su camino, con Poupée en brazos. No hubo intercambio de formalidades, sólo de miradas cargadas de negros sentimientos. La perrita clavaba los ojos en Rafaela y gruñía. Las aborrecía a ambas, en especial por contar con la capacidad para sacar lo peor de ella.

—Me enteré de que estás comprometida para casar con el hijo de Grigera.

—Me enteré de que perdiste al hijo de Furia —contraatacó Cristiana—. Ahora entiendo por qué te ha abandonado.

—No me ha abandonado. Viajó a Córdoba porque la Junta así se lo pidió.

—Ilusa —sonrió Cristiana—. Te raptó aquel día sólo por el hijo que esperabas.

—Eso no es verdad.

—Es verdad, puesto que fui yo quien lo visitó en lo de doña Clara el día antes de tu boda y le dijo que estabas esperando un hijo de él. —Como siempre, la sorpresa la hundió en un estupor paralizante. Su prima continuó—: En un primer momento, sólo le informé que casarías con mi hermano y... ¿Cómo fue que contestó? Ah, sí. Dijo: "Que se case con quien mierda quiera". ¡Qué grosero! ¿Verdad?

Desde ese encuentro, la duda y la desazón se instalaron en el alma de Rafaela, y ni siquiera sus rutinas, actividades y amigas le devolvieron las ganas de vivir. Para peor, volvieron los dolores de estómago que hacía tiempo no la molestaban.

Aarón Romano se dijo que era joven y poderoso, con ascendencia sobre el presidente Saavedra, amigos influyentes y un ejército de alcaldes de barrio y agentes de policía que le temían. Su vida, sin embargo, se hallaba lejos del ideal. Junto con el fracaso de la misión de Gabino, se había perdido la oportunidad de recuperar a Rafaela y echar mano a la fortuna de su tío Rómulo. Bernarda de Lezica era la amante de su padrastro y lo miraba con desprecio. Y, por último, la enfermedad que lo aquejaba había retornado con virulencia; los clavos sifilíticos, como llamaba el doctor Saldaña a las ronchas rosáceas, se ensañaban con su espalda y su pecho.

—Agradezca, señor Romano —interpuso el médico—, que no le hayan aparecido en el rostro. He visto narices deformadas a causa de estos clavos. —Aarón, desesperado, le exigió una medida drástica—. Aumentaré la dosis del arsénico, pero no la del mercurio. Además, recomiendo una vida célibe y reposada, comida frugal y el uso de purgantes, que yo mismo le proveeré. Las sangrías y los baños de vapor son beneficiosos.

No retornaría a la tienda de Bernarda de Lezica. Para papelones y humillaciones, la noche anterior bastaba. Aún lo dominaba la ira de haber sido rechazado como un perro cuando, en realidad, era uno de los funcionarios más prestigiosos del nuevo gobierno. En sus manos se hallaba el destino de mucha gente. ¿Acaso esa petulante no veía que podía mandar clausurar su tienda y arruinarla? ¿Por qué prefería a un viejo como Juvenal Romano cuando él era joven y fuerte? Su resolución no bastó y, movido por esa pasión turbadora, caminó hasta las puertas de la tienda. Allí tropezó con Rafaela. A través del vidrio, Bernarda atestiguaba el encuentro.

—Rafaela —pronunció, y se quitó el sombrero de copa; lucía incómodo, tímido de pronto, mientras echaba vistazos a la Lezica.

—Buenas tardes, Aarón.

—Sabía que estabas en la ciudad. ¿Adónde te diriges?

—Regresaba a mi casa.

—Te acompaño.

Rafaela dudó antes de caminar junto a su primo y trasponer el portón de los Altos de Escalada. En las habitaciones de Corina no había nadie. Lo invitó a pasar y le sirvió chocolate y un trozo de pan de naranja. Comieron y bebieron en un silencio embarazoso.

—Todavía te amo, Rafaela —expresó Aarón, y le buscó la mano a través de la mesa—. Todavía te recibiría si decidieses regresar a mí.

—No sabes lo que dices. Mi reputación ha sido destruida y nada podrá repararla. La gente me evita en la calle. Te despreciarían si asociaras tu nombre al mío.

—Tú no tienes culpa de que ese salvaje te haya raptado.

—Aarón, no quiero seguir mintiéndote, no lo mereces. Furia y yo habíamos sido amantes en *La Larga*. Yo esperaba un hijo de él.

—Has dicho "esperabas" porque, según entiendo, Dios se apiadó de ti y te quitó a ese engendro del vientre.

—¿Cómo puedes hablar así? —Rafaela se puso de pie y Aarón la imitó—. Era mi hijo también, y yo lo amaba. Sufro un tormento a causa de su pérdida.

—Lo siento, Rafaela, pero no puedes pretender que yo quiera al hijo de ese palurdo. ¿Dónde está él? Supe que te ha abandonado, cobarde mal nacido.

Rafaela no reunió la entereza para negar la afirmación porque, en verdad, comenzaba a pensar que era cierto, la había abandonado. Hacía más de dos meses de su partida y aún nada sabía de Artemio Furia. Le dio la espalda a Aarón y enseguida sintió sus manos en los hombros. La obligó a volverse y la abrazó. La tentó la seguridad y la fortaleza que manaban de su cuerpo con aroma a albaricoque. Aarón significaba protección cuando la vida la atemorizaba. La besó, un beso lento y reverente que la conmovió y, aunque pensó en entregarse, desistió. Así como Aarón constituía un amparo, también formaba parte de la hipocresía de los Palafox, de la decadencia de una familia de la cual ella se avergonzaba. No se uniría a un hombre por temor, no le mentiría cada noche cuando la poseyese, no fingiría amarlo y desearlo cuando su cabeza estaba llena de Artemio Furia.

—Vete, Aarón, por favor, vete. No volveré contigo. Destruirías tu buen nombre. Te mereces a alguien mejor que yo.

—Tú eres lo mejor para mí. Sólo di que sí y vayamos a casa.

—No. Jamás volveré allí. Jamás.

Lo acompañó a la puerta para despedirlo. Por el rabillo del ojo, Aarón atisbó a Calvú Manque que subía las escaleras en dirección a ellos. La tomó por la cintura y la besó con ardor. Rafaela lo apartó luego de superar la sorpresa. La figura de Manque dominó su visión al colocarse a espaldas de Aarón. El indio la contempló con una seriedad cargada de reproche.

—Hasta luego, Rafaela —se despidió Aarón—. Volveré mañana.

El "no" que habría pronunciado se atascó en su garganta. No lo vio partir. Sus ojos permanecían fijos en los oscuros de Manque.

—No es lo que crees —acertó a decir—. Me tomó desprevenida.

—¿Por qué lo dejaste entrar?

—Es mi primo.

—Era tu prometío. Y Artemio lo ditesta.

—No le menciones este incidente sin importancia.

—No me pidas eso —dijo, y se metió dentro de sus habitaciones.

Rafaela le hubiese gritado: "¡Ve y díselo! Igualmente nunca volverá por mí".

Apenas llegado a Córdoba, después de un viaje agotador y mientras se ocupaba de las comisiones de don Juan Martín, Artemio envió a Bamba, con un talego lleno de monedas, a merodear en torno a la casa que correspondía a la dirección provista por Rómulo Palafox. Al cabo de unos días, el marucho sabía el nombre del propietario, un tal Martín Avendaño, y conocía sus movimientos.

—¿'Ta casao? —quiso saber Furia.

—Sí. Su esposa se llama Eduarda. La llaman misia Eduarda.

—¿Cómo é?

—No la vide.

—¿Qué? ¿Nunca sale? —Bamba se sacudió de hombros—. Güelve y trata de verla.

"Misia Eduarda." Eduarda. Edwina. ¿El bastardo le habría cambiado el nombre para alejar sospechas? Edwina era un nombre peculiar en esas latitudes.

No contaba con tiempo para especular. Pueyrredón lo mantenía ocupado hasta muy entrada la noche. La ciudad de Córdoba no aceptaba la Revolución y se oponía a la Junta, por lo que don Juan Martín se movía con cuidado, siempre escoltado por un grupo de sus hombres, medía las palabras y sólo confiaba en el entorno de Artemio Furia. Se palpaba la tensión en el ambiente, y los fusilamientos de Liniers y de Gutiérrez de la Concha, ocurridos el 26 de agosto, cerca del paraje Cabeza de Tigre, al sureste de Córdoba, pesaban en el ánimo de la población.

Por la noche, echado en el camastro de la habitación contigua a la de Pueyrredón, en el Cabildo de la ciudad, Artemio, con el facón al alcance de la mano, se dedicaba a fumar y a pensar, y, aunque lo preocupaban las cuestiones políticas y lo obsesionaba Edwina, siempre terminaba evocando a Rafaela. Los meses compartidos en el campito de Cañada de Morón la habían convertido en indispensable para él. Se acordó de la ansiedad que lo dominaba cuando se aproximaba la hora de compartir una comida o, al caer el sol, de regresar a la casa que ella mantenía limpia y acogedora.

Tuvo mucho tiempo para meditar a lo largo de esas noches de insomnio, y se dio cuenta de que, desde el juramento realizado ante el Santísimo, vivía en relativa paz. Quería hallar a su hermana, sí, pero a veces le temía al encuentro. Su venganza, la que lo había mantenido en movimiento durante años, ya no constituía el pilar de su vida. Rafaela era lo único que necesitaba. "Mi Rafaela", susurraba en la oscuridad, "¿todavía está ahí, esperándome? Sabe Dios que no tengo derecho a exigírselo". A veces, un ahogo lo obligaba a incorporarse y a sentarse en el borde de la cama para inspirar varias veces de modo profundo. Lo atormentaba una imagen: él, de regreso en Buenos Aires, entrando en lo de Corina Bonmer, y ésta, con cara triste, informándole que Rafaela se había ido con Aarón Romano. Ese bergante era un hombre de peso ahora y podía convencerla si se lo proponía. *No me olvide, señor Furia*, le había pedido ella con un anhelo en la voz que alejaba las dudas. "No la olvido, mi Rafaela de las flores. La pienso siempre." Quería hacerla feliz, que olvidara las humillaciones, los maltratos y, sobre todo, la pérdida del niño. Le acondicionaría una parte del terreno en el campito de Morón para que lo transformara en un jardín. Le compraría plantas exóticas, con flores perfumadas, y árboles raros; ella había mencionado algunos que anhelaba, un ocozol, del cual obtendría liquidámbar, y una sampaguita, cuyas flores olían mejor que el jazmín, para confeccionar aceites y perfumes; pues los conseguiría. Se dijo que sabía mucho de Rafaela porque ella, a pesar de sentirse traicionada, se mostraba expansiva y le confiaba sus sueños. Él, en cambio, guardaba para sí sus pensamientos más arcanos, una vieja costumbre nacida la noche del 5 de junio de 1790, la cual, en ese nuevo tiempo en que comenzaba a transitar, no tenía cabida. Rafaela sería su confidente además de su amante y la madre de sus hijos.

—La mujer de Avendaño sale poco —le informó Bamba, algunos días más tarde—. A vece, ella mesma va de compras al Portal de Valladares. Muy embozáa y con dos esclavas por detrás.

Como el Portal de Valladares, un pórtico con tiendas, se situaba cerca del Cabildo, Furia le ordenó a Bamba que, cuando la mujer de Avendaño apareciera, fuese a buscarlo. El acontecimiento no tardó en ocurrir, y Bamba, agitado y con la cara enrojecida, cruzó el patio principal del Cabildo y se metió en la habitación de Furia.

La mujer, como el marucho había anticipado, iba muy cubierta; resultaba difícil vislumbrar sus facciones. Entró en la botica, y Furia la siguió. Las esclavas le lanzaron vistazos recelosos al verlo con sus ropajes de gaucho y el facón cruzado en el tirador. Se aproximó al mostrador y se colocó junto a la mujer. Lo primero que atisbó fueron sus manos, de dedos largos y muy blancos, y uñas bien cuidadas. "Manos de dama", pensó.

Como Rafaela le había comentado que, desde hacía tiempo, deseaba fabricar un perfume a base de algalia y pastillas de abelmosco para el aliento fresco, su voz tronó en el pequeño recinto al pedir:

—Una onza de algalia y ocho adarmes de semillas de abelmosco.

Tanto el boticario, que atendía a la mujer embozada, como su ayudante lo miraron, pasmados. Ése no era el tipo de mercancía que solicitaba un hombre con aspecto tosco y feroz.

—Son productos muy costosos —interpuso el boticario, con tono medido.

—No importa —dijo Furia, y soltó sobre el mostrador un portamonedas con gran estruendo.

La mujer giró la cabeza y lo que había pretendido ser un vistazo de soslayo se convirtió en un abierto escrutinio, como si hubiese hallado algo fascinante en el rostro del hombre y no consiguiese despegar la vista de él. El boticario carraspeó, y la mujer enseguida bajó el rostro para ocultar su contrariedad.

Para Artemio se trató de un momento fugaz, aunque bastó para apreciar el color turquesa de los ojos de la mujer; incluso vio algunos mechones que le caían sobre la frente, de una tonalidad indefinida entre el rubio y el rojizo, similar a la de la condesa de Stoneville. El corazón le dio un vuelco, como si se detuviera por un instante, y las manos le temblaron. No tenía duda: junto a él se encontraba su hermana Edwina. ¿Y si se trataba de una perversa casualidad y la esposa de Avendaño tenía lineamientos similares a los de su hermana? Le estudió el perfil, con la nariz como la de él, pequeña y recta, y el labio superior carnoso y algo respingado, y evocó una imagen de Emerald que no sabía que aún conservaba en su memoria. Sí, era Edwina. Tan cerca y, al mismo tiempo, tan lejos. No se atrevía a abordarla con esos cancerberos por detrás.

Al día siguiente, Bamba, con un estímulo de varios reales, consiguió que una doméstica le entregara a misia Eduarda una nota. *Si quiere saber qué destino sufrió su hermano Sebastian de Lacy, vaya mañana a la iglesia de la Merced a las 3 de la tarde.* La Merced, por tratarse de la iglesia en las cercanías de la casa de Avendaño, era la iglesia donde Edwina asistía a misa, una coincidencia que Furia no pasó por alto y que lo llevó a pensar en el padre Ciriaco, con quien seguía disgustado, y en sus años en el convento.

Edwina, con el rebozo cubriéndola por completo, incluso el rostro, salió de su casa acompañada por una niña mulata. Caminaban rápido y con paso nervioso. Furia entró en la iglesia detrás de ellas. La penumbra del interior contrastaba con el sol de la siesta, y, por un momento, quedó enceguecido. No había nadie, y recorrió el templo con libertad hasta divisarlas en una de las capillas laterales. Lo afectó que se tratase de la de San Serapio. Se arrodilló junto a su hermana.

—¿Sabía —susurró— que San Serapio era de origen irlandés? —La mujer dio un respingo y giró para confrontarlo—. ¿Lo sabía?

—Usted es el hombre de la botica.

Edwina se puso de pie y Furia la imitó, conmovido por el sonido de su voz. De pronto, una catarata de recuerdos desbordó en su cabeza. Lucía aterrada, y en la tensión de su semblante se podían entrever las fuerzas que la dominaban; unas la impulsaban a huir, otras, a quedarse y averiguar si ese hombre tenía que ver con la nota. Tomó la mano de la niña y giró para alejarse.

—¡Edwina! —pronunció Furia, y la vio detenerse en seco.

—¡Dios bendito! —la escuchó musitar.

Hacía tantos años que no la llamaban por su nombre. Un escalofrío, que le trepó por las piernas, anidó en su estómago en forma de ligera náusea. No se atrevía a voltear. Lo escuchó pronunciar su nombre de nuevo, esta vez más cerca, a sus espaldas.

—¿Quién es usted? —dijo de pronto, y giró sobre sí, con un ímpetu que sobresaltó a su interlocutor.

—Me llaman Artemio Furia —logró contestar—, pero, al igual que el suyo, ése no es mi verdadero nombre.

—No sé a qué se refiere.

Artemio empezó a hablar en inglés.

—Su nombre no es Eduarda sino Edwina de Lacy. —La conmoción en la mujer resultaba evidente—. Usted es hija de Horatio de Lacy y de Emerald Maguire, asesinados el 5 de junio de 1790 por el coronel Martín Avendaño.

El temblor que nació en la barbilla de la mujer se extendió al resto de sus facciones y de sus miembros. Cayó sentada en el piso, con la cabeza hundida entre los hombros, presa de un llanto desgarrador. La niña, arrodillada junto a su ama, la abrazaba y la besaba. Artemio la ayudó a incorporarse y la obligó a sentarse en el reclinatorio frente a San Serapio. Se quitó el fular del cuello, apartó el rebozo de la cabeza de su hermana y le secó las lágrimas con una ternura tan inesperada en un hombre de su contextura y de su aspecto que sólo consiguió que el llanto arreciara.

—¿Quién es usted? —volvió a inquirir la mujer, entre sollozos.

—¿Es que aún no lo adivinas? —habló Furia, siempre en inglés.

—Desearía que usted fuese mi pequeño hermano Sebastian —dijo ella, cayendo en la misma lengua con naturalidad.

—Lo soy.

Edwina se cubrió la cara y, sin pensarlo, se recostó sobre el torso de Artemio para seguir llorando. Buscaba controlarse y le resultaba imposible; una esclusa se había abierto en su interior, y el llanto, atrapado por más de veinte años, por fin hallaba el camino para fluir. Artemio la recogió en sus brazos y la meció como a una niña. Lloraba él también, mientras intentaba cancelar de su mente las escenas que lo atormentaban, no sólo la del camisón de Edwina tragado por la oscuridad junto con sus gritos, sino las que su imaginación ensayaba de cómo habría transcurrido su vida al lado de un hombre abominable. No obstante, en medio del dolor, una calidez le entibiaba el alma: había recuperado a Edwina y, en cierta forma, el pasado y su identidad.

Sin su alambique, el quemador, las redomas y demás avíos, Rafaela se encontraba limitada para producir perfumes y afeites; no obstante, en un rincón de las habitaciones de Corina, ella y Créola improvisaron un pequeño laboratorio; si se trataba de cocidos o de las mezclas de sebo, usaban la cocina de los Altos de Escalada, para lo cual pagaban un extra de 2 pesos, cuatro reales al mes.

Convencida de que Furia no volvería, Rafaela había decidido entrar en tratos de nuevo con Bernarda de Lezica. "Sus productos, Rafaela, se venden como rosquillas", había expresado la tendera y prestamista. Hasta tanto recuperasen los elementos, fabricaban sólo algunas pastillas de jabón, ciertos ungüentos y agua de Hungría, la que usaba Mimita, una combinación de bergamota, esencia de limón y romero que, de acuerdo con la información de la Lezica, fascinaba a todos los caballeros del Río de la Plata. Una vez consumidos los pocos aceites y esencias que quedaban, sería necesario el alambique para realizar destilados de flores. Créola pronunció en voz alta la pregunta que a Rafaela le quitaba el sueño: ¿de dónde sacarían las flores? También necesitarían dinero para comprar alcohol, sebo, cera de abejas y, sobre todo, fijador para el perfume, un ingrediente muy costoso, como el ámbar gris y la goma arábiga.

Poco a poco, el rincón del laboratorio ganó preponderancia y en cuestión de semanas las habitaciones de Corina despedían intensos aromas que atraían a las vecinas, con excepción de Albana, a quien veían poco y que, al pasar, no se dignaba a saludarlas. Resultaba parte de la composición encontrar a Rafaela cubierta por su mandil blanco, desde el exuberante pecho hasta los pies, con un pañuelo en la cabeza, ocupada en mezclar emplastos, en macerar flores, en extraer el aceite de una bergamota con la técnica de compresión o en colgar boca abajo ramos de espliego, cantueso, mimosa, azahar, rosas, tomillo, milenrama y romero, que obtenían del jardín de la casa de la calle Larga y del hospicio de Martín de Porres.

Corina, desacostumbrada a ese festín de fragancias, se quejaba.

—¿Para qué te empeñas en cocinar estos preparados nauseabundos?

—Necesitamos el dinero.

—Yo tengo dinero. Además, Furia te ha dejado tantos doblones que no sé cuándo terminarás de gastarlos.

—Un día se acabarán —interpuso Rafaela.

—Entonces, él volverá.

—Sabes que no lo hará. Y si vuelve, Calvú le dirá que me ha visto con Aarón y todo acabará.

—No lo sabes.

—Lo sé, Corina. Conozco a Furia. Él pensará que lo he traicionado. Un hombre como ése jamás perdonaría una traición.

A finales de noviembre, Rafaela aún no había recibido noticias de Furia. Le extrañaba que Calvú Manque y Torquil siguieran ocupando la pieza contigua en los Altos de Escalada. De seguro, ellos también esperaban que el gaucho apareciera y los relevara del encargo. Desde el episodio con Aarón, Calvú Manque le hablaba poco y sólo para preguntarle si necesitaba algo. Ella había intentado aclarar la confusión una vez más, pero el indio no había querido escucharla.

Una tarde, la primera del mes de diciembre, Rafaela entró en el negocio de la señorita Bernarda para entregar una partida de jabones. La mujer, que la noche anterior había sufrido una nueva visita de Aarón Romano, lucía ojerosa y preocupada. Miró a Rafaela, le sonrió con desgano y continuó con el recuento de la mercadería. Se detuvo, volvió a mirar a Rafaela y, tras un suspiro, expresó:

—Su primo de usted, Rafaela, no es una buena persona. Se lo digo no porque sea una correveidile sino porque le he tomado cariño y no deseo que ese canalla la perjudique.

—¡Señorita Bernarda!

—Discúlpeme que hable con franqueza, pero su primo de usted no es más que eso, un canalla, un sotreta, un rastrero, por muy intendente de Policía que sea. —A ese punto, Rafaela se quedó sin palabra—. Lo vi el otro día, aquí en la puerta de mi tienda, tratando de seducirla. ¿A que no? Aléjese de él. Padece una enfermedad muy contagiosa. El morbo francés.

—¡Dios misericordioso!

—Además, es dueño de un burdel en la zona de la Plaza de Marte, cerca del Retiro. Dicen que se roba a las mujeres y las obliga a trabajar. También tiene un garito. Veo que me contempla como si de pronto me hubiesen crecido cuernos en la frente. Si no me cree, pregúntele a León Pruna. Él no le mentirá porque, a pesar de que apaña a ese mal nacido, la quiere mucho a usted.

Esa noche, mientras repasaba el diálogo con Bernarda de Lezica, Rafaela se juró que la hipocresía de su familia jamás la tocaría. A pesar de la promesa, expresada en términos vehementes, tuvo miedo porque se dio cuenta de que por primera vez en su vida estaba sola, sin Furia, sin Aarón y sin Rómulo.

Artemio pensaba que en la mirada de Edwina se revelaba el sufrimiento por el que había atravesado. No obstante, se trataba de una mujer hermosa, que conservaba el carácter jovial y optimista que él recordaba de la infancia.

Lo visitaba casi a diario en las habitaciones que él ocupaba en el Cabildo, y siempre en compañía de la pequeña mulata, Pandora, una esclava a quien Edwina se había aficionado. Las citas se concretaban en secreto, pues la servidumbre de la casa de Avendaño habría informado al patrón de las escapadas. Cuando Adelfa, la cocinera, incondicional del amo Martín, le preguntaba a Pandora adónde había ido con el ama Eduarda, la pequeña siempre respondía: "A la novena de la Merced".

Los primeros encuentros se desarrollaron en un ambiente tenso, hasta que decidieron afrontar la situación con franqueza y hablar. Edwina tenía dos hijos con Avendaño, de diecinueve y diecisiete años, Martín y Eduardo. Los amaba más que a nada en el mundo y habría dado la vida por ellos. Avendaño también los adoraba, y los hijos profesaban admiración por el padre. Los tres se encontraban en Chuquisaca, donde Martín y Eduardo permanecerían durante cinco años para estudiar leyes.

—Odié a Avendaño con una fuerza de la que no me creía capaz, Sebastian. Lo odié como para intentar matarlo. No lo conseguí. Traté de quitarme la vida, pero él me lo impidió. Por días enteros no comí ni bebí, hasta que él me obligó. Escapé y lo denuncié por haber asesinado a nuestros padres. Terminé encerrada en un convento, acusada de insania. Allí permanecí dos meses a pan y agua y a baños fríos. Regresé quebrada y sin ánimo para luchar. Enseguida quedé encinta, y odié al hijo de Avendaño hasta el día en que nació, hasta que lo sostuve en mis brazos. Entonces, todo cambió. Lloré y lloré, por mí, por ti, por nuestros padres y por mi hijo, a quien no quería hacer infeliz. Esa pequeña criatura no tenía culpa de nada.

Artemio se daba cuenta de que Edwina intentaba justificarse con su discurso; en ocasiones, hasta tenía la impresión de que le pedía perdón por estar viva y ser feliz con sus hijos. No aborrecía a Avendaño, Artemio lo veía, aunque tampoco lo amaba.

—Edwina, nuestro destino ha sido duro y difícil —la tranquilizó—. No tienes que darme explicaciones por las decisiones que has tomado. Te encontrabas sola, con quince años, en manos de este hombre que te deseaba y te quería junto a él.

—Has venido a matarlo, ¿verdad?

—No.

—Gracias —pronunció Edwina, con voz trémula—. No por él, sino por mis hijos. Sufrirían con la muerte de su padre.

—¿Él es bueno contigo? ¿Te trata con decencia?

Edwina asintió, sin mirarlo. Avendaño, a su manera, la amaba. Había abandonado a su prometida, una mujer de clase alta, para quedarse con ella. La había convertido en su esposa para no deshonrarla, ni a ella ni a los niños, a quienes, sin duda, amaba profundamente, eran su orgullo y el sentido de su existencia. No le mencionaría a Artemio las infidelidades de Avendaño ni cómo la celaba; a veces la castigaba con largos silencios y le prohibía salir de la casa simplemente por sonreírle a un caballero al saludarlo; a veces, si tomaba más de la cuenta, se le escapaba un manotazo. Tampoco hablaría de sus negocios turbios ni de las deudas de juego porque a ella no le importaban. Sólo quería estar cerca de sus hijos y vivir en paz.

—¿Qué sabes de Antenor Ávila? —se interesó Artemio.

—Ese traidor te buscó por meses. Avendaño me había prometido que, si te hallaban, vivirías con nosotros. Pero nunca dio contigo. Antenor murió tres años atrás. Lo degolló un marido celoso. Tengo que confesarte que me alegré.

También tocaban otros temas. Artemio le hablaba de su vida como gaucho, de su campito en Cañada de Morón y especialmente de Rafaela. Por su parte, Edwina, casi cinco años mayor que Artemio y conocedora de la historia de los de Lacy, le relataba las anécdotas de su abuelo, el conde.

—Tuyo sería el título si lo reclamases —le informó—. Aunque dudo de que el actual conde de Grossvenor, nuestro abuelo, te acepte. Eres el hijo de una Maguire, de una supersticiosa papista, como la llamaba. La aborrecía al punto de mandar matarla. Fue por eso que nuestro padre decidió pedir ayuda a su tío, en España, y terminó en estas tierras.

Con Edwina, Artemio era distinto, y, sin contención, le abría su corazón y le contaba acerca de él.

—A los diecisiete años, cuando dejé el convento, salí al mundo con un único propósito: encontrarte a ti y vengar la muerte de nuestros padres. Junto a mi amigo, Calvú Manque, inicié una vida errante. Viajamos de un extremo a otro del virreinato, buscándote, preguntando, averiguando, volviéndome loco. Nada. Nunca supe nada. Con el tiempo, la angustia y la desesperación cedieron, aunque no las esperanzas, y siempre seguí buscándote. Hasta que conocí a Rafaela y, con ella, a su padre. Bueno, ya te he referido quién es él.

—¡Oh, Sebastian, cuánto lo siento!

—Edwina —dijo Artemio, y le tomó las manos—, quiero que sepas esto: que nunca dejé de buscarte. Nunca, jamás desistí de mi búsqueda. Anhelaba verte de nuevo, saber que estabas viva y bien. Cuando éramos niños, te amaba tanto. Tú eras mi adorada hermana mayor, la que me contaba historias y me permitía dormir en su cama cuando tenía miedo, la que me hacía reír con cosquillas y dar vueltas en el aire. Nunca pude olvidarte. Te amaba antes y te amo ahora.

—¡Sebastian! —exclamó Edwina, y terminó llorando en sus brazos—. ¡Hermano mío! ¡Cómo desearía que papá y mamá estuvieran aquí! Hoy especialmente los he echado tanto de menos. No hay día en que no piense en ellos, en la forma en que murieron. Y el asesino de nuestros padres es el padre de mis hijos. ¡Perdóname, Sebastian!

—Tú no tienes culpa de nada, Edwina. Eres una víctima y has hecho lo que has considerado sensato para enfrentar ese destino cruel. Admiro tu entereza y tu valor. Nunca vuelvas a pedirme perdón.

A finales de noviembre, Juan Martín de Pueyrredón recibió la orden de asumir en enero la gobernación de Chuquisaca y, aunque le pidió a Artemio que lo acompañase, éste se negó. La mención de Chuquisaca lo enfrentaba con su destino: Martín Avendaño se hallaba en esa ciudad. Le temía a su temperamento y no se fiaba de su constancia.

—Entiendo. —Pueyrredón se mostró comprensivo—. Has dejado sola a tu mujer en Buenos Aires y quieres volver por ella.

—Ademá, don Juan Martín, porque ese lobo de Aarón Romano debe de estar aguaitándola, como en celo.

—¡Acaba con él, Artemio! ¿Acaso no te ha retado en el campo de honor por haberle robado la novia? —Furia negó con la cabeza—. ¡Cobarde! ¡Poco hombre! Merecería que lo ensartaras con tu guampudo en una esquina oscura y por la espalda.

—Acetaría con gusto un duelo, don Juan Martín, pero mi anda pareciendo que Rafaela no me perdonaría si despachase a su primo al infierno.

—Sí, sí, claro, entiendo. Así son las mujeres, seres blandos. Pues bien, apresta todo para tu partida. Algunos de tus hombres (tú elige cuáles) me acompañarán a Chuquisaca. Los demás, volverán contigo a Buenos Aires escoltando al deán Gregorio Funes quien, como sabes, es el diputado por Córdoba y debe integrarse a la Junta.

Furia se consagró a organizar el regreso. De pronto lo embargaron unas ansias incontenibles de volver a Rafaela. El fular empapado con su perfume *Amor* conservaba un leve aroma que, lejos de satisfacerlo, aumentaba su sed por ella. En cuanto a Edwina, le informó que Bamba permanecería en Córdoba a su servicio. Como ella no podía contratarlo sin levantar sospechas, se decidió que viviría en lo de una vieja amiga de Artemio, Dolores García, viuda de Ismael Santos, a quien Furia había acuchillado en un duelo para apoderarse de su mujer y de su caravana de carretas. No le había costado mucho deshacerse de Santos, al contrario, le había enterrado el facón con gusto en las tripas mientras se acordaba de cómo el muy mal parido se deleitaba golpeando a Dolores hasta deformarle la cara.

Como siempre, la viuda de Santos lo recibió con aspaviento. Se colgó de su cuello y lo besó en la boca. Furia la apartó con tacto. Le entregó una bolsa de cuero llena de doblones —la mitad de las ganancias anuales de las carretas— y le presentó a Bamba.

—Dolores, aquí te traigo al Bamba. Este morocho é muy avispao y dicente. Quiero que lo recibas en tu casa mientras mi hace una changa aquí, en Córdoba. Te pagaré.

La mujer examinó al muchacho en silencio.

—¿Pa'qué eres güeno? —le preguntó.

—Pa'lo que la doña guste mandá —contestó Bamba.

—'Ta bien, Juria. Que se quede nomá.

Durante la despedida, Bamba lucía cabizbajo.

—No quiero quedarme, Artemio. Quiero volvé contigo.

—Bamba, me fío de ti tanto como de Calvú. —La declaración animó al marucho—. 'Toy encargándote algo muy importante pa'mí. Quiero que cuides y 'tés al servicio de misia Eduarda. Lo que ella te pida, tú lo haces. ¿'Ta claro?

—Sí, Artemio.

CAPÍTULO XXIV
El Emperador del Río de la Plata

Como de costumbre, Babila llegó a los Altos de Escalada para conducirla a la casa de la calle Larga. Ñuque, según le informó el cochero, había pedido repetidas veces por ella y se hallaba inquieta. Al verla, Rafaela comprobó que la anciana había desmejorado en pocos días. Se quitó los guantes y le tomó las manos.

—Aquí estoy, Ñuque. Dice Babila que has preguntado por mí.

La anciana le pidió que la incorporase en la almohada.

—Hoy, al despertar, supe que ya no me queda mucho tiempo. —Levantó la mano y dibujó una mueca severa cuando Rafaela trató de rebatir su afirmación—. No me queda mucho tiempo —insistió— y creo que ha llegado la hora de contarte una historia.

—Me gustan las historias —sonrió Rafaela.

—Ésta es muy triste. Se trata de un niño pequeño que una noche vio cómo un hombre, junto con dos cómplices, acuchillaba a sus padres, se robaba a su hermana e incendiaba su casa.

—¿Es una historia verdadera? —Ñuque asintió—. ¡Pobre criatura!

—Quedó solo en el mundo, lleno de miedo, de odio y de sed de venganza.

—¿Por qué me cuentas esto?

—Porque hoy ese niño lleva el nombre de Artemio Furia.

—¡Oh, no! —Rafaela saltó del borde de la cama y permaneció quieta, de pie, con las manos sobre la garganta y la mirada fija en Ñuque—. No —musitó—, no es cierto.

—Ven aquí, Rafaela. Quiero que conozcas la historia hasta el final. No tiembles —le pidió Ñuque, y le aferró las manos con una energía inesperada—. No tiembles.

—Ñuque. Dios mío. —Trató de concentrarse, de acomodar las ideas—. ¿Cómo conoces tú esta historia? ¿Acaso el señor Furia te la ha contado?

—Él no. Me la ha contado tu padre.

Ñuque se asustó ante la palidez que, en un instante, se apoderó de las mejillas de Rafaela. Tomó un frasco con sales, lo descorchó y lo pasó bajo las fosas nasales de la joven. El amoníaco le ocasionó un respingo, como si le hubiesen propinado un cachetazo para volverla en sí.

—¿Mi padre? —dijo, con voz quebrada—. No quiero escuchar, Ñuque.

—Tu padre fue uno de los cómplices. —Rafaela cayó de cara sobre la cama—. Artemio lo reconoció cuando lo vio en *La Larga* aquella tarde. ¿Recuerdas cómo escapó aquel día, como alma que lleva el diablo?

Rafaela no contestó, y su cabeza siguió meciéndose a causa del llanto; no obstante, oía y entendía lo que Ñuque le contaba. Las imágenes del pasado acudían a su mente para encajar en un rompecabezas que a ella había desconcertado hasta ese momento. Los diálogos, las reacciones, los comentarios, todo adquiría un nuevo sentido a la luz de la revelación de Ñuque.

—Ahora comprendo por qué me odia tanto.

—¡Eres una necia! —La ferocidad de la anciana la llevó a incorporarse y a contemplarla con pasmo—. ¡Te ama más que a su propia vida! ¿No te das cuenta de que no ha asesinado a Rómulo, como se merecía, porque es tu padre? —Los ojos de Rafaela volvieron a anegarse—. Lo ha hecho por ti, Rafaela, por el inmenso amor que le inspiras. ¡No seas egoísta y piensa! ¿Puedes imaginar el infierno en que ha vivido desde que supo quién era tu padre?

No, no podía imaginarlo. Era incapaz de recrear un sentimiento que se aproximara a lo que Artemio Furia había experimentado. Le permitió al dolor y a la tristeza que la llevaran por delante, dejó de pensar, aun de llorar, y permaneció echada sobre las piernas de Ñuque sin ánimo para nada. En ese estado letárgico, fue aquietándose. Ñuque le acariciaba el cabello y seguía hablándole en voz baja. Una imagen, de las más bellas que Rafaela atesoraba, cobró vida en su mente. *"¿Por qué no usa su oreja izquierda para colgar argollas? Veo que tiene tres orificios." "Los tenía reservaos pa'otra cosa." "¿Qué cosa?" "Ya no importa. Aura la voy a usar pa'colgarme tantas argollas como hijos le haga a usté."* Los labios le temblaron cuando sonrió.

El 5 de diciembre llegó a Buenos Aires la noticia de la victoria del ejército de la Junta sobre las fuerzas realistas en Suipacha. Moreno concurrió al Fuerte para unirse a los festejos organizados por los militares del entorno de Saavedra. El soldado de guardia, con aire prepotente, le dijo que no lo conocía y que no podía pasar. Furioso, Moreno regresó a su casa. Cerca de las doce de la noche, lo visitó Beruti para referirle que el capitán Atanasio Duarte, incondicional del presidente de la Junta y del coronel Martín Rodríguez, muy ebrio, había pronunciado un brindis "a la salud del *emperador* Cornelio Saavedra". Además, el cocinero del Fuerte había preparado un merengue en forma de corona que ubicó delante de Saavedra.

Moreno, fuera de sí, incapaz de pegar ojo, se dedicó a escribir el decreto que se conoció días más tarde en la *Gazeta de Buenos Ayres* como "Supresión de los honores al presidente de la Junta y otros funcionarios públicos". La grieta entre morenistas y saavedristas se amplió hasta desvelar el abismo que los separaba.

Lupe, a quien Rafaela visitaba con frecuencia en su casa de la calle de la Piedad para entregar los artículos sobre plantas que publicaba la *Gazeta*, le refería estos hechos con temperamento enfervorizado. Le hablaba de los adictos a la causa, de los enemigos declarados y de los tibios, y de las intenciones de Saavedra en erigirse como emperador del Río de la Plata; desconfiaba de los diputados que, poco a poco, iban llegando a Buenos Aires, y definía como un desatino la idea de incorporarlos a la Junta porque la tarea de gobierno se volvería impracticable.

—¿Qué se hará con los diputados? —fingió interesarse Rafaela.

—Moreno quiere que formen un congreso para decidir el tipo de gobierno que nos regirá. Además, exige que pronuncien la ruptura con la monarquía española y declaren la independencia. Veo —añadió Lupe— que te asustan mis palabras al igual que asustan a los diputados. Debes saber, querida Rafaela, que al gaucho Furia no lo asustarían ya que él está muy de acuerdo con esto.

Rafaela se ruborizó; sus amigas nunca mencionaban a Artemio. Lupe siguió enzarzada en su soliloquio acerca de la situación política del Río de la Plata. La escuchaba por consideración y asentía, aunque se dedicaba a meditar acerca de Furia, a quien echaba de menos con fuerzas renovadas desde la confesión de Ñuque.

—Castelli y Belgrano apoyan a mi Moreno en la Junta, pero ahora están lejos, en misiones militares, como bien sabes. Moreno se lamenta de no haber prestado atención al conde de Stoneville cuando le sugirió que no se precipitara a enviarlos lejos cuando la situación en Buenos Aires no estaba consolidada. Ahora Moreno y Paso deben enfrentar solos a Saavedra y su banda de monarquistas.

La mañana del domingo 9 de diciembre, Babila se presentó en los Altos de Escalada y le informó a Rafaela que Ñuque había fallecido en la madrugada. Se cambió deprisa y partió con el cochero hacia la casa de la calle Larga. Templó su carácter pues resultaría inevitable toparse con su padre, sus tías y sus primos.

Ñuque yacía en su cama, vestida con un costoso traje negro que Rafaela no le conocía. Su semblante transmitía paz. Al entrar Clotilde, Rafaela, sin saludarla, se marchó hacia los interiores. Se detuvo ante la puerta de la habitación de su tía Justa y oyó la voz de su padre que tronaba. Llamó y, sin esperar el permiso, entró. Rómulo se detuvo al verla. Su tía Justa, sentada en el borde de la cama, con varios de sus vestidos sobre la falda, lloraba.

—¿Qué sucede? —preguntó Rafaela—. ¿Por qué peleáis?

—Tu tía Justa quiere mandar teñir todos sus vestidos para llevar luto por Ñuque.

A Rafaela le pareció desmedido. Nadie de la sociedad habría aceptado que se vistiese de negro por un miembro del servicio doméstico.

—Tía Justa, no es necesario —terció Rafaela.

—Tú no comprendes —vaciló la mujer.

—¿Qué debe comprender? —se fastidió Rómulo—. ¿Que te has vuelto loca y que quieres avergonzarnos y humillarnos aún más frente a nuestros pares? ¿No ha sido suficiente todo el escarnio que hemos debido soportar?

Rafaela no recogió la indirecta acusación y observó a Rómulo y a Justa con la desaprensión con que se mira una obra de teatro.

—¡Se trataba de una doméstica! —insistió Palafox—. ¿Cómo justificarás el luto por una sirvienta?

—¡No era una sirvienta! —explotó Justa, y se puso de pie—. ¡Era nuestra madre!

En un principio, Rafaela pensó que su tía lo decía en sentido figurado. Sin embargo, ante la palidez y el gesto desencajado de Rómulo, una duda la perturbó.

—¡Cállate, Justa! ¡Cierra la boca!

—¡Nuestra madre! ¡La que nos parió! ¡La que nos dio el ser!

Como Rómulo se acercó para acallar a Justa de un golpe, Rafaela se interpuso. Lo miró a los ojos y lo odió.

—Váyase —susurró, casi sin separar los labios—. Largo de aquí.

Abrazó a su tía Justa y la consoló. La mujer, más calmada, le contó la verdad acerca de Quelupén, quien, desde pequeña, había servido a Engracia Binda y que incluso la había acompañado a la España cuando partió de Buenos Aires para casar con un aristócrata madrileño, Ambrosio Palafox, que cayó cautivo de la belleza exótica de la joven india apenas posó sus ojos en ella. Engracia nunca concibió, por lo que Ambrosio la obligó a aceptar como propios los hijos que tenía con Quelupén. Por esa razón abandonaron Madrid y buscaron el anonimato en Potosí, donde Rómulo, Justa y Clotilde se criaron como legítimos de Palafox.

Peregrina trajo un té de pasionaria y melisa para Justa, y Rafaela se lo dio a beber a cucharadas. La ayudó a recostarse y salió de la habitación al saberla dormida. Su padre la esperaba fuera. Era otro. La energía lo había abandonado; un peso le abatía los hombros, una sombra le sustraía la vivacidad de los ojos verdes, un temblor le deformaba los labios. Estiró el brazo y tendió la mano a su hija. Ella dudó. Pensaba en Artemio, en sus padres, en el dolor que Rómulo les había causado; también recordó a Cristiana y a Mimita, y al Rómulo de su niñez, al que la había consentido, al que la había hecho sentir amada. La súplica en la mirada de su padre la conmovió. No recordaba haberlo visto tan vencido ni entregado, tan despojado de su engreimiento. Le tomó la mano, y su padre se la apretó con la misma intensidad con que apretaba la boca y los párpados para contener el llanto.

—Padre —susurró Rafaela, y Rómulo se echó a llorar.

Terminaron abrazados en medio de la galería que circundaba las habitaciones.

—¡Quédate! —le imploró Rómulo—. ¡Quédate para siempre!

—No, padre. Han sucedido demasiadas cosas entre nosotros. Ya no pertenezco a esta familia. Sólo me siento parte de Artemio Furia, de nadie más.

Rómulo asintió. La acompañó hasta la zona de las caballerizas. Babila la llevaría de regreso al centro. En el trecho que caminaron, Rafaela echó mano de una conversación banal.

—¿Cómo va su Carta Ejecutoria de Nobleza?

—Olvidada. El nuevo gobierno, aunque se dice monarquista, es muy jacobino, y está en contra de los privilegios de clase. Ya habrás leído en la *Gazeta* que ni siquiera el presidente de la Junta puede recibir un trato preferencial.

—Lo siento.

Rómulo sacudió los hombros. Sorprendía la poca importancia que le otorgaba al asunto. Lo vio hurgar en su faltriquera y extenderle una hoja doblada y lacrada.

—Es carta de tu tía Pola. —Sonrió ante la expresión de su hija—. Sabría que te pondrías contenta.

—¿Cuándo ha llegado?

—Hace unos meses.

—¿Ha habido otras?

—No muchas —admitió su padre.

—Ya veo —murmuró, sin fuerzas para iniciar una discusión.

—¿Vendrás a verme? —Rafaela asintió—. Te quiero, hija mía.

Guardó silencio porque no sabía qué sentimiento le inspiraba su padre excepto lástima. Le sonrió y trepó al coche, y se quedó mirándolo hasta que Rómulo se transformó en un punto en la extensa calle Larga. Metió la cabeza, se ovilló en el asiento y lloró amargamente. Con la muerte de Ñuque, todo vínculo con su familia se había extinguido. No volvería. Echaría de menos su jardín.

A mediados de diciembre, en un día caluroso, faltando pocas leguas para llegar a Buenos Aires, Artemio Furia puso a Billy, "el rengo", al mando del convoy que escoltaba al deán Gregorio Funes y, con un grito que resumía su ansiedad, taloneó a Regino, que salió disparado con Cajetilla de reata. Traía a sus monturas escupiendo cachaza y, mientras galopaba, reía como loco, el cuerpo tenso de anticipación. Faltaba poco para estrechar a su Rafaela, para olerla, para amarla.

Debido al calor, mantenían la puerta abierta de las habitaciones en los Altos de Escalada. Rafaela y Créola moldeaban jabones; Mimita, sentada en el piso, jugaba con su muñeca Melody; y Corina les leía en voz alta el decreto de "Supresión de honores al presidente de la Junta". Una sombra que se proyectó dentro de la habitación llevó a la niña a levantar la vista. Sin hablar, se puso de pie y corrió a los brazos de Artemio, que la levantó en el aire y la hizo girar. La risa de Mimita detuvo la lectura de Corina y atrajo la atención de Créola y Rafaela.

—¡Atiemo! —anunció la niña al fin.

—Güenas —saludó el gaucho, y entró con Mimita en brazos.

Evitó a Rafaela de manera deliberada y, con un gesto, saludó a Créola y a Corina. Después la miró a ella. La encontró adorable, con un pañuelo blanco en la cabeza y enfundada en un mandil lleno de manchas. Sus ojos verdes lo seguían con unas ansias que lo envanecieron. Le dedicó una amplia sonrisa, tenue reflejo de su dicha por volver a verla, por encontrarla donde la había dejado, agradecido con una humildad que él no se permitía entre los paisanos y que sólo destinaba a su dueña.

Créola desembarazó a Furia de Mimita y siguió a Corina hasta el dormitorio. Al cerrar la puerta, se amortiguó en parte el llanto de la niña. Rafaela no reparó en nada, sólo advertía que Furia se aproximaba y que ella estaba fea y mal vestida. A un paso, él pronunció su nombre, "mi Rafaela", dijo, y Rafaela notó que él también estaba emocionado; le temblaba la mano que había apoyado en el borde de la mesa.

Se echó a sus brazos, y él la ciñó hasta comprimirle las costillas y dificultarle la respiración. No pronunció queja alguna. No importaba. Quería permanecer así largo rato. Los miedos y las dudas se esfumaban en tanto él apretaba.

Furia comenzó a besarle la cabeza con cierta contención y siguió por la frente, las orejas, los párpados, los pómulos, la nariz, medio desmadrado para entonces, hasta que sus labios rozaron los de ella, y, con un gruñido ronco, los tomó dentro de su boca. A Rafaela le zumbaban los oídos y veía chispas de colores; tenía la cabeza echada por completo hacia atrás y las piernas flojas; era una muñeca de estopa sostenida por Furia. La lengua de él parecía gigante dentro de su boca, la penetraba con violencia, y sólo después de varios segundos, él comenzó a calmarse y a disminuir el fervor de su beso. La mantuvo contra su pecho y le susurró sobre la mejilla.

—L'última legua la hice a mata caballo, enloquecido por verla. ¡Cuánto quería olerle el perfume! Yo huelo a diablos, ¿no?

—Para mí huele a gloria.

La risa de él la conmovió. Pocas veces lo había escuchado reír y ninguna de modo tan inocente.

—He debido pasar por lo de Calvú primero y lavarme un poco. Usté es tan refináa y sempre huele tan bien. En cambio yo…

—En cambio usté —lo interrumpió—, con su aroma a campo —dijo, y Furia volvió a reír por el eufemismo—, me ha hecho feliz al volver a mí. —Furia la apartó y, ahora serio, la miró a los ojos—. Gracias por no olvidarme, señor Furia.

—¿De verdá, Rafaela? —quiso saber, sin incredulidad, más bien con el candor de un niño al que le complace recibir halagos—. ¿'Ta felí por mi güelta, de verme otra vé?

Ella, en puntas de pie, le habló al oído.

—Señor Furia, lo amo más allá del entendimiento. ¿Qué cree usted?

Artemio la abrazó y le aplastó el rostro en su pecho para que ella no viese las lágrimas que brotaban de sus párpados cerrados. Se las secó con el fular que llevaba enroscado en la muñeca y carraspeó.

—Voy un rato a lo de Calvú. En cuantito sepa que he güelto, se va a ir en derecera pa'Morón. Ditesta la ciudá.

Salió deprisa y no advirtió la sombra que opacaba el semblante de Rafaela. Al cabo de media hora, Artemio regresó. Se detuvo bajo el dintel y le clavó una mirada de párpados entornados.

—Corina —su voz rasposa llenó la habitación—, si me permite, querría hablar con su amiga de usté.

Corina asintió, levantó a Mimita del piso y volvió a encerrarse en el dormitorio con Créola. Furia avanzó. El pánico de Rafaela se había transformado en algo material y palpable. Una vena le latía en el cuello, sus labios se teñían de una tonalidad azulada al tiempo que los carrillos se vaciaban de color.

—Aarón Romano anduvo por aquí —declaró, y esperó en vano una respuesta—. ¡Contésteme! —Ella asintió, aterrorizada—. Y usté lo dejó pasar.

—Sólo una vez. Después no le permití entrar. Ni siquiera le abrí la puerta.

—¡Calvú dis que los pilló besándose! —Rafaela no conseguía arrancar un sonido a su garganta—. ¡Hable!

—¡No estábamos besándonos! ¡Me tomó por sorpresa!

—¡Mierda, Rafaela! —insultó, y giró para salir.

—¡Artemio! —Lo retuvo jalándolo de la camisa, y él se dio vuelta y se abalanzó sobre ella con un giro tan brusco e inesperado que Rafaela profirió un alarido. La aferró por los hombros, ebrio de furia, y le clavó los dedos en la carne hasta llegar al hueso.

—La destrozaría con mis dientes. —Respiraba por la boca y su aliento golpeaba el rostro de Rafaela. El turquesa de sus ojos parecía hielo, su mirada reflejaba un alma de acero—. ¿Qué mierda ha pensao? ¿Que me podía meté guampa a mí? ¡Justito a mí?

La soltó con una invectiva y abandonó la habitación. Ella corrió tras él y, desde el pretil que daba al patio, lo vio saltar escaleras abajo. Albana lo detuvo en la puerta de salida y le puso las manos sobre el pecho. Rafaela podía leer los labios de la mujer: "Cálmate, Artemio. ¿Qué ha sucedido?". Dio media vuelta y volvió a la habitación. Los celos habían tomado el lugar del miedo y de la culpa.

Furia regresó en torno a las doce de la noche, algo borracho, y con la rabia y los celos esfumados. Se dirigía a la habitación que Calvú y Torquil ya habrían desocupado cuando vio una línea de luz bajo la puerta de la casa de Corina Bonmer. Llamó agitando apenas los nudillos. Le abrió Créola después de cerciorarse de que se trataba de él. Furia abarcó el recinto de un vistazo y encontró a Rafaela dormida en el sillón. Se aproximó sin arrancar un sonido a los tablones del piso. La observó largamente. Tenía las pestañas aglutinadas y húmedas, surcos de lágrimas sobre las mejillas y la nariz y los labios enrojecidos. Le remordió la conciencia.

Hacer las paces con el padre Ciriaco y conversar con él lo habían ayudado a recomponerse. El mercedario, al marcarle los renunciamientos que Rafaela enfrentaba por convertirse en la manceba de un gaucho, le había devuelto la seguridad, porque, en verdad, esa mujer lo despojaba de una cualidad innata en él, la confianza en sí mismo, y lo abismaba a un mundo de incertidumbre que detestaba y atizaba el peor matiz de su temperamento.

Se inclinó sobre Rafaela y la levantó. La muchacha se quejó, masculló palabras incomprensibles y siguió durmiendo en sus brazos. La cargó hasta la habitación que, como había previsto, se encontraba vacía y la depositó sobre la cama. Se desvistió sin apartar la vista de ella, y la vio encogerse y colocarse de lado. Se lavó y se tendió desnudo, adaptando su pecho a la espalda de ella.

Se prometió no molestarla, le bastaba con que durmiera a su lado. Apoyaría una mano en la curva de su cintura, y nada más. La deslizaría sobre la pierna cubierta por la saya, y eso sería todo. Le rodearía el tobillo y le acariciaría el empeine, y allí terminaría su incursión. No lo hizo. Comenzó a ascender por el muslo al tiempo que lo desnudaba, y, al tropezar con la puntilla de los calzones, se internó entre sus piernas. Lo atacaron unas ganas irrefrenables de olerla, de chuparla, de saborearla. La colocó de espaldas y, cuando Rafaela murmuró en sueños y se rebulló, le dijo al oído:

—Duerma, mi Rafaela. —Y ella se aquietó.

Le abrió la blusa y le desató las cintas del justillo para liberarle los pechos. Los contempló con actitud reverencial y, al rozarlos con los dedos, sintió cómo se endurecían. Rafaela gimió, entredormida. Le quitó la saya y las dos combinaciones, y la despojó de los calzones. Verla así, medio desnuda, con la blusa y el justillo abiertos, vulnerable como un recién nacido, agitó en él una emoción que se mezcló con sus deseos bajos y carnales, y destruyó las buenas intenciones de minutos antes. Ya no le importaba despertarla. Le separó las piernas y, mientras a ciegas le manoseaba los pechos, internó la cabeza hasta que el vello pubiano le hizo cosquillas en el mentón y, con su lengua, le abrió los labios. Percibió que Rafaela se arqueaba, la escuchó clamar. Sintió que le enredaba las manos en el pelo para apremiarlo a que terminara lo que había desatado. Ella latía en su boca. La humedad de su vagina le pringaba los labios, y él bebía de sus jugos al tiempo que le succionaba el clítoris hasta inflamárselo a un punto en que la explosión le haría perder el sentido. Elevó el rostro al sospechar que ella estaba al borde del estallido. ¡Cómo amaba esos gemidos lamentosos! Sus senos se mecían con los espasmos de placer y su vientre subía y bajaba.

Después del orgasmo, Furia se incorporó y la aplastó con su peso.

—Naides toca a mi mujer y vive pa'contarlo —le advirtió.

—Y *naides* toca a mi hombre —replicó ella— y vive para contarlo.

Artemio rió, una risa masculina, cargada de sensualidad, y la besó en los labios.

—Que Albana no pose las manos otra vez en usted, señor Furia, o le arrancaré los ojos.

Furia la penetró con un embiste brusco y la tomó por sorpresa, arrancándole un quejido.

—Prométame que no le hará daño a Aarón. No me preocupo por él —se apresuró a aclarar— sino por usted.

—¿Qué cree, que voy a salir con las patas pa'delante di'una pelea con ese maula?

—Aarón saldrá con las patas para delante, y no quiero que usted se convierta en prófugo. ¡Prométamelo! —Furia le sonrió con cinismo y comenzó a mecerse dentro de ella—. Artemio, prométamelo.

—'Ta bien, se lo prometo. Pero aura cierre el pico y deje que la haga mía. Dispués de cuatro meses, 'toy má caliente que una brasa.

CAPÍTULO XXV
La Junta Grande

Los diputados de las provincias no querían a Mariano Moreno. La idea del secretario de romper el vínculo con los Borbones y su exigencia continua de una definición en favor o en contra de la revolución resultaban inquietantes. La intensidad del jacobino, como apodaban a Moreno, los asustaba. Lo mismo que al presidente Saavedra. El deán Funes, recién llegado de Córdoba, ideó un plan para neutralizar a Moreno: los diputados no se reunirían en congreso para establecer el tipo de gobierno definitivo sino que se incorporarían a la Junta Provisional para convertirse en mayoría y aplastar el influjo de Moreno y de sus seguidores.

Artemio Furia pensó que, de haber sabido que Gregorio Funes terminaría siendo un pícaro, lo habría degollado a la vera del camino. La inquina y la mezquindad se instauraron en el seno de la Revolución. French, que temía por la vida de Moreno, le propuso que se movilizara escoltado por un retén de soldados, a lo que el secretario se opuso.

—Quiero más bien correr el riesgo de ser asesinado por servir a mi patria que presentarme en las calles con el aparato de los tiranos. —De igual modo, llevaba un par de pistolas pequeñas en los bolsillos de la chaqueta y, al salir del Fuerte por la noche, lo acompañaban uno o dos amigos, entre los que contaba Furia.

El 18 de diciembre, los nueve diputados de las provincias comparecieron en la sala del Fuerte. El deán Funes, en representación de los ocho restantes, expresó el deseo de formar parte activa en el gobierno de acuerdo con lo dispuesto el 25 de mayo al constituirse la Junta Provisional Gubernativa. Moreno y Paso se opusieron y alegaron que los diputados debían reunirse en Congreso Nacional y limitar a él su accionar. Una Junta de esa magnitud haría imposible la toma de decisiones y lentificaría los trámites y resoluciones. La votación le resultó adversa, y Moreno renunció.

Al caer el crepúsculo, Furia se reunió con Moreno, French, Beruti, Paso, Rodríguez Peña y otros revolucionarios en la jabonería de Vieytes.

Algunos estaban furiosos y exaltados con lo que juzgaban una defección por parte de Saavedra; otros lucían cabizbajos y deprimidos. En opinión de Furia, los más ofuscados eran Bernardo de Monteagudo y Julián Álvarez, ambos muy jóvenes, que proponían fundar una sociedad para formar un frente que destruyera a los traidores.

Al despedirse, Furia anunció que regresaba a su campito en Cañada de Morón, y Moreno le pidió:

—No se aleje por mucho tiempo de la ciudad, mi amigo. Usted es muy importante para la patria. Y si esos perjuros no nos pasan a todos por las armas es porque saben que usted está listo para saltarles encima con sus paisanos tan valerosos.

Como regresarían a Morón al día siguiente, Rafaela fue a despedirse de su amiga, la condesa de Stoneville. Encontró la casa de la calle de San José sumida en un caos de baúles a medio armar y domésticas que iban y venían con ropa y utensilios. Melody, con semblante tranquilo, le informó que ella y su familia se embarcaban para Londres en dos días.

—Acabo de escribirte una nota —dijo, y la agitó en el aire— para avisarte de nuestra inminente partida. Te he llamado con el pensamiento, Rafaela.

Tomaron horchata fresca y conversaron con la facilidad de siempre. Rosie, que jugaba con Mimita, se acercó y tironeó del escote de su madre en procura de leche.

—Rafaela, ¿me acompañas en mi gabinete mientras amamanto a Rosie?

Rafaela tomó asiento frente a Melody. La atrajo la visión de Rosie, que succionaba con fruición el pezón de su madre. Casi de inmediato le llamó la atención el anillo que colgaba de una cadena de oro en torno al cuello de Melody. Nunca antes había reparado en él, quizá porque la condesa lo llevaba bajo los vestidos.

—Mira, Melody —dijo, y extendió la mano derecha—. Tu anillo es muy parecido al mío, casi igual, diría.

—¡Es verdad! Éste perteneció a mi padre. Tiene su nombre grabado en la cara interna. Se llama *claddagh*. Es una vieja tradición irlandesa. ¿Quién te ha dado el tuyo?

—El señor Furia. —Melody quedó pasmada—. Perteneció a su madre. Él lo conservó desde su muerte y, meses atrás, me lo entregó a mí. También tiene grabado el nombre de ella en la cara interna.

—¿Cómo se llamaba?

—Emerald Maguire.

—¡Dios bendito! —susurró Melody.

—¿Qué sucede? —se inquietó Rafaela.

—Nada —mintió—. Rosie me ha mordido.

Esa noche, Melody refirió los hechos a Blackraven, que la escuchó en silencio.

—¿Qué opinas? —preguntó, ansiosa, y Roger, sin pronunciar palabra, sacó una carta del cajón de su escritorio y se la entregó—. Es de tu padre —apuntó Melody.

—La recibí ayer. Ve al quinto párrafo.

—"En dos días" —leyó Melody— "dejo Cornwall y parto hacia Londres para visitar a Horatio…"

—Horatio de Lacy —explicó Roger— es un viejo amigo de mi padre, un conde irlandés que tiene, por supuesto, una residencia en Londres.

—"…que ha regresado de su viaje a la España con las manos vacías y, me dicen, está muy abatido. Su cuñado no ha sabido dar fe de su hijo Horatio y de la campesina irlandesa con quien escapó años atrás, Emerald Maguire." ¡Emerald Maguire! —Melody miró a su esposo, conmocionada.

—Creo, amor mío, que tu tía Emerald era la esposa de Horatio de Lacy, hijo del conde de Grossvenor.

—Artemio Furia tiene que ser su hijo. Roger, ¡es igual a mi padre!

❧

CAPÍTULO XXVI
El refugio

Como el interior de la carreta se había convertido en un infierno, Rafaela y Mimita viajaban a caballo. Rafaela montaba a mujeriegas una yegua, mientras que Mimita iba sentada delante de Furia, sobre Regino. En los últimos meses, la niña había ganado en peso y en seguridad y ampliado su vocabulario. Nada la hacía más feliz que la visión de su "Atiemo", y con nadie se mostraba tan expansiva. De hecho, en ese momento, hablaba y movía las manitas con la gracia de una niña normal. Furia asentía y, cada tanto, pronunciaba un comentario. Rafaela sonrió, convencida de que el gaucho no entendía palabra de lo que Mimita le contaba. No obstante, formaban un dúo avenido, y ambos se sentían a gusto en la presencia del otro. Otra sonrisa despuntó en sus comisuras al evocar la excitación de Mimita ante la montaña de regalos que Furia le había traído de Córdoba: una *chusé* (una alfombra de tejido grueso y colores vivos, típicamente cordobesa o catamarqueña) para su dormitorio en la casa de Morón; una muñeca portuguesa que debía de haber costado un ojo de la cara; unos chapines de damasco con bordados de flores; y bolitas de vidrio para el juego de los cantillos, aunque Rafaela dudaba de que alguna vez Mimita adquiriera la destreza para lanzarlas. A ella también la agasajó con varios regalos, dos de los cuales la dejaron boquiabierta, un pote con algalia y semillas de abelmosco, no sólo por costosos sino porque no imaginó que él los recordara ya que tenía la impresión de que, cuando le mencionaba sus experimentos y nuevas fórmulas, él pensaba en el rodeo, en las enfermedades del ganado o en la yegua preñada. Artemio Furia siempre la sorprendía; se trataba de un hombre que, tras ese barniz de simpleza, escondía una compleja personalidad. No había que confundir su talante silencioso y reconcentrado con uno distraído. Bajo esos párpados pesados, sus ojos se movían para abarcar el entorno hasta individualizar cada objeto y persona. A veces, con esa cualidad casi mágica de los paisanos, parecía ver más allá de lo visible, presentir los hechos. Por ejemplo, en ese momento, mientras ca-

401

balgaba y conversaba con Mimita, le indicaba a Juan, "el peludo", que uno de los bueyes cojeaba. Nadie había reparado en ello excepto él, ni siquiera el nuevo boyero, que reemplazaba a Bamba.

No podía apartar sus ojos de Artemio Furia, y una emoción que crecía y le expandía el pecho la ahogaba, le volvía irregular el aliento: ese hombre le pertenecía. No era su esposo, quizá nunca lo sería porque, como le había explicado Furia en *La Larga*, los gauchos no se "matrimoniaban"; sin embargo, se sentía unida a él por un lazo como el del sacramento pese a ser sólo su manceba, su concubina. Manceba. Concubina. La indiferencia que el sonido de esas palabras le provocaba en el presente antes de Furia había sido espanto. Él, al destruir la hipocresía de los Palafox, había liberado su espíritu y, sobre todo, acabado con sus miedos. Resultaba maravilloso respirar plenamente y no tener molestias en el estómago. Apuró la yegua hasta colocarla junto a Regino y allí, frente a los hombres de Furia, estiró el brazo y le acarició la mejilla. Su desfachatez lo pasmó, y ella rió al verlo abrir grandes los ojos y dejar caer la mandíbula en una pregunta que no formuló.

Esa noche, mientras los demás dormían, ellos se dedicaban a contemplar el cielo estrellado y la luna llena. Sentado en el suelo y con la espalda sobre la rueda de la carreta, Furia tenía a Rafaela entre sus piernas. La rodeaba con los brazos y le susurraba historias de la luz mala, del lobisón y de cómo, con ayuda del sapo, se curaba desde un dolor de cabeza hasta la disentería. Ella no sabía si Furia daba crédito a esas supersticiones; tampoco le importaba.

—Hoy hay luna llena. En un rato m'empieza a crecer pelo, me salen garras y me convierto en el lobisón. —Le mordió el cuello—. ¿Tiene miedo?

—Ni convertido en lobisón le temería, señor Furia. Usted jamás me haría daño.

Lo conmovió la respuesta. Ella había vuelto a confiar en él a pesar del abandono en *La Larga*, la humillación en la pensión de doña Clara y todo lo demás. La apretó y le olió la nuca y detrás de la oreja. Su Rafaela de las flores, que lo había exorcizado del demonio de la venganza y que se había convertido en el medio para dar con Edwina. Ella no sabía lo que había significado encontrarla en lo de Corina a su regreso de Córdoba. Su alma se hallaba en reposo, embargada de pura paz, aunque, al mismo tiempo, resultaba paradójico que tanta paz lo inquietase. Temía perderla.

—¿Va a andar triste porque la Créola se nos jué con el Paolino? —Rafaela agitó la cabeza para negar—. ¿Y por la muerte de Ñuque?

—Tampoco. Estaba preparada. Ya no quería verla sufrir.

Rafaela se preguntó cuándo le confesaría que, gracias a Ñuque, sabía cómo habían muerto sus padres y la participación de Rómulo. "No esta noche", decidió, aunque le contó cómo había descubierto que Ñuque, una india, era su abuela.

—En cuantito la vide de cerca —expresó él—, me dije: "Ésta tiene sangre india", por el grosor de sus labios y por la forma de sus ojos.

Apareció Quinto, y Rafaela saltó de brazos de Furia para darle la bienvenida. No lo había visto durante los cuatro meses transcurridos en Buenos Aires.

—Te eché tanto de menos, querido amigo.

—¿Y a mí? —escuchó decir a Furia, y se sintió arrastrada de nuevo a su regazo. Él le habló al oído—: ¿A mí me echó de meno? Nunca me lo dijo dende que llegué. —La hizo girar para enfrentarlo y le amoldó las piernas a sus caderas—. ¿Pensaba en mí, Rafaela? —Ella fingió meditarlo—. Yo vivía con usté en mi cabeza. Tuito el día, y, en la noche, ni le cuento. Se me ponía dura la verga en cuantito me la imaginaba desnuda.

Estuvo de pie con un envión que acreditó la fuerza de sus piernas. Ella, atenazada a la cintura del gaucho, percibía en la piel desnuda la frialdad de los patacones de plata que le constelaban el tirador. Furia la bajó unos centímetros para acomodarla sobre su erección. Rafaela cerró los ojos e inspiró bruscamente, y se refregó en el bulto duro y caliente, mientras Artemio, con habilidad, metía las manos bajo sus calzones y la acariciaba entre las nalgas. Ocultó la cara y ahogó el jadeo en su camisa.

—¿Qué me dice, me echó de meno? —se empecinó él.

Se alejaban del grupo, se adentraban en el monte guiados por la luz de la luna. Quinto se movió para seguirlos, pero Furia masculló una orden en el idioma de los ranqueles, y el puma regresó al campamento. Le haría el amor al raso, sobre la hierba humedecida por el sereno. La excitación le cortó el aliento. Movida por la urgencia, admitió:

—Sí, lo eché de menos hasta las lágrimas. De noche, lo ansiaba con tanta pasión que me tocaba ahí, donde usted me toca, y me imaginaba que era su boca, su mano, su verga, y no podía detenerme hasta lograr el placer. —Calló de repente, asombrada de su desvergüenza, y Furia soltó una carcajada, no divertida; más bien comunicaba emoción.

—¡Mi pícara Rafaela! —exclamó, y la recostó en el suelo.

Poco a poco, Rafaela retomó sus oraciones, aunque decidió que no se confesaría con el padre Ramón; carecía de sentido si ella no se arrepentía;

además, volvería a pecar una y otra vez en la mayor de las dichas. No permitiría que la hipocresía de la religión —esa expresión solía emplear su tía Pola— la amargara como había hecho con su tía Clotilde. Era feliz lejos de los códigos y de la sociedad, en ese refugio que componían la casa grande del campito de Cañada de Morón y el gaucho Furia. Aun sus hombres formaban parte del equilibrio que encarnaba ese paraje. Los respetaba y los quería al ver la devoción y la fidelidad que profesaban por Furia. No seguía enojada con Calvú Manque porque Artemio le había explicado que su *peñi* no habría soltado prenda acerca del beso de Aarón de no haberlo sonsacado y presionado.

—Yo sentía que ese hijoputa me la había estao aguaitando en mi ausencia. Y tiré verde pa'recoger maduro hasta que Calvú pisó el palito y habló. Lo conozco demasiao pa'saber cuándo me escuende algo bajo el poncho.

Furia conchabó a una jovencita del pueblo para que la ayudara con las tareas domésticas, en tanto Millao y Alihuen colaboraban en el cuidado del jardín, del huerto y en el laboratorio. Se mostraban entusiastas cada vez que fabricaban una pastilla de jabón, un ungüento o un perfume, y los vendían en el pueblo, lo que significaba un ingreso extra para sus familias y para ella.

La casa cobró ritmo y vivacidad, e incluso se volvió caótica cuando Furia decidió darle una remozada. A Rafaela le asombró el anuncio porque sabía que a él lo tenía sin cuidado habitar un sitio con goteras, mazaríes partidos, puertas y ventanas salidas de sus goznes y con maderas combadas, y paredes con la pintura descascarada y deslucida. Sospechaba que la decisión de alicatar la cocina, de enjalbegar las paredes, cambiar los pisos y reparar las aberturas y el techo había surgido después de que ella le refiriera a Anuillán acerca del esplendor de la casa de la condesa de Stoneville. Belisario se ocupó de las obras y, si bien había varios alarifes y aprendices, él llevaba a cabo la mitad de los trabajos; era hábil y prolijo. Su amistad con Rafaela se estrechó en esos días de anarquía, polvo y olor a trementina.

Furia viajaba a menudo a Buenos Aires, y Rafaela quedaba sumida en el desasosiego. Ella se quejaba y le preguntaba por qué tenía que ir a la ciudad cuando contaba con varios colaboradores. Furia le explicaba que, cuando transportaba hacienda a las cercanías de sitios poblados, sólo confiaba en él para la faena. Una estampida podría cobrarse muchas vidas. No se trataba de una excusa, aunque también iba a la ciudad en busca de información acerca de la situación política, cada vez más espinosa para los del partido de Moreno. Éste había sido alejado no sólo de la Junta sino también del Río de la Plata. El jueves 24 de enero de 1811 había partido del puerto de Buenos Aires, embarcado en la goleta británica *Mistletoe*, con destino a Londres, en misión diplomática. Se había despedido de sus incondicionales y, al llegar a Furia, lo miró a los ojos y le confió: "No sé qué cosa funesta se anuncia en mi viaje. Su mujer y la mía son grandes amigas. No la dejen sola". Las sospechas de Moreno cobraron veracidad a días de su partida cuando Lupe recibió en su casa de la calle de la Piedad una caja con los elementos para el luto —guantes, mantilla y abanico negros— y una esquela que rezaba: "*Estimada señora: como sé que va a ser viuda, me tomo la confianza de remitir estos artículos que pronto corresponderán a su estado*". Rafaela se enteró de la broma macabra porque Lupe se la refirió en una carta.

No le gustaba cuando Furia partía hacia Buenos Aires, no tanto porque la dejaba sola sino porque, cuando regresaba, lo notaba más grave y reservado que de costumbre, con cierto desabrimiento en el trato. Las conjeturas la abrumaban. Se devanaba los sesos cavilando sobre las causas. A veces pensaba que se trataba de Albana Bouquet, otras de Aarón; en ocasiones se decía que estaba preocupado por el doctor Moreno y el destino de la Revolución; bien podía tratarse de cuestiones del campo o de dinero; estaban gastando mucho en la remozada, y ella sabía que el gaucho Furia no era rico.

Furia prefería mantenerla ajena a sus preocupaciones. La veía entusiasmada con los arreglos de la casa y no deseaba opacar su alegría contándole que, una noche, dos hombres lo habían abordado en la Recova, frente a la Plaza de la Victoria, para asesinarlo; sin duda, eran esbirros de Aarón Romano. Tampoco le diría que lo había buscado en las pulperías del Bajo para retarlo a duelo. Aarón, medio entonado, terminó aceptando, y Artemio, al día siguiente, compró una argolla de plata. Furia y sus hombres comparecieron minutos antes de la cita en las barracas de los mataderos del Alto, lugar famoso por los duelos, y, tras una hora y media de espera, se fueron. La cobardía de Romano se comentó en todos los mentideros, desde los más bajos a los más encumbrados, y la fama del intendente de Policía quedó desdorada. Sus adulones lo defendían arguyendo que un hombre del abolengo de Aarón Romano no podía debatirse con un perro.

Después de las tensiones vividas en Buenos Aires, Furia buscaba refugiarse en el campito de Morón y en la calidez de Rafaela. A veces, cuando volvía, sin paciencia para aguardar hasta la noche, la obligaba a tener relaciones en medio del trajín de la jornada, como en una oportunidad en que se presentó cerca del mediodía y la encontró poniendo la mesa. Sin pronunciar palabra ni quitarse el polvo del viaje, con el pañuelo a la corsario todavía ciñéndole la cabeza, la sentó sobre el borde de la robusta mesa de quebracho y le separó las piernas para colocarse entre ellas. Le ordenó que se desnudara los pechos en tanto él le quitaba los calzones y liberaba su pene. La docilidad de Rafaela lo volvía loco, y bastó que le chupara un poco los pezones para que ella estuviera húmeda y lista para recibirlo. Esperaba que el tintineo cada vez más audible de la vajilla y, un momento después, su lamento ronco y prolongado bastaran para mantener alejada a la sirvienta.

Una noche en que Rafaela se hallaba en una disposición peculiar, elevó la cabeza sobre la almohada y lo llamó.

—Señor Furia, ¿está dormido?

—No. ¿Qué quiere?

—Hay algo delicado que debo confesarle. —Artemio volvió la cara hacia ella, y sus ojos y unos mechones que le cubrían la frente, destellaron en la penumbra de la habitación—. No, no puedo —se acobardó.

—¿Me tiene miedo? —Ella dijo que no—. ¿'Tonce?

—Artemio. —Furia se inquietó; rara vez lo llamaba por su nombre de pila—. Artemio, amor mío —dijo, y se inclinó para besarlo.

—¿Qué ocurre, Rafaela? —Ella adivinó la ansiedad y el miedo en la coloración oscura de su voz.

—Sé la verdad. Lo sé todo. Ñuque me la refirió antes de morir. Sé que mi padre fue cómplice del asesino de sus padres. Sé también que raptaron a su hermana, que prendieron fuego a su casa y que se robaron la hacienda.

Aferró la almohada con los puños y escondió la cara; no soportaba verlo en ese momento. El colchón se hundió cuando Furia se acomodó sobre ella para susurrarle:

—Yo no quería que usté lo supiera. Nunca.

—¿Por qué? —lloriqueó Rafaela.

—Porque saberlo me la iba a hacé sufrí, y yo no quiero que náa ni naides me la haga sufrí. Mi Rafaela tiene que ser felí, y náa má.

—¡Oh, Artemio! —Se dio vuelta y lo abrazó—. ¡Cuánto, cuánto lo siento! Qué avergonzada y mortificada estoy. No puedo imaginar lo que le tocó vivir, lo que tuvo que atestiguar, ¡y sólo siendo un niño!

Le resultó natural referirle los hechos de aquella noche, soslayando los detalles macabros y suavizando la aspereza de sus sentimientos; incluso le reveló su verdadero nombre. De igual modo, Rafaela quedó muy afectada. Le dijo que tenía el corazón partido.

—¡No soporto imaginar lo que sufrió! Si me hubiese ocurrido a mí, no dolería tanto. Pero a usted —dijo, mientras le acariciaba las mejillas—, que le haya ocurrido a usted, la persona que amo más allá de todo, lo vuelve intolerable.

Él se inclinó para besar sus lágrimas y arrasar con la oscuridad de su semblante.

—El sufrimiento de usté —le explicó Artemio— me está matando. Ya no sufra por mí, así yo no sufro por usté. Cálmese y venga aquí.

Secó sus lágrimas con el borde de la sábana y se acomodó en el abrazo de Furia. Éste le contó que, gracias a Rómulo, había hallado a su hermana Edwina en Córdoba.

—Cuando Avendaño regrese de Chuquisaca, ¿lo matará? —Artemio dijo que no—. ¿Por qué? ¿Por Edwina?

—Meses atrás, un tiempo antes de encontrar a Edwina, le juré a Dios que renunciaba a mi venganza.

—¿De veras? ¿Por qué lo hizo?

Furia la contempló con fijeza. Sus ojos la horadaban en la oscuridad.

—Por usté, mi Rafaela. Le juré a Dios que renunciaría a mi venganza si Él la salvaba a usté cuando perdió a nuestro hijo. Él cumplió; yo también.

Se le cortó el aliento y se mantuvo en vilo en tanto asimilaba el alcance de la declaración. Atinó a aferrarse al cuello de Furia, y se dio cuenta de que no estaba consolándolo sino buscando ser consolada. Su egoísmo la hizo sentir peor. Artemio estaba sereno, ella lo percibía mientras él la acunaba y le acariciaba la espalda.

—¿Está arrepentido? —preguntó Rafaela, con voz gangosa.

Con un movimiento medio brusco, la obligó a enfrentarlo.

—Lo haría de güelta mil vece pa'salvarla.

Rafaela quería serenarse y aflojar la tensión del cuerpo. Se obligó a pensar en cosas bonitas para alejar los pensamientos malos. Se acordó de que el señor Furia le había comprado un ocozol que plantarían al día siguiente, aunque todavía no decidía dónde, y que Melody Blackraven le había prometido traerle una sampaguita, proveniente de la isla de Ceilán donde su esposo tenía una hacienda. Al rato, su mente volvió a la tragedia.

—Antes de su juramento, ¿había pensado en matar a mi padre?

—Sí —admitió Furia—. Dispués de descubrir quién era su padre, anduve como loco muchos días. No podía arreglar las cosas en mi corazón. Pero supe que jamá lo haría. Por usté, porque no podía causarle esa pena.

—El tiempo se suspendió en una mirada—. Usté é tan hermosa —dijo, con ardor—. Usté é lo má hermoso de mi vida.

Rafaela levantó la mano y le apartó un mechón casi blanco que se le metía en el ojo. Ese hombre, que había vivido cosas siniestras capaces de devastar la dignidad humana, era, sin embargo, el ser más noble y digno que ella conocía.

—Sebastian de Lacy —pronunció bastante bien—. Si algún día tenemos un hijo varón, lo llamaremos Sebastián. Pero usted para mí siempre será mi señor Furia. Mi amado señor Furia. Amor mío. Amor de mi vida.

A principios de marzo, mientras servía la cena, Rafaela anunció:

—Señor Furia, voy a darle un hijo.

Artemio permaneció inmóvil, con la mirada clavada en el plato de comida. Soltó la cuchara y, con la punta de los dedos, se apretó los ojos, una acción común en él y que Rafaela asociaba con la preocupación.

—¿Qué ocurre? No ha recibido de buen grado la noticia.

Él levantó la cabeza y la contempló entre azorado y ofendido.

—Usté me juzga mal, Rafaela. 'Toy felí con la noticia. He deseao harto a este hijo y como no se dinaba a venir... Y aura usté me dis que 'tá preñáa... Me he emocionao un poco. Eso ha sío nomá. —Se aclaró la garganta—. Lo que pasa é que yo le quiero cumplí a usté. Quiero matrimoniarme con usté, si usté quiere.

—Yo no quiero que *cumpla*, señor Furia. Jamás le he pedido matrimonio porque sé que no se acostumbra entre los suyos.

—Pa'mí, usté é mi mujer pa'tuita la vida. No mi hace falta que un cura me lo diga pa'yo saberlo. Pero como usté é una niña bien, quiero que el padre Ciriaco nos bendiga. Y que m'hijo sea legítimo. Naides lo llamará bastardo.

De acuerdo con la Real Cédula del 17 de julio de 1803, Rafaela, por ser menor de veintitrés años, no podía contraer matrimonio sin la autorización de Rómulo. Por otra parte, y debido a que casaba por debajo de su condición social, también necesitaba la autorización del virrey. Como la figura del virrey había desaparecido, valía la de la Junta. A continuación, se publicarían las amonestaciones. El trámite llevaría su tiempo.

—¿Irá a ver a mi padre y le pedirá autorización? —Sabiendo lo que eso significaba para el orgullo de Furia, Rafaela propuso—: Esperemos a que yo cumpla veintitrés años.

—Falta un montón pa'eso. No me importa hablar con su padre de usté.

Decidieron que viajarían juntos a Buenos Aires a mediados de marzo.

CAPÍTULO XXVII
Por la muerte de dos

*E*l *Gales*, el clíper de propiedad de Roger Blackraven que lo había conducido a estas tierras del sur en tan sólo un mes, echó anclas a una milla de la costa pues, según le informó el capitán, el puerto de Buenos Aires resultaba inapropiado para la navegación con buques de cierto calado.

—Excelencia —siguió expresando el capitán—, ahora subiremos a unos botes que nos conducirán unas yardas. Desde allí hasta la costa iremos en carretas.

El desagrado causado por esa información se mezcló con la tensión por el viaje y la desazón que le inspiraba el paisaje de la ciudad —más bien un conjunto de casas mal construidas y algunas cúpulas y campanarios insignificantes—. Se puso de mal humor.

—¡Soy un viejo de setenta y seis años! —se quejó—. ¿Cómo pretende que salte de un bote a una carreta sin perecer en el intento?

—Excelencia —manifestó el capitán, con sincero asombro—, permítame decirle que el dato de su edad me deja pasmado. Su señoría se ha conservado en excelente forma. No le habría dado más de sesenta años.

—Este disgusto no lo arreglaremos con lisonjas, capitán.

En varias ocasiones, en tanto el clíper avanzaba a gran velocidad por el Atlántico, se había preguntado si ese viaje, organizado en pocas horas y a las apuradas, no se trataba de un desatino.

Después de alcanzar la costa, con los nervios de punta y los zapatos empapados, alquiló un cabriolé y le extendió al cochero el papel escrito de propio puño de Blackraven donde se consignaba la dirección de su agente en Buenos Aires, un tal Edward O'Maley. "Irlandés", pensó. El cochero leyó en voz alta: "Calle de la Concepción número 78". En la casa de O'Maley lo atendió una mujer negra que lo condujo a la sala. Le dijo algo en castellano antes de marcharse, pero él no comprendió pese a dominar la lengua; su esposa se la había enseñado.

O'Maley se presentó a los pocos minutos.

—Buenos días —saludó el visitante—. Mi nombre es Horatio de Lacy, conde de Grossvenor.

—¡Excelencia! —profirió O'Maley, y le ofreció asiento. Antes de partir hacia Londres, Roger Blackraven le había advertido que quizá recibiera la visita de ese amigo de su padre.

—Gracias —dijo de Lacy.

O'Maley escanció whisky, de acuerdo con la preferencia del anciano, y se lo entregó. Después del primer sorbo y más compuesto, de Lacy le extendió una carta lacrada con el águila bicéfala, el sello de la casa de los Guermeaux, la dinastía de Roger.

—El conde de Stoneville le envía esto. Léalo, O'Maley. Después hablaremos.

Eddie se alejó en dirección a la ventana para leer. La conocida caligrafía de Roger ocupaba dos páginas. Lo sorprendió el contenido. Después de los segundos que necesitó para acomodar sus ideas, regresó junto al conde.

—Estoy a su disposición, excelencia.

—Gracias. Lo primero que querría es alojarme en la casa de Blackraven. Mi asistente y mi valet junto con el equipaje aún aguardan en el puerto.

—Sí, por supuesto. Lo acompañaré e indicaré al servicio doméstico que su excelencia es invitado del conde de Stoneville. Lo atenderán a cuerpo de rey.

—Descansaré hoy. La última parte del viaje ha sido extenuante. Pero mañana querré ir a ver a ese hombre que Blackraven supone que podría ser mi nieto.

—Artemio Furia —dijo Eddie, todavía azorado.

—¿Dónde vive?

—Aquí y allá. Es un gaucho, un hombre de campo que lleva una vida más bien nómada. Aunque en los últimos tiempos se ha asentado en unas tierras que adquirió a unas leguas de aquí, hacia el oeste. De todas maneras, está de suerte, excelencia, pues Artemio llegó ayer a Buenos Aires y se aloja en una fonda cercana a la plaza principal.

—O'Maley —pronunció de Lacy—, me ha referido Blackraven que usted conoce a este Artemio Furia. Me ha dicho que vosotros sois amigos.

—Así es, excelencia.

—Me gustaría que me acompañara a la hora de la cena en casa de Blackraven. Necesito saber de ese hombre todo lo que usted pueda contarme.

—Así lo haré.

* * *

En opinión de los morenistas, la Junta Grande mostraba debilidad en el gobierno. Su compás de espera, que se prolongaba sin visos de terminar, minaba los cimientos de la Revolución y arriesgaba la soberanía del Río de la Plata, acechada por Francisco Javier de Elío desde Montevideo, por los realistas desde el norte y por los portugueses desde el Brasil, con la infanta Carlota, hermana de Fernando VII, presionando para erigirse en regente de estas tierras. La creación de las Juntas Provinciales, una idea del deán Gregorio Funes, diluía el poder de Buenos Aires, sembraba descontento entre las ciudades subordinadas y propiciaba las escisiones.

La Sociedad Patriótica, la cofradía que agrupaba a los partidarios de Moreno y que se reunía a diario en el Café de Marcos o en la Fonda de las Naciones, intrigaba desde hacía meses en contra de Saavedra sin mayores resultados, ya que el pueblo seguía apoyando al jefe de los Patricios.

La noche del domingo 17 de marzo, en una reunión secreta en casa de Monteagudo, los ánimos comenzaron a caldearse. Un capitán joven, amigo de Joaquín Campana, bebía en silencio mientras observaba y memorizaba cuanto oía. Si bien se identificaba con las mismas cintas celestes y blancas que lucían los patriotas en las chaquetas, era un espía de Aarón Romano.

—¡Basta de sandeces, amigos! —exclamó French, y acalló las disputas—. ¡Tomemos el toro por los cuernos o esto se va al carajo! —Las voces se alzaron para apoyar la moción—. Ha llegado el momento de llevar a cabo un pronunciamiento.

—Para eso necesitamos contar con el grueso del ejército —apuntó Buenaventura Arzac.

—Contamos con los Húsares —intervino Beruti— y con los paisanos del gaucho Furia.

—Es imperativo mandarlo llamar —opinó Agustín Donado, jefe de Corina Bonmer en la Imprenta de los Niños Expósitos.

—No es necesario —dijo French—. Ha llegado ayer a Buenos Aires.

—¿Está con sus troperos en el Alto?

—No. Como vino con su mujer, se aloja en Los Tres Reyes. Dice que quiere casar con la Palafox.

—Parece que el gaucho tomará una pátina de lustre y civilidad —comentó el doctor Argerich.

—No resultará fácil —admitió French— porque debe pedir autorización a Rómulo Palafox dada la edad de su hija. No sé si ese sarraceno se la concederá después del escándalo en que Furia sumió a su familia.

—Se la concederá —aseguró Arzac—. Si Palafox no fue enviado al exilio ni le confiscaron los bienes es porque Furia dio fe de él a la Junta. Palafox lo sabe y le debe ese enorme favor.

—No sólo que no le confiscaron los bienes —acotó el doctor Argerich— sino que le devolvieron parte de lo incautado después de la asonada del año pasado, que era una fortuna en pesos fuertes y en oro.

—Dejaos de cotillear como bandoleras —exclamó Pancho Planes— y atengámonos a la cuestión más acuciante: quitar de en medio a Saavedra y a sus monarquistas.

—¿Estáis de acuerdo, entonces —preguntó French—, con la imperiosa necesidad de realizar un pronunciamiento militar?

El sí fue unánime. El espía de Aarón se despidió y caminó hacia el Cabildo.

Aarón se calzó la chistera y abotonó su redingote. El joven capitán, amigo de Joaquín Campana, acababa de proporcionarle una información valiosísima; una parte la compartiría con Saavedra; la otra le incumbía a él.

A pesar de la hora, Joaquín Campana, el secretario privado del presidente de la Junta, le informó que su jefe aún trabajaba. Aarón debió esperar unos minutos antes de ingresar en el despacho de Saavedra.

—Es tarde, señor presidente —se disculpó Romano—, lo sé, pero no me habría atrevido a importunarlo si la cuestión no revistiese gravedad. Iré al punto. Se está gestando un pronunciamiento militar entre las filas de los Húsares, con French a la cabeza. —Saavedra golpeó el escritorio y masculló un insulto—. Como saben que su merced controla la parte gruesa del ejército, ha decidido echar mano de los chisperos del gaucho Furia.

—French y ese gaucho amigo suyo me tienen las pelotas llenas. ¿Con cuánto tiempo contamos antes del pronunciamiento? —quiso saber el jefe de los Patricios.

—No lo sé con certeza —admitió Aarón—, aunque supongo que tenemos unos días para organizar una contraofensiva.

Discurrieron hasta concluir que no convenía echar mano al ejército para neutralizar la acción de los morenistas, tanto de los que ocupaban cargos en la Junta (Larrea, Azcuénaga, Rodríguez Peña y Vieytes) como de los que arengaban en los cafés, sino que, para darle un viso de legitimidad, debía ser el propio pueblo quien pidiese su destitución y exilio.

—Para eso —apuntó Campana— necesitamos al pueblo. ¿Cómo lo conseguiremos?

—Tomás de Grigera, futuro suegro de mi hermana —propuso Aarón—, podría reunir a un centenar de paisanos de su país, las Lomas de Zamora.

—¿Qué haríamos con uno o dos centenares si sabemos que el gaucho Furia cuenta con varios? —se desanimó Saavedra—. ¿Olvidáis acaso que reunió alrededor de quinientos para la jornada del 22 de mayo? Se armaría la de Dios es Cristo en medio de la Plaza Mayor, y los de Grigera serían aniquilados y nosotros pasados a degüello.

Romano y Campana intercambiaron oscuros vistazos.

—No hay alternativa, excelencia —habló el secretario de Saavedra—. Es imperativo para la causa quitar de en medio al gaucho Furia.

La conclusión de Campana provocó un vacío en el despacho del presidente.

—¿Habláis de apresarlo? —preguntó el presidente.

—Con el mayor de los respetos, excelencia, creo que sería un desatino —opinó Romano—. En menos de dos horas tendríamos a toda la peonada frente al Cabildo exigiendo la liberación de Furia. En realidad, la solución es una sola: tiene que desaparecer. —Cuando Aarón vio que Saavedra asentía, dijo—: Yo me ocupo.

Abandonó el Fuerte y cruzó la Plaza de la Victoria a paso rápido. Entró de nuevo en el Cabildo y preguntó quiénes estaban de guardia. Los mandó comparecer en su despacho. El cabo Martínez y el cabo Paz se personaron en pocos minutos.

—Desde ahora, os plantaréis frente a la fonda Los Tres Reyes y seguiréis los pasos del gaucho Artemio Furia. Id a cambiaros con ropas de buhoneros o paisanos para pasar inadvertidos. Mañana al mediodía os enviaré un relevo. A las ocho de la mañana, uno de vosotros compareceerá ante mí y me informará de sus movimientos. Retiraos.

Al quedar solo, Aarón se dirigió hacia un mueble donde escondía botellas con bebidas espiritosas. Escanció una medida de brandy francés incautado a unos contrabandistas. Antes de hacer fondo blanco, elevó el jarro de latón y brindó:

—Por la muerte de dos.

Horatio de Lacy no durmió en toda la noche, ni siquiera usó la cama. Permaneció sentado en una cómoda butaca, con los pies sobre un escabel, y, en tanto vaciaba una botella de malvasía, meditaba acerca de la información que le había brindado O'Maley durante la cena. Apenas despuntó el alba, mandó llamar a su valet y le indicó que le preparara un baño y ropa de calle. Antes de enfrentar al tal Artemio Furia, visitaría a otra persona.

En el convento de la Merced le pidieron que aguardara en el locutorio. Apareció un sacerdote con sotana marrón y una cuerda de color marfil en torno a la cintura que caía hacia un costado y terminaba en varios nudos. Lucía una espesa barba blanca, aunque bien recortada. La calidad de su mirada lo complació; le pareció advertir un destello de inteligencia y un matiz bondadoso en el modo lento en que subía y bajaba los abultados párpados. Se puso de pie para presentarse.

—Buenos días, padre Ciriaco —lo saludó en un buen castellano aunque con pesado acento sajón—. Mi nombre es Horatio de Lacy, conde de Grossvenor.

"Horeisho de Lací", repitió Ciriaco, para sus adentros. Ese nombre nada significaba para él.

—Buenos días. ¿En qué puedo servirle? —Al verlo vacilar, Ciriaco le ofreció—: Tome asiento, por favor.

—No es fácil explicar lo que me trae hasta aquí, padre. Quizá lo más conveniente sea que le cuente mi historia.

Ciriaco lo escuchó, sin demostrar ninguna emoción a lo largo del relato.

—Ni yo ni la familia de mi mujer en la España hemos vuelto a saber de mi hijo ni de su esposa ni de mi nieta Edwina. Sin embargo, a mediados de febrero, Roger Blackraven, conde de Stoneville, recién llegado a Londres proveniente de estas tierras, me confió sus sospechas acerca de un hombre, a quien usted, padre, conoce muy bien. Blackraven sostiene que este hombre podría ser hijo de mi hijo Horatio, es decir, podría ser mi nieto. Lo llaman Artemio Furia.

El impacto de la noticia se evidenció en el gesto del mercedario. Su apacible compostura quedó en la nada. Horatio lo vio apretar una cruz de madera asida a los cordones de sus vestiduras.

—¿Es cierto que usted, padre, conoce a este tal Artemio Furia?

—Como si fuera mi propio hijo —fue la contundente respuesta—. Ahora, señor conde, yo le referiré mi historia. —Al terminar y sin esperar los comentarios de de Lacy, Ciriaco exclamó—: ¡Serapio! —El negro debía de estar escuchando tras la puerta porque apareció de inmediato—. Ve a mi celda y tráeme el reloj de Artemio. ¡Lo dejas caer y te arranco las orejas! Es algo que, creo, puede serviros para desvelar este misterio, señor de Lacy. Se trata de un reloj de leontina, muy fino y costoso. Es de oro. Lo hallé en el cadáver del hombre junto con un anillo. Yo conservo el reloj, así lo dispuso Artemio. Él conserva el sello.

—¿Cómo es el sello? —se interesó Horatio.

—Tiene un diseño sobre una base rectangular, lo que, a mi juicio, podría ser el escudo de una dinastía. La base está cubierta por un esmalte rojo, un rojo muy peculiar. Taraceado en dicho esmalte, se distingue, en oro, el perfil de un dragón sosteniendo un pendón.

A pesar de la penumbra del locutorio, Ciriaco advirtió que el gesto del conde demudaba, y gotas de sudor le poblaban la frente.

—¿Similar a éste? —lo oyó pronunciar como en falsete, al tiempo que le mostraba el sello que usaba en la mano derecha.

—Yo más bien diría: exactamente igual a ése.

—*Good heavens!*

Entró Serapio y depositó sobre la mesa un envoltorio de terciopelo negro. Ciriaco lo manejó con cuidado.

—Este reloj estaba en el bolsillo del chaleco del hombre que hallé muerto aquella madrugada del 6 de junio de 1790. Tómelo con calma —sugirió el sacerdote al advertir el temblor en la mano de de Lacy.

El conde levantó la tapa del reloj. Al notar el movimiento de los ojos, Ciriaco supo que estaba leyendo la dedicatoria. *To my beloved son Horatio.* A continuación, el hombre apoyó el reloj sobre el terciopelo, se cubrió la cara y rompió a llorar.

—¿Dónde 'tá Mimita? —preguntó Furia, mientras se calzaba las botas de potro sentado en el borde de la cama.

Acababan de hacer el amor, y Rafaela aún remoloneaba entre las sábanas.

—En casa de Pilar Montes, jugando con Carolita, su hija, la más pequeña.

Artemio se puso de pie para colocarse la rastra sobre el tirador, la de lujo, observó Rafaela, cubierta de monedas de plata, aun de oro.

—¿Qué hará usté por la tarde?

—Lupe y Pilarita me acompañarán a la tienda de Aignasse a comprar unos géneros para las cortinas de nuestro dormitorio.

Él la miró de soslayo, sesgando la comisura izquierda en una sonrisa cargada de erotismo.

—Ai le dejo unos doblones pa'que compre eso que quiere y le diré a Juan que la acompañe. No me fastidie —le advirtió, ante el intento de protesta de Rafaela—. Ese atorrante de su primo de usté, más canijo y artero que un chacal, debe de saber que 'tamo en la ciudá y la querrá molestar.

—¿Adónde irá usted, señor Furia?

—El padre Ciriaco me mandó llamar. Dis que tiene que hablar conmigo. Urgente. Después tengo que hacer varias diligencias. Y a la noche, voy a ver a su padre de usté. No me ponga esa cara. Tuito va'tar bien. Ya le mandé decir que iba y me dijo que sí.

Rafaela salió de la cama y, desnuda, caminó hacia él. Le rodeó la cintura y se amoldó a su cuerpo. Lo escuchó soltar un suspiro, y percibió su impaciencia cuando la tomó por los brazos a la altura de las axilas, dispuesto a apartarla.

—No mi haga esto, Rafaela. Me 'toy poniendo duro de nuevo y me tengo qu'ir.

—No quiero que se vaya —le confesó, dándoselas de niña—. No quiero que vaya a ver a mi padre. No quiero que casemos si usted tiene que humillarse pidiéndole algo a quien tanto daño le hizo a usted y a su familia. Prefiero ser su manceba para siempre.

Furia la obligó a levantar el rostro colocándole el pulgar bajo el mentón.

—Rafaela, amor mío. ¿Qué no haría yo por usté?

Se besaron en la boca y, cuando Artemio notó que Rafaela comenzaba a excitarse, la separó de él. Se calzó el sombrero y se encaminó hacia la puerta.

—Señor Furia —lo detuvo—, llévele esto a Serapio. —Le extendió un pequeño paquete envuelto en papel de Manila—. Como usted me ha dicho que es un loco por los dulces, le traje un trozo de guirlache.

—Si agradece —dijo él, medio emocionado—. Ponga la traba cuando yo haiga salío. Y no le abra a naides. ¿Me oyó? Güelvo tarde.

—Lo esperaré para cenar juntos. ¡Cuídese, señor Furia! Hágalo por mí.

—Güeno —prometió, y abandonó la habitación.

En el convento de la Merced, Serapio lo recibió con las muestras de cariño usuales, y Artemio le regaló unos cuartillos y le puso en las manos el paquete con guirlache.

—Te lo manda Rafaela. Ella mesma lo ha hecho pa'ti. —Serapio se quedó mirándolo entre confuso y embelesado—. Mi ha dicho que quiere conocerte. ¿Tú quieres conocerla a ella? —En lugar de contestarle, Serapio se puso a saltar y a reír—. Mi anda pareciendo que sí —sonrió Furia—, quieres conocerla.

En el despacho, lo primero que notó fue la ausencia del principal; su escritorio estaba vacío. El padre Ciriaco se encontraba de pie junto a un anciano de porte distinguido y prendas que, aunque sobrias, revelaban la buena posición económica del extraño.

—Artemio, hijo, gracias por venir. Pasa, pasa. Quiero presentarte a este caballero que desea conocerte.

Su instinto de alerta, agudizado en la campaña, se crispó, y, sin proponérselo, echó un vistazo al anciano que lo hizo replegarse tras el padre Ciriaco. Su fea catadura —el pelo suelto atado con una vincha, la cara curtida por el sol, sus pilchas y, sobre todo, el facón de veintitrés pulgadas cruzado en la rastra— debió de inspirarle terror.

—No sé cómo decir lo que tengo que decir —admitió el mercedario—. Pues hablaré, sin más rodeos. Artemio, él es Horatio de Lacy, conde de Grossvenor.

Si bien Artemio permaneció quieto y mudo, Ciriaco advirtió, en el modo en que tensó las ventanas de la nariz y en la rapidez con que subía y bajaba la nuez de Adán, que se encontraba profundamente perturbado.

Horatio de Lacy dio un paso adelante y habló en inglés.

—Como dijo el padre Ciriaco, mi nombre es Horatio de Lacy. Mi hijo, Horatio, casó con Emerald Maguire, con quien tuvo una hija, Edwina.

El conde prosiguió explicando los hechos y brindando datos. Ciriaco no entendía palabra y alternaba la vista de uno en otro. Artemio prestaba atención extrema; parecía comprender. Su voz tronó de modo inesperado, y el sacerdote se estremeció al oírlo expresarse por primera vez en su lengua madre.

—Mi nombre es Sebastian de Lacy, hijo de Horatio de Lacy y de Emerald Maguire. Me dirigiré a usted en castellano para que el padre Ciriaco pueda comprender. Me he vuelto un salvaje en estas tierras, como resulta evidente por mi aspecto, y si la vista de mi madre, por ser una campesina, lo irritaba, la mía le resultará intolerable.

Horatio de Lacy había caído bajo un hechizo. Parecía venerar más que mirar a Furia. Se dijo: "Es un hombre magnífico". La sangre le corría con velocidad por el cuerpo, acalorándolo, tiñéndole las mejillas de rojo, colmándolo de vida. No tenía duda: estaba frente a su nieto. Le recordaba a ese lunático que había intentado asesinarlo, el hermano de Emerald, Fidelis Maguire, aunque los rasgos de este muchacho, si bien endurecidos, presentaban un trazo más refinado, y eran de una belleza que quitaba el aliento. Lo embargaba una alegría inefable, y sólo el orgullo y la animosidad de su nieto lo mantenían a raya; tenía ganas de abrazarlo.

—No importa —consiguió articular en castellano—, eres el hijo de mi único y adorado hijo, Horatio. Tu traza me tiene sin cuidado. Quiero llevarte conmigo a la Irlanda, a tu patria, y convertirte en el próximo conde de Grossvenor.

—¿Y traicionar la memoria de mi madre uniéndome al que mandó matarla?

—¡Ésa es una calumnia!

—¡Artemio! —se ofuscó Ciriaco.

—¡Por la memoria de mi único hijo, te juro, Sebastian, jamás traté de perjudicar a tu madre, de modo alguno, jamás! Es cierto, estaba furioso por ese matrimonio, pero, después de que nació tu hermana Edwina, estaba dispuesto a recibir a tu padre y a su pequeña familia en *Grossvenor Manor*, nuestra hacienda principal en la Irlanda. La Irlanda —dijo, de pronto cansado—, tu patria.

—Ésta es mi patria —objetó Furia—, esta tierra primitiva y salvaje adonde, por su culpa, mi padre buscó refugio y encontró la muerte a manos de unos maleantes. Si no hubiese abandonado la Irlanda por su culpa, hoy estaría vivo.

—Tienes razón —terció Ciriaco—, pero tú jamás habrías conocido a Rafaela. No cuestiones los caminos del Señor.

Artemio se quedó callado. No podía retrucar esa verdad.

—Tengo que irme —habló de pronto.

—¡Sebastian, por favor! —suplicó de Lacy—. Eres mi nieto. Te imploro, vuelve conmigo a tu patria. ¡Mi riqueza está a tus pies! Y a mi muerte te convertirás en el conde de Grossvenor, un título de mucho poder.

Furia lo miró sin animosidad, como quien estudia un objeto de interés. Convertirse en el conde de Grossvenor, pensó. A él le importaba un adarme el título; de hecho, aborrecía a los copetudos aristócratas. Pero pensó en su Rafaela, que era una princesa, delicada, femenina, hermosa, culta, refinada, y que merecía vivir con joyas, géneros costosos y pieles exóticas, atendida por un ejército de doncellas y en un palacio con lagos y jardines; sobre todo, jardines.

—Lo veré mañana —resolvió—. ¿Dónde se aloja?

—En lo de Roger Blackraven.

—Sé dónde queda —aseguró y, tras dar media vuelta, abandonó el despacho del principal.

De Lacy, física y emocionalmente exhausto, apoyó las manos en el escritorio y se abandonó en la butaca.

—Me detesta. Lo he perdido. Dudo de que vuelva a verlo después de hoy.

—Artemio es tranquilo —manifestó Ciriaco—, no obstante, como usted ha podido comprobar, tiene su carácter cuando se lo presiona. No por nada lo han apodado Furia. Sólo existe una persona que puede hacerlo entrar en razón. Rafaela Palafox, su mujer.

—¿Quién es ella? ¿Una campesina?

—¡Oh, no! Es hija de la buena sociedad porteña, a quien su nieto robó del altar el día en que casaba con un hombre de su clase. —La mueca de contrariedad de de Lacy lo llevó a aclarar—: No se preocupe, ella está tan enamorada de Artemio como él de ella. Sólo Rafaela tiene ascendiente sobre él, por el profundo amor que su nieto le profesa. Mañana lo acompañaré a verla a la fonda Los Tres Reyes. Le confieso que no la conozco, Artemio aún no nos ha presentado, pero presiento que será más fácil para mí hacer las presentaciones que para usted aparecer y presentarse solo.

Después de cargar las pistolas, Aarón las limpió y las guardó en los bolsillos internos de su redingote. Eran formidables, incautadas a unos extranjeros, aunque nunca asentadas en los registros de la Policía, por lo que nadie las asociaría con él. Livianas y más bien pequeñas —apenas once pulgadas—, con un retroceso menos violento que el usual; lo sabía porque había practicado toda la mañana tiro al blanco en un descampado cercano al Hueco de las Cabecitas, donde se hallaba su burdel. Se enorgullecía de su puntería. Si la noche en que Furia lo buscó en la pulpería para retarlo no hubiese concedido que el duelo se realizara con armas blancas sino de fuego, no habría faltado a la cita en las barracas de los mataderos del Alto. Lo cierto era que aquella noche, a causa de una borrachera proverbial, no recordaba siquiera haber hablado con Furia, menos aún los términos del duelo, que terminó conociendo por boca de sus compinches. No importaba, en menos de dos horas se vengaría del gaucho.

Sabía que Furia se entrevistaría esa noche con su tío. El cabo Martínez le había informado acerca de una nota enviada por Furia a la casa de la calle Larga, y que él encontró hurgando en los cajones del escritorio de Palafox. La cita, fijada a las nueve de la noche, sin duda se llevaría a cabo en la salita de Rómulo, un lugar conveniente para su plan. Para esa hora, su madre, su tía Justa y Cristiana asistirían a una tertulia en casa de Marica Thompson, en tanto que los esclavos dormirían en la barraca del último patio; no escucharían nada.

Eufórico, salió del Cabildo y cruzó la plaza en dirección a lo de Bernarda de Lezica. A las siete y media de la tarde ya era de noche y las calles estaban vacías. Entró en la tienda; no había nadie.

—¡Enseguida lo atiendo! —escuchó la voz de la Lezica.

Aarón levantó la tapa del mostrador, apartó la cortina y se introdujo en la parte trasera, donde la mujer tenía sus habitaciones. La encontró inclinada sobre una mesa; anotaba entradas en un mamotreto. Bernarda levantó la vista y, al verlo, apoyó la pluma en el tintero.

—¿Qué hace aquí? —Se puso de pie—. Por favor, salga.

Aarón se quitó el abrigo y lo depositó en el respaldo de una silla. Se dirigió hacia la mujer con una expresión resuelta que la indujo a caminar hacia atrás. La habitación era pequeña; ahí mismo estaba la cama. Tomó a Bernarda por los hombros y la hizo rebotar contra el colchón. Como la mujer rodó hacia un costado para escapar, Aarón se echó encima de ella. Bernarda movió la cabeza y gritó. Romano frunció el entrecejo y contrajo la nariz ante la fetidez del aliento. "Ha comido ajo o cebolla", pensó, y se acordó del aroma a menta que siempre despedía la boca de Rafaela. Observó a la Lezica como si se tratara de la primera vez; de hecho, nunca antes la había contemplado tan de cerca. Tenía el cutis grueso y los poros dilatados en la nariz; sus dientes estaban chuecos y eran medio amarillentos; profundas arrugas le cruzaban la frente y otras nacían en torno a sus ojos; le descubrió muchas canas en las sienes. Era vieja y fea. Se incorporó como si el contacto lo hubiese quemado, y se alejó hacia atrás, acomodándose el cabello revuelto, mirándola con repugnancia. La princesa se había convertido en sapo. Arrebató el abrigo y abandonó la tienda a toda prisa.

Necesitaba calmarse. No podía enfrentar a Furia y a su tío en ese estado. Añoró un trago de ginebra; no obstante, beber no le convenía; su pulso debía ser estable. Decidió que una caminata en el aire fresco del crepúsculo aquietaría sus pulsaciones. En lugar de pensar en la Lezica y en el incidente, su mente volvía una y otra vez al recuerdo de Rafaela, al sabor de su boca, al perfume de su cuello, a la perfección de su piel, a la blancura de sus dientes, a la esbeltez de su cintura, a sus modos femeninos. La deseó, y sonrió al pensar que esa noche la tendría para él.

Consultó el reloj de bolsillo. Ya era hora. Montó su caballo y se dirigió a la casa de la calle Larga.

Le abrió Peregrina y, después de preguntarle por el ama Rafaela, lo condujo a una salita a la que accedieron desde el patio principal. Ya solo, Artemio estudió el entorno. Se trataba de una cálida estancia, con paredes forradas en damasco verde claro, muebles finos y adornos costosos. Pensó que a ese tipo de cosas estaba acostumbrada Rafaela y no a las que él le ofrecía en su campito de Morón. Entró Palafox.

—Le agradezco —dijo, a modo de saludo— que esta vez me haya enviado aviso de su visita en lugar de aparecerse en mis habitaciones y darme un susto de muerte.

Artemio se limitó a bajar el rostro y sonreír. Aceptó la bebida que Palafox le ofreció y se sentó donde le indicó.

—¿Y bien, Furia? ¿A qué ha venido? —El hombre ocupó el otro sillón, a su lado—. Entiendo que mi hija lo ha acompañado en este viaje. ¿Podré verla?

—Si ella quiere...

—¿Qué necesita? —insistió.

Los goznes chirriaron. Artemio y Rómulo miraron hacia la puerta. No tuvieron tiempo de nada. Aarón descerrajó un tiro a la cabeza de Artemio, que quedó tendido sobre el respaldo del sillón, y, con gran destreza y rapidez, empuñó una segunda arma para descargarla contra su tío; le dio en el pecho. Agitado, contempló su obra. A Furia le había dado en el ojo izquierdo, un tiro certero y limpio. Cayó en la cuenta de que la bala había salido por la sien porque el cabello rubio comenzaba a teñirse de rojo. A su tío, le había acertado en el corazón.

Se trataba de un golpe maestro. Haría desaparecer el cadáver de Furia para decir que había asesinado a Palafox y huido. Rafaela, sola y desvalida, aceptaría su propuesta de matrimonio, y, junto con ella, se haría de la fortuna de Rómulo. Acabaría de una vez con sus apremios económicos y tendría a Rafaela en su cama. Sintió el impulso de reír a carcajadas, nunca había experimentado esa felicidad. No podía perder tiempo, había que deshacerse del cadáver de Furia antes de que las mujeres regresasen de la tertulia. Dio media vuelta y se topó con Cristiana.

—¿Qué haces aquí? ¿Por qué no fuiste a lo de Thompson? ¡Vete, sal de aquí!

La muchacha entró, con Poupée en brazos, y se dirigió a Rómulo. Le pasó la mano por la cara y le bajó los párpados. Se inclinó y lo besó en la frente. Observó con ojos vacíos al gaucho Furia, sin demostrar impresión por la sangre que manaba de su herida en el ojo y que le empapaba el poncho. Al volverse hacia su hermano, Cristiana lo miró con la misma actitud que habría empleado en la mesa del desayuno.

—No casaré con el hijo de Tomás de Grigera. Me repugna. Romperás el compromiso.

Aarón precisó de unos instantes para acomodar sus planes a la nueva situación. Tal vez podría sacar provecho de la irrupción de Cristiana.

—Lo haré, romperé tu compromiso con el hijo de Grigera a cambio de que tú ratifiques mi versión de los hechos. El gaucho Furia disparó contra nuestro tío y se dio a la fuga.

—De acuerdo.

—Ahora vete. Enciérrate en tu dormitorio y no salgas. Yo iré a buscarte cuando sea propicio.

Como había supuesto, acarrear al gaucho Furia no resultaba una empresa sencilla. Era un hombre de gran contextura y pesaba como un buey. Extendió una manta sobre el piso junto al sillón y maniobró el cadáver para acomodarlo sobre ella. Lo arrastró fuera, tirando de la tela, cruzó el patio y, antes de proseguir hacia la parte trasera de la casa, se pasó un pañuelo por la frente y sorbió ron de su petaca. Cruzó la cerca de tunas que marcaba el perímetro de la casa de Palafox por una abertura que conducía a un terreno baldío. Dejaría el cadáver ahí para ocuparse de la denuncia y poner en marcha su plan. Volvería para enterrarlo al día siguiente. Lo envolvió con la manta y a ésta la disimuló con hierba.

Se lavó, se cambió la camisa, anudó un nuevo lazo y se puso una chaqueta limpia. Inspiró varias veces llenando el estómago, carraspeó y ejercitó la mandíbula. La farsa debía comenzar. Corrió a la zona de la barraca y despertó a los esclavos a voz en cuello.

CAPÍTULO XXVIII
Los sueños no bastan

Rafaela saltó de la silla ante la violencia de los golpes en la puerta. Miró a Mimita. Seguía durmiendo.

—¡Rafaela, soy yo, Aarón! ¡Ábreme!

—¡No! ¡Vete! No te abriré.

—¡Ábreme! Ha ocurrido una tragedia. Tu padre ha muerto. Furia lo asesinó y se dio a la fuga. ¿Acaso sabías si iría a encontrarse con mi tío Rómulo? ¿Está Furia ahí contigo?

Rafaela permaneció en silencio, absorbiendo el golpe de la información. Lo que su primo vociferaba tras la puerta tenía sentido, las circunstancias coincidían. Las piernas le temblaron al levantarse de la silla. Descorrió la traba y abrió. Aarón se precipitó dentro. Rafaela lo contempló con el más profundo estupor pintado en el rostro.

Actuó rápido y con diligencia. Tomó la escarcela de su prima, la mantilla y los guantes y se los puso como si se tratara de una niña. Por primera vez, alzó a Mimita, la envolvió con el cobertor y se la pasó a Rafaela. Las condujo escaleras abajo y a través del salón de la fonda, vacío y oscuro, hasta el cabriolé que aguardaba fuera. Al cabo de unos minutos de recorrido, Rafaela mostró signos de captar la realidad.

—¿Adónde me llevas?

—A casa de tu padre.

—¿Qué hora es?

—La una de la madrugada.

"¡Qué tarde!", pensó. "¿Por qué no habrá regresado el señor Furia?"

—¿Por qué nos llevas a casa de mi padre? Quiero volver a la fonda.

—Rafaela, sé que estás aturdida. Debes comprender que no podía dejarte en ese sitio. No estabas a salvo allí. Tu lugar es con tu familia ahora. Te necesitamos. Además, pensé que querrías despedirte de tu padre. Su cadáver ya fue revisado por el doctor O'Gorman y las esclavas están lavándolo y cambiándolo para el velatorio.

—¿Por qué dices que Artemio ha asesinado a mi padre?

La parsimonia de Rafaela preocupó a Romano.

—Cristiana y yo lo vimos. Fuimos testigos, ¿entiendes?

Al entrar en la habitación de su padre, Rafaela divisó el cuerpo tendido sobre la cama y a sus tías llorando, una a cada lado. Cristiana, arrinconada en una esquina, le clavó la mirada. Poupée, en brazos de su dueña, le gruñó, y Rafaela se arrepintió de no haberla envenenado con las vainas de glicina en *La Larga*. Se aproximó al lecho. El semblante de Rómulo la afectó; había adoptado el color de las velas de sebo, las de confección barata. No tenía deseos de llorar.

—¡Mira lo que ha ocurrido por tu culpa! —explotó Clotilde—. ¡A causa de ese palurdo que trajiste a nuestras vidas, tu padre está muerto! ¡Ese maldito gaucho lo ha asesinado! ¡Eres una prostituta! ¡Una mal parida!

—¡Madre, cállese!

Aarón sacó a Rafaela de la habitación y la acompañó a su antiguo dormitorio.

—Ya vi a mi padre. Ahora llévame a la fonda. Tengo que estar allí para cuando Artemio regrese.

—¿Acaso no has comprendido lo que te dicho? —se impacientó Romano—. Furia es un prófugo de la Justicia. Todos mis agentes y los alcaldes de barrio están tras su pista. Cuando lo encuentren, lo llevarán a prisión y será ajusticiado.

—¡Déjame ir, Aarón! Me importa un comino si todo el ejército está tras él. Tengo que regresar a la fonda. Me buscará allí, y nos iremos juntos.

—¿Acaso has perdido el juicio? ¿Piensas vivir como prófuga el resto de tu vida? ¿No comprendes que él *asesinó* a tu padre?

Rafaela cargó en brazos a Mimita, que lloraba, e hizo ademán de dirigirse hacia la puerta. Romano la cerró de un puntapié.

—De aquí no sales.

—¡Abre la puerta, Aarón! —Depositó a la niña en el piso y lo empujó—. ¡Hazte a un lado! No puedes obligarme a permanecer aquí. Tengo que ir a la fonda. Artemio morirá de angustia si no me encuentra allí.

La aferró por los brazos y le habló cerca de la cara.

—Tu Artemio jamás volverá a la fonda.

—¡Sí, lo hará! No se moverá de la ciudad sin mí.

—Te digo que jamás volverá a la fonda porque yo le he dado muerte.

Aarón nunca había atestiguado una palidez tan repentina e intensa. El azulado de los labios exacerbaba el blanco de las mejillas. Los ojos verdes adquirieron una calidad vidriosa y sin vida.

—¿Qué has dicho?

—Le disparé. Le metí un balazo en el ojo izquierdo. Lo maté. Cristiana vio todo. Ella dará fe de mis palabras.

—¡Mientes! ¡Estás mintiéndome!

—No miento.

—¡Llévame con él!

—¡Jamás te diré dónde lo he enterrado! ¡Jamás!

—Aarón —dijo, con la voz cargada de llanto—, sé que mientes. ¿Por qué habrías de matar a Artemio y decir, en cambio, que ha huido?

—¿Crees que admitiría públicamente que he acabado con el gaucho Furia? Mi vida tendría los días contados. Su gente, en especial ese indio, me perseguirían hasta los confines de la Tierra para vengarlo.

Rafaela no pensó en que estaba embarazada ni tampoco en su propia seguridad. Se abalanzó sobre Aarón para arrancarle la sonrisa, y se debatió con un vigor que lo tomó por sorpresa. Le costó sojuzgarla. La arrojó boca abajo sobre la cama y le echó su peso encima. El cuerpo de Aarón la privó del aliento. Rafaela respiraba por la boca, incapaz de llenar los pulmones. Temía desvanecerse, así que se aferró al llanto de Mimita.

Aarón se inclinó para olerle el aliento, y después el cuello, y la oreja, y las mejillas, y las sienes. La recorrió con la punta de la nariz, inspirando las fragancias que siempre daba por hechas. Le pasó la lengua por la mejilla, y la suavidad y la untuosidad de la piel de Rafaela le recordaron a la crema.

—Cálmate —le susurró, de buen modo—. Sé que has recibido un impacto demasiado doloroso, pero busca calmarte. Todo pasará, y tú y yo seremos felices. Luego de un tiempo prudencial, te convertirás en mi esposa y restablecerás tu reputación. En un principio —prosiguió Aarón, y Rafaela advirtió más intensidad en su voz—, sólo me interesabas por la fortuna de tu padre. Ahora te has vuelto una obsesión, una fiebre, una enfermedad. Te deseo, te deseo con un ardor que está volviéndome loco.

¿La forzaría frente a la niña? La lascivia de Aarón la ahogaba, como si un olor nauseabundo le danzara bajo las fosas nasales. Pensó en la enfermedad que lo aquejaba, morbo francés lo había llamado la señorita de Lezica. La contagiaría, dañaría a su hijo. Los gritos permanecían encerrados en su mente. No tenía fuerza ni aire para proferirlos ni voluntad para luchar.

Aarón rodó a un costado, y Rafaela hizo ruido al tomar aire y expandir sus pulmones. Se puso de pie de un salto y corrió hacia Mimita.

—Quiero que te serenes —exigió Aarón, al tiempo que se acomodaba el lazo y la chaqueta—. Duerme un poco, si puedes. Más tarde, volveré por ti. —Se fue y cerró la puerta con llave.

Le tomó unos minutos calmar a Mimita, secarle las lágrimas y sonarle la nariz, mientras ordenaba sus ideas. No se detendría a analizar la mentira de Aarón. Artemio no estaba muerto, nada la induciría a creerle. Tenía que huir de esa casa y de su primo. Ambos se habían convertido en extraños. El sonido de la llave la puso alerta. Eran Cristiana y Peregrina. La esclava corrió y las abrazó.

—Vamos —las apremió Cristiana—. No hay tiempo. Babila te aguarda en la parte trasera. Te llevará donde le indiques.

—¿Por qué me ayudas?

—Porque sí —dijo para no explicar que jamás permitiría que su hermano, el asesino de Rómulo, casara con ella y fuera feliz. Sabía que la deseaba; lo había pillado varias veces contemplándola con expresión infatuada.

—Aarón dice que mató a Furia y que tú viste todo.

—Es verdad.

—¡No te creo!

Cristiana se sacudió de hombros. Se deslizaron de modo furtivo por la casa y treparon al coche. Rafaela hurgó en su bolsa, sacó la tarjeta de Juvenal Romano y, mientras la leía, ordenó al esclavo:

—Al número 28 de la calle de San Cosme y San Damián.

Quinto olfateó el bulto. Apartó la hierba que lo cubría con sus patas delanteras hasta dar con una manta, cuyos bordes separó usando el hocico. Olisqueó la cara de Artemio Furia, mezclando gruñidos con maullidos lastimeros y silbidos rabiosos. Balanceaba la cabeza y movía el cuerpo, como si se debatiera. Mordió el poncho y comenzó a arrastrar el cuerpo. La prenda quedó colgando de sus dientes, y el cuerpo abandonado varios palmos atrás de él; el poncho se había deslizado por la cabeza de Furia. Le husmeó el cuello y la nuca, maullando como un gato indefenso, hasta cerrar sus poderosas mandíbulas en torno a la camisa y tirar. Tardó más de dos horas en alcanzar un área despoblada del Bajo, muy cerca del río, donde se escondía mientras Furia permanecía en la ciudad; él rara vez entraba en Buenos Aires; le temía. Lo había hecho de cachorro, en brazos de su dueño, que lo había mantenido a buen resguardo entre los muros del convento de la Merced.

Corrió por el Bajo hasta alcanzar la marisma de la Alameda, desolada a esa hora de la noche. Varias yardas después del Fuerte, comenzó el ascenso de la barranca para adentrarse por primera vez en mucho tiempo en un poblado. Trepó la pared del convento de la Merced con agilidad y se arrojó dentro; cayó sobre la acelga del huerto. El olfato lo guió al padre Ciriaco. Subió las escaleras y caminó por el pórtico superior hasta dar con la celda del sacerdote. Rascó la madera de la puerta, gruñendo y silbando. Paró las orejas al escuchar el ruido del eslabón contra el pedernal. La rendija bajo la puerta cobró luz. Quinto siguió rascando.

—¡Quinto! —susurró—. ¿Qué haces aquí? ¡Casi me has matado del susto! ¡No te reconocí!

Ciriaco advirtió el estado de inquietud del puma. Movía la cabeza hacia uno y otro lado, daba cortos pasos hacia la izquierda y la derecha, se detenía frente a él, lo miraba y maullaba, se sentaba sobre sus cuartos traseros para levantar una de sus enormes patas y agitarla en el aire. Su mirada, sobre todo, parecía querer transmitirle un mensaje urgente. Al fin, Quinto le mordió el ruedo del camisón y tiró hacia fuera.

—¡Ey, Quinto! ¿Qué te propones? ¿Por qué estás aquí? ¿Buscas a Artemio?

Se detuvo al mencionarlo. Ciriaco sabía que el animal jamás entraba en la ciudad. Merodeaba sin acercarse, a la espera de que su dueño se dignase a regresar al paraíso agreste y sin humanos del cual provenía. ¿Por qué había arriesgado el pellejo violando un instinto de preservación tan fuerte? Supo, con certeza indiscutible, que Artemio estaba en peligro. Apenas entornó la puerta para quitarse el camisón, echarse encima la sotana y un poncho y calzarse las sandalias. Encendió un fanal antes de apagar la palmatoria de su celda y salir. Lo elevó para iluminar el pórtico.

—Llévame con él, Quinto. Deprisa.

Amanecía cuando la carreta, con Furia inconsciente atrás, cruzó el portón del convento de la Merced, que un sacerdote se apresuró a cerrar. Lo bajaron entre varios y lo colocaron en una camilla utilizada para recoger heridos de las calles durante la batalla contra los invasores ingleses. Lo acomodaron en el refectorio, donde el principal había mandado desplegar un catre con jergón de guata, también empleado durante los días en que el convento servía como hospital de sangre.

—Ciriaco —habló el principal—, acaban de irse unos agentes de la Policía que buscaban a Artemio. Saben de su relación con el convento y por eso vinieron. Dicen que asesinó a Rómulo Palafox y que se dio a la fuga. Hay gente buscándolo por doquier.

—¡Dios lo ampare! —proclamó Ciriaco—. Pero, ¿cómo puede ser eso posible si lo he hallado medio muerto?

—¡No es tiempo de especulaciones! —intervino el padre Cosme—. Artemio está muriendo. Su pulso es muy débil. Urge que lo vea un médico.

—Serapio ha ido por el doctor Argerich —informó el principal—. En él podemos confiar. Es amigo de Artemio y de la causa de los patriotas.

El padre Cosme, quien, por ser el barbero del convento, entendía en materia de sangrías, aplicación de sanguijuelas, extracción de muelas y colocación de ventosas, asistió al doctor Argerich durante la curación y la revisión de Furia. El médico no mostró una buena expresión cuando se acercó al principal para darle su diagnóstico.

—Ha perdido el ojo. La bala le ha vaciado la cavidad ocular. Afortunadamente, el proyectil salió por la sien izquierda. No sabemos qué daño haya producido en su recorrido.

—¿Vivirá? —se escuchó la voz de Ciriaco.

—Su pulso es muy débil —fue la respuesta del médico— y la ciencia no puede hacer más por él. Queda en manos de Dios.

—Doctor —habló el principal—, han estado aquí unos soldados. Se lo acusa de haber asesinado a Rómulo Palafox. Nosotros sabemos que no es cierto. ¿Cómo podría serlo si Artemio está aquí, medio muerto? —El médico asintió con gravedad—. Queríamos pedirle que…

—No diré una palabra acerca de Furia —se apresuró a aclarar Argerich—. Él es un amigo y dudo de que la acusación sea cierta. Cuestiones muy complejas se cocinan en la política del Río de la Plata por estos días, y Furia está en el ojo de la tormenta.

—Lo mejor sería sacarlo de Buenos Aires cuanto antes —propuso Ciriaco.

—¿Conviene moverlo, doctor?

—No conviene —admitió—. Pero tampoco conviene que le echen el guante sus enemigos.

Reunidos en el despacho del principal, Ciriaco y otros sacerdotes decidían qué hacer. Coincidieron en que la llegada del conde de Grossvenor a Buenos Aires era un acontecimiento de la Divina Providencia.

Le gustaba dormir porque soñaba con el señor Furia, y sus sueños adquirían un matiz tan real que, al despertar, le tomaba un momento darse cuenta de que no cabalgaba junto a él en el campito de Morón ni se bañaban en la laguna de *La Larga*. Quería evadirse porque no toleraba la sórdida realidad. Quería soñar y olvidar que su padre estaba muerto, que su primo Aarón se había convertido en un monstruo y que Artemio seguía desaparecido. Él no había muerto, se lo repetía a diario para no flaquear. Pero dormirse le costaba y los sueños no bastaban para devolverle las ganas de vivir.

Había resultado un acierto acudir a Juvenal Romano. Aarón jamás la buscaría en su casa, donde se ocultaba desde hacía dos días. Las noticias que Romano obtenía en la ciudad resultaban descorazonadoras. Lo vio entrar en la sala y advirtió su gesto contrariado. Aguardó a que se quitara la chistera, los guantes y el gabán para acercarse y preguntarle:

—Señor Romano, ¿qué ocurre? ¿Qué noticias me trae?

—Se ha intensificado la búsqueda. Han enviado una cuadrilla a buscar a Furia a un campito que tiene en Morón. ¿Es así? —Levantó la vista al inquirir a Rafaela—. Oh, por favor, no vaya usted a desvanecerse. No sabría qué hacer. Venga, siéntese. Le daré algo fuerte para beber. —La obligó a sorber coñac antes de proseguir—. A usted también la buscan. La acusan de cómplice en el asesinato de su padre.

—¡Oh, Santo Dios!

—Aarón es implacable —admitió Romano—. Ha ido a casa de su amiga, la señorita Bonmer, y la ha golpeado para que confesara su escondite. No llore, Rafaela. Bernarda está cuidando de ella. No es nada grave en realidad. El labio hinchado, eso es todo.

—Podría matar a Aarón con mis propias manos. Es un canalla del peor jaez. ¿Qué ha averiguado acerca de Artemio?

—Nada. Nadie sabe nada. Es como si se lo hubiese tragado la tierra. Los morenistas lo buscan, quizá, con más ahínco que la Policía. Creo que lo necesitan para algo. Además…

—¿Qué? ¡Hable, señor Romano!

—Ha comenzado a correr el rumor de que en verdad está muerto.

—No, no, no. —Rafaela agitaba la cabeza, sin apartar los ojos de Juvenal—. No, no, él no me dejaría. Él no me abandonaría. Vamos a tener un bebé. Voy a darle un hijo.

Romano se apiadó del sufrimiento de Rafaela y la abrazó. Al notarla más tranquila, decidió hablarle con sinceridad.

—Rafaela —dijo, con acento sombrío—, creo que lo mejor será que usted abandone Buenos Aires.

—¡No puedo irme sin Artemio! ¿Adónde iría sin él? ¿Cómo me encontraría?

—Calma, Rafaela, no entre en pánico. Eso no ayudará para razonar. A ver, pensemos con serenidad. Es preciso que salga de Buenos Aires porque Aarón no cejará hasta dar con usted. Como intendente de Policía, cuenta con espías por doquier. Y no pasará mucho hasta que consiga saber dónde se oculta. Esta vez la señorita Bonmer no ha dicho nada. ¿Qué ocurriría si, en lugar de darle una bofetada, le pusieran un arma en la sien? Ella no tendría alternativa y diría que usted está aquí.

—¡Dios mío! ¿Qué haré?

—Por eso creo que lo mejor es sacarla de Buenos Aires. Yo podría…

—¡Tía Pola! —exclamó—. La hermana de mi madre vive en Córdoba. He recibido razón de ella hace poco. Sé dónde vive, y dudo de que Aarón o mi tía Clotilde lo sepan. Me esconderé en su casa en Córdoba hasta que Artemio vaya a buscarme. —Se desazonó de pronto—. ¿Cómo sabrá Artemio dónde estoy? ¿Quién se lo dirá?

—Él iría a lo de la señorita Bonmer y ella le confesaría que usted se esconde aquí, en mi casa. Mañana mismo iré a los Altos de Escalda y le daré mi dirección, para que se la entregue a Furia.

—¡Sí, sí, así será! —Volvió a deprimirse—. No cuento con dinero para pagar el viaje. Apenas si tengo unos cuartillos en mi escarcela. El dinero quedó en la habitación de Los Tres Reyes. Sería riesgoso volver por él.

—Rafaela, Aarón incautó vuestras cosas de Los Tres Reyes. Su dinero, estoy seguro, ha terminado en las faltriqueras de los cabos de la Policía. No se angustie por el dinero, yo le daré para que afronte el viaje. Además, usted y Mimita irán en una de mis diligencias. La enviaré sola, sin otros pasajeros, y con mis mejores cochero y mayoral.

—¡Dios lo bendiga, señor Romano!

—Rafaela, debe tener muy presente que no podrá escribirme. Es sabido que la Policía viola la correspondencia para mantenerse informada. Nos comunicaremos a través de cartas que le enviaré en mis diligencias. Y ahora, déme la dirección de su tía Pola.

—¿Cuándo partiremos?

—Esta misma noche. Como no contáis con salvoconductos para viajar, le pediré a la señorita Bonmer que los falsifique en la Imprenta.

—¿Corina puede hacer eso?

—Rafaela, se sorprendería al conocer la habilidad de su amiga con una prensa. Debo irme ahora si quiero obtener esa documentación para la hora del viaje. Pensaré nombres falsos para usted y Mimita en el camino. Además, he decidido acompañaros hasta la Villa del Luján haciéndome pasar por vuestro padre. Después de esa posta, podréis continuar viaje sin peligro. Estimo que la influencia de Aarón no se extiende más allá.

CAPÍTULO XXIX
Flores en el camino

E

l conde de Grossvenor confiaba en Eddie O'Maley para que se ocupase de la fuga de Artemio; lo consideraba un hombre competente y brillante. La Policía había trazado un cerco en torno a la ciudad y habría sido imposible sacarlo por los caminos de realengo.

Su nieto seguía inconsciente en el refectorio del convento, y las oraciones de los mercedarios no estaban haciendo efecto. "Al menos sigue con vida", se consoló, aunque no pudiesen bajarle la fiebre. Cuando deliraba, Artemio se violentaba y se arrancaba la venda de la cabeza. Debían sujetarlo entre varios. Al final, optaron por atarlo para evitar que se infligiese daño.

Entre las incoherencias que barbotaban de sus labios resecos, una palabra surgía con claridad: Rafaela. A Horatio le sangraba el corazón al percibir la angustia con que su nieto pronunciaba ese nombre una y otra vez hasta perder la voz. Él había amado con locura a su esposa y conocía los abismos en los que podía hundirse un hombre que sufría por amor.

No importaba cuánto se esmeraran en la búsqueda, Rafaela Palafox no aparecía; se había esfumado, y, aunque no se atrevía a llevarse a Artemio a la Irlanda sin su mujer, no vislumbraba otra opción. Como lebreles, la Policía olfateaba a su nieto en el convento, y si no habían ingresado para requisarlo se debía a la indignación fingida por el principal, que llegó a amenazarlos con interponer una denuncia ante el Cabildo Eclesiástico.

Eddie O'Maley se personó en la casa de la calle San José y le informó que esa noche se pondrían en marcha para sacar a Artemio de Buenos Aires. De Lacy le confirmó que el capitán del *Gales* se hallaba al tanto de la situación y pronto para zapar apenas subieran a Artemio en el clíper, que anclaba a una milla frente a la costa porteña. Se habían cargado los bastimentos y el agua dulce durante esos días de espera.

—La parte más difícil —admitió O'Maley— será conducir a Artemio en una carreta hasta la zona sur, en la boca del río. Allí lo embarcaremos en un pontón que los transportará hasta el *Gales*. Hay retenes de soldados y policías por doquier y, si llegasen a detenernos para revisar la carreta, estaríamos perdidos.

—Iremos armados. Nos resistiremos. No tengo nada que perder.

—Hay que pedirle al doctor Argerich que obligue a Artemio a beber láudano para que duerma durante el trayecto. Si comenzase a delirar, nos delataría.

Calvú Manque se paseaba por el locutorio del convento de la Merced con la impaciencia de un tigre en una jaula. Soltaba bufidos y alzaba la vista al techo. Escuchó pasos en el corredor y se detuvo.

—¡Calvú, hijo! —exclamó Ciriaco, y lo abrazó—. ¡Gracias a Dios que has aparecido! ¿Dónde estabas? Te envié mensaje hace días. Te necesitábamos desesperadamente. No sabes...

—Antes de venirse pa'cá, Artemio nos mandó a Arrecifes con un rodeo chúcaro que mi ha sacao canas verdes. Nos tardamos má de lo normal. En llegando a Morón, mi *ñuqué* me dio aviso de su mensaje. Y me he venío echando cachaza pa'verlo. ¿Qué carajo pasa?

—Ven, siéntate. Ha sucedido una desgracia.

Ciriaco le relató los hechos. Manque no preguntaba ni hacía comentarios porque no atinaba a aprehender la magnitud de la tragedia.

—Quiero ver a mi *peñi* —balbuceó.

—¿Acaso no escuchaste que te he dicho que lo embarcamos hace tres días y que, junto con su abuelo, el conde de Grossvenor, viaja hacia la Irlanda?

—¡Dios mío, padre! ¿Qué gualicho nos han echao pa'tener esta suerte tan canija?

—Ahora hemos de hallar a Rafaela y decirle la suerte que ha corrido Artemio.

—¿Cómo? ¿Rafaela no embarcó con él?

—No hemos podido hallarla. Desapareció. Nadie sabe dónde está. Yo no la conozco así que no sé quiénes son sus amistades, a qué personas frecuenta. Sabemos que no está en casa de los Palafox ni en Los Tres Reyes. La Policía la busca a ella también; la acusan de cómplice en la muerte de su padre. Debe de estar escondiéndose, la pobre. Tú, Calvú, la conoces más que yo. Quizá sepas adónde ir a preguntar por ella.

El indio se puso de pie y, con acento sombrío, declaró:

—No me gustaría sé el conde ese de no sé dónde, cuando mi *peñi* dispierte y sepa que Rafaela no va en ese barco.

* * *

—Le pidió a Babila que la llevase al número 28 de la calle de San Cosme y San Damián. Ahora, entrégame a Poupée.

Aarón retiró la pistola que clavaba en el vientre de la perra y se la devolvió a su hermana.

—Si vuelves a traicionarme —la amenazó— terminarás peor que Peregrina. —Lanzó un vistazo al bulto que formaba la esclava en un rincón de la habitación; temblaba y gemía, mientras la sangre se encharcaba en torno a ella a causa de una herida en la frente.

Le había tomado varios días darse cuenta del papel de Cristiana en la fuga de Rafaela, pues en un principio creyó que la había ayudado la tía Justa. Hasta que notó el nerviosismo de Peregrina, y el instinto le marcó el camino. Lo demás, había sido pan comido.

Montó su caballo y galopó hacia el norte. Para llegar al 28 de San Cosme y San Damián debía cruzar toda la ciudad. Conocía esa dirección; allí vivía y administraba su compañía de alquiler de diligencias Juvenal Romano. Le resultaba improbable que Rafaela y su padrastro se conocieran. No obstante, iría a verlo. Si Cristiana le había mentido, regresaría y la golpearía hasta arrancarle la verdad. Se le agotaban la paciencia y los recursos; ya no sabía dónde buscar a su prima; hacía más de diez días que había desaparecido. Estaba perdiendo el control, y, a excepción de la muerte de Rómulo, el resto de su estratagema se desmadraba y fracasaba. Rafaela había huido y el cadáver de Furia, desaparecido. ¿O, en realidad, aún seguía con vida?

Calvú Manque le indicó a la criada que necesitaba hablar con el señor León Pruna; añadió que lo enviaba la señorita Bonmer. Romano se presentó en la sala en compañía de la señorita de Lezica. A Manque le llamaron la atención sus semblantes pesarosos con signos de llanto. No obstante, simuló no haber reparado en ello y se apresuró a quitarse el pañuelo de la cabeza para inclinarla a modo de saludo. Trató de hablar lo mejor posible para causar una buena impresión.

—Mi nombre es Calvú Manque, amigo de Artemio Furia. La señorita Bonmer me ha dicho que vuesa merced me daría razón de Rafaela Palafox, la mujer de mi hermano. Aquí le manda una carta. —Le extendió la nota, y Juvenal reconoció la caligrafía de Corina Bonmer.

Gracias a las conversaciones que había sostenido con Rafaela, Juvenal sabía de la amistad de Furia con ese tal Calvú Manque. Lo invitó a tomar asiento y le ofreció un vaso de vino.

—Si agradece. Acabo de llegar a Buenos Aires y tengo la garganta seca del viaje. Señor Romano, ¿qué puede decirme de Rafaela? 'Tamo con el alma en un hilo por su disaparición. ¿Su mercé sabe por dónde anda?

—Señor Manque —habló Romano—, su visita es muy oportuna. Esta mañana he recibido una noticia. —Se detuvo, carraspeó y miró hacia otro lado para decir—: No es una buena noticia la que tengo para usted ni para Furia. Es cierto, la señorita Palafox recurrió a mí para ocultarse de la perfidia de Aarón. —Le relató de manera sucinta los hechos—. Ella no deseaba irse sin Furia, pero el peligro era inminente. Aarón Romano no tardaría en saber que ella se ocultaba aquí, y yo la induje a partir hacia Córdoba, a lo de una tía, hermana de su madre.

—¿Hace cuánto que se jué pa'Córdoba?

—Partió hace nueve días.

—Estará al llegar. Me iré pa'Córdoba…

—Señor Manque, aún no he terminado de relatarle los sucesos. Como le expresé un momento atrás, esta mañana he recibido una penosa noticia. La señorita Palafox nunca llegó a Córdoba.

—¿Adónde 'ta, pué?

La inquietud de Manque lo desbordaba y, en un acto inconsciente, se puso de pie.

—La galera en que viajaban fue atacada por los indios a legua y media de la posta de Puntas de la Cañada Honda. Como consecuencia, la señorita Palafox y la niña murieron, lo mismo que el mayoral y el cochero.

Calvú Manque sujetó a Romano por las solapas. Bernarda saltó sobre el indio y se colgó de su brazo.

—¡Suéltelo! ¡Qué hace!

—¿Dónde 'tá la mujer de mi *peñi*?

—¿No ha escuchado al señor Pruna? ¡Ha muerto, junto con Mimita!

—No é verdá. ¿Adónde 'tá ella? ¿Adónde la escuende?

—Lo siento, lo siento —lloriqueaba Juvenal—. Yo la impulsé a partir. Ella no quería, no quería. Y yo la induje a que se fuera. ¡Pobre niña! Estaba tan asustada. ¡Qué muerte tan horrible ha encontrado por mi culpa!

Calvú Manque lo soltó y se abandonó en la silla. Se cubrió la cabeza con las manos y apoyó los codos sobre las rodillas.

—No é verdá —susurraba.

—Los halló otra de mis diligencias, que se dirigía también hacia Córdoba. Ellos enterraron los cuatro cadáveres a la orilla del camino y despacharon un chasque con la noticia. Llegó esta mañana.

—¡No é verdá! Hasta que no vea el cuerpo de Rafaela no lo creeré.

* * *

Antes de enfrentar a Juvenal, Aarón Romano se dedicó a estudiar el movimiento de la casa y de los alrededores. La zona, alejada del centro, presentaba un aspecto desolado; no había gente ni coches, ni siquiera perros.

La puerta de la casa se abrió de modo súbito y violento, y Aarón atinó a bajar el ala de su sombrero para evitar que Calvú Manque lo reconociera; apuró el caballo y simuló ser un paseante. Después de un rato, giró la cabeza y constató que el indio, a una velocidad extrema, se alejaba en dirección al centro. Habría jurado que Cristiana le mentía al darle esa dirección; la presencia de Calvú Manque en casa de Juvenal arrojaba una nueva luz sobre el caso.

No llamó a la puerta, sencillamente entró. Su padrastro lucía abatido, solo en el amplio vestíbulo, medio echado en un canapé. Levantó la cabeza, y su expresión afligida mudó de inmediato a una dura y enojada. Se puso de pie.

—¿Qué haces aquí, Aarón? ¿Cómo te atreves a entrar en mi casa sin llamar?

—Quiero saber dónde tienes a Rafaela, dónde la escondes.

—Nada sé yo de Rafaela, así que sal de aquí. ¡Ahora!

—¿Por qué tanta antipatía? Meses atrás me llamaste hijo y me ofreciste compartir tu negocio de diligencias.

—Tú no eres mi hijo sino de ese delincuente de Avendaño. Sois astillas del mismo palo —manifestó, con un desprecio que logró perturbar a Aarón.

—Puedes decírmelo por las buenas o puedo sacártelo por las malas. Te encerraré en una mazmorra del Cabildo y te haré torturar. ¡Dime dónde tienes a Rafaela!

Una sonrisa sardónica afloró a los labios de Juvenal.

—Antes de abandonarme, tu madre me denunció por marrano al Tribunal del Santo Oficio en Lima. ¿Crees que, después de haber sido torturado por esos inquisidores hijoputas, expertos en técnicas para infligir dolor, le temeré a los improvisados del Cabildo? Si ellos, con toda su destreza, no consiguieron arrancarme un solo nombre, ¿piensas que podrás lograr que te diga adónde escondí a Rafaela Palafox?

Bernarda de Lezica, que había ido a la cocina en busca de una tisana para Juvenal, se detuvo al escuchar murmullos y permaneció oculta en el ingreso del vestíbulo. Reconoció la voz de Aarón Romano y se echó a temblar. La perversidad de ese muchacho había conseguido quebrar su coraza de mujer valiente e independiente y filtrarse en su tierno interior.

Le temía al punto de quedarse noches en vela imaginando las maldades a las que la sometería. La última vez había intentado violarla. Regresaría para perjudicarla y caería sobre ella y su tienda sin piedad. Debido a la posición que ocupaba en el gobierno, su perfidia y su inmoralidad lo convertían en una criatura letal. Prefería que no siguiera levantando los pagarés que le debía si con eso evitaba volver a verlo. Le condonaría la deuda.

Un chasquido se mezcló con las voces, y Bernarda identificó el sonido del gatillo de una pistola al ser aprestado para disparar.

—Tarde o temprano la encontraré —prometió Aarón—. Ahora, me daré el gusto de hacer algo que deseo desde hace mucho tiempo: mandarte al infierno, marrano de mierda. —Y disparó.

El sonido del disparo produjo ondas en el aire, como las de una piedra arrojada sobre un espejo de agua, que alcanzaron a Bernarda y la recorrieron de los pies a la cabeza. Apretó el cacharro con la tisana sin reparar en que se quemaba. No supo cuánto tiempo permaneció oculta, con los dientes apretados y los ojos cerrados. Al despegar los párpados, necesitó varios minutos para atreverse a enfrentar lo que sabía que hallaría en la sala: a Juvenal muerto.

Calvú Manque se mantenía erguido sobre la montura a fuerza de voluntad. Hacía días que no dormía ni comía bien. Fustigaba a sus parejeros, y era consciente de que descargaba sobre sus bestias la ira que lo embargaba. Refrenaba el impulso de elevar el puño al cielo y agitarlo en un gesto de amenaza hacia Dios. "¿Por qué has güelto a ensañarte con él, Señor?", preguntaba después, abatido y humilde. "¿No ha sío suficiente que le arrebataras a su familia cuando era un crío que aura le quitas lo que más ama en esta vida?" Sonrió con amargura al evocar la cara de orgullo de Artemio cuando le comunicó que Rafaela iba a darle otro hijo. "Me voy a casoriar con ella, *peñi*. Quiero que hasta la ley de Dió diga que Rafaela Palafox é mi mujer."

En tanto se aproximaba a la posta del paraje Puntas de la Cañada Honda, el miedo crecía y lo ahogaba. Se negaba a la verdad y se sujetaba a un hilo de esperanza. Quizá Rafaela y Mimita no estuvieran muertas sino cautivas en Tierra Adentro. No resultaría difícil redimirlas si se hallaban entre tribus amigas.

La posta no presentaba el aspecto misérrimo de las que había dejado atrás. Sólidamente construida, con una amplia estancia y habitaciones, hasta podía pasarse la noche en una cómoda cama. Manque ató los caballos al palenque y entró. Los parroquianos y viajeros cesaron la conversación para estudiar la catadura del recién llegado. Como era indio, nadie se mostró hospitalario ni amistoso.

Manque se aproximó al despacho de bebidas que se realizaba a través de una ventana con rejas para evitar los asaltos. Pidió un vaso con grapa antes de preguntar:

—¿Quién é el patrón d'este lugar?

—¿Pa'que lo busca?

—¿Usté é el patrón?

—No. Pero le voy a dar un consejo gratis, amigo. Evite al patrón hoy día. Dende que la mujer se le fugó y lo dejó abandonao, no es un cristiano fiable, lo que se dis. 'Tá dentro, mamándose, má cabreao que un tigre con dolor de huevo. ¿Qué anda necesitando? Capá que si puedo, le echo una mano.

—Hará cosa de quince días, acá cerca, má pa'l norte, unos infieles atacaron una galera que llevaba solamente a una niña y a una joven muy bonita y refináa. ¿Sabe usté algo d'esto?

—¡Ah, sí! —confirmó el pulpero—. La misia y la niña (medio rara esa criaturita, si me permite) hicieron noche aquí y se jueron antes de que saliera el sol. A legua y media, unos indios le lancearon la diligencia, mataron al mayoral, al cochero y a ellas. Un asunto muy triste, muy triste. Los que los encontraron, les dieron cristiana sepultura y hasta clavaron unas cruces en cada tumba. Se dijo que los cuerpos estaban muy maltrechos porque los buitres y los caranchos se habían dao una panzáa con ellos. ¡Qué triste asunto!

Calvú Manque se desmoronó en una silla para seguir bebiendo. Despertó unas horas más tarde sobre la mesa, confundido, con dolores, puntadas y molestias desde la coronilla hasta los pies, y un sabor desagradable en la boca. Salió. Se acercó a un pozo de agua y se enjuagó el rostro e hizo gárgaras. Se ocupó de su montura, a la que había descuidado sin perdón. Regresó a la posta y se obligó a comer algo. Demoró la partida hasta que reunió valor para proseguir.

En la invariabilidad del terreno, no le costó distinguir los cuatro montículos que el sol del atardecer bañaba con una luz dorada y suave. Desmontó con un giro lento, se deslizó despacio; no quería tocar tierra porque, al hacerlo, se vería obligado a acercarse a las tumbas. Caminó hacia ellas y, a unos palmos, se quitó el sombrero en señal de respeto. Las cruces, de ramas de chañar atadas con tientos de cuero, eran pequeñas y torcidas, y no se divisaban desde el camino. Se preguntó cuáles serían las tumbas de Rafaela y de Mimita. Había llevado una laya para desenterrarlas y ratificar que se tratara de ellas; después del comentario acerca de buitres y caranchos cebándose en los cuerpos, carecía de sentido. Juró que Artemio jamás se enteraría de que la carne de su mujer le había servido de comida a un ave carroñera; ese secreto se lo llevaría al otro mundo.

—Artemio —musitó, y se puso de rodillas—, *peñi*, ¿cómo te lo voy a decí?

No quería ser él quien le diera la noticia de la muerte de Rafaela y la del hijo de ambos. Tenía miedo de enfrentarlo, de atestiguar su dolor y su derrumbe. Se odió por desear que Artemio nunca despertase de la inconsciencia en que lo había sumido el disparo que le había vaciado el ojo. Aunque quedara con medio corazón después de la muerte de su hermano, prefería su pérdida a verlo padecer por la muerte de Rafaela.

Se secó las lágrimas con el fular, se puso de pie e inspiró profundamente. El aire de la pampa al atardecer siempre operaba maravillas en su ánimo. Él era un hombre bien bragado, se recordó, un taita con los huevos bien puestos. Si alguien tenía que dar la noticia a Artemio, ése era él. Y si alguien podía ayudarlo a sobrellevar el dolor, ése también era él, su *peñi*, su hermano del alma. No tenía sentido demorarse en buscar a los culpables. Regresaría a Buenos Aires, delegaría los asuntos del campito de Morón en Billy, "el rengo", e Isidoro, "el rastreador", y se embarcaría para la Irlanda.

El lunes 8 de abril de 1811, Bernarda de Lezica se presentó en la Imprenta de los Niños Expósitos, donde la recibieron en un tenso silencio y con semblantes preocupados. Pidió hablar con Corina Bonmer.

—Han tomado prisionero a nuestro jefe, Agustín Donado —explicó a la Lezica—, y lo han llevado a la Guardia de Luján. No sabemos qué será de él.

Donado y otros miembros de la Sociedad Patriótica, declarados morenistas, partirían rumbo al exilio. El golpe orquestado por Joaquín Campana, Tomás de Grigera y Aarón Romano había resultado victorioso.

Con visos de pueblada, la asonada comenzó alrededor de las once de la noche del viernes 5 de abril, cuando, convocados por los alcaldes, a la cabeza el de las Lomas de Zamora, grupos de quinteros, peones y paisanos, todos a caballo y armados, se congregaron en los suburbios, en especial en los corrales de Miserere. En un silencio imponente, marcharon hacia la ciudad y ocuparon la Plaza de la Victoria. Contaban con el apoyo del regimiento de los Húsares al mando del coronel Martín Rodríguez.

Los miembros de la Junta Grande, al tanto de la pueblada, fingieron sorpresa y desconocimiento. Se atendió al petitorio (un documento con diecisiete puntos redactado por Campana) y, sin discusión, se concedió cuanto solicitaban. Entre dichas exigencias se encontraba el pedido de dimisión de los aliados de Moreno en el gobierno, Nicolás Rodríguez Peña, Hipólito Vieytes, Miguel de Azcuénaga y Juan Larrea, y la expulsión de Buenos Aires de Domingo French, Antonio Beruti, Agustín Donado, Gervasio Posadas y el presbítero Vieytes, hermano de Hipólito. El partido de Moreno había sido destruido.

—Con el gaucho Furia desaparecido y contando sólo con la Infernal —Corina hablaba del regimiento a cargo de French y de Beruti—, resultó imposible adelantarse al golpe que nos asestaron estos traidores. Ahora, el *emperador* —dijo, en referencia a Saavedra— y su camarilla son más poderosos que nunca.

Bernarda de Lezica, a quien tenían sin cuidado las rencillas políticas, la escuchó con paciencia. Al notar que la joven se había desahogado, se dispuso a hablar acerca de lo que motivaba su visita a la Imprenta.

—Corina, te tengo muy malas noticias.

—Oh, no —musitó—, no más malas noticias, por piedad.

—Se trata de Rafaela Palafox. —A Bernarda la conmovió la angustia que se pintó en el semblante de Corina—. Lo siento, pero ella y la niña murieron. Unos indios lancearon la galera en la que se dirigían a Córdoba y las asesinaron.

Corina soltó un grito que atrajo a sus compañeros. Aunque restaba decirle lo más importante, Bernarda prefirió esperar. La visitó ese mismo día, por la tarde, en los Altos de Escalada. La halló en cama, con trapos embebidos en vinagre aromático sobre las sienes. Todavía no se le borraban las huellas del llanto.

—El culpable de la muerte de Rafaela y de Mimita es Aarón Romano. Él obligó a Rafaela a escapar, tú lo sabes, no necesitas que te explique cómo sucedieron las cosas desde que Furia mató a Rómulo Palafox y se dio a la fuga.

—Eso es mentira —la interrumpió la Bonmer, cobrando bríos—. No sé quién mató a Palafox ni dónde está Furia. Sólo sé que su desaparición resultó muy conveniente y oportuna para los traidores saavedristas. Estoy convencida de que ese sapo de Aarón Romano le tendió una trampa para sacarlo del medio. Se sabía que, con el regimiento de French y la gente de Furia, los saavedristas no tenían posibilidad de permanecer en el poder.

—Está bien, está bien, te creo y estoy de acuerdo contigo. Por eso he venido hoy hasta aquí, porque quiero pedirte que me ayudes a destruir a Aarón Romano. Un ser malévolo como él no puede seguir al frente de la Policía.

—Estoy de acuerdo —manifestó Corina, al tiempo que recordaba el pánico vivido en esa misma estancia mientras Romano la mandaba golpear por uno de sus jayanes para que confesara dónde se escondía Rafaela—. Con todo, no veo cómo lo destruiremos si Romano se ha convertido en uno de los hombres más poderosos del momento.

—Destruiremos su reputación. Sé cosas acerca de Romano que lo hundirán en la más profunda de las ignominias, de la cual nunca emergerá. Necesito que imprimas panfletos y bandos en la Imprenta y que los mandes pegar, que cubras la ciudad con ellos. Toma —dijo, y sacó de su bolsa un papel doblado.

A medida que leía, los ojos de Corina se agrandaban.

—¡Por Dios, señorita de Lezica! ¿Es todo esto cierto? ¿Que Aarón Romano es el hijo bastardo de un delincuente, un tal Martín Avendaño? —Bernarda asintió—. ¿Que su madre casó con un marrano a quien abandonó en Lima para hacerse pasar por viuda todos estos años? ¿Que Romano es propietario de un burdel y un garito en la zona del Hueco de las Cabecitas?

—Y también es cierto que roba mujeres de los barrios bajos, en especial del Alto, del Tambor y del Mondongo, y también indias que le venden por dos reales los militares en los fuertes, y las obliga a prostituirse.

—¡Es un monstruo!

—Y por fin, es cierto que padece del morbo francés, o sífilis, como prefieras.

Días más tarde, las calles céntricas amanecieron cubiertas de panfletos titulados *El policía delincuente*, y las esquinas más concurridas, empapeladas de carteles similares a bandos, con el mismo contenido de los libelos.

Una mujer embozada detuvo a Peregrina en la Recova, le extendió un puñado de panfletos y le ordenó:

—Llévale este obsequio a tus dueños.

La esclava se ligó una bofetada de Clotilde después de que ésta leyó a trompicones.

—¿De dónde sacaste esto, negra maldita?

—Me lo dieron en la calle. Están por todas partes. Hay unos más grandes pegados en las esquinas del centro.

Peregrina se echó hacia atrás cuando Clotilde cayó desvanecida a sus pies.

TERCERA PARTE: LA ESPERANZA

En las inmediaciones del puerto de la Ensenada de Barragán,
a diez leguas al sudoeste de Buenos Aires. Mayo de 1820.

CAPÍTULO XXX

Océanos de tiempo

*M*ina le extendió un pañuelo a Elisabetta d'Adda para que se enjugara las lágrimas.

—¡Calvú! —lloriqueó la mujer—. ¡Qué historia de amor tan triste!

El indio, con la mirada fija en la costa que empezaba a avizorarse, se limitó a asentir. No habría podido pronunciar sonido con la garganta tiesa. Evocar la muerte de Rafaela y de Mimita no resultaba fácil, ni siquiera después de nueve años y de un océano de distancia. Por el rabillo del ojo, vio la mano enguantada de Elisabetta apoyarse en la borda del *Smarag*, el buque que, por casi tres meses, los había conducido a través del Atlántico en dirección a Buenos Aires. El confinamiento al que los sometía el barco —más allá de tratarse de un buque de gran calado, con una eslora de ciento cincuenta yardas— y el tedio con que transcurrían las horas en alta mar propiciaban largas conversaciones entre la noble italiana y el indio ranquel. Elisabetta se obsesionó con la historia de Rafaela Palafox, y Manque, por compasión, se propuso saciar su curiosidad.

—¿Nos sentamos? —le preguntó a la mujer, con voz insegura y en su inglés de mala pronunciación.

Calvú Manque le ofreció el brazo y se dirigieron, con Mina por detrás, hacia unos sillones de caña y almohadones floreados que la tripulación acomodaba en el combés por la tarde para que el propietario del barco, Sebastian de Lacy, y sus invitados disfrutaran de la puesta del sol. Como de costumbre, un asistente de Antoine, el cocinero, había dispuesto un carrito con el servicio del té. Elisabetta le pasó una taza a Manque y otra a Mina.

—Casi no me animo a preguntarle cuál fue la reacción de Sebastiano cuando usted le confesó que Rafaela y la niña habían muerto. —Advirtió que los párpados de Manque descendían con lentitud y que inspiraba una buena porción de aire—. Yo no me encontraba en *Grossvenor Manor* cuando mi tío Horatio llegó con él en el año once.

No quería recordar ese momento. Se estremecía al revivir la escena. Nunca olvidaría la mañana en que, junto a Eddie O'Maley y a sus hijos, Pichín-Calvú y Hueyqué —los había llevado convencido de que su presencia haría bien a Artemio—, se presentó en *Grossvenor Manor*. Apabullado por la grandeza y el boato de la mansión, se dejó guiar por la imponente escalera de mármol hasta la habitación de Artemio. El conde, que caminaba a su lado, lo ponía al tanto de la salud de su nieto.

—Fue un viaje que jamás olvidaré, un infierno. Creímos que Sebastian moriría en más de una ocasión. Recuperó del todo la conciencia recién al llegar a la Irlanda. Y, como usted imaginará, lo primero que hizo fue pedir por la muchacha, por Rafaela. Al informarle el estado de las cosas, se puso tan furioso que temí por mi vida. Me reprochó haberlo sacado de Buenos Aires sin ella, y para nada importó que tuviera a toda la Policía tras él. Se ha mantenido hosco y taciturno desde entonces. Aún guarda cama porque está débil y se marea al caminar, aunque ya resulta palmario, a Dios gracias, que la bala no le dañó el cerebro. A menudo se sienta en una *chaise-longue* cerca de la ventana y se lo pasa observando el exterior, esperándola a ella. —Lo detuvo por el brazo para confiarle—: No soy un cobarde, señor Manque, pero no me atrevo a decirle que Rafaela ha muerto.

—Eso me corresponde a mí —contestó el indio.

Calvú Manque sabía que Artemio había escuchado la puerta al abrirse y que no volteaba en una muestra de actitud beligerante. Se encontraba de pie junto al hogar, una mano sobre la repisa de malaquita de la chimenea, la cabeza inclinada y la vista fija en el hueco donde no ardía ningún leño pues era verano. Vestía una bata de seda azul marino y llevaba el pelo suelto; notó cuánto le había crecido; le superaba los omóplatos.

—Artemio, *peñi* —dijo, y Furia giró de manera súbita y se mareó.

Calvú Manque reprimió la sorpresa al descubrir el parche negro que le cubría el ojo izquierdo.

—¡Calvú! —pronunció, y, al recuperar el equilibrio, buscó con la mirada detrás del indio y de su abuelo—. ¿Dónde 'tá Rafaela?

—*Peñi*, tengo que hablarte.

—¡No me jodas, Calvú! ¿Dónde 'tá Rafaela? ¿Dónde 'tá mi mujer?

—Sebastian, por favor —intervino el abuelo.

Furia avanzó, tomándose de los muebles, y se detuvo frente a Manque.

—¡Habla! ¿Dónde 'tá ella?

—Artemio, no te traigo güenas noticias, *peñi*.

Bajó el rostro y, maldiciéndose por su debilidad, comenzó a sollozar. Furia le apretó los hombros y lo instó con una sacudida.

—¡Habla! ¿Dónde 'tán mi mujer y m'hijo?

—Artemio, ¿cómo voy a decírtelo?

—¡Qué, maldita sea! ¡Habla! ¡Qué tienes pa'decirme!

—¡'Tán muerta! ¡Rafaela y Mimita, las dos 'tán muerta!

Elisabetta escuchó que Manque inspiraba bruscamente. Aún permanecía en silencio y con los ojos cerrados. No se atrevió a irrumpir en sus memorias.

—Elisabetta —lo escuchó musitar—, por favor, no me pida que le cuente cómo sucedieron las cosas aquel día y los que siguieron.

—Está bien, está bien —susurró la mujer, y le palmeó el antebrazo.

"No me pida que le cuente que Artemio cayó de rodillas frente a mí y que se colgó de mi poncho y levantó la cabeza, con el único ojo que le quedaba colmao de lágrimas, y, llorando como un guachito, ahogándose mientras hablaba, me rogó que le dijera que no era verdá, que su Rafaela 'taba bien, que pronto se reuniría con él. No me pida que le cuente cómo se me erizaba la piel cada vé que Artemio, tendío boca abajo en el piso, clamaba el nombre de ella, ni cómo yo caí a su láo y lo tomé en mis brazos y lloramos juntos, igual que la vé en que, siendo entuavía niños, me confesó cómo habían muerto sus padres. No sea cruel y me pida que le refiera que Artemio se puso violento dispués y comenzó a romper tuito a su paso con un vigor inesperao. Parecía un azote; arrojaba adornos, lanzaba los muebles, arrancaba cortinas, mientras insultaba y maldecía a su abuelo por haberlo sacao del Río de la Plata. No quiero acordarme del instante, que me pareció infinito, en que Artemio levantó del suelo un pedazo de cristal y se quedó mirándolo, acezando como un caballo que ha corrío leguas, apretándolo hasta sacarse sangre. 'Peñi', susurré, 'te lo suplico, suelta eso', y me miró con odio y lo soltó. Pasaron días hasta que pudimos curarle la mano. No permitía que naides se acercara a él. Sólo soportaba mi presencia en su dormitorio que estaba hecho un lío. Ni siquiera me alejaba de su láo pa'ir al retrete porque tenía miedo de que se me arrojara por la ventana mientras yo meaba; hacía mis necesidades ahí mesmo, medio escondío detrá de un biombo, asomándome cada tanto, sin que Artemio se diese cuenta porque se ponía jurioso. Me dieron un colchón y lo eché junto a su cama y ahí dormía. Dormir é un decir. Nenguno pegaba ojo. Artemio lloraba mucho de noche y yo tenía que morderme pa'no ir a consolarlo. No quería humillarlo. No comía y se mamaba dende temprano. Estaba sucio y tenía mal olor, pero náa le importaba. Estaba muerto en vida."

—Sólo le diré, Elisabetta —Manque abrió los ojos y se incorporó en el sillón de caña—, que se trató de la cosa más difícil que me ha tocado hacer en mi vida. Fue duro, muy duro. Hasta que una mañana ocurrió un milagro. Artemio se encontraba de pie junto a una ventana de su dormitorio que daba a la parte trasera de la casa. Yo no le quitaba los ojos de encima porque, como hacía calor, estaba abierta y temía que se arrojara de cabeza. —Elisabetta ahogó una exclamación—. Sí, Elisabetta, así estaban las cosas. Por eso, porque lo miraba fijamente, noté que algo llamaba su atención. Voces provenientes del exterior inundaron el dormitorio. Yo no entendía nada porque en aquella época el inglés era una lengua extraña para mí. Artemio intervino en la conversación que se desarrollaba abajo. Yo no salía de mi asombro al oír las primeras palabras que pronunciaba en días. Su voz sonaba más ronca de lo usual, y me resultó desconocida. Después supe que allí abajo había dos arrendatarios de *Grossvenor Manor* a quienes el administrador, el señor Burke, había sorprendido cazando furtivamente en el coto de la propiedad. Les agitaba los faisanes en la cara y les informaba que los llevaría a Trim para encarcelarlos. Desde la ventana, Artemio les preguntó por qué habían cazado esas aves, y uno de los muchachos respondió que para alimentar a sus hijos, ya que se había perdido la cosecha y no tenían un centavo. Artemio ordenó al administrador que le devolviera las aves y les permitiera marcharse. "¿Y se puede saber quién es usted para darme órdenes, señor?", preguntó Burke, con acento peyorativo. "El futuro conde de Grossvenor", fue la contestación de Artemio. Este episodio marcó el inicio de su recuperación. De Lacy, con tal de complacerlo y conservarlo a su lado, se avino a cuanta condición le puso Artemio. Así se convirtió en dueño y señor de las propiedades de su abuelo y, con el tiempo, despidió a Burke. Administrar las propiedades y mejorar las condiciones de vida de los arrendatarios le devolvieron el sentido a su vida.

—Ahora comprendo por qué les dedica tanto tiempo y les tiene tanta paciencia a esas gentes. A veces me pongo celosa —admitió Elisabetta.

—Bueno, y ahora la tiene a usted, por supuesto.

—¿Sebastiano menciona seguido a Rafaela?

—No, jamás. Cuando recobró un poco la cordura, una vez superados aquellos días de desquicio, me permitió que le refiriese en detalle lo que acabo de contarle a usted, cómo murieron Rafaela y Mimita. Después de eso, nunca más volvió a nombrarla.

—¿Usted cree que aún piensa en ella?

—Muy poco —mintió Manque, y, como Elisabetta había llegado a conocerlo y sabía cuándo le escatimaba información o la suavizaba para no lastimarla, prefirió cambiar el tema de la charla.

—Usted me ha hablado mucho acerca de esas tierras que Sebastiano posee en Morón. ¿Cree que él me llevará a conocerlas?

—Esas tierras ya no le pertenecen. Se las confiscaron cuando aquel asunto del asesinato del padre de Rafaela. Ahora posee unas mejores, más ricas y extensas, cerca de San Antonio de Areco, una localidad a unas veinte leguas de Buenos Aires.

—¿Allí llevará el ganado que trae en la bodega?

—Así es.

Como habían reaprovisionado el *Smarag* en Río de Janeiro, las comidas recuperaban el esplendor y variedad inicial, y, dada la nacionalidad de Antoine, el cocinero, los platos llevaban nombres que Manque jamás podía pronunciar. La suntuosidad de la mesa se apreciaba en cada detalle: el mantel de hilo de coco, los candelabros de plata de seis velas, la cubertería de oro y carey, la vajilla de porcelana de la fábrica de Blackraven y las copas de cristal de Baccarat. Los invitados, a tono con la mesa, lucían fraques confeccionados por los sastres de moda en Londres y París, en tanto que la única dama, ataviada con un vestido en tafetán rosa y mantilla de tul de un color similar en torno a los hombros, realzaba su belleza con un aderezo de rubíes y brillantes, regalo de su futuro esposo.

Calvú Manque, que no se sentía parte de ese mundo de dinero y excentricidad, bebía un licor de naranja y observaba a los comensales por sobre el borde de su pequeña copa con la actitud de un científico. Artemio, medio ebrio, con el ojo velado por su párpado caído, le daba pedazos de carne de buey a Quinto, al tiempo que clavaba la vista en William de Lacy, que no perdía oportunidad de seducir a Elisabetta. Girolamo Sforza, primo y tutor de la italiana, contemplaba a su vez a Artemio, por quien, aunque intentara ocultarlo, sentía desprecio debido al origen de su madre y porque dudaba de su identidad; él pensaba que se trataba de un impostor y no del nieto del décimo conde de Grossvenor. Manque no lo culpaba; la traza de Artemio, con su parche negro, sus argollas en la oreja y su mirada aviesa, le habría inspirado miedo si no lo conociera desde los diez años.

En su opinión, se cocían varios caldos pesados en ese salón del *Smarag*, pese a que todos bebían y conversaban en un ambiente de cordialidad. Como buen conocedor de la naturaleza humana, se preguntaba cuándo se quitarían las caretas esos tres. A veces le daba por sonreír al ver a William actuar como un cachorro temerario y arriesgar el pescuezo al rozar a Elisabetta de manera innecesaria, o al demorar la mano en su cintura, o al dirigirle comentarios subidos de tono. ¿No sabía que Artemio Furia podía degollarlo con el cuchillo que estaba usando para pinchar ese pedazo de melón y que lo haría de manera tan súbita que él partiría al otro mundo sin saber qué le había sucedido?

Como acostumbraban después de la cena y antes de ir a dormir, Furia y Manque bajaron a la bodega a controlar el ganado y a ocuparse de los caballos, a pesar de que dos muchachos irlandeses los cuidaban día y noche.

—Es magnífico —expresó Manque, mientras acariciaba la quijada de Zeus, el caballo andaluz de Furia, de pelaje blanco impoluto y con las crines y la cola grises, que descollaba por su alzada, casi seis pies.

—Sí, es hermoso el bellaco, y lo sabe. También es mañero y voluntarioso. Si percibe que aflojas la rienda, hará de ti lo que se le antoje. Diomed, en cambio —hablaba de un hannoveriano de pelaje oscuro, casi negro—, es obediente y manso. Nadie salta como él. Es bueno para la caza pues conserva la tranquilidad a pesar de los disparos. ¿Verdad, Diomed? —dijo, y le acercó la mano llena de azucarillos—. Para ti también hay —le aseguró a un alazán árabe que había comprado en Tattersalls semanas antes del viaje con intención de cruzarlo con una yegua criolla que, según Manque, era preciosa.

El indio lo observaba hablar y actuar con los caballos, incluso con las vacas y los toros, y reflexionaba que sólo en ese ambiente Artemio recuperaba su verdadera naturaleza y carácter; el resto del tiempo impostaba una sonrisa y fingía; se había vuelto muy cínico con los años. De igual modo, no era feliz, ni entre los animales que tanto quería, ni entre los arrendatarios de sus tierras, ni siquiera con Elisabetta. La palabra felicidad se había borrado de su vocabulario con la muerte de Rafaela. Calvú pensó que él nunca había amado a una mujer de esa manera tan intensa, casi demencial; había experimentado un gran afecto por la madre de sus hijos, pero nada más, y a menudo se preguntaba cómo sería amar como Artemio había amado a Rafaela, o, más bien, como todavía la amaba, porque ni la muerte había acabado con el sentimiento. No se atrevía a preguntárselo a Furia.

Si bien al comienzo del viaje lo había notado más alegre, a medida que se aproximaban a la costa del Río de la Plata, Artemio caía de nuevo en su sombría melancolía y, cada vez con más frecuencia, lo encontraba solo en cubierta, la mirada fija en el horizonte.

Furia impartió instrucciones a los caballerizos antes de regresar al combés. Subieron en silencio mascullando cortos comentarios acerca del clima y de la condición de los caballos. Antes de que Manque entrase en su camarote, Furia le dijo:

—Ya sabes que mañana cerca del mediodía atracaremos en la Ensenada de Barragán. Quiero pedirte que te ocupes de mis invitados y los conduzcas a Buenos Aires. Apenas toquemos tierra, yo iré solo a la ciudad, a caballo. Tú demorarás el viaje para llegar en tres días. En cuanto al ganado, le alquilaremos una porción de tierra a don Anselmo y volveremos a buscarlo a la Ensenada más luego, antes de iniciar el viaje a San Antonio de Areco.

—¿Qué le dirás a Elisabetta?

—Que me adelanto para aprontar todo en casa de Blackraven.

—Y el verdadero motivo, ¿cuál é?

Furia caviló antes de contestar:

—Necesito estar solo porque hay un asunto del que tengo que ocuparme.

—Aarón Romano —completó Calvú Manque, y Furia asintió.

Había un obelisco en la Plaza de la Victoria, ahora 25 de Mayo, y sobre la calle del Cabildo, en esquina con la de Santísima Trinidad, estaban construyendo un pórtico con locales para tiendas que los porteños comenzaban a llamar la Recova Nueva; la vieja, entre el Fuerte y la plaza, seguía en pie, albergando a gran cantidad de comerciantes y envuelta en el mismo bullicio, fetidez y desorden de costumbre. Furia no advirtió otros cambios.

Para no llamar la atención, había elegido viajar desde la Ensenada de Barragán en Diomed; pasear sobre Zeus, de alzada imponente y colores exóticos —blanco brillante y gris—, habría provocado el mismo alboroto que una mujer desnuda en el mercado. Se vistió con ropas de paisano y se requintó el sombrero sobre el lado izquierdo para ocultar el parche. Así se apareció en el convento de la Merced. Causó un revuelo. Serapio, tan niño como siempre, reía y convocaba a gritos a los sacerdotes, que lanzaban loas al cielo a la vista de un Furia tan entero cuando, nueve años atrás, lo habían cobijado débil y vulnerable como un recién nacido.

El encuentro con el padre Ciriaco fue conmovedor. El mercedario lloriqueaba y se abrazaba a Furia, que luchaba para estabilizar la voz.

—Usted, padre Ciriaco, es como un roble en mi vida, fuerte y constante. Desde que tengo diez años, es la columna donde siempre puedo apoyarme. Al llegar, supe que muchas cosas podían haber cambiado en Buenos Aires, pero tenía la certeza de que usted estaría aquí.

—¡Hijo mío!

Para serenarse después de la visita a la Merced, bebió ginebra en la pulpería del Caricaburu con la vista fija en la tienda de la Lezica. No se daba cuenta de que una sonrisa le levantaba las comisuras. *Vamos, Mimi-*

ta, repite conmigo. ¡Anímate! Soy el farolero de la Puerta El Sol, cojo la escalera y enciendo el farol. A la medianoche me pongo a contar y siempre me sale la cuenta cabal. Apretó el vaso y las mandíbulas hasta que consiguió tragar el nudo de la garganta. Era un imbécil. Podría haber elegido otro sitio para beber.

Hojeó la *Gazeta de Buenos Ayres* y se informó de la situación política, aunque la conocía gracias a Calvú Manque. Arrojó unas monedas sobre la mesa y cruzó la calle de Santo Cristo. En la tienda de Bernarda de Lezica lo atendió un hombre que confeccionaba calzado y que le contó que Bernarda se había marchado de la ciudad a fines del año once y que nadie sabía de ella. El aroma del local, a cuero y pegamento, no resultaba desagradable; sin embargo, él, que había inspirado para absorber las esencias del neroli, del espliego, del azahar, del jazmín, de las rosas, del romero, del guayacol, del muguete, sufrió una decepción. Salió deprisa y entró en los Altos de Escalada. De pie en el centro del patio principal, observó la galería de la planta alta. Se vio a sí mismo corriendo escaleras arriba, medio loco por verla después de cuatro meses de separación, temiendo no encontrarla y olvidando que el sudor le pringaba el cuerpo y que olía a mierda. *Para mí huele a gloria.*

La casera, sin reconocerlo, le dijo que la Bonmer se había casado en el año doce y marchado a vivir a Asunción, en el Paraguay. Por Albana no inquirió; sabía bien qué suerte había corrido; de hecho, vivía en París, en gran parte, a sus expensas.

Regresó a la casa de Blackraven, en la calle de San José. Necesitaba descansar y prepararse para la visita con que honraría a Aarón Romano por la noche. De acuerdo con la información provista por Eddie O'Maley, Romano había desaparecido de la escena política después de la asonada del 5 y 6 de abril de 1811, o revolución de la gente de medio pelo, como se la recordaba. Un panfleto difamatorio lo había destruido. Además de ponerse en entredicho su origen y la moralidad de su madre, en el libelo se lo acusaba de poseer burdeles, garitos y de prostituir mujeres a la fuerza. Se tapó todo. No obstante, Saavedra le exigió la renuncia, y se lo desterró de la sociedad. Aún vivía en la casa de la calle Larga con Clotilde. Su hermana Cristiana había muerto el año anterior de rabia a causa de una mordida de su perra Poupée, a quien Clotilde mandó sacrificar. En el diecisiete, llamada a comparecer en la Cámara de Apelaciones —la institución que reemplazaba a la Real Audiencia— por la causa del asesinato de su tío Rómulo, Cristiana aseguró que el gaucho Furia no era el responsable del disparo sino otro maleante que ella había visto y que no podía identificar. Con esa declaración y la del padre Ciriaco —que Artemio Furia había visitado el convento y cenado en el refectorio la noche del crimen y que le significó dormir sin jergón durante varios meses como penitencia por mentir—, se cerró la causa iniciada en 1811. Seguía pendiente la incógnita del paradero del gaucho. El rumor de que había muerto en un duelo a cuchillo terminó por cobrar visos de veracidad.

No asociaba a Rafaela con la casa de la calle Larga, por lo que entrar y recorrerla no le provocó nada. Se movía por las estancias sin arrancar un crujido a las tablas del piso, con el sigilo que los indios le habían inculcado para cazar. El silencio era sepulcral, ni siquiera llegaban voces de esclavos o domésticas, y un sutil olor a humedad y los muebles cubiertos con grandes piezas de tela blanca conferían la idea de que se trataba de una casa abandonada. Sin embargo, gracias a la información obtenida por un espía de O'Maley, sabía que Romano estaba en Buenos Aires. Se ubicó en el vestíbulo, donde tomó asiento y se dispuso a esperar.

Oyó pasos y se dijo que eran dos; caminaban despacio y arrastraban los pies, como ancianos. El chirrido de los goznes acompañó el movimiento de la puerta principal al abrirse. Se perfiló en la penumbra la figura de un hombre encorvado, que caminaba con dificultad, guiado, o más bien, sostenido por una mujer.

—Espera aquí, Aarón —escuchó decir a la mujer, cuyo timbre de voz pertenecía a una persona de sesenta años o más.

Aarón, que respiraba con esfuerzo, descansó su cuerpo en la pared y aguardó a que la mujer encendiera la palmatoria. La luz bañó esa esquina de la habitación, y Furia lo vio con claridad. Aarón continuaba apoyado, con la espalda tan encorvada que el torso estaba paralelo al piso; mantenía la vista baja; un hilo de saliva escurría por su boca y caía al piso; balbuceaba sin captar la atención de la mujer, a quien Artemio reconoció como la madre de Romano. Se movió para darse a conocer.

—¡Dios bendito! ¿Quién anda ahí? —exclamó Clotilde, y elevó la palmatoria—. ¿Quién es usted? ¿Qué hace aquí?

—Me llaman Artemio Furia —dijo, y advirtió que Aarón mantenía la misma posición, sin alterarse, como si no lo hubiese escuchado—. He venido a saldar cuentas con el hijoputa de su hijo.

—Artemio Furia —repitió Clotilde, y su voz no vaciló, su gesto no se alteró; no tenía miedo—. Un fantasma del pasado a quien debemos nuestras desgracias.

—Ustedes no me deben nada a mí, ni sus desgracias ni sus dichas. Pero su hijo sí me debe mucho. Por su culpa, Rafaela murió y yo lo perdí todo. Es hora de que pague.

—Adelante —dijo Clotilde, y se hizo a un lado, y, con un amplio movimiento del brazo, lo invitó a acercarse a Aarón—. Acabe con él. Será una bendición, tanto para él como para mí. ¿Acaso no advierte el estado en que se encuentra? La sífilis lo ha despojado de todo, desde la vista hasta el entendimiento. La demencia lo consume, sus músculos no lo sostienen, tiembla como una hoja y sangra cuando orina. Ha quedado completamente ciego. No reconoce ni a su propia madre, menos se acordará de usted. ¡Adelante! —exclamó, con una cólera que no había empleado hasta el momento—. Acabe con él y libéreme a mí del castigo de ver sufrir a mi hijo esta agonía.

Furia guardó silencio, mientras contemplaba el despojo en que se había convertido Aarón Romano.

—He venido hasta aquí para matar a Romano y pensaba hacerlo padecer. Padecer mucho. Pero veo que la Naturaleza me ha ahorrado el trabajo. No intervendré en su tarea y le permitiré seguir adelante porque sé que el final que le tiene reservado a este hijoputa es cruento. Deseo que sufra la peor agonía y que se retuerza de dolor hasta que el Diablo venga a llevárselo.

—¡Fuera de aquí, mal nacido! ¡Fuera! ¡Maldigo la hora en que entró en nuestras vidas! ¡Y lo maldigo a usted y a su descendencia!

En la quietud de la casa, los anatemas y gritos de Clotilde, que rebotaban en las paredes y llenaban las estancias vacías, paradójicamente, acentuaban la soledad y la tristeza.

La visita a Aarón le devolvió la paz. De algún modo, se había hecho justicia; el responsable de la muerte de su mujer y de Mimita pagaba un precio muy elevado. Furia sabía bien lo que le esperaba; había visto morir a uno de sus arrendatarios de la misma enfermedad, y a él, que se jactaba de haber perdido la capacidad de asombro y que era duro como el pedernal, lo había perturbado la agonía en la que se debatió por días antes de expirar. En otro lugar y en otras condiciones, Artemio habría despenado con su guampudo al campesino, para ahorrarle tanto dolor. Por fortuna, nadie despenaría a Aarón.

Calvú Manque se ocupó de preparar el viaje a Córdoba en tanto Furia atendía a sus invitados y a sus compromisos. A todos sorprendía su buen talante; a Elisabetta la extasiaba, y comunicaba su alegría encontrándole atractivos a una ciudad que, en comparación con las europeas, debía de parecerle chata, insulsa y sin vida. Esperaba con ansias el viaje a San Antonio de Areco y a Córdoba, sobre todo este último porque deseaba conocer a Edwina. No se tomó a mal que Furia viajase solo a Montevideo para visitar a su amigo en el exilio, Juan Martín de Pueyrredón, que, presionado por el embate de los caudillos provinciales que no avalaban su gobierno centralista ni su idea de entronizar un monarca europeo en el Río de la Plata, había presentado la renuncia en enero. Un mes más tarde, Saavedra, como Jefe del Estado Mayor, le comunicó la resolución del Congreso: se juzgaba conveniente para la pacificación de las Provincias Unidas del Río de la Plata que el brigadier general don Juan Martín de Pueyrredón saliera del país.

—He llegado tarde, don Juan Martín —se disculpó Furia.

—Más bien —lo disculpó Pueyrredón—, te mandé tarde la misiva. Ya todo se me venía encima, amigo. Fue juicioso retirarme de la escena política para evitar que se despedazase al país. Aquí, en Montevideo, estoy teniendo unos días de relativa paz.

Hablaron largo y tendido, con la afabilidad y la confianza que los años de separación no habían mellado.

—¡Carajo, Artemio! —exclamó Pueyrredón—. Parece mentira, pero serás un conde. Siempre dije que había algo extraño en ti, algo que no encajaba con tu traza de gaucho.

—Ah, pero en mi fuero íntimo, siempre lo seré, don Juan Martín.

Elisabetta bendijo los días que pasaron en el campo de San Antonio de Areco, no porque el lugar poseyera grandes atractivos ni la casa fuera cómoda y hermosa —de hecho necesitaba refacciones y carecía de comodidades—, sino por el efecto que esas tierras y las personas que habitaban en ellas ejercieron en el ánimo de Artemio. Subido a lomos de Zeus, dirigía el rodeo, se ocupaba de la caballada y recorría los lindes de la propiedad con una emoción que le intensificaba el turquesa del ojo y le imprimía una sonrisa en los labios que Elisabetta tanto amaba besar.

Le gustaba verlo departir con la madre y las hermanas de Manque y con sus amigos, que se desempeñaban como peones en la estancia, porque con ellos era distinto, menos cínico, más relajado. Se mantenía atenta porque a veces Artemio explotaba en carcajadas, tan escasas en la Irlanda, que le causaban cosquillas en el estómago y la misma emoción que el cuarto movimiento de la Novena Sinfonía de Beethoven. Lo amaba con pasión, aun en la Irlanda, con su talante ambiguo y taciturno; en esas tierras lejanas del sur había descubierto su verdadera esencia, y sólo pensaba en el día en que se convertiría en su esposa.

También descubrió que Artemio Furia era letal. La primera noche en el campo de San Antonio de Areco, Girolamo Sforza, secundado por William de Lacy, se negó a compartir la mesa con los hombres de Furia y con la madre y las hermanas de Manque. Artemio, que ya ocupaba su sitio en la cabecera, permitió que Sforza despotricara hasta saciarse. El italiano se quejó de que esas gentes no se habían cambiado para cenar, que vestían las mismas camisas con que habían trabajado todo el día y, para peor, las llevaban abiertas hasta la mitad del pecho. Furia levantó la vista para verificar que el italiano hubiese acabado y, de pronto, Sforza se encontró con su cuchillo en la garganta. Contuvo el respiro. Si movía la nuez de Adán, se la cercenaría.

Furia introdujo la punta del facón bajo el cuello de seda y, de un golpe seco, cortó la chorrera de encaje y, a continuación, los dos primeros botones de la camisa.

—Ahora estáis todos iguales —dijo, y volvió a sentarse—. Agradece haber hablado en una lengua que no pueden comprender, Girolamo. De lo contrario, estarías muerto por haberlos agraviado tan profundamente. Ellos son mi familia, como lo serás tú cuando despose a Elisabetta. Tú, William, mi padrino Belisario, mi *ñuqué* y todos ellos sois iguales para mí.

—¿Iguales? ¡Nunca! —clamó el italiano, y abandonó el comedor.

"Las caretas", pensó Manque, "comienzan a caer".

Debido a que Calvú Manque envió un chasque a Córdoba con una nota para Bamba, cuando llegaron a la ciudad, el marucho les había alquilado una casa frente a la iglesia de San Francisco, incluso había contratado domésticas y caballerizos y colmado la despensa de provisiones, y de embutidos y quesos, las fresqueras del sótano.

Bamba se había convertido en un hombre, y a Furia lo complació el temperamento sólido y sereno que había adquirido; no quedaba vestigio del niño atemorizado e inseguro. Ya no vivía en lo de Dolores García, aunque seguía visitándola porque a la viuda de Santos le gustaba que le calentara la cama. Desde hacía unos meses, Bamba había pasado a formar parte de la servidumbre de la casa de Edwina, donde desempeñaba diversidad de tareas, y a él lo enorgullecía pensar que era el guardián de misia Eduarda, ya que, desde la muerte de su esposo y las bodas de Eduardo y Martín, se había quedado sola, salvo por Pandora, la mulata a quien Edwina quería como a una hija y que había manumitido a la muerte de Avendaño.

Edwina y Elisabetta congeniaron desde un principio. La italiana se hallaba en una buena disposición para querer a su futura cuñada, y Edwina poseía el carácter de quien estima y justifica a todos; la amistad nació entre ellas de manera natural. Elisabetta cubrió de regalos a Edwina, que le arrancaban exclamaciones de azoro. Nunca había poseído sedas ni brocados ni organdíes, tampoco artículos suntuosos. Conversaban a diario, y ambas tenían la impresión de conocerse de toda la vida. Les gustaba recorrer la ciudad por las tardes y, pese a la compañía de Girolamo y de William, que las escoltaban mascullando ácidos comentarios acerca de la monotonía de Córdoba, que si bien contaba con una extensa variedad de conventos e iglesias, carecía de sitios para entretenerse, Edwina y Elisabetta se enfrascaban en sus charlas y no les prestaban atención.

Furia advirtió que la muerte de Avendaño no había entristecido a su hermana, por el contrario, ella había florecido, y su carácter se oponía al de la mujer medrosa que había citado en el interior del templo de la Merced, en el año diez. Era patrona de su hogar y dueña de su vida. Hacía y decía lo que quería, aunque con sensatez y criterio, y ni siquiera sus hijos se atrevían a contradecirla cuando tomaba una decisión, como por ejemplo, la de despedir a Adelfa, la cocinera, quien, por años, se había desempeñado como espía de Avendaño.

—No me he alegrado de su muerte —admitió Edwina a Furia una tarde en que paseaban por la Plaza Mayor, en compañía de Pandora—. Pero si he experimentado algo de tristeza no ha sido por él ni por la forma brutal en que murió sino porque vi sufrir a mis hijos. Ellos lo querían.

—¿Cómo murió? —se atrevió a preguntar Furia.

—Le asestaron muchas puñaladas. El médico de la Policía que revisó el cadáver contó más de sesenta. Lo encontraron a orillas del Suquía. —Hablaba del río que partía a la ciudad en dos.

—No parece que lo hicieran para asaltarlo.

—No —ratificó Edwina—. De hecho, llevaba un reloj de oro y algo de dinero y no le robaron nada.

—¿La Policía sospecha de alguien?

Edwina negó con la cabeza, y un silencio cayó sobre ellos.

—Se hizo justicia, Sebastian —expresó la mujer, al cabo—. Quien haya asesinado a Avendaño y cualquiera haya sido el motivo, vengó a nuestros padres.

Furia echó un vistazo a Pandora y luego a su hermana; sabía que la mulata comprendía el inglés, pues Edwina se lo había enseñado.

—Habla con libertad frente a Pandora, Sebastian. Ella está al tanto de todo. Sabe cuál es mi verdadero nombre y cómo y quién asesinó a nuestros padres.

Furia no realizó ningún comentario y juzgó lógico que, en medio de tanta desolación y secretos, Edwina hubiese compartido con alguien sus angustias.

—*Qui in gladio occiderit, gladio peribit* —sentenció un rato después, y, ante las miradas inquisitivas de su hermana y de Pandora, tradujo—: Quien a hierro mata, a hierro muere.

Para Calvú Manque significó un impacto conocer a Edwina. Artemio le había hablado de ella, aunque nunca se la había descripto ni él se la había imaginado. Edwina de Lacy era sólo un nombre, sin cara ni cuerpo ni voz ni perfume, una entidad que a veces parecía más una invención de su amigo que una persona de carne y hueso.

Debió de resultar evidente para Edwina el efecto que había causado en él porque sofrenó una risita y lo contempló con ironía. Hasta el movimiento de su mano para taparse la boca lo cautivó. Esa noche, incapaz de conciliar el sueño, se avergonzó de su insensatez; había procedido como un mozalbete sin experiencia cuando, en realidad, era un hombre de cuarenta años. Cesó de torturarse y conjuró la imagen de Edwina. Cerró los ojos para estudiarla de la cabeza a los pies; sobre todo lo atraían su cabello de hada, de esa tonalidad inverosímil, parecida a la de misia Melody, y el turquesa de sus ojos.

Furia lo contemplaba con suspicacia cada vez que se refería a Edwina o cuando los hallaba a solas conversando, y Calvú Manque intentaba descifrar su disposición. No deseaba pelear después de tantos años de amistad, pero sabía que por fin había encontrado el amor y no tenía intenciones de perderlo. Ni siquiera por lealtad a Artemio Furia.

Fue Elisabetta la que le marcó la preferencia de Bamba por Pandora. Furia la recordaba de aquellos días en el año diez, cuando acompañaba a Edwina al Cabildo. Los años no la habían cambiado mucho; aún conservaba el mismo aire retraído y frágil, y un cuerpo menudo, aunque de buenas formas.

Cuando le habló a Bamba acerca de Pandora, Furia advirtió un brillo feroz en sus ojos oscuros y una inquietud que contradecía el temperamento estable del marucho.

—¿Quieres casarte con ella?

—Yo, sí. Ella, no.

—¿Se lo has pedido? —insistió Furia—. ¿Ella te ha dicho que no te quiere?

—No quiere a los hombres —contestó Bamba—. No le gusta lo que los hombres les hacen a las mujeres. Y no quiere que, ni siquiera yo, que la amo con tuito mi corazón, la toque. —Furia permaneció callado y, tras una pausa, Bamba le contó—: Tuita la culpa la tiene ese hijoputa, mal nacío y que en el infierno esté, don Martín Avendaño.

—¿De qué estás hablando, Bamba? —se alarmó Furia.

—El hijoputa de Avendaño abusaba de la Pandora, lo hacía dende que ella tenía má o meno trece años. Como ella dormía juera, lejos de la casa, misia Eduarda no escuchaba sus alaridos. Esa víbora de la Adelfa, la cocinera, no decía náa, porque veneraba al amo Martín; los otros tampoco, por miedo. Pero el día en que lo supe... —Bamba se mordió el puño, y a Furia lo sorprendió la energía violenta que manó de su cuerpo—. Los vengué, Artemio, a tus padres y a Pandora.

—¿Qué dices?

—Pandora me contó lo que ese hijoputa le hizo a tus padres y a tu hermana. Lo maté, lo hice pa' vengarlos a ellos y pa' que ya no lastimara a la Pandora. Mientras le clavaba el facón, le gritaba por quién estaba haciéndolo. Murió sabiendo que sus maldades lo mataban.

No dijo nada. Se limitó a mirar a los ojos a Bamba y darle un apretón en el hombro.

Días más tarde, Furia se incorporó con un movimiento brusco en el asiento del carruaje y se asomó por la ventanilla. En la calle del Cabildo, frente a la Catedral, le pareció ver a Rafaela.

CAPÍTULO XXXII
Catalina de la botica

Qué ocurre, querido? ¿Qué has visto? —se preocupó Elisabetta, sentada a su lado.

—¡Juan, deténgase! —Antes de que el coche frenara por completo, Furia abrió la puerta y saltó—. He recordado un compromiso importante —explicó a su prometida.

—Pero…

—Juan, lleva a la señora de regreso a la casa. Nos vemos más tarde —le prometió a la italiana y cerró la portezuela.

Elisabetta corrió el visillo y lo observó avanzar con paso decidido por la calle de los Plateros, en el sentido contrario al que llevaban momentos atrás, y doblar a la izquierda en la del Cabildo, que corría frente a la Catedral. Lo perdió de vista.

Furia alcanzó la esquina y frenó. La muchacha cruzaba la calle de los Plateros y se dirigía hacia el pórtico conocido como Portal de Valladares. La siguió, conservando una distancia que le permitiera estudiarla y, al mismo tiempo, pasar inadvertido. Iba pobremente vestida y se arrebujaba en la mantilla como si tuviera frío. Él, que llevaba un gabán de cachemira, guantes de cuero forrados con piel de visón y botas *hessianas*, no había advertido lo gélido del viento sur. La vio entrar en uno de los comercios del pórtico, la botica, y, antes de que pudiera evitarlo, un hombre echó llave y colocó un cartel con el mensaje "Cerrado". La joven apartó un cortinado y desapareció tras él, mientras el hombre se ocupaba de apagar las bujías; la tienda quedó inmersa en la oscuridad, apenas iluminada por la luz del fanal del pórtico. No se atrevía a llamar a la puerta porque no quería descubrir que se trataba de un juego macabro de su imaginación ni que su mente lo había inducido a creer que se trataba de ella. ¿Acaso no estaba pensando en Rafaela al avistar a la muchacha?

Sacó su reloj del chaleco: seis de la tarde. Pronto sería noche cerrada. El frío y la inminente oscuridad ahuyentaban a los transeúntes; las calles quedarían desiertas en una hora. La muchacha no saldría de nuevo. La muchacha no era Rafaela. Su mujer y su hijo estaban muertos y enterrados. Maldijo entre dientes. A punto de emprender la vuelta a su casa, se detuvo. Un hombre joven, atildado y perfumado —la estela de su colonia, Agua de Hungría, se dijo, le bailoteaba bajo la nariz desde esa distancia—, llamó a la puerta. Le abrió una mujer mayor y lo hizo pasar. Encendió una palmatoria antes de desaparecer tras el cortinado. Apareció la joven, y el semblante del hombre —bastante atractivo en su estilo morisco— se iluminó. La muchacha permanecía fuera del círculo de luz; resultaba difícil distinguir sus lineamientos; destacaban el blanco de un pañuelo en la cabeza y el de un mandil. ¿Se trataría de la sirvienta, de la cocinera tal vez? El hombre salió minutos después, con un ceño y los labios apretados, y se alejó en dirección a la calle Ancha de Santo Domingo, con trancos largos que denunciaban su frustración.

La ansiedad se apoderó de Furia. Quería verla. Prepararía un discurso para justificar su aparición. No resultó necesario. La joven salió de la botica y el dueño cerró tras ella. Iba embozada por completo, incluso se había cubierto la cabeza. Antes de que cruzara la calle de los Plateros, salió la mujer de la botica y la llamó: "¡Catalina!".

Se llamaba Catalina. No era Rafaela. ¡Qué tonto había sido por ilusionarse! La decepción le drenó el vigor, y se quedó quieto tras una columna del pórtico.

—Es para ti, Catalina —escuchó decir a la mujer, y la vio extenderle un pequeño paquete—. Sé que no has comido nada en todo el día y debes de tener hambre.

Furia no pudo oír las palabras que la joven apenas musitó antes de cruzar la calle de los Plateros. La vio sentarse en la escalinata de la Catedral a comer. Pese a que lo hacía con la mantilla echada en la cabeza, a Furia lo alcanzaba el ansia con que engullía. No tenía apetito sino un hambre cruda y visceral. La siguió aunque se llamara Catalina, no importaba; caminó tras ella sin pensar, sin razonar, atraído por una fuerza de imán. La joven se dirigía hacia el Suquía, la zona de la ciudad en que habitaban las gentes pobres. De nuevo caminaba rápido y arrebujada en la mantilla; hacía mucho frío. Abrió una cancela y caminó por un sendero de piedras hasta una casa mal iluminada; a pesar de la escasa luz, Furia adivinó el aspecto humilde de la vivienda. La vio inclinarse para hurgar en una bolsa; de seguro buscaba la llave. Abrió. La recibió un niño, que exclamó: "¡Llegaste, mamá!", y se le colgó del cuello. La tenue luminosidad que emergía del interior desapareció tras la puerta.

Al día siguiente, Bamba averiguó que la muchacha se llamaba Catalina López y que poco sabían de ella sus vecinos. Tenía un hijo de unos diez años y vivía con una mujer de mala salud, una niña "rara" y una india. Catalina trabajaba en la botica de don Boleslao Peña, un viejo gruñón y tacaño, famoso por su avaricia.

Furia regresó a la botica. Apenas abrió la puerta, lo envolvió una ráfaga de aromas intensos. Bergamota, sándalo, jazmín, azahar, neroli, rosas, benjuí, estoraque, ámbar, almizcle. Rafaela le había enseñado a distinguirlos. El efecto de los aromas le causó una intensa alegría, y sonrió de forma autómata. Había mucha clientela. Atendían don Boleslao y la mujer, su esposa probablemente. No había rastro de la joven. Escrutó los anaqueles poblados de frascos. Aguzó la vista de su único ojo. *Agua de Hungría. Aceite de caléndula. Ungüento para labios. Agua de rosas. Perfume de lavanda. Colonia de melisa. Fragancia varonil (romero). Agua de aciano (para la belleza de los ojos).* "¡Dios bendito!" Él conocía esa caligrafía, la habría distinguido entre miles. "Rafaela, Rafaela, mi Rafaela. Por amor de Dios, Rafaela." Se contuvo de pegar un salto sobre el mostrador e irrumpir en la parte de atrás. No sabía si ella se hallaba tras el cortinado. Actuaría con cordura. Aún existía la posibilidad de que la caligrafía correspondiera a otra persona. Lo atendió la mujer con una cautela que rayaba en la antipatía. Don Boleslao echaba vistazos desconfiados. Compró varios perfumes y aceites esenciales impostando la voz, hablando casi en susurros, y salió. Pasó la mañana dando vueltas a la manzana. Ni siquiera regresó a su casa a la hora de la siesta, en la que don Boleslao colgó de nuevo el cartel que decía "Cerrado".

La espera obtuvo su resarcimiento. Alrededor de las cuatro, junto al boticario, tras el mostrador, se ubicaba la muchacha. Llevaba el pañuelo en la cabeza, y el mandil, ajustado a la cintura, denunciaba su extrema delgadez. Como estaba inclinada mientras realizaba unas cuentas, Furia no le veía la cara. Le estudió las manos. Usaba el *claddagh*, en la mano derecha y con el corazón hacia adentro. Se reclinó sobre el mostrador y echó la cabeza hacia delante.

—¿Se siente bien, señor? —escuchó decir a don Boleslao.

Furia asintió. La muchacha había detenido sus cuentas; ya no se oía el rasgueo de la péñola. De seguro, lo observaba. La mala iluminación del local y su capa de cuello alto sumada al sombrero sesgado sobre el lado izquierdo, le impedirían ver su rostro. No se atrevía a levantar la vista; no deseaba descubrir que se trataba de una macabra burla del destino y que esa mujer no era su Rafaela. Lo hizo cuando estuvo seguro de que se concentraba en otro cliente. "¡Rafaela!", clamó su alma. Su perfil, su nariz delicada, sus labios carnosos, sus ojos sesgados y grandes y verdes, la fina línea de sus cejas, el cuello como una columna de alabastro blanco, derecha y delgada. Sí, estaba muy delgada; no tenía carrillos, y los pómulos, que sobresalían, dotaban a su fisonomía de un aspecto exótico donde los ojos adquirían preponderancia. Salió del local sin prestar atención al llamado de don Boleslao. Caminó como ebrio bajo el pórtico en dirección a la calle Ancha. Entró en la iglesia de Santo Domingo para guarecerse en ese recinto callado, lúgubre y solitario. Se apoyó contra una pared y se deslizó hasta el suelo. Le costaba respirar. "Señor mío, ¿es esto verdad? ¿Me la has devuelto? ¿No has roto, entonces, nuestro juramento? ¡No juegues conmigo! ¡Piedad de mí, Señor!" Regresó a su casa y se encerró en el dormitorio para evitar los cuestionamientos de Elisabetta. La italiana intuía que, desde la tarde anterior, algo lo aquejaba. Él necesitaba pensar, ordenar el caos en el que se habían sumido su cuerpo y su mente. Planearía su aparición. No quería asustarla. El efecto en ella sería tremendo.

Quinto se subió a la cama y le olfateó el rostro. Maulló con el sonido que empleaba cuando algo lo disgustaba. Furia le aferró la cabeza y lo sacudió un poco al decirle:

—Amigo mío, la he encontrado. Rafaela está viva. No sé cómo. No sé por qué, pero está viva. Mi Rafaela. Mi Rafaela de las flores.

Al sonido de sus propias palabras, Artemio se echó a llorar.

Un rato más tarde, se lavó la cara y el torso, se cambió la camisa y cepilló su cabello y rehizo la coleta. Montó a Zeus y partió hacia lo de su hermana.

—No la conozco —admitió Edwina, cuando Furia le preguntó por la muchacha de la botica— porque no he vuelto a lo de don Boleslao en años. Peleé con él tiempo atrás y ahora compro en la de doña Carmina. Pero mis amigas la conocen porque están encantadas con sus perfumes y cosméticos, y hablan a menudo de ella. Dicen que es una muchacha retraída, rara vez se la escucha hablar. ¿Por qué quieres saber de ella?

—Cuéntame lo que sepas y después te lo explicaré.

—Dicen que el negocio de don Boleslao ha medrado considerablemente desde que ella fabrica esos productos con aromas exquisitos. Sin embargo, ese avaro de don Boleslao le paga un salario miserable y la usa hasta el agotamiento. Hace años que trabaja para él, y dicen que cada vez está más delgada y consumida. ¿Qué te sucede, Sebastian? Te has puesto pálido. —Furia sacudió la cabeza y la instó a proseguir—. No es casada ni se le conoce hombre, aunque me ha dicho Pandora que Pancho Sosa Loyola, un riquillo de acá, la pretende. ¡Pandora! —llamó Edwina—. Si alguien sabe algo sobre Catalina, ésa es Pandora. Tiene un talento especial para estar informada y conocer los secretos más oscuros de la gente. Pandora, muchacha, aquí estás. Dime, ¿qué sabes de Catalina, la joven de la botica de don Boleslao? ¿Es casada?

—No, misia Eduarda, pero tiene un hijo. Lo he visto una que otra vez en la tienda de Boleslao y paseando por la Plaza Mayor en compañía de una muchachita y de una india. Es un pequeño adorable. Rubio, casi payo, y con ojos grandes y verdes, como los de su madre.

—Está bien, puedes retirarte. —Cuando Pandora abandonó el comedor, Edwina se acercó a Furia—: ¿Por qué te tiemblan los labios? ¿Por qué se te arrasan los ojos? ¡Sebastian, no me asustes!

Furia abrazó a su hermana y le susurró con ímpetu:

—¡Ese niño es mi hijo, Edwina! ¡Catalina es Rafaela!

—¡Jesús misericordioso! ¿Cómo puede ser eso posible?

—No lo sé. Pero necesito tu ayuda.

Una mulata le abrió la puerta y la invitó a pasar al vestíbulo, que se abría a un patio enorme. La guió hasta una sala bien iluminada, con piano de cola y adornos bonitos. Pensó, para darse ánimos, que lucía como la sala de una familia decente y que nada malo le sucedería. Había dudado de aceptar la invitación. Un joven, que la contempló con intensidad durante el tiempo en que permaneció en la botica comprando un tónico, le deslizó, junto con las monedas, una pequeña nota. *Es importante que se presente en mi casa hoy mismo. Tengo información de capital relevancia para su merced acerca de Artemio Furia. Misia Eduarda.* Más abajo detallaba la dirección, en la calle de la Merced.

La impresión de ver ese nombre estampado en el papel resultó suficiente para que se echase a temblar y para que su cuerpo se cubriese de una capa de sudor pese al clima gélido. Según doña Almudena, la esposa del boticario, se había puesto del color de su mandil. La mujer discutió con Boleslao, que no le permitía retirarse temprano, hasta cansarlo y obtener la venia.

—Está bien —rezongó el hombre—, pero mañana te quiero aquí a las siete.

—Sí, don Boleslao. —Odiaba a ese hombre, por mezquino y por insufrible; no obstante, tenía que soportarlo por el bien de su hijo.

Embozada, aún temblando bajo su mantilla, emprendió la caminata hacia la calle de la Merced. Había dudado frente a la casa. ¿Y si era una trampa? Lo mismo agitó el aldabón y entró.

En la sala había un brasero. Se acercó y estiró las manos apreciando los pinchazos en su carne al entrar en contacto con el calor intenso; las tenía congeladas, lo mismo los pies. Vio unas botellas con licores y deseó poder servirse un trago. Tomó asiento. Había comido muy poco a lo largo del día, y una languidez profunda que le convertía el estómago en una bolsa vacía, le provocaba náuseas y mareos. Su corazón parecía reventar con cada latido, por lo que respiraba de modo acelerado. Si el suspenso no acababa pronto, terminaría muerta en ese sillón.

—Rafaela.

En un primer momento habría respondido con naturalidad a su nombre. Un instante después, al caer en la cuenta, experimentó un miedo cerval que la mantuvo congelada en el sillón. Escuchó pasos y vio una sombra proyectarse sobre los mazaríes del piso. La figura se materializó frente a ella. Enseguida apreció la calidad de las prendas que vestía ese hombre.

Furia descubrió que Rafaela doblaba hacia dentro los puños de su chaquetilla para ocultar las hilachas y que metía los pies bajo el ruedo del vestido para que él no viese los agujeros en las puntas. "Amor mío", lloró su alma.

—Rafaela —repitió.

Ella se puso de pie con dificultad, apoyándose en el sillón, sin apartar la vista de él. Sus ojos verdes se movían con rapidez sobre el rostro del extraño, al tiempo que la comprensión iba imprimiendo una mueca de pasmo en sus facciones. No pestañeaba, y mantenía la boca entreabierta, por donde respiraba de modo agitado. El cosquilleo que se inició en la parte inferior de su estómago fue trepando hasta convertirse en una náusea feroz. Tenía la boca seca y la lengua pesada. Su visión se tornó borrosa.

Furia observó cómo el temblor de las manos se extendía a todo el cuerpo de Rafaela. Se impresionó cuando los ojos se le pusieron en blanco, y saltó hacia delante para sujetarla antes de que se derrumbara sobre el sillón. La tomó en brazos y, llamando a gritos a su hermana, se adentró en la casa. La ubicaron en la antigua habitación de su sobrino Eduardo, y Furia le ordenó a Bamba que trajera a un médico.

En tanto Edwina la cubría con mantas —habían comprobado que estaba helada— y Furia le sobaba las manos y se las besaba, Pandora le pasó sales bajo la nariz. En la cocina se había levantado un revuelo porque misia Eduarda acababa de entrar vociferando órdenes: poner suficiente agua para un baño de tina, buscar una muda de ropa limpia, preparar un caldo de gallina y llevar un tazón de leche tibia y miel a la recámara del niño Eduardo. Pandora insistió con las sales hasta que oyeron el quejido de Rafaela y la vieron agitarse sobre la almohada. Furia se inclinó sobre ella y le apoyó los labios en la frente; allí los dejó, inspirando el perfume de su piel, embriagándose de dicha por tenerla de nuevo con él. Quería llorar, reír, gritar, saltar. El corazón le martilleaba el pecho; la sangre le fluía, enloquecida; las lágrimas se agolpaban bajo su párpado cerrado, mientras todo él se sacudía en espasmos incontrolables, como si padeciera una fiebre muy alta. No podía retirar sus labios de Rafaela.

—Sebastian, muévete. Permítele respirar —le ordenó Edwina.

Se incorporó con torpeza. Rafaela lamentó la separación. La fragancia exquisita y excéntrica que despedía ese cuello la había serenado. Lo miró con expresión desmesurada, los ojos bien abiertos, inmóviles en ese rostro tan familiar y desconocido al mismo tiempo. Fijó la vista en el parche negro. No consiguió modular, y sus labios dibujaron la palabra Artemio. Lo vio asentir, y se dio cuenta de que él no podía hablar. Le echó los brazos al cuello y rompió a llorar, primero en silencio, apenas unos gemidos débiles; después, cuando su garganta desató el nudo, lo hizo abiertamente, como lo habría hecho su hijo al pelarse las rodillas o al lastimarse un dedo. Furia también lloraba con la misma pasión y la fundía contra su cuerpo hasta privarla de aliento.

—¡La ahogarás! —escuchó que alguien le reprochaba, y sintió que, poco a poco, el abrazo implacable cedía.

Se miraron con una intensidad que arrancó un gemido a Furia.

—Di mi nombre.

Se estremeció al sonido de esa voz ronca y áspera, de un timbre rico y profundo.

—Artemio —balbuceó.

—¡Rafaela! —El clamor de Furia rasgó el aire—. ¡Amor mío! ¡Amor de mi vida! ¡Me dijeron que habías muerto! Que unos indios habían atacado la diligencia en la que tú y Mimita viajaban a Córdoba. ¡Dios mío, te creía muerta!

La besaba y la abrazaba sin percatarse de que había caído naturalmente en el tuteo. Rafaela lo aceptó de modo espontáneo, lo mismo a su manera elegante de hablar. Los nueve años de separación lo habían cambiado de un modo radical y profundo, y el nuevo trato que le confería se presentaba como la lógica consecuencia. Supo que ella también, cuando recobrase el habla, se sentiría cómoda tuteándolo.

El doctor Allende Pinto entró en la recámara escoltado por Pandora. Furia se negó a marcharse y sólo consintió en apartarse mientras el médico se ocupaba de Rafaela. Al completar la revisión, Allende Pinto habló con él y Edwina.

—Conozco a Catalina de la botica de Boleslao Peña y la aprecio mucho. Está desnutrida, su delgadez asusta. Su muñeca mide cinco pulgadas, a lo más, como la de una niña. Hace tiempo que vengo insistiéndole en que debe alimentarse mejor. Ha colapsado a causa de su debilidad extrema.

—¡Dios mío! —masculló Furia, y se cubrió el rostro con la mano.

—Si bien no he notado que sus pulmones estén afectados, es imperioso que descanse, que tome sol (su palidez es pasmosa) y que se alimente de acuerdo con una dieta que prescribiré. Les sugeriré un tónico para abrirle el apetito. Debe de tener el estómago tan pequeño que, al principio, no podrá ingerir grandes cantidades.

—Mandaré ahora mismo comprarlo —expresó Furia.

—Insisto: tranquilidad y descanso para ella. Su cuerpo ha conocido el límite del agotamiento. Que no se agite ni emocione.

Furia volvió junto a Rafaela, y una calidez casi olvidada derritió el hielo que por años había entumecido su pecho. Ella estiraba los brazos hacia él y le sonreía. Nada era más hermoso que esa imagen. Se recostó a su lado, con la cabeza erguida sobre la almohada. Rafaela lo obligó a bajarla para hundirse en su cuello perfumado.

—Sabía que algún día volverías por nosotros —le confesó—. Sabía que no habías muerto, que era una mentira de Aarón.

—Shhh. No hables ahora. Tenemos el resto de nuestras vidas para explicar lo que ocurrió. Sólo te diré una cosa: Calvú vio tu tumba y la de Mimita en el camino hacia acá. Juvenal Romano y, después, los lugareños le aseguraron que habían muerto durante un ataque de los indios. Jamás habría cesado de buscarte si hubiese sospechado que existía la más remota posibilidad de que estuvieran con vida. Cuando Calvú me dijo que habías muerto, algo se apagó dentro de mí. No encontraba sentido a respirar, a comer, a bañarme, a salir de la cama, a salir al mundo. Traté de quitarme la vida, pero fui un cobarde y no encontré el valor para hacerlo.

—Le agradezco a Dios que, por una vez en tu vida, hayas sido un cobarde. Él te preservó para mí, para que volviéramos a amarnos. Artemio —pronunció, y elevó la mano para acariciarle la mejilla; aquel simple contacto la estremeció, y supo que, desde ese momento en adelante, al redescubrir a su hombre y al amor que la unía a él, volvería a juntar los pedazos que conformaban a Rafaela Palafox. Él le devolvería la identidad.

—¿Por qué tiemblas? —Su ansiedad la hizo sonreír—. ¿Te sientes mal?

—Siento tanto amor por ti, un amor tan infinito, que me atemoriza.

—¡Rafaela, no temas a nada! Ya estoy aquí.

—¡Gracias, Dios mío!

Había olvidado cómo lidiar con la terquedad de su mujer. Al final, después de obligarla a beber varias cucharadas de caldo de gallina, que él mismo le dio en la boca, y enfundada en un vestido que le bailaba sobre el cuerpo, con gruesas medias de lana, un par de botines de cordobán, un abrigo de merino, guantes y un rebozo de bayeta de pellón, Furia accedió a que lo acompañara a casa de Pola. La cargó en brazos hasta el carruaje, donde Bamba aprestaba un brasero bajo el asiento. Después de indicar al cochero la dirección, Furia trepó dentro y cerró la portezuela. Buscó a Rafaela como un ciego hasta aferrarla por la cintura y acercarla a él. Sus labios se encontraron en la oscuridad. Al principio, una timidez ganó el ánimo de los dos, y, sobrecogidos por sentir de nuevo al otro, permanecieron inmóviles. Artemio no quería agitarla ni obligarla a esforzarse, sólo deseaba probar un instante la suavidad mullida de la boca de su Rafaela, la que tantas veces había imaginado en la soledad de *Grossvenor Manor*. La besó con reverencia, apenas movía los labios, suaves caricias como si temiese romperla. La dulzura de él la conmovió.

—Rafaela, no hay palabras para describir la felicidad que me embarga. Me siento ebrio de dicha. Me siento completo de nuevo. ¡Aún me cuesta creer que te tenga entre mis brazos, amor mío! Cuando nos separamos, una parte de mí quedó contigo. ¡Oh, Dios, te deseo tanto!

—Artemio, no ha pasado un día en que no haya pensado en ti, en que no haya añorado tu sonrisa, tu compañía, tu fuerza, la seguridad que me dabas. ¡En ocasiones tenía tanto miedo y me sentía tan sola!

—¡No me digas eso que me matas! Mi hijo y tú pasando necesidades, y yo viviendo en la más descarada de las abundancias.

—Tu hijo jamás ha pasado hambre ni frío, te lo juro.

—Pero tú sí, mi amor.

—Ya sé que estoy flaca y fea.

—Fea, jamás —expresó, con ardor, y la besó en la boca, y la obligó a separar los dientes para que su lengua la saboreara por dentro—. En cuanto a tu flacura, yo me haré cargo de que ganes peso y te sientas fuerte de nuevo.

—Oh, Artemio. ¡Me devuelves la paz!

En casa de tía Pola, Sebastián le dio a su madre el mismo recibimiento que Furia había atestiguado la noche anterior.

—¡Llegaste, mamá! —Se colgó de su cuello, y Artemio sujetó a Rafaela por la cintura para evitar que el ímpetu del niño la arrojara de bruces—. ¿Tienes un abrigo nuevo? —se interesó.

—¿No vas a saludar a mi invitado, el señor Furia? —simuló enojarse Rafaela.

—Buenas noches, señor Furia.

Su vocecita le acarició el alma y le vinieron ganas de reír a carcajadas, de levantar a su hermoso hijo por el aire y hacerlo dar vueltas, y abrazarlo y besarlo. Conservó la compostura y le permitió que lo observase y se acostumbrase a su presencia. El parche negro y las argollas de plata llamaban su atención.

—Buenas noches. ¿Cómo te llamas?

—Sebastián.

Furia luchó por controlar la emoción. Sintió que los dedos de Rafaela entrelazaban los suyos y los apretaban para infundirle coraje.

—Qué lindo nombre —dijo, y carraspeó.

—Es el nombre de mi papá —expresó el niño, con orgullo.

—¿Y dónde está él?

—Mi mamá me dijo que está de viaje, pero que algún día regresará. "Aquí estoy, hijo mío, hijo de mi corazón."

—Sebastián —intervino Rafaela—, ve a llamar a tía Pola y a Damiana. ¿Dónde está Mimita? Llámala también. Nos trasladaremos a casa de la hermana del señor Furia.

De vuelta en casa de Edwina, Furia y Rafaela comieron solos en el dormitorio mientras la anfitriona, junto con sus hijos Eduardo y Martín, sus nueras y sus pequeños nietos, se ocupaba de entretener a los invitados. Sebastián era un niño locuaz e inteligente que pronto se ganó la simpatía de sus primos y la de sus hijos. La tía Pola, a pesar de su constitución achacosa, conversó animadamente con Edwina; se mostraba tan feliz por la aparición de Artemio Furia como su sobrina.

—Cuando Rafaela y Mimita llegaron a Córdoba en el año once —explicó Pola—, decidimos que seguirían usando los nombres consignados en los salvoconductos falsos con los que habían viajado. De ahí que se las conozca por el nombre de Catalina y Etelvina López. Hemos vivido con miedo durante años. Temíamos que ese demonio de Aarón Romano viniera tras mi Rafaela.

—Todo eso ha quedado en el pasado —la tranquilizó Edwina.

Mimita, sentada entre Pandora y Damiana, la india cuñada de Pola, comía con hambre voraz. No había reconocido a Furia cuando lo vio en lo de Pola, a pesar de que vivía con su recuerdo, alimentado por Rafaela. Artemio notó que aún tenía el tiento con dijes, medio cachados y descoloridos.

Apenas llegados a lo de Edwina, Rafaela la había tomado de la mano y conducido a una sala pequeña y aislada donde se encontraba Furia. Le dijo al oído: "Es Artemio". Las pestañas de la niña se alzaron con rapidez, y sus ojitos medio estrábicos se fijaron en el señor de aspecto amenazante. Inclinó la cabeza hacia uno y otro costado, mientras lo estudiaba. Una sonrisa se fue dibujando lentamente en sus labios hasta que lanzó un chillido y se abrazó a las piernas de Furia. El hombre la levantó en brazos y la besó varias veces en la mejilla.

—¡Mimita! ¡Mi niña adorada!

Unas criadas ayudaron a Rafaela a quitarse la ropa y ponerse el camisón. Furia lo habría hecho, pero Rafaela se negó. No necesitó preguntar el motivo; intuía que aún no estaba lista para reanudar la intimidad; además, se sentía fea y poco digna. Le había expresado que él estaba más hermoso que antes, si eso era posible, sin mencionar ni preguntar por el parche negro.

Regresó al dormitorio cuando Rafaela ya se había acostado. Lucía cómoda y a gusto sentada entre las almohadas. Colocó la bandeja con la comida sobre la mesa de noche y extendió una servilleta sobre el regazo de ella.

—Yo puedo hacerlo, Artemio —e intentó quitarle la cuchara con el caldo.

—Te suplico que me permitas alimentarte. No lo hago por ti. Es un acto egoísta. Lo hago por mí, para librarme de esta culpa que está agobiándome. Me atormento al pensar en las penurias y miserias que han soportado a causa de mi abandono.

—¡No nos abandonaste! Nos creíste muertas.

—No importa lo que haya sucedido en realidad, si yo siento culpa igualmente. Permíteme alimentarte. *Quiero* alimentarte, bañarte, vestirte, cuidarte, cubrirte de joyas, llevarte de viaje, comprarte castillos y palacios, comerte a besos, amarte, hacerte el amor. Quiero volver a estar dentro de ti, Rafaela, y oír tus gritos de placer. ¡Dios, cuánto te añoré! ¡Cuánta falta me hiciste, mi amor! —Depositó la cuchara en el plato y se llevó la mano a la frente.

—¡No llores! —exclamó ella, y lo abrazó—. ¡Ya no! ¡Aliméntame, vísteme, cuídame! Haz lo que quieras conmigo, sólo te pido que no te separes de mí ni de nuestro hijo otra vez.

—Jamás. Jamás. Nunca más —repetía con pasión, sobre sus labios.

Rafaela bebió una infusión de valeriana y melisa, y se durmió al arrullo de las palabras de amor de Furia, que, como un juego, empezó a tratarla de usted y a hablarle como si los años no hubiesen pasado.

—Usté é lo más hermoso de tuita mi vida, Rafaela. Y náa ni naides me la güelve a quitar. Qué güen hijo que mi ha dao. Va sé un taita, mi pequeño, y mi anda pareciendo qu'é muy inteligente.

—Como su padre —refrendó ella—. Tía Pola está enseñándole a leer y a escribir. ¡Estoy tan orgullosa de él, señor Furia! Aprende velozmente.

—La amo, señorita Rafaela. La amo con tuito mi corazón, con tuita l'alma. Pa'sempre, ¿mi oyó? Pa'sempre.

Rafaela se quedó dormida, y Furia no conjuraba la voluntad para incorporarse y salir de la habitación. No quería apartar los ojos de ella; temía que si le sacaba la vista de encima, la perdería. Le pidió a Edwina que velara su sueño mientras él se ausentaba unas horas.

—¿Adónde irás, Sebastian?

—A hablar con Elisabetta. Intuye que algo está sucediendo. Merece mi sinceridad.

—Sé suave con ella. Te ama demasiado.

En la casa ubicada en la calle de San Francisco, se encontró con que Elisabetta, Sforza, William y Calvú Manque compartían una cena tardía. Elisabetta se puso de pie y salió a recibirlo con una sonrisa. De inmediato, Furia sintió la ansiedad y el nerviosismo de su prometida, y le tuvo lástima.

—Estuvimos esperándote, Sebastiano —dijo, sin reproche—. Decidimos empezar. Lo siento —se disculpó, y Manque advirtió cómo se endurecían las expresiones de Girolamo y de William.

—Elisabetta —dijo Furia—, ¿podríamos hablar un momento a solas?

Al rato, la conversación en la mesa se interrumpió cuando Elisabetta pasó corriendo y llorando hacia los interiores. William y Girolamo se pusieron de pie al mismo tiempo y, luego de seguir con la mirada a Elisabetta, se volvieron hacia Furia.

—¿Qué le has dicho, patán sin sentimientos? —se enfureció Girolamo.

—Estoy cansándome de ti, Sforza. Un insulto más y conocerás mi ira —lo previno antes de evadirse tras Elisabetta.

—¡Ábreme! —le pidió frente a la puerta de su dormitorio—. Necesito explicarte, por favor.

Elisabetta abrió y se abrazó a él. Furia la arrastró al interior y corrió la falleba. Se sentó en la cama, con ella sobre las piernas. Parecía que nunca cesaría el llanto.

—Sé todo acerca de tu Rafaela —admitió, mientras se secaba las lágrimas—. Calvú me lo ha contado. Sé que la has amado más allá del entendimiento, la has amado como me gustaría que me amases. Sé que la amabas aun cuando te comprometiste conmigo. ¡Sebastiano, qué gran embrollo!

—Lo siento, querida. No sabes cuánto me duele hacerte sufrir.

—Lo sé, sé que no quieres hacerme sufrir. Pero no puedes evitarlo. Si ella está viva, yo no tengo una sola oportunidad de retenerte.

Se quedaron en silencio. La frente de Artemio descansaba en la de Elisabetta, que le acariciaba la mejilla.

—Estás feliz, ¿verdad?

—Elisabetta, por favor.

—Dímelo, Sebastiano. Necesito saber. ¿Estás feliz?

—Sí, estoy feliz. Soy feliz. Inmensamente feliz. Rafaela está viva y tengo un hijo maravilloso llamado Sebastián.

—¡Oh! Un hijo. Sebastiano, por amor de Dios, qué impresión tan grande has debido de recibir. No logro imaginarlo. Me siento mal, me siento sucia e indigna porque estoy celosa cuando debería estar feliz por ti.

—Elisabetta, no estás hecha de piedra. Es lógico que sientas pena y celos.

Furia llamó a Mina y le indicó que trajera una tisana para su patrona y que durmiese junto a ella esa noche. Caviló acerca de la conveniencia de regresar a lo de Edwina. Le temía a su descontrol cuando Rafaela necesitaba descanso y serenidad. No obstante, preparó una muda y volvió a la calle de la Merced. Edwina se había quedado dormida en un canapé, cerca de Rafaela. La despertó y le indicó que él se ocuparía. A pesar de su costumbre de dormir desnudo, no se quitó las bragas ni la camisa. Se deslizó bajo las sábanas con delicadeza para no despertarla. Pasó la noche en vela, observándola respirar.

CAPÍTULO XXXIII
El poder del amor

*R*afaela quería saber todo acerca de Furia. Furia quería saber todo acerca de Rafaela. Si no estaban juntos, los afligía una necesidad apremiante de tocarse, olerse, mirarse, besarse, saberse vivos, saberse uno. Temían que las circunstancias los separaran de nuevo, por lo que Furia se ausentaba el tiempo necesario para atender sus compromisos y a sus invitados y resolver las cuestiones pendientes de Rafaela, como pagar sus deudas, vaciar la casa de Pola y avisarle a don Boleslao que la maestra perfumista no continuaría trabajando para él, lo que causó la reacción violenta del boticario, que exigió que, en consideración a los años que la había ayudado, Rafaela le entregara las fórmulas. Artemio le cerró la mano en torno al cuello y lo levantó unas pulgadas del suelo. Lo miró fijo, sin emitir palabra. Boleslao escupió una disculpa y tosió hasta desgañitarse cuando Furia lo soltó. También se ocupó de Pancho Sosa Loyola, el aristócrata cordobés que pretendía a Rafaela. Enterado de que vivía en casa de misia Eduarda Avendaño, fue a visitarla. Calvú avisó a Furia del visitante. A pesar de que ese extranjero con traza de pirata le llevaba una cabeza, Sosa Loyola presentó pelea y manifestó que correspondía a Rafaela decidir con quién se quedaría.

—Mi anda pareciendo, don Pancho, que mi 'tá provocando. Y, dende aura le digo nomá, a usté no le conviene. ¿No é ansina, Calvú?

—Y, no, don Pancho, de siguro, no le conviene. ¿Ve esas argollas de plata que tiene en l'oreja? Son los cristianos y l'infieles que mi *peñi* despachó pa'l otro lao. Con usté, se completaría la oreja. No 'taría mal, ¿no, *peñi*?

El hombre dio media vuelta con aire ofendido, masculló algo acerca de palurdos y descastados y le permitió a Pandora que lo guiase hasta la salida.

Rafaela y Artemio hablaban mucho del pasado. Al principio, como se emocionaban, Furia prefería postergar las charlas. Sin embargo, ella tenía necesidad de explicar y de recibir explicaciones. Por eso, la primera mañana en casa de Edwina, cuando despertó con Furia a su lado, contemplándola, le refirió lo acontecido camino a Córdoba, nueve años atrás.

Llegados al paraje Puntas de la Cañada Honda, el mayoral les informó que harían noche en la posta. El propietario, un hombre de mal aspecto, sucio y brusco, les dio una habitación y agua caliente para lavarse. Cenaron temprano y marcharon a dormir. Se levantaron al alba y subieron a la diligencia cuando comenzaba a clarear. En el interior, Rafaela dio un respingo al descubrir, acurrucadas en el piso, a la joven esposa del propietario y a su pequeña hija.

—Buena señora —le suplicó—, ayúdeme a huir. Mi esposo acabará matándome si me quedo.

Rafaela, que la noche anterior había notado los moretones en la cara de la joven, aun en la de la niña, accedió a que viajaran con ellas. La muchacha se llamaba Ñusta y su hija, Rufina. A pocas leguas, el mayoral y el cochero comenzaron a inquietarse al columbrar una nube de polvo que avanzaba desde el sur. Una hora más tarde sabían que se trataba de un malón. La algazara de los indios les causó terror. Los gritos que lanzaban presagiaban las torturas que les esperarían si caían en manos de esos salvajes. El coche se detuvo, y el mayoral y el conductor comenzaron a disparar sus pistolas. Rafaela se había ovillado sobre Mimita y lloraba y recitaba plegarias. Una tacuara atravesó el cuero de la diligencia y traspasó la cabeza de Rufina como si se hubiese tratado de un melón. Enloquecida, Ñusta abrió la portezuela y se lanzó fuera, a los gritos. A pocas varas, una tacuara que la alcanzó en el pecho, la mató. Poco a poco, el rugido de los indios, el sonido de los cascos y los disparos fueron acallándose. Rafaela, con la cara oculta en el cabello de Mimita, aguardó su destino dentro del coche. Percibió un olor nauseabundo, y se acordó de que Calvú Manque le había dicho que sus hermanos solían oler mal porque se untaban el cuerpo con sebo de yegua. Un momento después, se sintió jalada hacia fuera. Los semblantes de esos indios la aterraron y, sin razonar, prorrumpió en exclamaciones: "¡Soy la *curé* de Artemio Furia! ¡Soy la *curé* de Artemio Furia!", que aplacaron a los indios como por ensalmo. Los vio parlamentar con el alma en vilo. Uno de ellos, que hablaba un poco de castellano, le preguntó adónde se dirigía. Ella mintió: dijo que Furia la esperaba en Córdoba. Se ofrecieron a escoltarla. Habría declinado la oferta; sin embargo, en esa inmensidad inhóspita y desconocida, no le quedaba otro remedio. Viajó durante siete días montada, junto con Mimita, en un parejero del capitanejo del grupo. Al principio temió que la violentasen, aunque enseguida se dio cuenta de que el nombre Artemio Furia pesaba sobre ellos. Para probar la veracidad de su declaración, le hacían preguntas acerca de Furia que, por fortuna, sabía contestar. Al llegar a las afueras de Córdoba, le explicaron que no se adentrarían por temor a que la milicia los apresase. Le indicaron el camino y le entregaron un chifle con agua y lonjas de carne seca y galletas. Horas más tarde, un carretero que transportaba sus hortalizas al mercado de la ciudad, las llevó hasta la Plaza Mayor. Alcanzar lo de tía Pola desde allí resultó un juego de niños.

Furia la abrazó y le besó la coronilla.

—¡Rafaela, pudiste haber muerto de verdad! Dios mío, tengo la piel erizada de pensarlo. Tú, mi niña decente y refinada, viviendo esas penurias, y yo, muriéndome en el barco que me llevaba a la Irlanda.

Una mañana, días más tarde, Rafaela elevó la mano y rozó el parche de Artemio.

—Quiero ver tu cicatriz —le pidió.

—Nunca se la he mostrado a nadie.

—¿A mí no me la mostrarías?

—¡Sí, a ti sí!

—Porque eres todo mío, ¿verdad?

—¡Todo tuyo! ¡Sólo tuyo!

Rafaela levantó el parche y, como se había preparado para una cicatriz desagradable, no ensayó ningún gesto, sus facciones no se alteraron. Percibió que el cuerpo de Furia se relajaba. Se incorporó en la cama y le besó la cuenca vacía y, con la punta de la lengua, le lamió el párpado maltrecho y los bordes toscos que conformaban la cicatriz.

—¿A tu prometida se la has mostrado?

—Te he dicho que a nadie. Sólo mi abuelo la ha visto porque él me practicaba las curaciones durante el viaje a la Irlanda. Además, Elisabetta ya no es mi prometida.

Rafaela asintió, sin mirarlo. De manera irracional, la había enfadado enterarse de que Furia había planeado contraer matrimonio. Fue tía Pola la que le hizo comprender que Furia, después de nueve años de luto, había tenido derecho a pensar en una familia de nuevo. Cuando permitió que Furia se acercara de nuevo, éste cayó de rodillas junto a la cama y le besó con ardor la mano. Ella le pidió:

—Señor Furia, susúrreme palabras de amor.

—Te amo, Rafaela. Te amo de esta manera inefable que es difícil de comprender. Durante estos nueve años, jamás te olvidé. Estabas en mi cabeza en cada maldito minuto de cada maldito día. Tu recuerdo era una maldición. Te confieso que quería deshacerme de él porque estaba volviéndome loco. La noche en que Elisabetta y yo nos comprometimos, tu rostro me perseguía como un fantasma y tu voz me repetía: *No me olvide, señor Furia. No me olvide, señor Furia.* ¡Rafaela, nunca vuelvas a dejarme! Ya no podría soportarlo.

—¡Nunca, amor mío! Prométeme que moriremos juntos.

—Lo prometo.

Después de varios días de reposo y de grandes cantidades de comida, Rafaela empezaba a cansarse de guardar cama. Furia no le permitía caminar y la llevaba en andas hasta la tina, al patio para tomar sol, aun detrás del biombo para que hiciera sus necesidades; y, mientras cambiaban las sábanas, él la sentaba sobre sus rodillas y la sostenía como a un bebé. No negaría que, después de trabajar años sin descanso, esos días en los que la trataban como a una reina obraban maravillas en su cuerpo y en su corazón. Por la mañana, mientras Pandora la peinaba y arreglaba, Rafaela analizaba su semblante en el espejo y advertía que las ojeras desaparecían, que la piel cobraba elasticidad y brillo y que su cabello lucía voluminoso y sano.

—¿Por qué permitías que ese hijoputa de Boleslao te explotase? —quiso saber Furia—. Podrías haber fabricado los afeites y perfumes en casa de tu tía Pola.

—¿Sin alambiques ni redomas ni nada? ¿Sin esencias ni flores? No olvides que todo quedó en el campito de Morón cuando viajamos a Buenos Aires. Al llegar a Córdoba, yo traía dinero que Juvenal Romano me había dado. Incluso me había prometido que me enviaría un poco todos los meses. La situación de tía Pola era desesperada. Su esposo, Leónidas, un indio imaginero, había muerto meses atrás dejando un tendal de deudas. Los últimos meses no había podido trabajar la madera debido a una afección severa a los huesos que le deformó las manos. Sin ingresos y con grandes gastos en medicinas y médicos, el dinero de tía Pola pronto se agotó. Yo pagué las deudas confiada en que Juvenal Romano me enviaría dinero al mes siguiente. El dinero nunca llegó. Mucho tiempo después, me enteré de que había muerto.

—Le dispararon. No me extrañaría que, al igual que tu padre, muriese a manos de Aarón Romano.

—Murió por mi culpa, por protegerme y esconderme de Aarón.

—¡Olvidemos el pasado! —la instó—. Ya no más penas. Cuando lleguemos a la Irlanda, te compraré el mejor alambique de cobre y todas las redomas, pipetas y demás utensilios que precisas para fabricar perfumes. Tendrás un batallón de jardineros a tus órdenes y te convertirás en la dueña del jardín más exuberante de la Europa.

—¡Oh, Artemio! ¿De veras?

—Viajaremos por el mundo buscando especies exóticas. Lo primero que quiero que hagas cuando te compre el alambique es fabricar nuestro perfume, ese que bautizaste *Amor* y que me tiene encadenado a ti desde los tiempos de *La Larga*.

—Si podemos permitírnoslo, me gustaría fabricarlo con rosas de la Bulgaria. Siempre soñé con tener la esencia de esas rosas.

—Todo para ti, Rafaela. Las rosas de la Bulgaria, los muguetes de la Inglaterra y los jazmines de donde sean. Todo.

Así como Furia consentía a Rafaela, hacía otro tanto con Sebastián, y eso suscitaba discusiones entre ellos.

—No quiero que piense que vivirá a mesa puesta, Artemio. Quiero enseñarle el valor del dinero, quiero que aprenda a ganárselo. No haremos de él un malcriado.

—Mi amor, déjame darle una porción de lo que le habría dado desde su nacimiento. Prometo que, una vez en la Irlanda, seré más austero con él.

Sebastián se aficionaba al señor Furia día a día. Nadie era más inteligente que ese bravo señor, ni generoso, ni bueno, ni divertido, ni mejor jinete. Cuando le permitían visitar a su madre, se trepaba en la cama y le enumeraba los regalos que el señor Furia le había comprado y las actividades que habían compartido.

—Hoy el señor Furia se compró una argolla de plata y se la puso en la otra oreja, en la que estaba vacía. ¿Y sabes por qué lo hizo, mamá? —Rafaela dijo que no—. Porque acaba de descubrir que tiene un hijo. Se colgará una argolla por cada hijo que Dios le dé, así dijo. Cuando le pregunté por qué se había colgado las argollas en la otra oreja, me contestó que algún día me lo contaría.

Habían acordado que correspondía a Rafaela revelarle al niño la identidad de su padre. A pesar de que Rafaela aseguraba que Sebastián lo aceptaría sin dudar —desde muy pequeño vivía en la esperanza de conocer a su padre—, Furia le había pedido unos días para ganarse su confianza y su cariño. Sin duda, estaba lográndolo. Hasta el día en que Sebastián entró sin llamar en la habitación de Rafaela y sorprendió a Furia besándola. Se abalanzó sobre él y le asestó puñetazos al tiempo que exclamaba: "¡Déjela! Mi mamá es mía y de mi papá. ¡Suéltela!". Furia consiguió reducirlo. El niño siguió debatiéndose y le lanzó dentelladas cuando sus brazos y piernas quedaron inutilizados. Furia miró a Rafaela y le dijo, con una media sonrisa:

—Podríamos apodarlo Pichín-Ülleún, ¿no crees? —Lo depositó sobre el regazo de la madre y abandonó el dormitorio.

Sebastián lloró hasta mojar el camisón de Rafaela.

—Hijito mío, no sufras. ¿Por qué lloras tanto?

—Porque el señor Furia te estaba besando.

—Creí que lo apreciabas, que sentías un gran cariño por él.

—Sí, pero él no puede besarte. Porque tú eres de mi papá.

—¿Crees que lo habría besado si él no fuera tu padre?

Sebastián levantó la cabeza y la miró en abierta confusión. Rafaela lo obligó a sonarse la nariz y le secó las mejillas.

—Sebastián, yo jamás traicionaría a tu padre besando a otro hombre. Yo besé al señor Furia porque él *es* tu padre.

—¿Mi padre? —Rafaela asintió—. ¿De verdad?

—Hijo, ¿alguna vez te he mentido? —Sebastián agitó la cabeza—. ¿No te has dado cuenta de que tienes su mismo color de cabello? ¿No te has dado cuenta de lo parecido que eres a él?

—No se llama Sebastián. Se llama Artemio.

—Lo llaman Artemio Furia, pero su verdadero nombre es Sebastian de Lacy. Sebastian no Sebastián, porque es en inglés, que es otro idioma, el que tu padre habla con misia Eduarda.

Rafaela rió ante la expresión de azoro de su hijo. El niño se sorbió los mocos, se pasó el dorso de la mano por los ojos y salió corriendo de la habitación. Volvió al rato en brazos de su padre, con la cara oculta y aferrado a su cuello. Furia y Rafaela se contemplaron a través del espacio del dormitorio. Rafaela sonrió con labios temblorosos. Artemio fue incapaz de devolverle el gesto; la barbilla se le sacudía de sofrenar el llanto. Se sentó en el borde de la cama y ubicó a Sebastián sobre sus rodillas.

—Siempre has de proteger a tu madre como lo hiciste hoy.

—Sí, papá.

Furia visitaba a diario la casa en la calle de San Francisco y evitaba encontrarse con Girolamo Sforza. En cuanto a William, se sorprendía de sus cambios bruscos de carácter; en ocasiones parecía exultante; otras, deprimido. Una tarde, Sforza lo encaró en el vestíbulo y le pidió unas palabras en privado.

—De Lacy, esta situación es insostenible. Elisabetta se siente humillada y está sufriendo.

Aunque le costase admitirlo, Sforza tenía razón. Si bien Elisabetta lo recibía de buen humor, él advertía su deterioro; estaba ojerosa y pálida.

—Yo no soy culpable de cómo sucedieron las cosas. Jamás habría lastimado a tu prima con intención, y lo sabes. Además, deberías de estar contento. Sé que nuestro matrimonio no contaba con tu aprobación.

—Estoy contento por que vuestra boda se haya frustrado, pero no estoy contento con esta situación. Elisabetta y yo deberíamos viajar a Buenos Aires para regresar a la Italia.

—En ningún barco viajaréis tan cómodos y bien atendidos como en el *Smarag*. Además, no quiero que os aventuréis solos hasta Buenos Aires. Los caminos de este país están plagados de peligros.

—Entonces, si algo de nobleza corre por tus venas, emprendamos el viaje pronto, para evitar que Elisabetta siga sufriendo y humillándose.

—No podré hacerlo hasta que el médico me indique que mi mujer puede afrontar un viaje de esa envergadura. Cuando la encontré, su salud no era buena.

Elisabetta irrumpió en el comedor.

—No hables por mí, Girolamo. Volveré a la Europa en el *Smarag* y en ningún otro. Si lo deseas, regresa tú a la Italia. No cuentes con mi dinero para pagar el pasaje.

Furia anhelaba regresar a la Irlanda para comenzar una nueva vida con Rafaela. Su constitución y su semblante mejoraban a ojos vistas, y no había modo de mantenerla en cama; incluso, en ocasiones, oía misa en la Merced.

—Te pediría que cases conmigo aquí, en Córdoba —admitió Furia una noche—, si no deseara que fuera el padre Ciriaco quien lo hiciera.

—Está bien para mí. Me encantará conocer por fin a tu padre Ciriaco. Aunque no lo conozco, lo quiero con todo mi corazón, por haberte rescatado cuando niño y por haberte amado siempre. —Furia se incorporó en el colchón donde dormía, a un costado de la cama de Rafaela, y la besó—. ¿Por qué duermes ahí abajo? ¿Tan fea estoy que no quieres compartir la cama conmigo?

Furia ensayó una mueca elocuente y soltó el aire con impaciencia.

—Rafaela, nadie imagina la tortura que significa para mí abstenerme contigo. Me sorprendo de mí mismo, del control que estoy consiguiendo, y es sólo por ti, porque el doctor Allende Pinto aseguró que necesitas descanso y nada de emoción.

—El doctor Allende Pinto —replicó, al tiempo que se deslizaba de su cama y caía a horcajadas sobre Furia— no sabe lo que yo necesito. Necesito a mi hombre dentro de mí. Lo he necesitado a lo largo de nueve años, lo he añorado hasta las lágrimas, en ocasiones creí que enloquecería por desearlo tanto. Me resisto a prolongar la espera. ¿Por qué tiemblas? —le preguntó, con fingida inocencia.

—Por favor, Rafaela, no te muevas así sobre mi verga. No me hagas esto. Estoy muy caliente para contenerme.

—No te contengas —le sugirió, mientras le desabotonaba la camisa y le acariciaba los pectorales y le abría surcos en la mata espesa de vello con los dedos estirados—. ¿Por qué duermes vestido? Recuerdo cuánto me costó acostumbrarme en el campito de Morón a que lo hicieras desnudo. —Se bajó el escote del camisón y liberó sus pechos—. Tócame, Artemio.

Rafaela se inclinó para ofrecerle los pezones y gimió y se sacudió y gritó cuando la boca de él se cerró en torno a uno de ellos, y su lengua lo lamió y sus labios lo succionaron, y sus manos le apretaron las nalgas como si amasara pan. Los sonidos que brotaban sin moderación de Rafaela probablemente despertasen a Sebastián en la habitación contigua. Ninguno reparó en ello. Rafaela se ocupó de las bragas de Furia y de sus propios calzones.

Artemio parecía haber olvidado los escrúpulos en cuanto a la fragilidad de su mujer. La tomó por los brazos y, con un movimiento impaciente, la acomodó de espaldas sobre el colchón. La inmovilizó con las rodillas y le arrancó nuevos gemidos cuando su boca volvió a cebarse en los pezones de ella.

—Me habría gustado beber de la leche que le dabas a mi hijo.

—Me habría gustado que lo hicieras.

—Dime que has sido sólo mía, que ningún otro te ha poseído en estos años.

—¿Cómo puedes pensar que he sido de otro? Nunca nadie me ha poseído excepto tú, Artemio. Nadie, excepto tú. ¡Dios mío, Artemio, volver a estar bajo tu peso! ¡Volver a sentir tu carne dentro de mí! ¡Es como un sueño! —Le costaba hablar, le costaba respirar.

Furia había quebrado su coraza de voluntad y la abrazaba con frenesí. Sus caricias llenas de fuego le marcaban la piel e imprimían rastros calientes. Su boca la mordía, la lamía y la besaba. Como ciega, estiró el brazo hasta dar con su pene. Estaba duro, caliente y suave. Latía en su mano.

—¡Oh, Dios! —Furia se arqueó y quedó suspendido en un aullido silencioso, la boca abierta y una mueca de dolor en el rostro; la yugular le sobresalía en el cuello encarnado.

Se enterró en ella con un impulso poco gentil, al tiempo que con su lengua le invadía la boca. Las fosas nasales de Furia se dilataban para inspirar. Lo hacía de un modo superficial y agitado, y el aire caliente golpeaba las mejillas de Rafaela. Comenzó a susurrarle con voz ronca al oído, con acento desesperado, con ansiedad.

—¡Carajo, Rafaela, no puedo contenerme! Lo siento, mi amor.

La vagina de Rafaela, que se contraía y aflojaba en torno al miembro de Furia, estaba volviéndolo loco. Ella inició un movimiento similar a la cadencia de las olas que lamen la playa, hacia delante, hacia atrás, mientras sus uñas se enterraban en las nalgas de Artemio incitándolo a penetrar dentro de su carne hasta rozarle las entrañas.

Al día siguiente, todos, excepto Sebastián, les echaban vistazos entre irónicos, pícaros y timoratos. Los rugidos de Furia en el alivio habían atravesado la casa e inundado el tercer patio.

Rafaela se mostró inflexible con el nuevo regalo de Furia para Sebastián.

—Artemio, él jamás ha montado. No quiero que lo haga, no en ese caballo que le has dado. Es enorme y luce indomable.

—¿Crees que le daría un caballo mañoso a mi hijo? Diomed es un hannoveriano tranquilo, mi amor.

—Rafaela, mi *mallé* —Calvú Manque quería decir "sobrino"— tiene a los dos mejores maestros p'aprender a montar. Artemio y yo —aclaró, con una amplia sonrisa.

—Calvú, no niego que ustedes son dos de los mejores jinetes que pueblan las pampas porque prácticamente han nacido sobre el lomo de un caballo. Sebastián, en cambio, no tiene habilidad ni destreza. Es un niño de ciudad.

—Queremos poner remedio a eso, Rafaela —se empecinó Furia—. En *Grossvenor Manor* y en las otras propiedades, vivirá sobre el lomo de un caballo, acompañándome a visitar a los arrendatarios.

—¡No en ese caballo, Artemio! ¿No puedes comprarle uno más pequeño? ¡Y ni se te ocurra hacerlo montar en ese gigante blanco tuyo! Me hace sentir del tamaño de una pulga.

El entusiasmo de Sebastián por Diomed y la presión de Furia y de Manque lograron resquebrajar la firme decisión de Rafaela. Furia prometió que Sebastián montaría en sitios despoblados donde el trajín de la ciudad no espantase a los animales. Solían pasear a la hora de la siesta y se alejaban en dirección al río. Cabalgaban sobre la marisma y, por lo general, los acompañaban Elisabetta y William. A Rafaela la ponía de mal humor que Sebastián llegase, todo alborotado, hablando de la hermosa italiana amiga de papá.

El doctor Allende Pinto encontró muy restablecida a Rafaela, y admitió que la breve convalecencia lo sorprendía. En opinión del médico, si via-

jaban en varias etapas, podrían marchar a Buenos Aires cuando lo juzga-
sen oportuno. Furia inició los preparativos del viaje de inmediato. Al-
quilaría otra galera pues no bastaba con su carruaje; además, no podía
imaginar a Elisabetta y a Rafaela confinadas en el mismo coche durante
días. No resultarían fáciles los meses en el *Smarag*.

Se demorarían poco en Buenos Aires, lo suficiente para que el padre
Ciriaco bendijera su matrimonio, para cargar el matalotaje y el agua, y
para que Rafaela visitase a sus amigas, Lupe Moreno, viuda desde el año
once, y Pilar Montes.

—Moreno murió en alta mar —le contó Furia—. Estuve en Londres
con su hermano Manuel y con Tomás Guido. Ambos lo acompañaban
en el barco. Ellos sostienen que Moreno murió envenenado. Los mismos
que intrigaron en mi contra para sacarme del juego, se ocuparon de ale-
jarlo de Buenos Aires y matarlo.

—¡Pobre Lupe! —se compadeció Rafaela—. Recuerdo cuánto amaba a su Moreno.

—La ayudo desde hace tiempo. Económicamente —aclaró—. Lo
hago porque Moreno me pidió que la cuidase si algo malo le ocurría, pero también porque había sido tu amiga y muy buena contigo cuando todos te daban la espalda a causa de mí.

—Gracias. Durante todos estos años no me atreví a escribirles, ni a
ella ni a Pilar, porque Juvenal me previno que se violaban las cartas en el
Correo. Y yo temía que Aarón de algún modo se enterase dónde me escondía y viniese por mí.

—Tu primo no puede ir tras nadie. Ya te conté que es una piltrafa,
un despojo. Quizá ya esté muerto.

—No siento pena por él, Artemio. Cuando pienso que pudo haberte asesinado…

Furia la envolvió en su abrazo y le siseó al oído para acallar los malos recuerdos.

—No te detengas en esas tristes memorias —le pidió—. Soy tan feliz desde que te he recuperado que las penas del pasado se han desvanecido. Todo parece insignificante ahora que te tengo conmigo.

Un mediodía a principios de septiembre, después del almuerzo,
mientras sorbían café y bebidas digestivas, Calvú Manque y Edwina
anunciaron su intención de contraer matrimonio. Para nadie resultó una
sorpresa. Rafaela, incluso, los había pillado besándose en el patio, ocultos bajo las glicinas; le había resultado un cuadro perfecto, él, alto y oscuro, ella, menuda y diáfana. Manque le había soltado el pelo que cayó
sobre la espalda de Edwina como un manto con destellos rojos y dora-

dos. A Rafaela la había excitado la intensidad del beso. Nadie sabía cómo reaccionarían Martín y Eduardo; después de todo, Avendaño había muerto tan sólo un año atrás. Edwina, sin embargo, mostró la actitud firme y decidida que la había caracterizado desde su viudez y expresó que nada ni nadie le impedirían comenzar a vivir.

Con los ánimos elevados y sonrisas en los labios, salieron a montar. Las lecciones de Sebastián estaban dando sus frutos, y Rafaela se henchía de orgullo cuando a Furia se le iluminaban los ojos mientras le aseguraba que nunca había conocido un niño tan inteligente y valiente como Sebastián. "Es un jinete nato", aseguraba. De noche, cuando iban juntos a arropar al niño y darle el beso de las buenas noches, Rafaela se quedaba mirándolos conversar acerca de Diomed, de Zeus y de las estupendas caballerizas que el abuelo Horatio tenía en *Grossvenor Manor*, y experimentaba la fuerte necesidad de que esos dos hombres habitasen en su vientre para que fueran sólo de ella y para que nada los dañase.

Esa tarde, los acompañaba Elisabetta. Enfilaron hacia la zona del río y, al alcanzarlo, galoparon por la marisma. Furia y Manque se mantenían a los costados de Sebastián, que reía y hablaba a gritos. Un rato después, disminuyeron la marcha hasta alcanzar un paso ligero. La quietud del lugar, sumada a la benignidad del clima —corría un viento suave y fresco que arrastraba el aroma de las hierbas y las flores— y al trinar de los pájaros, apaciguaron a jinetes y monturas por igual. Furia, que sabía a su hijo próximo y a Calvú atento, se distrajo evocando la noche de tórrida pasión compartida con su mujer. A veces, cuando la tenía saciada entre sus brazos, la observaba y temía que se tratara de un sueño, que se desvaneciera bajo su cuerpo. Se despertaba por la mañana y giraba la cabeza en la almohada sólo para comprobar que estaba a su lado. Si no la veía, se echaba encima una bata y, así, en paños menores, salía al patio y la llamaba.

Furia percibió las dos cosas al mismo tiempo: la quemazón en el brazo derecho y el trueno que rasgó el velo de paz del entorno. Le bastó un instante para comprender que se trataba de un disparo. Al tiempo que intentaba sojuzgar a un Zeus encabritado, veía a Calvú Manque galopar tras un jinete, probablemente el que había disparado, a Elisabetta luchar con su yegua para tranquilizarla y a Diomed elevarse en sus cuartos traseros. Su corazón cesó de palpitar, la sangre se le volvió hielo y los pulmones se convirtieron en piedras incapaces de ventilar su organismo. Con aterradora certeza supo que Sebastián no conseguiría someter a su caballo y que él no llegaría a tiempo para sujetarlo. Gritó su nombre, abrumado por la impotencia, mientras su hijo caía de cabeza. Se quedó sin voz cuando Sebastián tocó el suelo y un sonido como de una rama que se quiebra se propagó en el vacío que lo envolvía.

Se arrojó de Zeus y corrió a su lado. Se arrodilló junto a su cuerpo y lo tomó entre sus brazos. La cabeza del niño cayó hacia atrás, como un peso inerte. Lo estudió con una mueca de horror impresa en el gesto. Empezó a sacudirlo y a llamarlo, con voz débil y trémula al principio, con más fervor después, a los gritos cuando se convenció de que jamás despertaría. Lo apretó contra su pecho y lo acunó con violencia, mientras elevaba la cara deformada por la angustia y el terror, y clamaba:

—¡Oh, no, Dios mío, no! ¡Por piedad, no! ¡Te lo imploro! ¡No!

No se dio cuenta de que Elisabetta lo abrazaba y le susurraba palabras de consuelo.

Calvú Manque desató las boleadoras del recado, las agitó sobre su cabeza y las lanzó a las patas del caballo del que había efectuado el disparo. El animal perdió el equilibrio y cayó como un saco pesado. El jinete salió despedido y acabó de espaldas, sobre unas piedras. Manque empuñó su facón y se aproximó con cautela. Bajo el fular que le cubría el rostro, el hombre acezaba como un animal entrampado. Manque lo despojó del pañuelo y se echó hacia atrás a causa de la impresión: era William de Lacy.

—¡William! ¡Qué mierda!

—No puedo moverme —farfulló de Lacy—. No puedo mover los brazos ni las piernas.

Manque dedujo que se había quebrado el espinazo al rebotar contra el filo de la piedra.

—¿Por qué has disparado? ¡Por qué!

—Ayúdame —le suplicó.

Manque se giró de súbito cuando un grito estremecedor, que dominó el páramo y acalló a las aves, le erizó la piel. Se encaramó en la piedra y se hizo sombra con la mano. ¿Por qué su *peñi* sacudía el cuerpo de Sebastián y clamaba hacia el cielo? "Oh, no, otra vez no. Dios mío, otra vez no."

—¡Señora Rafaela! ¡Señora Rafaela!

La voz de Pandora la arrancó de su concentración. Depositó el libro sobre la mesa y corrió al patio. Por alguna razón inexplicable, pensó en su hijo.

Todos se congregaban en el patio esa tarde, hasta la cocinera y las domésticas, y no terminaba de acertar si el bullicio comunicaba alegría o tragedia. Se quedó quieta bajo el dintel de su dormitorio, indecisa. No quería que le dijeran qué pasaba; no quería saber por qué Pandora la llamaba con alaridos histéricos; deseaba dar media vuelta y refugiarse en su habitación y en la lectura. Caminó despacio.

Al verla, Furia avanzó hacia el centro del patio con Sebastián en brazos. Rafaela vio la manga de su camisa empapada en sangre; alguien le había practicado un torniquete sobre el género. ¿Sebastián se había dormido? ¡Qué mal lo sujetaba Artemio! Su cabecita rubia caía como sin vida.

—¿Sebastián?

—Rafaela... —sollozó Furia, y se lo extendió—. Diomed... lo arrojó...

Rafaela caminó dos pasos hacia atrás y se detuvo, sin apartar la vista de su hijo. Alguien le pasó un brazo por los hombros y la sostuvo: Edwina. No quiso mirarla por temor a que le dijera lo que ya sabía.

—Despiértalo, Artemio —le pidió.

—No... —musitó él, y cayó de rodillas sobre el solado, donde rompió a llorar amargamente, cubriendo con el torso el cuerpo de su hijo. Un momento después, alguien intentaba arrebatárselo. Elevó la vista y distinguió el semblante pálido de Rafaela, que se había arrodillado frente a él.

—Hijito —la escuchó pronunciar, mientras se lo acomodaba en el regazo—, hijito mío. Aquí está mamá. Despierta. Despierta, tesoro mío.

—Rafaela, por favor. Sebastián...

—¡Cállate! —Levantó la cabeza con la velocidad de una serpiente—. ¡No me lo digas! ¡No te atrevas a decirme que no despertará jamás! ¡Sal de mi vista!

Edwina se acuclilló junto a Rafaela y volvió a sujetarla por los hombros. La besó en la sien y le susurró:

—Rafaela, no puedo imaginar cuánto duele, pero tienes que aceptar que Sebastián se ha ido.

—¡No! —Su alarido crispó los ánimos y arrancó un sollozo a Furia, que tocó el piso con la frente y se echó a llorar a moco tendido, los brazos extendidos para rozar el cuerpo de Sebastián.

—Rafaela —habló Calvú Manque—, entrégame a Sebastián. Lo llevaremos a su recámara para prepararlo.

—¡No lo toques, Calvú! ¡Nadie ose tocar a mi hijo! —El llanto de Furia arreciaba en tanto la violencia de Rafaela aumentaba—. ¡Él es mío! ¡Mío! ¡Hijo de mis entrañas! ¡No me dejes! ¡Aquí está mamá! ¡No me dejes!

—Rafaela, por favor —insistió Manque, mientras la obligaba a incorporarse y Edwina le quitaba al niño.

Rafaela sufrió un ataque de nervios. Furia la miraba sin respirar. Lo sobrecogían sus alaridos, le recordaban a los de su madre al ver degollado a su padre. Se abalanzó sobre ella y la circundó con los brazos y la apretó contra su pecho. Ella luchó por liberarse; se debatía con un vigor que a Furia le costaba sojuzgar. Y todo el tiempo Rafaela exclamaba: "¡Por tu culpa! ¡Mi hijo está muerto por tu culpa!". No tardó en desvanecerse.

Habían trascurrido cinco días desde el entierro de Sebastián, y Elisabetta deseaba olvidar la ceremonia en el campo santo de San Francisco. Rafaela, flanqueada por su tía Pola y por Edwina, se había mantenido en silencio, su expresión como una máscara de piedra blanca, sin matices; parecía muerta. Hasta que los enterradores tensaron las cuerdas e iniciaron el descenso del pequeño féretro; entonces, la joven madre actuó como si acabase de caer en la cuenta de lo definitivo del acontecimiento. Gritó el nombre de su hijo e intentó arrojarse al foso. Furia, que se mantenía alejado, la sujetó por detrás y le pegó el pecho a su espalda y le susurró con voz ardiente algo que nadie oyó. Durante el velatorio en casa de Edwina, a Elisabetta le había dado un vuelco el corazón al descubrir los ojos de Artemio fijos en Rafaela; quería olvidar esa expresión de amor infinito, sin fronteras, sin condiciones, sin límites. Los sentimientos que incitó en ella, celos y rabia, la avergonzaban.

Subió por las escaleras del patio hacia la zona de las habitaciones y se detuvo frente a la de Furia. Se había enclaustrado después del entierro, y ni siquiera admitía a Calvú Manque; tampoco permitía que le curasen la herida del brazo. Sólo abría para vociferar a las domésticas que lo proveyesen de bebidas espiritosas. Aunque tenía una llave para entrar, Elisabetta no se atrevió. Se había mostrado muy violento con su amigo, ni qué decir con Girolamo, a quien casi le rebanó la garganta cuando éste lo presionó con el viaje a Buenos Aires; los rápidos reflejos del indio consiguieron que el filo del facón se desviase e infligiese un corte superficial en el cuello de Sforza.

Elisabetta sacudió la cabeza y se alejó con un suspiro. Amaba profundamente a Sebastian de Lacy y no toleraba su dolor. La impotencia la inquietaba, no sabía cómo ayudarlo. En la sala se topó con Manque. El indio no lucía mejor que su amigo. Estaba echado en un sillón, con el antebrazo sobre el rostro. Elisabetta carraspeó para anunciarse.

—¿Sigue encerrado? —preguntó el hombre, innecesariamente.

—Sí —contestó la italiana— y no me atrevo a entrar.

—Sólo se mantiene con vida para vengar la muerte de su hijo. Con el rechazo de Rafaela y la culpa que lo agobia por la caída de Sebastián, ya se abría descerrajado un tiro en los sesos si no fuese por la venganza.

—¿Por qué William hizo algo tan descabellado?

—Antes de morir me confesó que lo hizo por una suma muy abultada de dinero. Jacob Burke, el viejo administrador de los de Lacy, le entregó cinco mil libras antes de partir hacia acá. Y le prometió otro tanto si, durante el viaje a la Sudamérica, acababa con Artemio.

—¡Burke! ¿De dónde habrá sacado tanto dinero ese hombre? Recuerdo que tío Horatio siempre se quejaba porque, como consecuencia de sus apuestas, estaba permanentemente endeudado.

—Burke es sólo un intermediario. Nuestro verdadero enemigo no ha mostrado aún la cara.

Por la noche, Elisabetta llamó a la puerta de Furia y le preguntó si le apetecía cenar. Nadie respondió. Apoyó la oreja sobre la hoja de madera. El silencio era sepulcral. Tuvo miedo. Le tembló la mano al colocar la llave en la cerradura. Entornó la puerta con precaución, como si esperase que una jauría huyese por el resquicio. Ahogó un lamento al descubrirlo sentado en el suelo, con la espalda apoyada en la pared.

Furia levantó la cabeza que descansaba sobre sus rodillas y la observó con una intensidad que le robó el aliento. No le conocía esa mirada siniestra. El turquesa del iris resplandecía en su ojo inyectado de sangre; de seguro, no había dormido ni una hora seguida. Tenía el pelo más oscuro a causa de la suciedad, y el bozo, cubierto de una espesa barba. Llevaba la misma camisa de la mañana del entierro, y en la manga se advertía la aureola de sangre seca.

—Sal de aquí —le ordenó, y su voz le causó un repelús—. No quiero hacerte daño, pero lo haré si tengo que levantarme para sacarte fuera.

Elisabetta salió y cerró con llave. Se encaminó a su dormitorio y le pidió a Mina que la ayudara a colocarse el dominó. Se cubrió la cabeza con la capucha y se calzó los guantes.

—Mina, dile a Juan que prepare el carruaje. Iremos a casa de misia Eduarda.

Les había permitido que la narcotizasen porque, cuando caía en ese sueño negro y profundo, se olvidaba de Sebastián. Al volver a la conciencia, con el corazón mortalmente herido, deseaba morir. El dolor, originado en sus entrañas, ascendía y se transformaba en pinchazos que, si bien nacían en el estómago, se desplazaban como ondas hasta las axilas y la espalda. Siempre ocurría lo mismo: abría los párpados con dificultad y enseguida pensaba en que Sebastián estaba vivo. A la comprensión de la realidad le seguía una brutal oleada de dolor. La amargura la envolvía y le oprimía el pecho como si le hubiesen colocado un yunque.

La mañana del quinto día despertó y descubrió a Mimita en su dormitorio. La niña estaba sentada en el canapé, muy quieta, con todas las muñecas que Furia le había comprado sobre la falda. La miraba sin pestañear. La llamó agitando la mano. Sonrió al ver el cuidado que empleaba para acomodar a las muñecas antes de responder a su llamado. Mimita se acomodó en el borde de la cama y le acarició la mejilla con rastros de lágrimas de la noche anterior.

—¿Batián?

—Se convirtió en ángel y se fue al cielo —le explicó, con bastante aplomo—. No volveremos a verlo.

—¿Atiemo?

—Está en su casa.

—Atiemo.

—¿Quieres verlo? —La niña asintió—. Mañana —mintió.

Le pidió a Pandora que no siguiera vertiendo en su tisana la opiata que Allende Pinto había recetado. Quería que los efluvios de la droga se diluyesen en su sangre para recuperar el control sobre sí. Pasó el día en su dormitorio. Sorbió unas cucharadas de caldo y comió unos trozos de pollo y arroz. La visitaron Edwina y, por la tarde, su tía Pola. Conversar con ellas le hizo bien. Edwina, en especial, se mostró cariñosa y no le reprochó las crueldades que le había espetado a su hermano. Aunque creyó que podría compartir la mesa a la hora de cenar, al ponerse el sol, decayó su ánimo y se metió en la cama. No dormía cuando Pola llamó a su puerta.

—La señorita d'Adda está aquí y pide verte.

Le tomó unos segundos entender de quién se trataba. Había obtenido atisbos de la mujer durante el velatorio y en el entierro. Tía Pola le había contado que llegó con Furia cuando éste trajo el cuerpo de Sebastián, por lo que la d'Adda había estado con su hijo cuando murió, un derecho que a ella se le había negado.

—No quiero verla.

—Lo harás. Saldrás de la cama y la recibirás. Es importante. Es acerca de Furia.

La belleza de Elisabetta d'Adda no se discutía. Era magnífica, y punto. Sin falla, sin defecto. Una condesa nata. Una criatura de fábula que atraía las miradas de hombres y mujeres por igual. Se limitó a inclinar la cabeza al entrar en la sala y le indicó, al extender la mano, que tomase asiento.

—¿Puedo llamarla por su nombre de pila? —Elisabetta le habló en un castellano fluido, de buena pronunciación. Rafaela asintió—. Rafaela, no me habría atrevido a molestarla si lo que me trajera hasta acá no fuese de naturaleza urgente y grave. Se trata de Sebastiano, o de Artemio, como vosotros lo llamáis. —Ante el silencio y la imperturbabilidad de Rafaela, Elisabetta dudó, hizo un silencio, carraspeó—. Creo que ha decidido dejarse morir. Hace cinco días que no sale de su recámara, no come, no duerme, no se higieniza, sólo bebe coñac y otras bebidas fuertes, y llora. La culpa está matándolo, pero, sobre todo, Rafaela, está matándolo vuestro desprecio. Le aseguro que me cuesta pedirle lo que le pediré. Necesito que venga conmigo y lo salve. Usted es la única que puede hacerlo. Sólo usted. Ni Calvú ni yo accedemos a él. Se ha encerrado en su dolor y ha decidido esperar a que la muerte lo sorprenda. Por favor, le imploro, sálvelo.

Las miradas, una de un verde esmeralda, la otra de un celeste claro, se cruzaron y quedaron suspendidas en el tenso mutismo. Rafaela se puso de pie. Elisabetta la imitó.

—Espéreme aquí. Voy por mi rebozo y mis guantes.

En el carruaje, Rafaela estudió el perfil de Elisabetta. No conseguía apartar los ojos de sus lineamientos. Su perfección la pasmaba.

—¿Por qué hace esto? —pensó en voz alta—. ¿Por qué ha ido a buscarme?

—Porque lo amo profundamente y deseo volver a verlo feliz.

—Usted es una mujer digna de él.

—Pero él no me quiere a mí. Sólo quiere a su Rafaela.

En la casa de la calle de San Francisco, Manque y Elisabetta la escoltaron escaleras arriba. Quinto caminaba a su lado y le lamía la mano. Rafaela se detuvo frente a la puerta y la miró sin verla. En realidad, estaba hablándole a Sebastián por primera vez desde su muerte: "Ayúdame a rescatar a tu padre", le pidió. Calvú Manque le puso las manos sobre los hombros y la obligó a volverse.

—Rafaela, mi *peñi* 'tá muy mal; mi anda pareciendo que se le han escapao algunas cabras. No te va a gustar lo que vas a encontrar ahí dentro. A mí ya me ha tocao ver esta escena muchas veces. Artemio Furia é el hombre más juerte que conozco, pero tú eres su debilidá. Jamá lo vi quebrarse hasta que tú apareciste en su vida. Cuando se trata de ti, se desmorona, como si le dieran un golpe en la cabeza. Le pasó lo mesmo dispués de aquella noche en la pensión de doña Clara y también cuando le dije que te habías muerto. Te pido que le tengas pacencia y que lo tranquilices.

Rafaela asintió y entró llena de paz y seguridad.

Artemio disparó la cabeza para soltar un ladrido y, al ver quién era, se puso de pie con dificultad, ayudándose con las palmas y el trasero a trepar por la pared. Su gesto feroz iba suavizándose hasta reducirse a una mueca lastimosa. Rafaela se acercaba, y Furia se preguntó si se trataría de una alucinación causada por la borrachera. La joven se plantó a unas varas de él y se deshizo de los guantes y del rebozo; los echó sobre la cama. A pesar de que estaba seria, no lucía enojada. De igual modo, no le importaba si lo buscaba para insultarlo. Que lo flagelara también. Cualquier castigo que Rafaela quisiera imponerle sería bienvenido pues indicaría que no lo había olvidado. Porque era su indiferencia lo que estaba matándolo.

Rafaela le habló con dulzura.

—Tienes la misma expresión de tu hijo cuando había cometido una travesura y sabía que lo reprendería.

Su sonrisa parecía real. No alucinaba. Sus labios fueron desvelando esos dientes blancos y parejos, y su ternura lo sacudió. Los primeros sollozos emergieron con sonidos raros, como espasmos convulsos, porque se mezclaban con las ansias de hablar y de reír.

Rafaela corrió hacia Artemio y lo abrazó. Él se deslizó al suelo como si perdiera vigor; se aferró a la cintura de ella y la apretó con ferocidad. Ella no esperaba lo que siguió: Furia profirió un grito estremecedor, largo y doliente, que le hizo temblar las entrañas y le cortó el aliento. Apretó los ojos; no se atrevía a mirarlo en ese instante en que el dolor lo habría transfigurado.

Terminó sentada con las piernas recogidas hacia un costado sirviéndole de almohada a la cabeza de Furia. Se inclinó para hablarle al oído.

—Shhh. No llores, amor mío. No llores. Aquí estoy para ti y no volveré a apartarme de tu lado. Perdóname por haber sido tan cruel contigo. Perdóname por hacerte sufrir en un momento tan doloroso para ambos. No sentí nada de lo que te dije. Enloquecí a causa de la rabia y del dolor, y dije cosas que no sentía. Perdóname.

Furia se ovilló como un feto y aferró aún más las piernas de Rafaela. Le empapó la saya con lágrimas y saliva. Cuando giró la cabeza y la miró a los ojos, ella le pasó las manos por la cara para arrasar con tanto dolor y culpa. Lo atrajo hacia sus labios y lo besó. Él casi no podía hablar, pero ella comprendió lo que intentaba expresar.

—Duele tanto. Duele tanto. No soporto… el dolor.

—Sí, lo soportaremos. Nuestro amor lo soportará. Si estamos juntos, Artemio, me siento capaz de soportar cualquier cosa. Amor mío —le susurró—, amor de mi vida, no sufras. Cálmate, por mí. Vamos, inspira profundamente y busca serenarte.

Rafaela lo meció y le cantó las canciones de cuna que había empleado primero con Mimita, con Sebastián después. No sabía si Furia estaba dormido; respiraba como si lo estuviese.

—Murió por mi culpa. —Su voz la sorprendió—. No quise oírte cuando me advertiste del peligro y lo perdimos por mi culpa. ¡Por mi culpa! —repitió, y se golpeó el pecho con saña.

Rafaela le detuvo la mano y siseó para apaciguarlo.

—Artemio, tienes que saber que, para una madre, todo constituye un peligro. A veces habría querido que Sebastián volviese a mi vientre para preservarlo de cualquier mal. Eso no era posible porque él tenía derecho a vivir, y a hacerlo intensamente. Nunca había sido tan feliz como desde que supo que tú eras su padre. Me decía que eras el mejor, el más valiente —Artemio rió sin fuerza—, el más bueno, el mejor jinete, el que lo sabía todo y el que le daba los mejores regalos. ¿Te acuerdas de su expresión cuando le entregaste a Diomed? —Artemio asintió sobre su pierna—. En sus ocho años de vida, te lo aseguro, jamás lo vi tan emocionado. Fue feliz nuestro Sebastián, y ahora está con el Señor.

—Además de su pérdida, lo que me destroza —le confesó— es haberte causado una pena que nunca te abandonará.

—Artemio, tú no me has causado ninguna pena. Si el Señor decidió llevárselo y dejarnos a nosotros aquí, no cuestionemos su designio y tratemos de ser felices. Jamás olvidaremos a nuestro hijo amado, eso es verdad.

—Muchas veces, a lo largo de mi vida, me pregunté por qué Dios me había preservado la noche en que murieron mis padres. Estaba enojado con Él por no haberme llevado a mí también. Después de que te conocí, entendí por qué.

—¡Amor mío! —Rafaela le besó la sien y, sin apartar los labios, le prometió—: Le daré más hijos, señor Furia. Se lo juro. Y seremos felices otra vez. —Siguió meciéndolo y acariciándolo—. Ahora quisiera ayudarte a tomar un baño.

—Huelo a diablos, ¿no?

—Para mí hueles a gloria. —Lo escuchó reír quedamente—. ¿Te gustaría que después del baño te diera un masaje con mis bálsamos como aquel día en *La Larga* antes de suturarte la herida que te causó Gabino? —La afirmación sonó como un ronroneo—. Calvú —llamó, y el indio apareció de inmediato, con Elisabetta por detrás.

Los dos pusieron los ojos como platos ante el cuadro que componían Rafaela sentada en el suelo y Artemio encogido, las rodillas al pecho y la cabeza sobre las piernas de ella. Furia no se molestó en mirarlos. Quinto se introdujo con sigilo y se echó junto a su dueño.

—Elisabetta, si usted no tiene inconveniente, me gustaría pasar la noche aquí.

—Por supuesto —aseguró.

—Gracias. Calvú, envía a Juan a buscar a lo de Edwina mi caja con aceites esenciales y la otra con los elementos para realizar curaciones. Ah, y una muda de ropa. Tía Pola sabrá dónde encontrar todo. —Se dirigió a Elisabetta para preguntar—: ¿Podría ordenar que preparasen una tina de agua caliente? Sería mejor llevarla a la recámara de Calvú así las domésticas cambian las sábanas aquí y ordenan esta habitación.

—Así se hará.

—Mientras preparan el baño —expresó Rafaela—, me gustaría que Artemio comiese algo.

—No tengo hambre.

—Comerás un poco.

Después de una cena frugal y un largo baño, Furia caminó como ebrio hasta su habitación, se quitó la bata y se tiró boca abajo en la cama. Estaba desnudo excepto por la venda en el brazo. Rafaela admiró su cuerpo delgado y fibroso, y detuvo los ojos en su culo pequeño, blanco, respingado y con depresiones a los costados de las nalgas. Había creído que, después de enterrar a Sebastián, no se excitaría de nuevo ni sentiría deseo. Se empapó las manos con aceite esencial de lavanda y comenzó el masaje.

Más tarde, Furia se movió hacia un costado para dar espacio a Rafaela en la cama, y desprendió un intenso aroma a lavanda. Para darle gusto, se acostó desnuda, boca abajo. Él se acomodó sobre su costado y le habló al oído:

—Rafaela —pronunció su nombre de manera reverencial, mientras movía la mano sobre las nalgas de ella.

—¿Señor Furia?

—Cuéntame anécdotas de Sebastián. Dios me concedió tan poco tiempo para conocerlo...

Pese a estar muy cansada, Rafaela se concentró para saciar la curiosidad de Furia. Juzgó un buen síntoma que hablaran del hijo que acababan de perder. Le contó situaciones divertidas desde que Sebastián era pequeño hasta sus últimas fechorías. Terminaron riéndose pues, como se quejaba tía Pola, el niño había sido una fuente inagotable de travesuras y salidas ocurrentes.

—Siempre fue un niño feliz, nuestro Sebastián —dijo Rafaela—, y vivía en la ilusión de conocer a su padre. Dios le concedió su deseo más anhelado antes de llevárselo.

CAPÍTULO XXXIV
Dark Boys

Londres, Blackraven Hall, residencia de los condes de Stoneville.
Abril de 1821.

Melody Blackraven, condesa de Stoneville, paseó la mirada por los comensales reunidos en torno a la mesa presidida por Roger. Allí se congregaban su suegro, el duque de Guermeaux; Horatio de Lacy, conde de Grossvenor; su suegra, Isabella di Bravante; el esposo de ésta, el capitán Malagrida; su primo hermano, Sebastian de Lacy; Rafaela, su esposa, y la tía de ésta, a quien llamaban Pola.

Melody fijó la mirada en Rafaela de Lacy, por quien profesaba un gran cariño y admiración, y se preguntó de dónde obtenía la fortaleza para sonreír y comer —muy poco, eso sí— cuando había enterrado a su único hijo meses atrás. Se le erizó la piel de los brazos al pensar que un accidente o algún mal cayera sobre los suyos; ya tenía cuatro, Alexander, Rosie, Arthur e Isabella.

Artemio —Melody no se acostumbraba a llamarlo Sebastian— y Rafaela, llegados a Londres semanas atrás, se convirtieron de inmediato en parte del elenco estable de *Blackraven Hall*. Durante la primera visita, en tanto los hombres conversaban y bebían madeira, Melody, con la excusa de mostrarle la casa, apartó a Rafaela. Tomaron asiento en su gabinete y hablaron con franqueza.

—Me verás sonriente y optimista porque así quiero que me vea Artemio, para que esté tranquilo y no sufra. Fue especialmente duro para él. Se culpaba, aún lo hace, lo sé. Él le regaló a Diomed en contra de mis deseos. —Rafaela se secó las lágrimas y se forzó a sonreír—. Pero estoy dispuesta a ser feliz pese a todo. Después de nueve años, haber recuperado a Artemio fue un milagro que no quiero desperdiciar.

—¡Sí, sí! Eso es, tienes que ser feliz pese a este duro golpe. No es lo mismo, lo sé, pero cuando perdí a mi adorado Jimmy —Melody hablaba de su pequeño hermano—, la vida dejó de tener sentido para mí. Pero Roger, que siempre irrumpe en mí como un vendaval, me devolvió las ganas de vivir. Supongo que en eso te has convertido tú para mi primo, en su vendaval de energía.

—Él es tan fuerte, Melody, que, al verlo quebrado después de la muerte de Sebastián, me asusté. Creí que no sería capaz de ayudarlo.

—¿Y quién iba a hacerlo si no era su Rafaela de las flores? Te adora, lo veo en el modo en que te mira. Te devora, te cela, te absorbe. Eres el aire que necesita para vivir.

—Y él, el mío.

—¿Sabes, querida prima? Nuestros hombres son parecidos en algunos aspectos. Ambos tuvieron infancias difíciles y salieron adelante forjándose una coraza de hierro para protegerse. Pero llegamos nosotras y desbaratamos su espléndida estructura y los desconcertamos bastante. Somos su debilidad, los volvemos vulnerables, y eso los enfurece.

—Sí, lo sé. Calvú me dijo algo parecido.

Melody volvió al presente a la voz de su esposo, que anunciaba que los hombres se retirarían a fumar vegueros y a beber digestivos. Como necesitaba hablar a solas con Artemio, Roger le pidió que lo acompañara a su despacho antes de unirse al resto.

—He decidido acompañarte a la Irlanda —anunció Blackraven—. Quiero ayudarte a llevar a cabo tu venganza. No conocí a tu hijo, pero era el sobrino de mi mujer y siento un deber moral para con su memoria.

Artemio no ocultó su estupor.

—No tienes por qué hacerlo —atinó a manifestar—. No quiero que te comprometas. Tienes una familia a tu cargo y no me perdonaría si algo te sucediese.

Blackraven rió con soberbia antes de expresar:

—Tú no me conoces, Artemio, no sabes nada de mí. Te aseguro que saldré indemne y que mi ayuda te será muy valiosa. Tengo contactos en la Irlanda que se convertirán en piezas clave para descubrir quién se esconde tras el ataque que provocó la muerte de Sebastián. Permíteme ayudarte.

—Contaba contigo para que velases por Rafaela mientras me ausento. Había pensado pedirte que la recibieras aquí, en *Blackraven Hall*. No quiero dejarla sola, en *Grossvenor Mansion* —Artemio hablaba de la residencia de su familia en Londres—. Mi abuelo viajará conmigo a la Irlanda, y esa casa le resultará demasiado grande y solitaria. Aunque la ves muy entera, sufre terriblemente por la pérdida de nuestro hijo. Y la compañía de mi prima y de tus hijos es un bálsamo para ella. Tendrías que recibir a Mimita y a Pola también.

—Por supuesto que se quedarán acá, en *Blackraven Hall*. Somar se ocupará de la seguridad de nuestras mujeres. Te aseguro, Artemio, que él las cuidará mejor que tú y yo juntos. ¿Cuándo partimos?

—Lo antes posible. Quiero acabar con este asunto. He decidido entrar de incógnito en la Irlanda para no alertar a mi enemigo.

—Eso no es un problema. Déjalo en mis manos. Conseguiré pasaportes falsos y viajaremos en uno de mis buques. Sospechas de alguien, ¿verdad?

—Sí, del ilegítimo de mi abuelo, John Joe Fitzgerald. Ha soñado con heredar el condado desde que se enteró de que era su hijo. Estoy seguro de que intentó asesinar a mi padre y de que mató a Andrew de Lacy, el sobrino de mi abuelo que se convertiría en conde de Grossvenor a su muerte. Luego aparecí yo y volví a aguarle el estofado.

—Como te dije, cuento con espías y contactos en Dublín que nos serán de gran utilidad.

—Yo también. Mi amigo, el político Daniel O'Connell...

—He oído hablar de él. Es el que lucha para que los católicos puedan acceder al Parlamento irlandés, ¿verdad?

—El mismo. Con mi ayuda, años atrás, formó un grupo de rebeldes, llamados los *Dark Boys*, como fuerza de choque para minar el poderío inglés y protestante en la Irlanda. Ellos nos ayudarán.

—Manos a la obra, entonces.

Esa noche, de regreso en la mansión del conde de Grossvenor, en el aristocrático barrio de Belgravia, Furia le anunció a su esposa la inminencia del viaje a la Irlanda.

—Me lo dices ahora —se enojó ella—, después de que acabas de hacerme el amor, porque crees que me tomas con la guardia baja y piensas que te permitiré ir.

—No ha servido de mucho —se burló él— puesto que estás furiosa igualmente.

—¡No quiero que me dejes! No toleraré otra separación. ¡Llévame contigo!

—Rafaela, necesito adelantarme para prepararlo todo para tu llegada.

—¡No me mientas, Artemio! Este viaje tiene que ver con Sebastián. —El silencio de Furia resultó elocuente—. No vayas, te imploro. No quiero que te apartes de mí. ¡Algo ocurrirá para separarnos, lo sé!

—¡Rafaela, escúchame! —La tomó por los hombros y le clavó los dedos en la carne—. Te juro por la memoria de nuestro hijo que volveré a ti, sano y salvo, y que empezaremos una nueva vida y alcanzaremos la paz y la felicidad.

La solemnidad del voto la enmudeció. Se abrazó a él.

—¡Vuelve a mí, Artemio! No me dejes. Una vez te aseguré que soportaría cualquier pena a tu lado. No hablaba por hablar. Si no vuelves a mí, moriré.

—¡Volveré! —pronunció él, con acento feroz—. ¡Volveré a ti! Lo juro.

—¡Más vale que vuelva, señor Furia, porque voy a darle un hijo! —Rafaela sonrió ante la mueca de su esposo, que la contemplaba sin pestañear, entre pasmado y emocionado—. ¿No dirás nada? ¿Siempre guardarás silencio cuando te diga que serás padre?

—¡Oh, Dios, Rafaela! ¿Estás segura? —Rafaela asintió, y Furia se incorporó en la cama para besarle el vientre con devoción—. Bendito seas, hijo mío —susurró.

Artemio Furia, Roger Blackraven y Daniel O'Connell sorbían cerveza en una fonda de la ciudad portuaria de Dún Laoghaire, ubicada a siete millas al sur de Dublín. Los tres vestían como marineros.

—Alguien alertó a nuestro pájaro de que estás vivo y pisando suelo irlandés —informó O'Connell a Furia— y nuestro pájaro echó a volar. Nadie sabe dónde se esconde.

—Hay un soplón entre nosotros —dictaminó Blackraven.

—Su actitud —habló Furia—, la de esconderse, habla de su culpabilidad. De todos modos, antes quiero atrapar a Burke y ratificar la identidad del cerebro de todo esto. —Giró para mirar a Roger—. ¿Te refieres a un soplón entre los *Dark Boys*?

—No lo sé, podría ser. Confío en mi gente. He trabajo con ellos desde la época de la Revolución en la Francia. No me traicionarían, por lo que, al descartarlos, no quedan muchas posibilidades excepto los *Dark Boys*.

—Blackraven podría tener razón, Sebastian. Hay un miembro nuevo, Kieran.

—Sí, lo conocí en la última reunión —aseguró Furia.

—Se nos unió hace poco, antes de que tú partieses para la Sudamérica. La verdad es que no me inspira confianza. Podríamos apartarlo y después ocuparnos de él.

—Mejor sería utilizarlo —sugirió Roger—. Podría guiarnos hasta nuestro pájaro. Si, como sospechamos, este tal Kieran es el que ha alertado a Fitzgerald para que se oculte, resulta evidente que hay trato entre ellos.

—Tal vez —conjeturó O'Connell—, el propio Fitzgerald lo haya infiltrado para asestarnos un golpe. Es un conocido aliado de los ingleses, ese mal parido —masculló.

—Pues bien —dijo Furia—, vigilémoslo y veamos adónde nos conduce.

—Si descubro que es un traidor —juró O'Connell—, deseará no haber nacido.

Un cuarto de hora más tarde, un muchacho entró silbando y caminó hasta la mesa de Furia. Se quitó la boina y tomó asiento.

—¿Qué noticias nos traes, Aidan?

—Ya lo ubicamos, señor O'Connell. La pista que seguíamos era buena. Se esconde aquí, en Dún Laoghaire. —Pronunció *den lere*, con un pesado acento irlandés—. Alquila unas habitaciones cerca del Ayuntamiento. Sean y Liam quedaron de guardia. Hasta que me fui, no había llegado.

—En marcha —dijo Furia, al tiempo que arrojaba unos peniques sobre la mesa.

Se embozaron en largas capas negras, con cuellos que les cubrían hasta las orejas, y se calzaron sombreros de ala ancha que requintaron sobre sus frentes. Caminaron flanco a flanco por los oscuros y húmedos senderos del puerto. Los transeúntes los rehuían pues sus figuras negras y altas inspiraban terror; semejaban un paredón que avanzaba con la intención de arrollar todo a su paso. Subieron al coche y se alejaron a gran velocidad. Aidan, que acompañaba a Brian, el cochero —otro de los *Dark Boys*—, en el pescante, le indicó dónde detenerse. Marcharon por una calle tranquila y mal iluminada.

—Ésta es la pensión —informó Aidan, y silbó.

En la otra esquina, se asomaron Liam y Sean y elevaron sus manos para indicar que se encontraban bien. Furia y los demás se mimetizaron en las sombras de un callejón. Menos de media hora después, un hombre se paró frente a la puerta de la pensión y hurgó en el bolsillo hasta sacar una llave.

—Burke. —La voz enronquecida de Furia inundó la callejuela y afectó aun a sus amigos—. ¿Me recuerdas?

Burke no dudó: echó a correr. Furia desanudó las boleadoras de su cinto y las arrojó a las piernas de su antiguo administrador, que cayó de bruces con un quejido. Liam y Sean le ataron las manos y lo arrojaron al interior del coche.

No precisaron aplicar demasiada violencia para que Burke hablase. Unos cuantos puñetazos y la visión del cuchillo de Furia bastaron para confirmar las sospechas: John Joe Fitzgerald había mandado matar a Artemio aprovechando los celos y el rencor de William. Parecía sincero al asegurar que desconocía el paradero del ilegítimo del conde de Grossvenor.

—Me envió mensaje ordenándome que me escondiese porque usted había vuelto con vida de la Sudamérica. Después de eso, no supe nada más de él.

—¿Cómo se llama el infiltrado que colocó Fitzgerald entre mi gente? ¡Debes de saberlo! —lo intimidó O'Connell.

—Kieran —farfulló Burke—. Se llama Kieran, pero desconozco su apellido.

—¡Afuera, todos! —rugió Furia.

El portón de la caballeriza donde tenían a Burke se cerró tras el último *Dark Boy*, y el administrador se echó a temblar y a balbucear disculpas.

—Burke —dijo Artemio, profundizando su voz a propósito—, ¿te acuerdas de que te dije que no quería volver a saber de ti o te degollaría? —El hombre no contestó; en cambio, se echó a llorar—. Pues bien —prosiguió, y se ubicó tras él.

Burke intentó girar sobre la silla donde lo habían maniatado. No pudo. Furia lo sujetó por el cuello y lo obligó a echar la cabeza hacia atrás. Se miraron a los ojos.

—Lo último que aprenderás antes de partir hacia el infierno, Burke, será que Sebastian de Lacy siempre cumple sus promesas.

Le pasó el filo del facón por el cuello y se lo abrió de lado a lado. La sangre brotó como de una fuente, y el hombre se convulsionó con los ojos en blanco. Artemio se colocó delante de su víctima y lo observó desangrarse. Sus compañeros lo aguardaban en el exterior. Lo vieron limpiar el filo del arma con minuciosidad. Los sorprendía su sangre fría y audacia.

—Liam, Brian, haceos cargo del cadáver de esa alimaña. Ya sabéis cómo proceder.

Que Burke no supiera dónde se escondía Fitzgerald significó una demora que impacientó a Furia. Hacía dos meses que había partido de Londres y la añoranza estaba minando sus nervios. Quería acabar y pronto.

Usaron a Kieran para engañar a Fitzgerald. Gracias a los seguimientos, descubrieron que el soplón entregaba mensajes a un cantinero en Dublín quien, a su vez, los enviaba a una cabaña en las afueras de la ciudad de Trim: la casa de Devona Fitzgerald, la madre de John Joe. Aunque Furia habría preferido mantener al margen a la antigua amante de su abuelo y a éste, terminó por convencerse de que cualquier medio se justificaba para aniquilar a ese monstruo.

—Al conde de Grossvenor —dijo Blackraven— no le sorprenderá tu relato, Artemio. No es ningún estúpido y, si no nombró como su heredero a Fitzgerald, es porque sabía que, una vez que le anunciase su intención de convertirlo en el futuro conde, la muerte no tardaría en caer sobre él, ya fuese a causa de una repentina complicación gástrica o de una bala perdida en el coto de caza.

Al verlo con el semblante descompuesto, Furia se arrepintió de haberle expuesto la verdadera índole de Fitzgerald a Horatio de Lacy; después de todo, se trataba de su hijo. Temió que sufriera un colapso; el hombre tenía casi ochenta y siete años.

—No te preocupes, Sebastian, estoy bien —aseguró, y dio un sorbo al whisky que le extendió Blackraven—. Siempre he sabido que algo funcionaba mal con John Joe. Siempre he sospechado de él. Pero no quería ver la realidad porque me resultaba muy dolorosa. Pienso en su madre, que es una buena mujer y que adora a su hijo. Sufrirá.

—Alguien tiene que detener a ese hijo de puta, abuelo. Casi acaba con la vida de mi madre, asesinó a Andrew y causó la muerte de mi hijo.

Ante esta última parte de la declaración, el gesto del conde se contrajo como si un dolor lo hubiese acometido de pronto. Aunque no había conocido al pequeño Sebastián, lloró al enterarse de su muerte.

—Te ayudaré, hijo mío. Le pondremos un fin a esta pesadilla. Deseo que tú y tu esposa viváis en paz y seáis felices. No quiero que el título se convierta en una maldición para ti.

Días más tarde, Horatio de Lacy llamó a la puerta de la casa de Devona. La mujer no ocultó su asombro. Hacía tiempo que el conde no se dignaba a visitarla; se limitaba a enviarle la mesada con un empleado de *Grossvenor Manor* sin tomarse la molestia de escribirle unas líneas. El conde disfrazó los nervios fingiendo enojo.

—¿Qué te ocurre? —le preguntó Devona.

—Estoy furioso con mi nieto Sebastian. El muy imbécil echó por la borda los planes que tenía para él. Acaba de regresar de un viaje a la Sudamérica desposado con una nativa de esas tierras salvajes. ¡Sangre india corre por las venas de la muchacha! Me causó horror cuando la conocí. Piel oscura, ojos rasgados, modales burdos. No entiendo qué le pasó por la mente a mi nieto cuando decidió desposarla. Para peor, es papista.

—Lo siento —susurró la mujer.

—He decidido que Sebastian no se convertirá en el conde a mi muerte. No puedo permitir que una mujer de semejante ralea sea llamada condesa de Grossvenor y presida la mesa que por siglos presidieron damas de la más refinada alcurnia, algunas emparentadas con reyes y príncipes. Tampoco admitiré que el hijo de esa mujer, un mestizo, se convierta en el duodécimo conde de Grossvenor. ¿Dónde está John Joe?

—No lo sé, Horatio. Está de viaje, en el continente, según me informó.

—¿De viaje? ¿En el continente? ¿Justo cuando más lo necesito? Es imperioso que hable con él. Necesito hablar con él. No viviré para siempre, Devona, y últimamente no me he sentido bien. —Su mirada se suavizó y la tomó de la mano para confesarle—: Nombraré a tu hijo como mi heredero.

—¡Oh! ¿De veras, Horatio?

—Sí. Después de todo, él se ha mantenido a mi lado toda la vida. Se ha abierto camino por sí solo y ha alcanzado las más altas esferas. Es mi orgullo. —Las lágrimas de Devona lo lastimaron—. ¡No llores, mujer! No hay por qué llorar. ¿Acaso la noticia no te causa alegría?

—¡Una inmensa alegría! John Joe estará feliz cuando se lo diga.

—Hazlo pronto, Devona, y pídele que vaya a verme. Necesito arreglar ciertas cuestiones con él. No haré cambio alguno en mi testamento hasta no verlo. Díselo.

—¡Oh, sí! Lo haré. Apenas me visite, le contaré esta maravillosa noticia.

Fitzgerald leyó la nota de su madre una segunda vez. *El conde de Grossvenor ha decidido nombrarte su heredero.* Al principio no lo creyó y olfateó una trampa. Sin embargo, lo que motivaba el cambio en el conde no carecía de verosimilitud. Sus informantes le aseguraban que de Lacy había llegado a Londres en compañía de una joven con evidentes rasgos españoles que, según se cotilleaba, era su esposa. Sonrió al imaginar la impresión de Horatio al ver a la aristocrática Elisabetta d'Adda cambiada por una plebeya de aquellas tierras perdidas de la mano de Dios. Sí, la motivación del conde era plausible.

John Joe no quería perder tiempo, aunque tampoco deseaba arriesgarse a asomar la cabeza de su madriguera. Si el inútil de William no hubiese fallado, Sebastian de Lacy no estaría cazándolo como a la zorra. Se suponía que William era famoso por su puntería. Debió suponer que, por muy bueno que fuese con las armas de fuego, ese pusilánime lo echaría todo a perder.

Antes de enviar una contestación a Devona, John Joe decidió esperar. El instinto, que tantas veces le había salvado el pellejo, le decía que no se aventurara aún. Pocos días más tarde, el alcahuete que Burke había infiltrado entre las filas de los *Dark Boys* le envió un mensaje comunicándole que Sebastian de Lacy había recibido una carta de Londres en la cual su prima, la condesa de Stoneville, lo instaba a regresar ya que su esposa había caído gravemente enferma. *Sebastian de Lacy está como loco y ha decidido emprender el viaje a Londres hoy mismo.* Dos días después, llegó la confirmación de su espía en el puerto de Cork: de Lacy y Blackraven habían zarpado rumbo a Londres.

Madre, infórmale a su excelencia que me presentaré en Grossvenor Manor *el miércoles 20 de junio por la mañana.*

* * *

Despediría a Winthorp, el mayordomo de *Grossvenor Manor*, apenas se hiciera con el título. Ese viejo envarado siempre lo había considerado un bastardo y tratado como tal.

—Adelante, señor Fitzgerald —le indicó el sirviente—. Su excelencia se le unirá en un momento. ¿Puedo ofrecerle algo de beber mientras lo aguarda?

—No.

Winthorp cerró la puerta y lo dejó solo. Paseó la mirada por la majestuosa biblioteca, que se continuaba en la planta superior y que contenía miles de volúmenes, muchos de ellos incunables. "Y pensar que seré dueño de todo esto", se regodeó. Un zumbido le causó cosquillas en la oreja. Se echó hacia atrás al ver el cuchillo que aún cimbraba clavado en la columna de la biblioteca. Dio un giro brusco. Lo reconoció por el parche negro, y se estremeció. Sebastian de Lacy lo apuntaba con una pistola.

—¿Qué diantre?

—Has de pagar por la muerte de mi hijo. —Avanzó y le apoyó el cañón en la frente—. Da media vuelta y camina.

Al alcanzar el pórtico de la entrada, varios muchachos —los *Dark Boys*, conjeturó— lo ataron de pies y manos y lo acostaron en el interior de un coche. Furia saltó sobre el pescante y ordenó emprender la marcha. No lo asesinarían en *Grossvenor Manor*, ésa había sido la condición de Horatio de Lacy.

Se detuvieron una hora más tarde, en la frondosidad de un bosque. Bajaron a Fitzgerald, que se debatió incluso con los dientes, y lo arrojaron al pie de un roble.

—Pagarás por tantas muertes —le anunció Furia—, por la de mi hijo, por la de mi primo Andrew y por la de los irlandeses que perecieron a causa de tu traición.

—¿De qué estás hablando? ¿A qué diantre te refieres? ¡No he asesinado a nadie!

Un muchacho le ató el extremo de una cuerda en los tobillos. Furia saltó sobre la montura de un caballo blanco de alzada imponente y, de pie sobre el lomo del animal, lanzó el otro extremo de la cuerda sobre una rama que se hallaba a aproximadamente doce pies de altura. Entre dos muchachos comenzaron a jalar.

—¡Qué hacéis! ¡Bajadme! ¡Bajadme! ¡Estáis cometiendo un error!

La sangre le abandonaba el cuerpo y se le acumulaba en la cabeza. Sintió las piernas frías, y lo acometieron náuseas y un latido feroz en las sienes. Las imágenes de los hombres que lo circundaban se alejaban en tanto lo subían; comenzaban a desdibujarse.

—Así murió mi hijo: desnucado.

Giró el rostro con gran esfuerzo y vio a Sebastian de Lacy, aún de pie sobre el caballo, que empuñaba un cuchillo de grandes dimensiones y movía el brazo para cortar la soga.

—¡No! —alcanzó a exclamar antes de iniciar la caída libre cabeza abajo.

Todos, incluso Fitzgerald, escucharon el sonido como de una rama que se partía cuando la cabeza dio contra la piedra plana colocada a los pies del árbol.

Rafaela tomó asiento frente al espejo del tocador y contempló su imagen. Melody tenía razón: su semblante había recuperado el aspecto lozano; las líneas enjutas se habían redondeado y las ojeras, desaparecido; el contorno de sus ojos lucía la tonalidad blanquecina que resaltaba el verde del iris y el negro de las pestañas. Había aumentado unas cuantas libras, y sus pechos desbordaban del escote del camisón bastante escandaloso que Melody la había convencido de comprar. Deseó que Artemio la viese en ese instante en que se sentía hermosa. Si bien él siempre le decía que era bonita, después de conocer a Elisabetta d'Adda, Rafaela perdió la confianza, se juzgaba fea y se preguntaba si él las compararía.

Tomó el cepillo de marfil adquirido días atrás en una tienda de la calle Bond y lo pasó por su larga cabellera oscura, aplicando fuerza sobre el cuero cabelludo que estaba tenso. Ella estaba tensa. Pese a los días maravillosos que compartía junto con Melody y su familia y a su buen estado de salud —no tenía náuseas matinales ni se cansaba—, una y otra vez volvía al tema de su preocupación: Artemio y el viaje a la Irlanda. Habían transcurrido casi tres meses desde la partida, y no sabían nada de ellos; ni Blackraven ni Furia habían dado señales de vida. Melody no lucía ansiosa.

—He debido aprender a controlar la zozobra en lo que a Roger respecta —le confió—. Es demasiado libre e independiente para pedirle que se quede en casa todo el día a buen resguardo. Supongo que tendrás que hacer lo mismo con mi primo, querida Rafaela.

Rafaela sospechó que nunca lograría permanecer tranquila si Furia no se hallaba a su lado, a buen resguardo. Ya habían padecido demasiadas separaciones y habían bebido demasiados tragos amargos. Aunque debía admitir que, durante esos meses como huésped en *Blackraven*

Hall, habían existido momentos en que se había olvidado de todo y disfrutado como una niña.

Melody era una excelente anfitriona además de una entrañable amiga. Conocía Londres como la palma de su mano y, desde que despertaban, no muy temprano, hasta que se retiraban a descansar, se dedicaban a recorrerla, desde las zonas más conocidas y aristócratas hasta las más populares y pintorescas, y a divertirse. A Rafaela la escandalizaba gastar tanto dinero. Melody la obligaba a confeccionarse vestidos de fiesta, trajes de mañana, de montar, de tomar el té, ropa interior, guantes de encaje, de raso y de terciopelo, y sombreros, en lo de una modista francesa que, se decía, había servido a la emperatriz Josefina y por eso cobraba un ojo de la cara; un vestido de droguete floreado con encaje manchego en escote y mangas le había costado trescientas sesenta libras; y un cubrecorsé en seda rosada con bordado en perlas, ciento ochenta. También mandaron confeccionar batas de cotilla y vestidos sueltos para cuando el embarazo no le permitiera usar los trajes entallados.

—Rafaela —se impacientaba Melody—, tienes que acostumbrarte a la idea de que Artemio Furia ya no es el gaucho que conociste. Ahora es un noble irlandés de inmensa fortuna que podría vivir tres vidas holgadamente y así tener suficiente para que le hereden sus hijos. ¿Olvidas que no hesitó en extender la *carte blanche* que le pedí para ti?

La *carte blanche* (carta blanca, en francés) de Rafaela, el documento que toda mujer pretendía arrancarle al esposo o al amante, rezaba que las facturas a nombre de Rafaela de Lacy se cursarían a la banca N. M. Rothschild & Sons en el edificio New Court sito en St. Swithin's Lane, donde procederían a liquidarlas. A continuación, en el costado derecho, se hallaba la firma de Furia y, más abajo, sobre una gota de lacre, su sello, el del dragón confaloniero. Artemio le había explicado el significado de las secciones del escudo, y ella experimentaba un profundo orgullo del origen de su esposo. Pensó en Rómulo, en cuánto habría presumido de una hija condesa, emparentada con una de las casas más antiguas de la Inglaterra. Sonrió ante la ironía de que su padre hubiese rechazado a un gaucho que, en realidad, escondía a un noble irlandés. De todos modos, se dijo, para ella su esposo siempre sería Artemio Furia, un gaucho. Bastaba apreciar su aspecto y mirarle con fijeza el único ojo para saber que un sustrato primitivo, carente de reglas y códigos, bullía bajo la traza elegante. Ella conocía esa esencia salvaje; él siempre la liberaba mientras le hacía el amor.

Suspiró y depositó el cepillo sobre el tocador. En verdad, estaba gastando muchísimo dinero y, sin duda, divirtiéndose; sin embargo, nada la satisfacía del todo porque se hallaba inquieta. No quería pensar en que Furia corría peligro; era un hombre curtido, criado en las tolderías de los ranqueles, avisado e inteligente, dueño de un instinto que en ocasiones a Rafaela la hacía pensar en el de un animal; sus sentidos, en especial el del olfato y el de la vista, parecían los de Quinto. Dios lo protegería y lo preservaría, ella se lo había suplicado. Furia regresaría a sus brazos en poco tiempo.

"Sí, en poco tiempo", se animó. Estaba impaciente por conocer su nuevo hogar, en la Irlanda. Ya no le resultaban atractivos los bailes en *Almack's Assembly Rooms* ni las tertulias en las mansiones de los aristócratas, que la recibían por haber emparentado con la condesa de Stoneville, el duque de Guermeaux y el conde de Grossvenor. Nadie le perdonaba no haber nacido inglesa ni noble. Rafaela lo ignoraba, pero era el tema de conversación de la sociedad londinense. Como se había esperado a una mujer de tez morena y rasgos de nativa, azoraban la calidad alabastrina de su piel y el color de sus ojos, a los que algunos señores calificaban de "exóticos". Las señoras le envidiaban su matrimonio con el enigmático futuro conde de Grossvenor, de quien se murmuraba que conocía prácticas sexuales aprendidas entre los nativos del sur que llegaban a provocar varios orgasmos a una mujer en el mismo coito. Si los caballeros se mostraban dispuestos a admitir a la intrusa sudamericana, las damas, para desprestigiarla, comenzaban a imitarla hablar en inglés o a bailar. En verdad, la pronunciación de Rafaela no era buena y aún no dominaba los pasos de la cuadrilla ni del *schottische*.

Rafaela estaba cansada de simular alegría y forzar sonrisas, de visitar el British Museum, los jardines Vauxhall, pasear por Hyde Park o la calle Piccadilly, gastar fortunas en tiendas, tomar el té en Fortnum & Manson y pensar todo el tiempo en Sebastián y en Artemio. Quería a su esposo de vuelta. Él conjuraría la tristeza.

Como cada noche, se trenzó el cabello y se roció el cuello y el escote con su perfume *Amor* porque de esa manera tenía la impresión de que yacía entre los brazos de Furia. Se metió bajo las sábanas y cerró los ojos.

El paje de guardia se sobresaltó al oír voces en el vestíbulo. Enseguida reconoció la de su señor, el conde de Stoneville, y se apresuró a iluminarle el camino.

—Buenas noches, Peter —saludó Roger.

—Bienvenido a casa, su excelencia. Buenas noches, señor de Lacy.

—Buenas noches, Peter.

—¿La señora condesa se encuentra en casa —preguntó Roger— o ha asistido a algún evento?

Artemio sintió un apretón en el estómago ante la posibilidad de que Rafaela no se hallase en *Blackraven Hall* para recibirlo. El alivio lo reconfortó como una oleada de aire fresco cuando el sirviente dijo que tanto la señora condesa como la señora de Lacy se habían retirado temprano a dormir. Blackraven lo miró a la cara y le sonrió.

—¿Me acompañas a la cocina por un bocado o la impaciencia te quitó hasta el hambre? —A causa del titubeo de Furia, Roger añadió—: Querido Artemio, vamos a comer algo. De igual modo tendrás que esperar hasta mañana para ejercer tus derechos de esposo. A menos que pienses interrumpir el sueño de tu joven esposa...

—¡Ja! —se burló Furia—. Como si no planeases despertar a mi prima en cuanto hayas cruzado el umbral de tu dormitorio.

Blackraven se limitó a reír y le indicó el camino a la cocina, donde Peter les calentó las sobras de la cena y les escanció un calvados.

—¿En qué piensas? —se interesó Roger.

—En el padre Ciriaco. Él condena la venganza.

Blackraven se sacudió de hombros y empleó un acento pragmático al decir:

—Sé que estimas al padre Ciriaco, pero ¿qué saben los curas del mundo real? Además, venganza o no, Artemio, *tenías* que acabar con ese hijo de puta antes de que él acabase contigo.

—No me malentiendas, Roger. No estoy arrepentido de haber acabado con ese par de hijos de mala madre. Se siente bien. Es decir, me siento bien por haberlo hecho, y eso es lo que el padre Ciriaco condenaría especialmente. Pero se lo debía a mi hijo, y me importa una mierda si voy al infierno por eso. Él murió por mi causa y yo se lo debía —insistió.

Peter les iluminó las escaleras mientras se dirigían a sus dormitorios y le indicó a Furia dónde se encontraba el de la señora de Lacy. Abrió la puerta con delicadeza y entró. La habitación se hallaba a oscuras. Usó el chisquero para ubicarse. Vio una palmatoria sobre el tocador y la encendió. Se acercó a la cama. La garganta se le cerró y una intensa emoción le erizó la piel de las piernas cuando descubrió a Rafaela. Dormía. Su placidez lo apaciguó, su fragancia lo envolvió. Dejó caer los párpados e inspiró profundamente. El perfume *Amor* se suspendía sobre ella, y lo seducía, lo tentaba como una ondina, lo arrastraba hacia la cama. Estiró la mano y la sostuvo a una pulgada del vientre de Rafaela, donde dormía su hijo. Se quedó prendado del suave movimiento de ascenso y descenso de su pecho. ¿Acaso sus senos habían crecido? Acercó la palmatoria. Estaban enormes. Frunció el entrecejo cuando lo asaltó la erección. No la despertaría para saciar su concupiscencia, no cuando lucía sosegada. Sabía que, desde la muerte de Sebastián, a Rafaela le había costado conciliar el sueño. La dejaría en paz. "Mañana", pensó.

Se quitó la ropa, excepto las bragas, y se alejó en dirección al mueble donde se hallaban la jofaina y el aguamanil. Se lavó los dientes y realizó las abluciones. En tanto se secaba el torso, escuchó que Rafaela se rebullía en la cama. La vio incorporarse, medio dormida, pasarse una mano por los ojos y fijar la vista en su dirección.

—¿Quién está ahí?

—Su hombre, señora Furia.

La voz de contrabajo de Artemio llenó el dormitorio. Rafaela soltó un quejido entre angustiado y feliz. Apartó el cobertor, saltó de la cama y corrió hacia él, tambaleándose como un ebrio. Artemio la aguardó junto a la cómoda y la recibió en sus brazos, y la aplastó contra su pecho. Sus labios descendieron sobre los de ella y los devoraron; su lengua le llenó la cavidad de la boca con una destemplanza que hablaba del imperio de su necesidad; temblaba y respiraba de modo agitado. Se apartó para permitirle inspirar; la escuchó jadear, y no supo si lo hacía por placer o por que casi la había ahogado con su frenesí. Hundió la nariz detrás de la oreja de Rafaela, enloquecido por el aroma de su perfume, mientras le bajaba el escote para desnudar sus pechos. Con la lengua, le imprimió una caricia caliente, mojada y lenta, que nació en el hueco formado en la base del cuello y acabó en su pezón; sobre el otro trabajaban sus dedos, apretándolo, haciéndolo girar. Rafaela jadeaba y se retorcía, abrumada por un placer que también encerraba algo de dolor.

—Te adoro, Rafaela —lo escuchó susurrar, y, cuando sus labios volvieron a encontrarse, él repitió, con una ansiedad que la traspasó como una flecha—: Te amo, te amo, te amo.

Las manos de Rafaela se movieron con destreza sobre las portañuelas de los calzones de Artemio. Se inclinó para bajárselos. Al subir, se detuvo frente a su erección. La sangre había inflado el miembro de su esposo hasta convertirlo en un órgano enorme, atractivo y atemorizante a la vez; su cabeza, del color de las moras, pulsaba y secretaba unas gotas brillantes. La introdujo en su boca y la succionó. El estremecimiento de Furia hizo temblar la cómoda. Rafaela escuchó el ruido de la jofaina al entrechocar con el aguamanil. El gemido grave y áspero de él, como si sufriera, le tensó los músculos y le erizó la piel. Los dedos de Furia se enredaron en su cabello, y la empujaron para obligarla a engullir su pene por completo.

—¡Oh, sí, mi amor, sí! ¡No te detengas!

Con movimientos rudos, la puso de pie y le quitó el camisón y los calzones. La levantó por las axilas y la sentó en el borde de la cómoda. Le separó las piernas y se deslizó dentro de ella. Existió un instante en que pensó que acabaría apenas entrado. Rafaela atisbó el rictus amargo que le deformaba la expresión antes de que Furia echara la cabeza hacia atrás y se congelase en esa postura. Poco a poco, ganó dominio, y soltó el aire al tiempo que su cabeza descendía. Se miraron fijamente durante un largo momento. Ninguno habló. Rafaela enterró la mano dentro de la mata de cabello de Furia y lo buscó para besarlo. Él la aproximó al borde de la cómoda y entró y salió de ella, entró y salió, una y otra vez; eso parecía gustarle. Casi sin aliento, tragándose las sílabas, Artemio le preguntó:

—¿Estás bien? ¿Puedes sentirme dentro de ti?

Rafaela no pudo contestar. La marea de gozo que se originaba en algún punto entre sus piernas subió hasta transformarse en una explosión de luz. Se aferró a Furia con ardor. Pasmada de placer, alcanzó a percibir la risa de su esposo, hasta que se cortó abruptamente cuando le sobrevino el orgasmo. Lo sintió hundirse todavía más en ella, y temblar y sacudirse como si lo atacaran severas convulsiones. Por fin, descansó la frente en su hombro.

—Rafaela... Por Dios.

Los dos permanecieron en una extraña parálisis, contemplándose a los ojos. Aunque había imaginado que sería así después de la angustia y la añoranza de esos tres meses, Furia no salía de su asombro. La sostuvo por las nalgas, le ordenó que le rodeara la cintura con las piernas y la llevó a la cama.

Artemio la observaba, emocionado. Habían seguido amándose hasta la extenuación, de un modo brusco al principio, cuando él la depositó sobre el colchón y, de pie junto al borde, se acomodó las pantorrillas de ella sobre los hombros, la levantó por las nalgas y se inclinó para penetrarla con una lenta embestida. Rafaela terminó con la rodilla cerca de la mejilla, una mano aferrada a la nuca de su esposo y la otra, a la sábana. Hubo cortos intervalos de sueño para recomenzar después. Ella percibía una necesidad en Furia que iba más allá del deseo sexual, y le permitía que siguiese tomándola hasta que encontrara la paz. Ésta llegó al amanecer. Él se había recostado junto a ella y, mientras le acariciaba el vientre, la estudiaba.

—Tranquilízame —susurró Rafaela—. Dime algo que acabe con la zozobra de estos tres meses sin ti.

—Tu nuevo hogar te espera en la Irlanda. En pocos días, partiremos hacia allá.

Le cubrió las mejillas con ambas manos y le suplicó:

—Artemio, dime que seremos felices.

—Te lo juro. Todo ha acabado, mi amor. Nuestro hijo descansa en paz.

Rafaela lloró quedamente entre los brazos de su esposo. Al serenarse, le habló con firmeza.

—Te permití marchar porque sabía que, mientras no vengases la muerte de Sebastián, no vivirías en paz. Ahora quiero que me prometas que no volveremos a separarnos. ¿Imaginas lo que han sido estos tres meses lejos de ti, sin noticias, sabiendo que tu vida corría peligro? Reviví la desolación y la angustia de los nueve años en que despertaba pensando: "Hoy quizá sea el día en que Artemio venga por mí".

—Rafaela —le suplicó él, con los labios sobre su frente—. Basta, no digas más, me destrozas. Te juro por la memoria de Sebastián que jamás te apartaré de mi lado, que no volveré a consentir una separación.

—Siempre juntos, Artemio.

—Siempre juntos, mi Rafaela.

EPÍLOGO

Irlanda, Grossvenor Manor. Verano de 1826

El silencio de la gran mansión no lo perturbaba; no se relacionaba con la soledad sino con la noche, con el descanso de su familia, con el momento de paz que compartía con Rafaela. Al día siguiente, las habitaciones cobrarían vida y las voces de sus seres amados lo alcanzarían en el despacho, donde trabajaría gran parte del día, sonriendo cada tanto al escuchar a la pequeña Emerald cantar o a Mimita tratar de imitarla o a Horatio llorar para que su madre lo higienizase o alimentase.

Como cada noche, caminó por el largo corredor de la planta donde se hallaban las habitaciones de sus hijos y de Mimita. No negaba que ese hábito tenía matices de paranoia. Aunque Rafaela, la institutriz y la niñera le aseguraran que sus hijos dormían en paz, él necesitaba comprobarlo para conciliar el sueño. Temía que nunca superaría del todo la pérdida de Sebastián, y que Emerald y Horatio deberían lidiar con un padre obsesionado por la seguridad de sus hijos. Rafaela se mostraba más dueña de sí.

Entró en la habitación de Mimita. Dormía con su muñeca bajo la mejilla. Siempre sería una niña a pesar de que ya tenía la regla. Su dulce niña. Le rozó la frente y pensó que su felicidad se la debía a esa criatura imperfecta por fuera y perfecta por dentro, que había llamado su atención aquel día desde la pulpería del Caricaburu. La cubrió con la sábana solamente; era una noche calurosa.

Caminó en puntas de pie para no despertar a la niñera de Horatio. Sonrió al ver a su hijo en la cuna, el duodécimo conde de Grossvenor. Tenía una extraña manera de dormir: boja abajo, con las rodillas flexionadas bajo el pecho y la colita parada. Le besó el carrillo regordete y salió.

Dejaba para el final la revisión de Emerald; Emmie, como la llamaban. Apoyó el candelabro sobre una mesa y se aproximó al lecho de su hija. No pudo contenerse; apartó la sábana y la tomó entre sus brazos. La niña se quejó, dormida, y, cuando Furia le dijo al oído: *"It's daddy"*, se tranquilizó enseguida.

509

Artemio se acomodó en un canapé y sostuvo a Emmie como a un bebé. Había amado entrañablemente a Sebastián y adoraba a su pequeño Horatio; sin embargo, le resultaba difícil explicar lo que esa niña le inspiraba o el vínculo que los unía. No había creído que pudiera experimentar por alguien un sentimiento tan inconmensurable.

Sonrió. Resultaba infrecuente verla tranquila. Poseía una energía inagotable; era alegre y despierta; ávida y simpática. A pesar de contar con cinco años, manejaba a Mimita mejor que nadie, y trataba a su hermano como a sus muñecas. Quinto, que la había venerado, le había servido de caballo y de compañero de recámara hasta una mañana del año anterior, cuando, vencido por los años, el puma decidió no despertar. Rafaela dispuso que lo enterrasen en el jardín de *Grossvenor Manor*, al pie de su árbol favorito, el ocozol. Una lápida de madera rezaba: *A ti debo la vida de mi amor. Nunca te olvidaré, viejo amigo. Siempre estarás conmigo, en mi jardín.*

Furia tocó el cabello de su hija, tan similar al de su abuela, al de su tía Edwina, y, aunque intentó cancelar las imágenes que amenazaban con perturbar la serenidad, no lo logró. La apretó contra su pecho esperando que el temblor cediera. Le ocurría cada vez que evocaba el momento en que casi había perdido a su Emmie, seis meses atrás.

Roger, Melody y sus dos hijos menores pasaban una temporada en *Grossvenor Manor*. Como Dugan, el jefe de jardineros, aseguraba que el lago se había congelado y el hielo estaba firme, decidieron llevar a los niños a patinar. Tía Pola y Rafaela, encinta de Horatio, habían preferido permanecer junto al hogar en el despacho.

—No te alejes, Emmie —le pidió Furia.

Mimita, siempre miedosa, no le soltaba la mano. Su hija, en cambio, que patinaba con destreza a pesar de su corta edad, se distanciaba hacia el centro del lago.

Melody soltó un alarido, Roger gritó el nombre de Emerald y Artemio cesó de respirar cuando la vieron desaparecer en un hueco. Le dio la impresión de que le tomaba horas alcanzar el sitio en donde había caído su hija. No sabía lo que hacía, ni siquiera se daba cuenta de que la llamaba de continuo. Metía el brazo hasta el hombro tratando de encontrarla. El agua estaba turbia y atestada de plantas acuáticas, y resultaba imposible ver. El hielo se tiñó de rojo mientras sus puños asestaban golpes para partirlo, ensanchar el hueco y poder sumergirse. No la perdería. No a ella. "¡Dios mío, por favor, devuélvemela!" Después, Melody le diría que había rezado en voz alta y que había repetido "Devuélvemela" varias veces. En ese instante, en el cual su corazón y sus pulmones parecía que se habían detenido, él sólo pensaba en que no regresaría a la casa con el cuerpo de Emmie para ponerla en brazos de su madre. No regresaría. Le arrebataría la pistola que, sabía, Roger siempre escondía en su barragán y se volaría la tapa de los sesos.

Emmie emergió del hueco y cayó en sus brazos como si el lago mismo la hubiese expulsado. Estaba helada y no respiraba. La pegó a su pecho y corrió en dirección al parque; nunca supo cómo logró cruzar la superficie de hielo sin resbalar y caer de bruces. Durante esa carrera desesperada, en la que su hija yacía entre sus brazos medio muerta, se le presentó el rostro del padre Ciriaco, fallecido en el año veinticuatro. "Recuerda, hijo." Su voz sonó tan clara como si lo tuviese enfrente. "Recuerda el capítulo cuatro, del Segundo Libro de Reyes, versículos treinta y dos a treinta y cinco." La claridad lo enceguedió. Sus piernas siguieron corriendo de manera mecánica; su mente, en cambio, lo había conducido de regreso al convento de la Merced, al momento en que dos sacerdotes sacaban a Serapio, medio ahogado, del aljibe. "¡No respira!", se horrorizó el padre Cosme. Ciriaco, que conservaba la calma, se recostó sobre el cuerpo del negrito y le sopló siete veces en la boca, como lo había hecho el profeta Eliseo para resucitar a un bebé muerto.

Blackraven extendió su enorme gabán en el césped, y Artemio acomodó a Emmie sobre él. Se quitó la chaqueta empapada, en tanto Melody, ayudada por su hijo Arthur, le quitaba el abrigo a la niña. Furia se recostó sobre su hija. Sintió que alguien lo cubría con algo. Le abrió la boquita azulada y sopló dentro de ella siete veces, mientras, con la mano bajo las ropitas mojadas, le friccionaba el pecho porque acababa de recordar que de ese modo Rafaela había traído a la vida a Mimita.

Emmie tosió y escupió agua. Furia la envolvió en el abrigo de Blackraven y corrió a la casa. Dugan ya había enviado por el médico.

—Tienes que hacerla entrar en calor poco a poco —le explicó Roger, en tanto subían de tres en tres los escalones del pórtico—. ¡Espera para sumergirla en agua caliente!

Irrumpieron en la casa como un huracán. Artemio llamó a gritos al mayordomo, pidió que prepararan la tina, mantas, ladrillos calientes. Rafaela y tía Pola corrieron al vestíbulo y quedaron de una pieza al ver a Roger, Melody y Artemio dirigirse a la planta alta con Emmie en brazos. Rafaela se precipitó tras ellos.

—Cayó en el lago —le explicó Melody, llorando.

—¡Desnúdate, Rafaela! —le exigió Artemio—. Emmie necesita tu calor.

Blackraven y Melody se deslizaron fuera de la habitación. Artemio, Rafaela y la niña quedaron solos.

—¡Busca mi ungüento de alcanfor! En el primer cajón del *boudoir*.

Furia se lo entregó, y Rafaela tomó una porción del linimento. Con la niña debajo de ella, cubriéndola con las piernas y el torso, le sobó la piel con enérgicas fricciones, embadurnándose ella en el proceso de tan pegada que se mantenía al cuerpo de Emmie. Furia envolvió la cabeza de su hija con una toalla seca y le masajeó las manos hasta imprimirles un color rojo. Winthorp llamó a la puerta. Cuatro domésticas entraron con lo solicitado. Varias mantas cayeron sobre Rafaela y la pequeña, y tres ladrillos al rojo, envueltos en gruesas bayetas, fueron ubicados al pie de la cama. Se avivaron las llamas moribundas en el hogar y se arrastró la enorme tina de cobre desde la habitación contigua. Poco a poco, las mejillas de Emmie se tiñeron de rubor, sus labios abandonaron la tonalidad azulada y cesó de temblar; su respiración ya no era corta ni superficial sino más regular y profunda.

El alivio le aflojó las piernas, y Furia cayó de rodillas junto a la cabecera y descansó la frente en el brazo de su mujer.

—No sé cómo está viva —admitió—. Estuvo varios minutos bajo el agua.

—Artemio, quítate esas ropas frías y mojadas. Por favor, no quiero que enfermes.

Furia volvió medio desnudo a la cama al escuchar a Rafaela saludar a la niña.

—Hola, tesoro mío.

Emmie abría sus ojos turquesa de modo desmesurado, como si no reconociera las caras que la circundaban.

—Hola, cariño —dijo Furia, y se recostó junto a ella, por fuera de la pila de cobertores. La besó en la frente, una y otra vez, y en las mejillas regordetas y en las manitos.

Emmie se echó a llorar con un sonido extraño, como rasposo, y se aferró al cuello de su padre.

—Shhh, cariño —la apaciguó Furia—. No llores, mi amor. Ya pasó. Ya estás bien, con mami y papi. ¿Por qué lloras? ¿Qué te angustia, mi amor? —La niña no contestó.

Llamaron a la puerta. Furia se levantó y fue a ver de quién se trataba. El doctor Merryweather acababa de llegar. El médico debió esperar unos minutos en el corredor hasta que Rafaela y Furia se adecentaran. Después de la revisión, Merryweather admitió su desconcierto: la niña había transcurrido demasiados minutos bajo el agua helada para estar viva. Aún quedaba esperar que no se revelaran daños cerebrales. Recomendó un baño de agua caliente, sorbos de caldo y descanso. Regresaría al día siguiente para estudiar la evolución de la paciente.

Emmie aún seguía conmocionada y silenciosa cuando su mamá y su tía Melody la acomodaron en la tina y comenzaron a acariciarle el cuerpo con unas esponjas marinas; le hablaban en voz baja; la niña sólo las miraba, a veces echaba vistazos a su padre y a su tío Roger, que, apartados, analizaban la extraña manera en que Emmie había emergido por el hueco.

Después del baño y enfundada en un camisón y en largas medias de lana, Emmie regresó a la cama de sus padres.

—¿Estás cómoda, cariño? —le preguntó Melody, y la niña asintió.

Se trataba del primer signo de comprensión. Los semblantes tensos de los adultos se relajaron.

—Emmie, ¿recuerdas que pasó? —le preguntó Artemio, y la niña volvió a asentir—. Anda, dime qué te ocurrió.

—Me caí en el lago —habló con fluidez, sin dudar.

—¿Cómo saliste del agua, cariño?

—Mi hermano Sebastián me sacó.

Rafaela se llevó una mano a la boca y trastabilló hacia atrás. Melody ahogó un sollozo y sujetó el antebrazo de Roger. El rostro de Furia empalideció de manera súbita. Nadie había hablado con Emmie acerca de Sebastián, ella desconocía la existencia de su hermano mayor. Por otra parte, como el servicio doméstico no estaba al tanto de la historia del primogénito del conde, resultaba imposible que la niña lo hubiese sabido por medio de algún sirviente indiscreto.

—¿Sebastián te sacó? —La voz de Roger quebró el mutismo.

—Sí, me tomó de la mano y me dijo: "Por aquí, Emmie".

—¿Cómo sabes que era tu hermano Sebastián? —insistió Roger.

—Porque él me lo dijo. Se parece a papi. Mami, ¿por qué llora papi?

Furia barrió sus lágrimas con el dorso de la mano y sonrió a su hija.

—No lloro, cariño. Estoy bien.

—Antes de ayudarme a salir, Sebastián me dijo: "Dile a papá que lo quiero".

Furia dio media vuelta y abandonó la habitación. Emmie quedó a cargo de Roger y de Melody cuando Rafaela salió tras su esposo. Lo halló en el corredor, apoyado contra la pared, mordiéndose el puño lastimado para no romper en gritos amargos y asustar a la niña. Rafaela lo abrazó, y la contención no fue posible.

Furia aflojó el abrazo en torno a su hija y la observó dormir. No la habían perdido, y, aunque siempre quedaría el misterio sin resolver, a Artemio le gustaba pensar que un ángel llamado Sebastián la había salvado por el bien de la pequeña y, sobre todo, el de sus padres. También le gustaba pensar que Sebastián aún permanecía entre ellos.

Al otro día del accidente, se resolvió el misterio del hueco en el lago. Furia, Blackraven y Dugan comprobaron que había sido abierto por la mano del hombre.

—Buenos días, excelencia. —El viejo Dugan entró en el despacho aplastando la boina y sin levantar la vista—. ¿Cómo amaneció la niña Emerald?

—Muy bien, Dugan. ¿Qué has averiguado?

—Ayer, Eamonn y Gael vieron a Eoin, el nuevo caballerizo, asándose unas truchas en el bosque. Suponemos que fue él quien, durante la noche anterior, abrió el hueco en el hielo para pescarlas.

El lago de *Grossvenor Manor* adquirió fama en la región por las excelentes truchas que allí se criaban. Furia había introducido su cría tiempo atrás, con gran éxito, y penaba con severidad la pesca furtiva pues atentaba contra el ciclo de reproducción de los peces. A los arrendatarios de *Grossvenor Manor* se les entregaban varias truchas por familia al comienzo de la época de pesca.

—¿Dónde se encuentra el nuevo caballerizo?

—Está en su hora de descanso, excelencia. Duerme.

Furia abandonó su escritorio y caminó hacia un armario donde guardaba las armas. Tomó una escopeta de dos cañones.

—Llévame con el tal Eoin.

Eoin levantó los párpados y descubrió algo oscuro sobre el puente de su nariz. Intentó apartarlo, como si se tratara de una mosca, y la cosa se enterró hasta arrancarle lágrimas. En medio de la confusión, le pareció reconocer las facciones de Dugan y del conde de Grossvenor suspendidas sobre él.

—Mi hija casi muere ayer a causa del hueco que abriste en el lago. Quiero que recojas tus pertenencias y te largues de mi propiedad *ahora*. Agradece que esté viva, de lo contrario, ya nadie podría reconocerte. Vete lejos. Si vuelvo a verte cerca de alguna de mis propiedades, te volaré la cabeza. —Giró la cara para hablarle a Dugan—: Asegúrate de que salga de *Grossvenor Manor* en media hora.

Furia devolvió a Emmie a la cama y la besó en la frente antes de abandonar su dormitorio. Caminó con ansiedad devorando el largo del corredor; Rafaela lo esperaba para tomar un baño.

A diferencia de los anteriores condes de Grossvenor, los actuales no dormían en habitaciones separadas. La de la condesa, conectada a la de su esposo a través de un amplio vestidor, funcionaba como sala de baño y laboratorio para la fabricación de perfumes y cosméticos. Los aromas que emergían de allí inundaban el ala de los dormitorios.

Artemio encontró a Rafaela en bata, inclinada sobre la tina, vertiendo unas gotas de aceite en el agua.

—¿De qué es?

—De melisa, para apaciguarnos.

Cruzó la estancia y entró en el vestidor. Se desnudó y se cubrió con un salto de cama antes de regresar a la habitación contigua. Rafaela ya se hallaba dentro de la tina de cobre, forrada con lienzos de seda blanca. Sus brazos y su cabeza descansaban sobre el borde, en lánguido abandono. Furia se introdujo y permaneció de pie frente a ella. Sus párpados se elevaron con lentitud y una sonrisa tierna despuntó poco a poco en sus labios.

—Ven, esposo mío. Te he añorado el día entero. —Se incorporó para acariciarle el pene y los testículos—. ¿Me has echado de menos tú a mí?

—Hasta la pregunta ofende, señora Furia.

Se acomodaron como de costumbre, él apoyado en la pared de la tina, ella sobre el pecho de él. Hablaron en voz baja sobre las trivialidades de la jornada: las ocurrencias de Emerald, el resfrío de Mimita, los avances de Horatio, los problemas de los arrendatarios, las noticias de Buenos Aires —ese día habían recibido carta de Lupe Moreno—, la gota de Winthorp, hasta caer en un cómodo silencio. Amaban la noche porque los reencontraba. Volvían a ser uno.

Rafaela fijó la vista en el escudo de la casa de Lacy diseñado en escayola sobre el marco de la contraventana. El *moto* se distinguía claramente en la base y en el estandarte que portaba el dragón.

—*Quis tu ipse sis memento*. Recuerda quién eres —tradujo, sin necesidad—. Amor mío, ¿quién eres? ¿Artemio Furia o Sebastian de Lacy?

—Por nacimiento, soy Sebastian de Lacy, aunque en mi fuero íntimo me siento más Artemio Furia. De todos modos, si quieres acertar con mi identidad, piensa en mí como en el hombre de Rafaela de las flores. Ése soy yo, porque sin ti, Rafaela, no soy nada.

Fin

Agradecimientos:
A Analía Eder, por haberme sugerido emplear el nombre de su hermano en esta novela. Fue realmente inspirador.
A Lehita Marques, por haberme hecho conocer el poema que sirve de epígrafe a esta novela.
A Jimena Soria, por proveerme de un valioso material sobre la historia de la ganadería en la Argentina.
A Ana Isabel Camps de Malatesta, por hablarme de la doma del caballo a la usanza de los indios, mucho más "civilizados" que los huincas a la hora de tratar a este animal, noble y fiel compañero del hombre desde épocas inmemoriales.
A María Elena Amantegui y a Víctor Hugo Rojas Centurión. No dudo de que sabrán encontrar en este libro los guiños que escribí para ellos.
A Adriana de la Mota, por regalarme varios CD con la música de Boccherini, que sonaba con frecuencia en los salones del Buenos Aires antiguo.
Y finalmente, a mi queridísima amiga Angélica Caballero, Gelly para los amigos. Simplemente por eso, por tu amistad. Gellyta, sos brillante e incisiva como un estilete. Espero que sigas así por el bien de mis libros.

Índice